# BEAUREGARD

## DU MÊME AUTEUR

AUX ÉDITIONS DENOËL

*Les Trois-Chênes* (1985), roman. Quatrième tome de la série *Louisiane.*
*L'Adieu au Sud* (1987), roman. Cinquième tome de la série *Louisiane.*
*Les Années Louisiane* (1987), en collaboration avec Jacqueline Denuzière. Sixième tome de la série *Louisiane.*
*L'Amour flou* (1988), roman.
*Je te nomme Louisiane* (1990), récit historique.
*La Louisiane du coton au pétrole* (1990), album, en collaboration avec Jacqueline Denuzière.
*Helvétie*, roman (1992). Premier tome de la série *Helvétie.*
*Rive-Reine,* roman (1994). Deuxième tome de la série *Helvétie.*
*Lettres de l'étranger*, chroniques (1995).
*Romandie,* roman (1996). Troisième tome de la série *Helvétie.*

COLLECTION FOLIO

*Les Trois-Chênes* (1989).
*L'Adieu au Sud* (1989).
*Les Années Louisiane* (1989).
*L'Amour flou* (1991).

AUX ÉDITIONS JULLIARD

*Les Trois Dés* (1959), roman.
*Une tombe en Toscane* (1960), roman. Prix Claude-Farrère.
*L'Anglaise et le hibou* (1961), roman.

AUX ÉDITIONS FLEURUS

*Les Délices du port* (1963), essai.

AUX ÉDITIONS JEAN-CLAUDE LATTÈS

*Enquête sur la fraude fiscale* (1973).
*Lettres de l'étranger* (1973), chroniques. Préface de Jacques Fauvet.
*Comme un hibou au soleil* (1974), roman.
*Louisiane* (1977), roman. Prix Alexandre-Dumas ; prix des Maisons de la Presse. Premier tome de la série *Louisiane.*
*Fausse-Rivière* (1979), roman. Prix Bancarella (Italie). Deuxième tome de la série *Louisiane.*
*Un chien de saison* (1979), roman.
*Bagatelle* (1981), roman. Prix de la Paulée de Meursault. Troisième tome de la série *Louisiane.*
*Pour amuser les coccinelles* (1982), roman. Prix Rabelais.

AUX ÉDITIONS DE L'AMITIÉ

*Un chien de saison* (1981). Illustrations d'Alain Gauthier. Grand prix international du livre d'art de la foire de Leipzig 1982 (médaille de bronze).
*La Trahison des apparences* (1986), nouvelles. Illustrations d'Alain Gauthier.

AUX ÉDITIONS HACHETTE JEUNESSE

*Alerte en Stéphanie* (1982), conte. Illustrations de Mérel.

AU LIVRE DE POCHE

*Un chien de saison* (1982).
*Pour amuser les coccinelles* (1983).
*Comme un hibou au soleil* (1984).
*Louisiane* (1985).
*Fausse-Rivière* (1985).
*Bagatelle* (1985).

AUX ÉDITIONS J'AI LU

*Helvétie* (1993).
*La Trahison des apparences* (1994).
*Rive-Reine* (1995).
*Romandie* (à paraître).

INTRODUCTIONS ET PRÉFACES

*Boulevard des Italiens*, album hors commerce, photographies de John Craven (Draeger, 1975).
*Lettre de Vittel*, plaquette hors commerce (Société générale des eaux minérales de Vittel, 1979).
*Walter Uhl, le rêve capturé,* de Claude Richoz, album (Editions du Vieux-Chêne, Genève, 1985).
*A l'ombre de la Perdrix,* de Jean Andersson, écrits sur le Pilat, illustrations de Maurice Der Markarian (Créer, Nonette, 1986).
*La Guerre de cent ans des Français d'Amérique aux maritimes et en Louisiane, 1670-1769,* de Robert Sauvageau (Berger-Levrault, Paris, 1987).
*Voyages dans les Hébrides*, de Samuel Johnson et James Boswell, traduction de Marcel Le Pape (La Différence, Paris, 1991).
*Manufrance, les regards de la mémoire,* de François Bouchut, album (Editions de l'Epargne, 1992).
*Terrenoire, pays noir dans un écrin vert,* de Marcelle Beysson, récit historique illustré (Bibliothèque municipale de Terrenoire, Evasion culturelle terranéenne, 1992).
*La Suisse*, de Louis-Albert Zbinden, photographies d'Alfonso Mejía (Romain Pages, Sommières, 1993).

Toute ressemblance des personnages de fiction
avec des êtres vivant ou ayant vécu
ne pourrait être que fortuite.
Toute infidélité à l'histoire et à ses acteurs authentiques
ne pourrait être qu'involontaire.

MAURICE DENUZIÈRE



# BEAUREGARD

roman

L'ÉDITION ORIGINALE DE CET OUVRAGE A
ÉTÉ TIRÉE À 10 EXEMPLAIRES SUR
VÉLIN DE ARJOMARI-PRIOUX DONT
5 EXEMPLAIRES NUMÉROTÉS DE 1 À 5 ET
5 EXEMPLAIRES HORS COMMERCE
MARQUÉS H. C. A À E


9, rue du Cherche-Midi, 75006 Paris
ISBN : 2 207 24718-X
B : 24718-8

*Petite Suisse, demeure-nous grande par tes vertus*
*et par tes vices, qui sont ceux de l'avenir,*
*même si tu les crois les enfants du passé.*

Claude Roy (1915-1997),
*L'Illustration,*
1945.

*La mort dénouera les mains, et chacun s'en ira*
*dans la solitude de son néant.*

Thomas Mann (1875-1955),
lettre à Kuno Fiedler,
qui fut pasteur de Saint-Antönien, Grisons,
19 juillet 1953.

*J'aurai atteint le but que je me propose, si l'on sent d'un bout à l'autre de cet ouvrage une parfaite sincérité. Un voyageur est une espèce d'historien : son devoir est de raconter fidèlement ce qu'il a vu ou ce qu'il a entendu dire ; il ne doit rien inventer, mais aussi il ne doit rien omettre ; et, quelles que soient ses opinions particulières, elles ne doivent jamais l'aveugler au point de taire ou de dénaturer la vérité.*

François René de Chateaubriand (1768-1848),
*Itinéraire de Paris à Jérusalem,*
1811,
préface de la première édition.

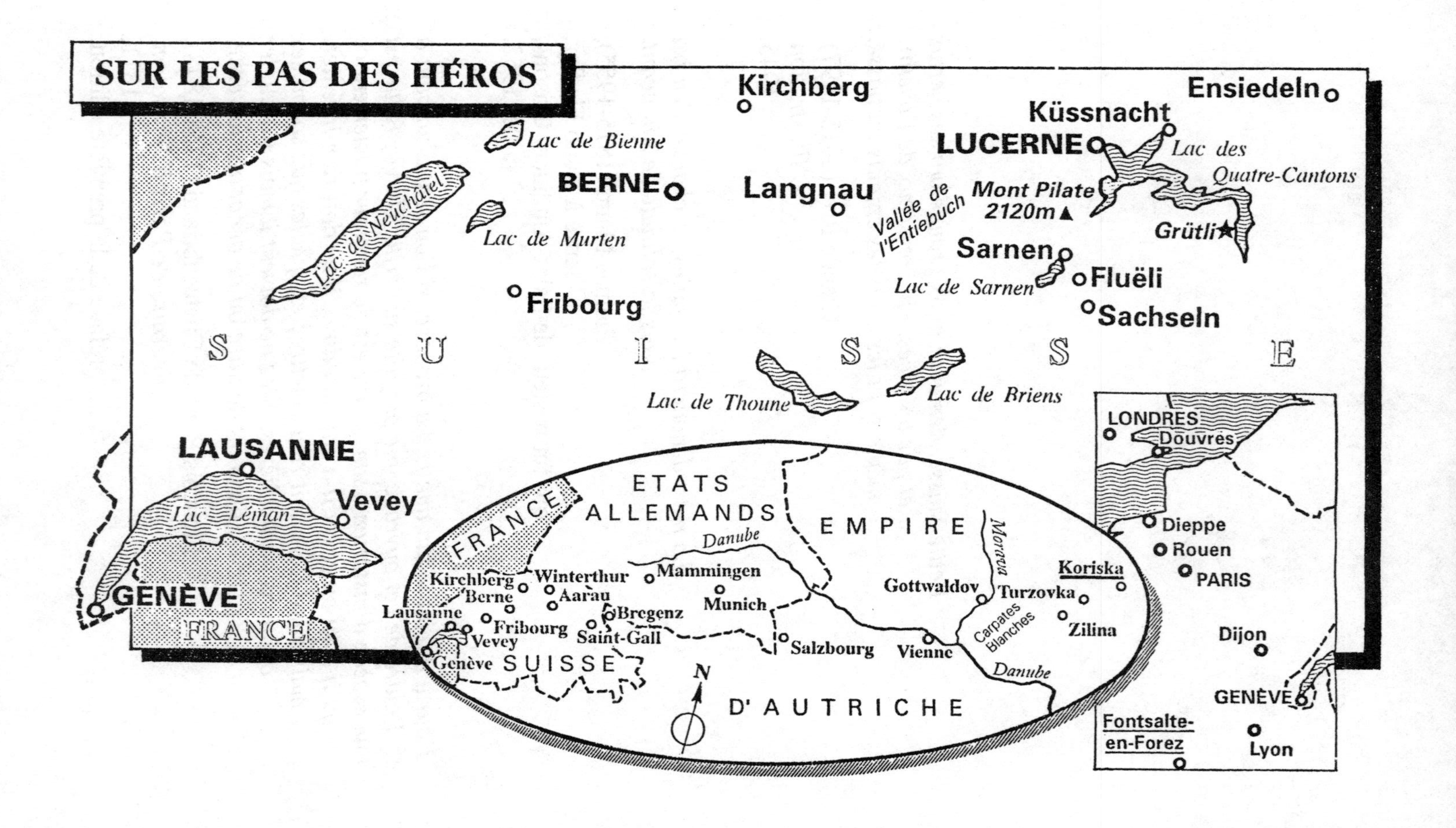
SUR LES PAS DES HÉROS
Kirchberg
Ensiedeln
Küssnacht
LUCERNE
Lac des
Quatre-Cantons
Lac de Bienne
BERNE
Langnau
Vallée de l'Entiebuch
Mont Pilate
2120m
Grütli
Lac de Neuchâtel
Lac de Murten
Sarnen
Lac de Sarnen
Fluëli
Sachseln
Fribourg
S U I S S E
Lac de Thoune
Lac de Briens
LAUSANNE
Lac Léman
Vevey
GENÈVE
FRANCE
ETATS ALLEMANDS
EMPIRE
D'AUTRICHE
Danube
Morava
Mammingen
Munich
Kirchberg
Winterthur
Berne
Aarau
Lausanne
Bregenz
Fribourg
Saint-Gall
Vevey
Genève
SUISSE
Salzbourg
Vienne
Gottwaldov
Turzovka
Koriska
Zilina
Carpates Blanches
N
LONDRES
Douvres
Dieppe
Rouen
PARIS
Dijon
GENÈVE
Fontsalte-en-Forez
Lyon

PREMIÈRE ÉPOQUE

# Le Temps des solitudes

## 1.

— Sortez le cercueil !

Les fossoyeurs du cimetière d'Yverdon, qui venaient d'ouvrir la tombe, marquèrent un temps d'hésitation.

— Sortez le cercueil ! répéta sèchement l'homme.

Le ton autoritaire convainquit les terrassiers d'obéir sans plus tergiverser.

L'un d'eux se laissa glisser dans la fosse, mit les cordes en place et rejoignit son camarade. Ils n'eurent pas à fournir un gros effort pour hisser une bière de bois brut, seule arche offerte par l'administration hospitalière aux morts que personne ne réclamait.

Le visiteur se pencha. D'un revers de main, il essuya la planche et lut, grossièrement tracé au pinceau :

Bovey Marthe
1812-1847

Axel Métaz avait tout d'abord voulu faire exhumer le corps, l'enrober d'un fin linceul avant de le placer dans un cercueil capitonné de satin. Mais, quand il s'était ouvert de ce projet à Louis Vuippens, son seul confident, le médecin l'avait mis en garde : « N'ouvre pas la caisse, je t'en conjure, Axel. La putréfaction a commencé son hideux travail. Voir le corps de cette femme, inhumée depuis plus d'un mois dans des conditions sans doute rudimentaires, puisque tu dis que personne ne s'est inquiété de sa sépulture, serait pour toi un spectacle insupportable. Il faut être préparé à de telles confrontations avec la mort. »

Redoutant la vision évoquée par le médecin, M. Métaz s'était résolu à faire simplement placer la bière rustique dans une autre, plus vaste et plus belle, fabriquée par le premier ébéniste d'Yverdon. Il conserverait ainsi l'image intacte des traits harmonieux, des lèvres rouges et charnues, de l'opulente chevelure rousse aux souples ondulations, du doux sourire mélancolique de celle qui l'avait aimé assez pour payer de sa vie la respectabilité de l'amant désinvolte et égoïste qu'il avait été.

Après un instant de recueillement, Axel demanda aux fossoyeurs d'approcher le lourd cercueil d'acajou à poignées de bronze, livré par l'artisan local.

Une fois la bière des indigents enfermée dans le plus somptueux écrin mortuaire dont un ébéniste yverdonnois eût jamais reçu commande, on se mit en marche vers un caveau de marbre gris, construit dans le quartier noble du cimetière à la demande du Veveysan.

— C'est pour une parente, décédée à l'hôpital pendant que j'étais à la guerre du Sonderbund, avait expliqué Axel, s'attribuant par pudeur une parenté factice avec Marthe Bovey.

Quand la dalle fut mise en place, il vérifia que le graveur avait respecté son exigence de voir le prénom de Marthe précéder son patronyme, au contraire de l'inélégante identification administrative. Puis il congédia les fossoyeurs, qui apprécièrent la générosité de cet étrange client. Seul, face à la sépulture qu'il eût voulue plus imposante encore, il admit avec humilité que la mort de Mme Bovey achevait une période de sa vie entachée de hontes et de deuils.

Le crépuscule d'hiver, le ciel bas, grisaillé de nuages sales, le rire sarcastique des mouettes du lac voisin, leur ronde indécente au-dessus des tombes, la pluie fine et glacée qui annonçait la neige, les allées boueuses et désertes, tout concourait, en cet après-midi de janvier 1848, à ranimer chez Axel Métaz les plus affligeants souvenirs. Il releva le col de son manteau, coiffa son feutre, domina un frisson et fit une nouvelle fois, à quarante-sept ans, le bilan de sa vie amoureuse.

Seule l'initiatrice de sa lointaine jeunesse, la chère Tignasse, aujourd'hui vieille femme de soixante-quatorze ans à la raison chancelante, échappait à la malédiction dévolue à toutes celles qu'il avait aimées. Elizabeth Moore, lady perverse, pendue pour le meurtre de son mari ; Juliane Laviron, emportée par le choléra ; sa demi-sœur, Adriana, se mourant de la syphilis au fond des Carpates ; Elise, son épouse, interdite de nouvelles maternités et du plaisir d'amour ; Marthe, enfin, succombant à une hémorragie consécutive à un avortement [1] ! Accablé par cet inventaire macabre, Axel Métaz murmura une vague oraison, quand lui revint en mémoire une épigramme funéraire de Théodoret de Cyr [2] : « Je fus esclave de corps et non point d'âme. » Il se promit de faire graver cette épitaphe sur la tombe de celle dont il avait méconnu la noblesse de cœur et d'esprit.

A pas lents, Axel quitta le champ funèbre, saluant au passage le nom d'Anna Pestalozzi, l'épouse d'Henri Pestalozzi, le plus célèbre pédagogue romand, auteur d'une méthode d'enseignement universellement appréciée. Anna reposait là depuis le 15 décembre 1815. Son célèbre époux lui avait survécu douze ans. Il était enterré à Brugg, loin de celle qui, en dépit de leurs fréquentes querelles, l'avait admirablement secondé. Sans s'attarder davantage dans la ville dont les eaux thermales faisaient aujourd'hui la réputation et la prospérité, Métaz retrouva son cabriolet à la porte du cimetière et regagna Vevey.

Chemin faisant, au trot allongé d'Icare, lui revint la tranquillité d'esprit de ceux qui, ayant accompli un devoir sacré, s'en retournent à leurs affaires avec la capacité restaurée d'assumer leurs remords. La perspective de retrouver bientôt, à Rive-Reine, Elise et ses fils lui rendait goût à la vie en lui rappelant ses responsabilités, non seulement à l'égard des siens mais aussi de ses entreprises, du vignoble ancestral et de ceux qu'il employait. M^me^ Métaz n'avait jamais fait allusion à la liaison de son mari, depuis le jour de fin novembre de l'année précédente où, à Fribourg, elle lui avait, elle-même, appris la fin tragique d'une maîtresse dont elle ignorait jusque-là l'existence. Parfaite épouse, mère tendre et attentive, consciente que l'abstinence conjugale indue imposée à son mari atténuait singulièrement la faute de celui-ci, elle avait invité Axel à regagner sa couche, prête désormais à courir le risque, qu'elle voulait croire réduit avec l'âge, d'une grossesse dangereuse. Il

1. Ces personnages et événements, ainsi que tous ceux — familiaux, politiques ou économiques — auxquels il sera fait référence ou allusion dans cet ouvrage, ont été évoqués dans *Helvétie*, *Rive-Reine* et *Romandie,* romans du même auteur, publiés par le même éditeur et qui racontent la période 1800-1847. Comme les trois autres, ce volume peut être lu séparément.

2. Théologien et écrivain syriaque (vers 393-458).

s'était dérobé, sachant par le docteur Vuippens combien, à trente-huit ans, Elise restait vulnérable et aussi parce qu'il n'éprouvait plus aucun désir pour sa femme, seulement une profonde et sincère tendresse fraternelle. Plus de trente ans auparavant, son défunt mentor Martin Chantenoz assurait, citant Diderot : « Les besoins produisent les organes », et ajoutait en riant : « Sans besoins à satisfaire les organes s'étiolent. Vient alors ce que les philosophes nomment le temps des grands apaisements. C'est pourquoi, dit-on, les vieux moines sont chastes tandis que les jeunes… hein ! » Axel estimait avoir atteint une rassurante atonie sexuelle.

La nuit étant venue, il dut allumer les lanternes de sa voiture et son cheval, qui détestait la pluie, ralentit spontanément le trot. Minuit sonnait à la tour Saint-Jean quand M. Métaz engagea son cabriolet rue du Sauveur, devenue rue du Lac par la volonté testamentaire du généreux M. Perdonnet. Icare, sentant l'écurie, accéléra pour franchir la grille de Rive-Reine. Des lumières brillaient encore.

— Mauvais temps, Monsieur. Pernette a ses rhumatismes. Preuve qu'il va neiger ! dit Lazlo, venu au-devant de son maître dès qu'il avait perçu le roulement de la voiture sur les pavés de la cour.

— Il fait cru[1], ce qui annonce aussi le gel. As-tu vidé la fontaine de Belle-Ombre ? Il fait plus froid là-haut qu'en ville, dit Axel.

— J'y suis allé ce matin, avec le bacouni. Tout est paré pour l'hiver, Monsieur, dit le Tsigane, factotum dévoué et consciencieux.

Elise attendait son mari au salon, en lisant près de la cheminée où crépitaient des bûches. Axel l'embrassa et, le dos au foyer, déclara qu'on était mieux à chotte[2] dans une petite maison que sur une grand-route.

— Je mangerais bien un morceau, dit-il à la vieille Pernette qui venait d'apparaître.

Première levée, dernière couchée, la servante se serait crue déshonorée si elle n'avait pas attendu le retour du maître qu'elle servait depuis vingt-huit ans.

— Une poche de bouillon, quelques tranches de boutefas[3], reste

1. Expression vaudoise qui évoque à la fois le froid et l'humidité.
2. A l'abri. S'achotter : se mettre à l'abri.
3. Gros saucisson.

aussi des cornettes[1] au fromage que j'ai faites pour les garçons. Oh ! et puis, j'ai des greubons[2] tout frais ! Ça joue, comme ça ? demanda la cuisinière.

— C'est trop, Pernette. Bouillon et boutefas suffisent, et une bouteille de saint-saphorin... tout de suite, car j'ai le gosier sec, conclut le vigneron.

— Par ce temps, la route d'Yverdon ne devait pas être agréable, observa Elise.

En disant route, bien sûr, elle pensait cimetière et aussi à la triste besogne que son mari — il ne lui avait pas caché le but de son voyage — avait dû accomplir seul.

— Rien d'agréable, en effet. J'ai fait pour le mieux ce qu'il fallait faire, répondit-il gravement, ayant compris l'allusion de sa femme.

Comme il passait devant elle pour se rendre à la salle à manger où son souper tardif devait être servi, Elise prit la main de son mari, chercha son regard qu'elle ne parvenait jamais à saisir pleinement, à cause de l'œil vairon des Fontsalte.

— Soyez maintenant en paix avec vous-même, Axel, comme je le suis avec vous, dit-elle doucement.

Il lui posa un baiser sur le front et, sans un mot, quitta le salon.

Dès le lendemain, la vie reprit son cours à Rive-Reine. C'était l'époque de l'année où, sur le chantier naval Rudmeyer et Métaz, on mettait tour à tour les grandes barques sur cales afin de vérifier les membrures, calfater les carènes, consolider les mâts et les antennes, ravauder les voiles, remplacer les cordages usés. M. Métaz commença la journée par une visite au chantier, qu'on avait déplacé, depuis l'année précédente, du bas de la place du Marché à l'entre deux villes, à l'embouchure de l'Ognonaz. Une rapide inspection de l'*Etoile-Filante*, mise au sec la veille, et le rapport du patron de la barque le convainquirent de la nécessité de changer la fixation du gouvernail. Il donna des ordres, puis regagna son bureau de Rive-Reine où l'attendait Régis Valeyres. Le petit-fils du vieux bacouni qui avait initié Axel à la navigation lacustre

1. Petits macaronis coudés.
2. Ou grabons. Sortes de rillons, résidus de porc, rissolés et confits dans la graisse.

approchait la trentaine et semblait aussi attaché au célibat qu'à ses fonctions d'intendant des entreprises Métaz. Le docteur Vuippens le traitait déjà de vieux garçon et le soupçonnait d'être l'amant d'une dame anglaise, établie à Montreux. « Vous êtes une mauvaise langue, mais il est vrai que Régis fait de surprenants progrès en anglais ! » disait M^me^ Métaz au médecin.

Ce matin-là, Régis présenta à M. Métaz les livres de bord des bateaux, les comptes des carrières de Meillerie et de Grandvaux, et déclara qu'il avait dû relancer le locataire de l'entrepôt aux fromages, toujours en retard d'un ou deux termes.

— Envoie son congé à ce mauvais payeur. L'épicier Nestlé, qui manque de place en Rouvenaz pour entreposer ses grains, ses eaux minérales et ses moutardes, cherche à louer un entrepôt. Ce sera certainement un meilleur locataire que notre grossiste de la Gruyère. C'est tout pour aujourd'hui, Régis ? interrogea M. Métaz.

— Non. Je dois vous dire aussi qu'une bonne moitié du vin encavé est déjà vendue et que l'Abbaye des Vignerons vient de réviser ses statuts. Elle se nommera désormais Louable Confrérie des Vignerons, dit l'intendant.

— Soit, dit Axel.

— Et puis, le conseil de l'Abbaye a fixé aux 7 et 8 août 1851 les dates de la prochaine fête des Vignerons, ajouta Valeyres, livrant la nouvelle qui intéressait le plus les Veveysans.

Cette manifestation, organisée quatre ou cinq fois par siècle depuis la bravade de 1673, attirait dans la ville quantité de confédérés d'autres cantons, des foules d'étrangers et de hautes personnalités européennes. C'était, pour Vevey, l'occasion de faire connaître, au-delà des frontières de Romandie, le charme inégalé de son décor lacustre, l'art de vivre, aimable et salubre, d'une petite cité commerçante de quatre mille habitants, animée, riante et coquette. Pour tous les Veveysans, hôteliers, négociants, cabaretiers, chocolatiers, horlogers, marchands de souvenirs, transporteurs, la fête des Vignerons était toujours une bonne affaire.

— On semble s'y prendre à l'avance. Trois années de préparation, diable ! François Dejoux, l'abbé-président, voit loin ! dit Axel.

— Il semble qu'on veuille que cette fête — il n'y en a pas eu depuis dix-huit ans — soit, avant tout, celle des vignerons. Il a même été dit à la réunion que les vignerons devaient « dominer la fête plus qu'ils ne l'ont fait en 1819 et 1833 », rapporta Régis.

— C'est là une heureuse perspective, se contenta de commenter Axel.

— On proposera certainement des rôles à Vincent et Bertrand. A dix-sept et quinze ans vos fils pourront faire, en 51, des Bacchus ou des silènes fort présentables, risqua Régis, souriant.

— Pourquoi pas des Apollon et des satyres ! répliqua M. Métaz.

— Le budget prévu serait de cinquante mille francs. On dit que, la Confrérie ayant prospéré, le comité effectuera désormais une distribution triennale de primes et de médailles « pour récompenser les vignerons qui auront obtenu les meilleures notes sur leur travail et sur l'introduction des plants nouveaux qu'on jugera avantageux pour notre vignoble », rapporta encore l'intendant.

— Ah ! les plants nouveaux ! hein, voilà le nec plus ultra pour ces messieurs de l'Abbaye. Faire plus de vins rouges, alors que nos blancs sont mieux venus et meilleurs ! Et quels nouveaux cépages ? Des bordelais, des bourguignons, des chiantis ? Ai-je attendu, avec mon bon parrain, Simon Blanchod, pour sélectionner nos fendants ? Qui n'a pas compris, depuis longtemps, qu'il faut seulement éliminer les chasselas foireux, les giclets, les rougeasses, les blanchettes, les mondeuses, les gouets et ne conserver que les fendants qui ont fait la réputation de nos vins de Lavaux. Laissons les gamays au Beaujolais et les pinots noirs à la Bourgogne. Nous ne ferons, sur nos marnes argileuses, jamais de rouges aussi fruités, aussi fins, aussi puissants. Ce qu'il faut parfaire, Régis, c'est la vinification. Nos vins sont de cuve, aux arômes de miel et de brûlon, souples et d'acidité modeste. Si nous voulons les mieux vendre hors du pays romand, c'est leur stabilité et leur conservation qu'il faut améliorer. Débourber nos moûts avant fermentation, monter aussi le degré d'alcool, peut-être en ajoutant du sucre et d'abord par une macération prolongée avec la grappe. Le comte Odart, dans son *Manuel du vigneron*, l'a écrit : « La présence des grappes est indispensable à la qualité la plus précieuse du vin, la franchise du goût. » Tout le reste est considérations d'ampélographe de salon ! dit M. Métaz, véhément et certain d'être dans le vrai.

— Vous pourriez peut-être demander à M. Trévotte de nous rapporter des plants de son pays de Meursault, c'est un diable de bon vin blanc, celui-là ! Qui ne tombe pas dans ses bottes, comme disent les Bourguignons ! risqua Valeyres.

Axel eut un geste rapide du bras, chassant l'idée comme une mouche. Il avait foi en sa vigne : échauffée, fécondée, cajolée par deux soleils — celui du ciel, qui luit pour tout le monde, et celui offert par le miroir du lac aux Vaudois —, elle ne l'avait jamais déçu. Soignée comme elle l'était de saison en saison, elle ne le décevrait pas, pour peu que Bacchus veuille bien lui épargner les gels tardifs, les trop fortes pluies de printemps, la grêle d'été, calamités devant lesquelles le vigneron restait impuissant.

Régis Valeyres approuva la profession de foi du vigneron et se retira, ses livres sous le bras.

Quelques jours après cette conversation, Axel Métaz, à qui l'exploitation des carrières familiales et son entreprise de transports lacustres donnaient, en cette période de réduction des échanges commerciaux et de raréfaction des chantiers de construction, plus de soucis que ses vignes, décida de se rendre à Genève. Il souhaitait obtenir une participation dans les grands travaux que le gouvernement de M. James Fazy se devait d'entreprendre pour tenter de pallier le marasme des affaires, suscité par l'arrivée au pouvoir des radicaux, situation aggravée par la crise économique qui sévissait à travers l'Europe. La Fabrique de Genève, malgré sa réputation internationale, souffrait du manque de commandes. Les ateliers d'horlogerie, les entreprises du bâtiment, les joailleries et bijouteries, le commerce, l'hôtellerie même connaissaient le chômage. Seuls les cabinotiers, capables de fabriquer à la pièce des montres exceptionnelles et coûteuses, semblaient subsister. Leur clientèle, surtout étrangère, appartenait à la catégorie de ceux qu'une grande fortune diffuse met à l'abri des fluctuations économiques, des conflits, des bouleversements politiques. Aussi, quand Alexandra, à qui l'on venait de donner la signature sociale de la banque Laviron Cottier Cornaz et Cie, après le décès d'Edmond Cottier, avertit son parrain que les adjudications pour grands travaux allaient être organisées, Axel décida de se mettre sur les rangs.

— Le projet d'une route cantonale, reliant le quartier des Eaux-Vives à Vésenaz, voie que prolongera, de Vésenaz à Hermance, une route communale, vient d'être adopté. Le département des Finances a débloqué soixante-cinq mille francs de crédits, dit Pierre-Antoine Laviron en accueillant Axel rue des Granges.

— Ce sera bien le diable si tes pierres de Meillerie ou tes calcaires et tufs d'Agiez ne trouvent pas là de gros débouchés. Je te dirai qui tu dois rencontrer au département intéressé pour faire admettre tes propositions. Et surtout, ne fais pas la fine bouche ! Ne te drape pas dans ta dignité Fontsalte si on te fait comprendre qu'une obole proportionnée peut faciliter le choix des fournisseurs ! dit la jeune banquière, péremptoire.

L'œil bleu d'Axel s'assombrit brusquement, signe de courroux. Il n'entrait pas dans ses habitudes commerciales de soudoyer un politicien ou un fonctionnaire.

— Tu n'y penses pas ! lança-t-il vivement.

Il espérait une réprobation semblable de Pierre-Antoine mais le banquier, absorbé par la contemplation du portrait de Mme Laviron récemment livré par Firmin Massot, peintre à la mode, sembla ne pas avoir entendu l'échange de propos entre sa fille adoptive et Axel Métaz.

Alexandra, négligeant la rebuffade de son parrain, reprit sans se démonter :

— On parle à nouveau de la destruction des fortifications et de leur remplacement par des promenades. Ainsi seront dégagés des terrains à bâtir, qu'il sera opportun d'acquérir, ce que nous ferons dès que possible. Genève, débarrassée de l'enceinte qui l'étouffe, pourra se développer, et de nouveaux quartiers seront construits. Les propriétaires fonciers feront alors de bonnes affaires. Et toi aussi, car on aura besoin de pierres taillées, de mollasse, de grès et de sable, conclut-elle avec assurance.

Cette fois, Pierre-Antoine Laviron avait suivi l'exposé de son associée. Vieux-Genevois, il s'opposait résolument, comme une partie de la population, à la destruction des remparts et bastions, au comblement des fossés qui, au cours des siècles, avaient protégé la cité de Calvin des envahisseurs. Les gens conscients des réalités de l'époque, les urbanistes sérieux, les militaires, comme Guillaume Henri Dufour, le général vainqueur du Sonderbund, tentaient bien de faire valoir que, du point de vue défensif, les fortifications genevoises étaient de peu de valeur, que leur entretien coûtait fort cher et qu'elles nuisaient à l'extension de la ville, Pierre-Antoine et les conservateurs campaient sur leurs positions. Ils en faisaient une question patriotique et répétaient qu'en décembre 1602, Genève, dépourvue de remparts, serait tombée aux mains du duc de Savoie, et qu'en 1743, les bastions genevois avaient découragé une armée espagnole chargée par la cour de Madrid de s'emparer de Genève pour le compte de l'infant, Philippe de Bourbon, promu duc de Savoie !

Ces références du temps des arbalètes faisaient sourire Axel et sa filleule qui, par respect du vieux banquier, se gardaient de contrer ses arguments.

— J'espère bien qu'il se trouvera assez de conseillers intelligents pour ne pas entériner la décision du gouvernement fazyste de détruire nos fortifications, dit avec humeur M^me^ Laviron, qui venait de rejoindre le groupe.

Au même moment, le vieux maître d'hôtel, solennel et enroué, annonçait :

— Madame est servie.

En prenant le bras d'Axel pour passer à la salle à manger, Alexandra glissa à l'oreille de son parrain, avec un mouvement de tête vers ses parents adoptifs :

— Ils ne savent pas encore, mais cet après-midi le Conseil d'Etat a mis au point le cahier des charges pour la construction des futurs quartiers prévus sur l'emplacement des fortifications. Le concours pour désigner les architectes sera bientôt lancé. Car, quoi qu'en disent Péa et Manaïs, la majorité du Grand Conseil est pour la démolition et celle-ci commencera avant l'été.

Après le dîner, quand les Laviron se furent retirés — à soixante-seize ans Pierre-Antoine se couchait tôt —, Alexandra, qui goûtait par-dessus tout les tête-à-tête avec son parrain, fit servir les liqueurs et congédia la servante. Ces instants d'intimité domestique avec l'homme qu'elle aimait, comme leurs sorties quand, en l'absence d'Elise, ils allaient visiter une exposition, entendre un concert ou dîner au restaurant, lui donnaient le sentiment de partager la vie d'Axel. Lui-même prenait plaisir à ces moments dérobés au train-train quotidien. Il appréciait la complicité d'esprit et la communauté de goûts qui le liaient depuis longtemps à sa filleule. Bien qu'il s'en défendît, il était aussi sensible aux tendres attentions, qu'il feignait de croire filiales et qu'il maintenait dans ce registre, de cette jeune femme de vingt-six ans, liane brune au regard vif, que l'on disait trop maigre et dépourvue d'attraits physiques, mais dont le charme et l'élégance séduisaient tous ceux qui l'approchaient.

Connaissant les habitudes de son parrain, Alexandra réchauffa dans ses mains jointes le verre de cognac qu'elle venait de servir avant de le lui tendre.

— Je te trouve las, sans entrain, soucieux, dit-elle d'un ton inquiet.

— Mes soucis, tu les connais. Mieux que personne tu sais combien les affaires sont difficiles en ce moment.

— Ça, c'est une chose, mais je te connais assez pour deviner que la médiocrité des affaires n'explique pas tout, insista-t-elle.

Comme Axel buvait une gorgée d'alcool avant d'allumer sa pipe en silence, elle se fit plus directe.

— D'ailleurs, je sais.

— Que sais-tu donc ?

— Tu es allé à Yverdon enterrer la belle rousse de Lausanne !

— Mais… comment sais-tu ? jeta Métaz, interloqué.

— La générale me l'a dit. Elle a même ajouté qu'Elise avait été parfaite dans cette affaire, étant donné les circonstances du décès de la personne.

— Elise a été parfaite, en effet, et ma mère a été fort indiscrète. Je te prie de changer de sujet, sinon je te quitte sur-le-champ. Ma vie privée ne te regarde pas. Tu es certainement plus à même d'apprécier les causes et effets des fluctuations des changes que de tels événements, dit-il sèchement.

Accoutumée aux variations de l'œil vairon de son parrain, indicateur spontané de son humeur, Alexandra quitta la bergère qu'elle occupait, traversa la pièce et, par la porte-fenêtre du balcon, laissa son regard errer sur la montée de la Treille, éclairée depuis peu par des réverbères à gaz.

— Si ta mère m'a fait confidence de ce drame, c'est parce qu'elle sait que, de toutes celles qui t'ont approché, qui t'approchent ou t'approcheront, c'est moi qui t'aime le mieux, murmura-t-elle, sans se retourner, mains au dos.

Le pesant silence du grand salon, troublé par le seul crépitement des bûches dans la cheminée, l'incita à poursuivre.

— J'espère, je souhaite, j'attends le jour où tu auras besoin de moi, non en tant que filleule ou amie, mais en tant que femme, tout simplement. Et je sais que ce jour viendra. Seule, la générale l'a deviné. Et je crois que cela la rassure, acheva-t-elle dans un souffle en se retournant.

Des larmes de colère lui jaillirent des yeux : Axel avait quitté le salon, sans un bruit. Ne restaient qu'un verre vide sur un guéridon et une odeur de tabac anglais.

## 2.

En cette matinée du lundi 31 janvier 1848, malgré le picotement glacé de la bise et le tourbillon aveuglant des flocons, les rues de Fribourg grouillaient de citoyens emmitouflés, verbeux et exaltés. Tous convergeaient, à pas rapides, vers la place Notre-Dame, cœur de la cité.

Le nouveau gouvernement radical, issu de la défaite du Sonderbund, offrait ce jour-là un spectacle hautement civique aux Fribourgeois : la destruction, par le feu, des instruments de torture tirés de la Mauvaise Tour, prison locale. Bon nombre de citoyens ignoraient jusque-là l'existence de ces cruels auxiliaires des juges, oubliés sous la poussière séculaire. En les livrant aux flammes purificatrices de la démocratie à la mode radicale, en même temps que des procédures judiciaires compromettantes, les membres du Grand Conseil entendaient démontrer qu'ils garantissaient désormais au peuple une justice respectueuse de la personne humaine.

Parmi ceux qui se hâtaient vers le lieu de cet autodafé édifiant, des Vaudois eussent reconnu Axel Métaz de Fontsalte, vigneron, entrepreneur et notable veveysan, accompagné de ses deux fils, Vincent et Bertrand.

Vincent, de belle taille, robuste, épaules et visage carrés, joues rougies autant par l'excitation du moment que par le froid, paraissait plus que ses quatorze ans et affichait une assurance fanfaronne. Sa grand-mère Charlotte, l'épouse du général Fontsalte, le traitait déjà en jeune homme, ce qui augmentait chez l'adolescent un sentiment de supériorité que sa mère tentait de refréner.

Bertrand, le cadet, visage doux, manières timides, silhouette longue et frêle, semblait plus fragile. A douze ans c'était encore un enfant, bien qu'il parût, lui aussi, trop grand pour son âge. Tous les Fontsalte avaient la jambe longue et fine, ce qui leur donnait, jusqu'à l'âge adulte, l'allure de poulains dégingandés. Sensible et pieux, Bertrand, au contraire de son frère, portait grande attention aux autres et participait à toutes les actions d'entraide organisées par le pasteur de Saint-Martin en faveur des malades et des miséreux de sa paroisse.

Tout en marchant vers la place Notre-Dame, l'aîné, qui tirait aussi quelque fierté du regard vairon hérité de son père et de son grand-père, cueillait la neige à pleines mains sur les soubassements des maisons, pour en faire des boules qu'il lançait à son frère.

Frileux, le bonnet de tricot bien enfoncé sur les oreilles, une écharpe lui couvrant la bouche — « l'air froid est mauvais pour les bronches », avait dit sa mère —, Bertrand tenait ses mains gantées au fond des poches de son manteau. L'œil clair de Vincent, que la moindre contrariété pouvait assombrir, pétillait chaque fois qu'une boule atteignait Bertrand, lequel acceptait avec un rire un peu forcé ce rôle de cible, dont il se fût bien passé, s'il n'avait craint d'être traité de poule mouillée.

— Voyons, Bertrand, défends-toi ! dit le père en tendant au garçon une poignée de neige, qu'il venait de serrer pour lui.

— Je vais mouiller mes gants et, après, j'aurai l'engelure, protesta l'enfant en se détournant pour éviter un nouveau projectile, adroitement expédié.

M. Métaz, craignant que le batailleur n'en vînt à meurtrir son jeune frère, mit fin au jeu.

Pour les fils Métaz, arrivés la veille à Fribourg après des heures de trajet dans la berline familiale, au long de routes parfois enneigées, l'expédition constituait une véritable fête. Pour la première fois de leur vie, ils voyageaient seuls avec leur père. Ils avaient pris leurs repas dans des auberges, dormi dans un hôtel, approché des gens qu'ils ne connaissaient pas, découvert, dans une ville pleine de soldats tapageurs, d'officiers arrogants et de civils renfrognés, un pont supporté par des câbles, au-dessus d'un ravin vertigineux, et un grand nombre d'églises, où n'entraient pas les protestants.

En attendant le déroulement de la cérémonie, Axel emmena ses enfants voir l'arbre de la liberté, dressé depuis peu au centre de la place, entre les deux bûchers, dont l'un supportait des dossiers empilés, l'autre les fameux instruments de torture. Les radicaux eussent facilement donné à croire que ces appareils avaient été utilisés, la veille encore [1], par des juges conservateurs et sanguinaires maintenant déchus !

— Pourquoi vous dites arbre de la liberté ? C'est un poteau avec des feuilles et une couronne, c'est pas un arbre vrai ! observa Bertrand, le nez en l'air.

— C'est comme au collège, pour le tir à l'arc, le mât du papegay. C'est un jeu, quoi ! Il manque le perroquet, c'est tout ! trancha Vincent.

— Ce n'est pas un jeu, c'est un symbole, mes enfants. Vous le savez, un arbre vit et grandit librement. Eh bien, les hommes, tous les hommes, doivent aussi avoir la possibilité de vivre et grandir librement. Il faut entendre grandir au sens de développer leurs facultés, leurs talents, leur bonheur, sans entraves injustes. Cette liberté, seule la démocratie peut l'assurer à tous les citoyens. Vous comprenez ? demanda M. Métaz.

— Oui, mais les arbres on les abat ! dit Bertrand.

— Les hommes aussi, quelquefois, fit une voix ironique et familière, dans le dos des Métaz.

Tous trois se retournèrent et firent face au docteur Louis Vuippens, avec qui Axel avait rendez-vous. Enveloppé dans une houppelande de berger, qu'il tenait de son grand-père, coiffé d'un chapeau cabossé dont le bord retenait un cordon de neige, le médecin fut salué, avec force démonstrations chaleureuses, par les enfants, plus encore par Bertrand, son filleul.

Après la reddition de Fribourg, le 14 novembre 1847, le médecin avait pris la direction d'une annexe de l'hôpital cantonal, pour soigner blessés et malades des deux camps. Il s'était promis de ne quitter la ville qu'après que le dernier de ses patients, qu'il appartînt à l'armée fédérale, victorieuse, ou à celle du Sonderbund, vaincue, aurait regagné son foyer. C'était chose faite depuis deux jours et Louis Vuippens rentrerait à Vevey avec son ami Axel, après la manifestation civique qu'il ne voulait pas manquer.

Une détonation sèche, suivie de deux autres, fit s'exclamer les femmes, sursauter les enfants et s'envoler les pigeons, réfugiés sur

1. M. Hubert Forster, archiviste cantonal adjoint, à Fribourg, a confirmé à l'auteur que ces instruments de torture, brûlés le 31 janvier 1848, la roue notamment, avaient été employés pour la dernière fois en 1764.

les toits alentour depuis que la place Notre-Dame avait été transformée en champ de Mars.

— Le canon, dit Axel. C'est le signal du départ des cortèges déjà formés sur les différentes places de la ville. Ils ne vont plus tarder à arriver.

— Tu n'as pas vu ce qui va brûler tout à l'heure ? Viens voir, avant qu'on mette le feu, dit Bertrand, prenant la main de son parrain.

— Faut voir en effet, ce qu'on ne verra plus, dit Louis, fendant la foule pour approcher des bûchers.

Des miliciens du bataillon vaudois qui occupait la ville tenaient les gens à distance. Parmi eux, Axel identifia aussitôt le caporal Samuel Fornaz, son ancien contremaître des vignes. L'homme avait déjà, malgré l'heure matinale, l'œil humide et le regard flou de ceux qui ont bu. Samuel, reconnaissant sous la redingote civile la prestance du capitaine Métaz et repérant le docteur Vuippens, qui avait soigné certains de ses camarades blessés dans l'affaire du fort Saint-Jacques, livra passage au groupe.

— Tout ce que tu vois sur ce bûcher, ce sont des instruments de supplice du Moyen Age, dit Vuippens à Vincent.

— Supplice. Comme pour Jésus-Christ, des croix en bois, observa timidement Bertrand.

— Tu peux dire, Louis, instruments de torture. Je leur ai expliqué en chemin ce qu'était la torture, précisa Axel.

— Oui, intervint Bertrand, que les révélations de son père avaient impressionné. La torture, c'est quand on fait du mal aux gens pour leur faire dire les vilaines choses qu'ils ont faites.

— Ou pas faites ! Car la souffrance oblige parfois des innocents à se déclarer coupables, rectifia Vuippens.

— Alors, c'est quoi tout ça ? demanda Vincent, impatient, en désignant les engins promis aux flammes.

Vuippens énuméra les pièces du sinistre attirail.

— Tu vois, là, le tonneau dans lequel on enfermait le supplicié avant de remonter le fond au moyen de quatre cordes, ce qui pressait l'homme jusqu'à écrasement des os. Là, le cône renversé, attaché par la pointe au plancher, ce qui permettait, avec une poulie et une corde, d'étirer le malheureux placé à l'intérieur…

— Mais c'est trop méchant, ça ! interrompit Bertrand, tremblant d'émotion.

— Et cette grande roue de char, à quoi qu'elle servait ? insista Vincent.

— Eh bien, on la posait à plat sur une estrade, on attachait dessus le condamné, jambes écartées, bras en croix, et le bourreau lui brisait les membres avec une barre de fer, expliqua doctement Vuippens.

— Mais ça pouvait le tuer ! cria Bertrand.

— Souvent, mais pas toujours. Certains survivaient, éclopés pour le reste de leur triste vie, commenta le médecin.

Sur le bûcher figuraient également la planche à étrangler, avec sa manivelle, la banquette à question, avec son treuil et ses poids, la menotte aux dents acérées, la bûche triangulaire, sur laquelle les prévenus devaient s'agenouiller.

La musique des carabiniers annonçant l'arrivée du cortège, Axel Métaz invita tout le monde à regagner l'enceinte réservée aux invités. Les vivats et les applaudissements de la foule, tout entière tournée vers l'entrée de la place, interrompirent les conversations. Les frères Métaz se faufilèrent jusqu'au premier rang.

— Il semble que, cette fois, Dieu soit avec les radicaux ! Le ciel retient la neige, calme la bise et, même, promet un peu de soleil, ironisa le médecin, constatant, comme tout le monde, une subite amélioration du temps.

Déjà, le cortège officiel, composé de groupes débouchant des rues de Lausanne et du Pont-Suspendu, apparaissait dans la perspective de la Grand'Rue. Derrière leur bannière à l'effigie du hibou, symbole de la vigilance républicaine qu'ils avaient faite leur, douze carabiniers de Langendorf précédaient la musique militaire. Puis venait, brandi par M. Weitzel, vice-président de la Société patriotique, le drapeau fédéral, croix blanche sur fond rouge, paré d'une couronne de lauriers. Deux drapeaux cantonaux, portés par MM. Fasnacht, de Morat, et Stern, de Montagny, des chefs de la rébellion avortée de 1847, escortaient l'emblème d'une Confédération dont le général Dufour, authentique patriote, avait su maintenir l'unité à moindre sang.

Venaient ensuite les sept membres du gouvernement provisoire, quelques-uns bombant le torse, imbus de l'importance de leurs fonctions, d'autres gauches et comme conscients que les bravos à eux destinés n'émanaient que d'une minorité de citoyens. Suivaient les magistrats du tribunal d'appel, le préfet du district, les membres du Conseil communal et, derrière les dix-huit drapeaux des sections de l'Association patriotique cantonale, la musique de Morat ouvrait la marche aux condamnés de janvier 1847, récemment libérés.

Par rangs de quatre, arborant un ruban noir et blanc aux couleurs du canton, ces derniers apparurent comme les héros du jour. Acclamés, ovationnés, applaudis, interpellés par leurs amis, ils n'oublieraient sans doute jamais ce triomphe à la romaine. Heureux et émus, comme tous les prisonniers rendus à la liberté, sourire aux lèvres et larmes aux yeux, ils saluaient cette foule de braves gens, réunis en leur honneur, qui croyaient leur devoir, plus qu'à l'armée fédérale, le futur bien-être promis par les instances radicales.

Quand les militaires eurent délimité un périmètre autour des bûchers et que porte-drapeaux et personnalités eurent gagné leur place, le brouhaha des conversations cessa et M. Weitzel gravit l'escalier de la tribune, décorée aux couleurs des cantons, pour prononcer le discours de circonstance.

L'orateur radical définit d'abord le contraste qu'il voyait entre la cérémonie du jour et celle qui s'était déroulée, sur la même place, un an auparavant, le 17 janvier 1847. Ce jour-là, les Fribourgeois, en plus grand nombre, avaient assisté à une messe d'action de grâces, célébrée par Mgr Etienne Marilley, évêque de Fribourg, Lausanne et Genève. Avec ferveur et avec toute la pompe catholique et épiscopale, ils avaient remercié Dieu d'avoir protégé leur cité des révolutionnaires venus de Morat, de Bulle, d'Estavayer.

— Les aristocrates, les bourgeois et les conservateurs, alors rassurés, aujourd'hui absents, doivent se dire que le Tout-Puissant n'a pas de suite dans les idées ! Il n'a retardé que d'une année la victoire de ce qu'ils nomment l'hydre radicale, souffla, en riant, Vuippens à Axel.

Après avoir affirmé avec conviction que « la torture morale exercée sur les rebelles de janvier 47 par le gouvernement déchu, au milieu du XIXe siècle, surpassait en barbarie la torture morale du XVIe siècle, abolie par la Constitution de 1831 », le tribun se fit plus conciliant : « Pourquoi détruire aujourd'hui la preuve de la cruauté de nos adversaires, pourquoi enlever à l'histoire de précieux documents ? C'est précisément parce que nos devanciers ont été cruels que je veux me montrer généreux. Ils nous ont torturés au nom de la religion ; apprenons-leur que l'Evangile, qu'ils ont méconnu, commande la charité ! Ne craignez pas de vous en repentir. Le ciel, témoin de ce bienfait, répandra sur nous ses plus précieuses bénédictions. L'histoire gravera en termes ineffaçables sur sa plus belle page, ces mots : "Le 31 janvier 1848, le peuple fribourgeois a pardonné à ses bourreaux !"[1] »

Très applaudi par la foule, l'orateur céda la tribune au représentant de la ville de Morat, qui tint, en allemand, des propos du même style, puis on attendit, en silence, l'instant de la mise à feu des bûchers. Solennellement pourvus de flambeaux, l'architecte Weibel et son assistant, Frolicher fils, enflammèrent, l'un, les vieux instruments de torture, l'autre, les fagots sur lesquels étaient empilées les procédures que les radicaux souhaitaient tant voir disparaître.

Tandis que s'élevaient les flammes dans le crépitement et les jets d'étincelles des bois secs, les badauds clamèrent si fort leur contentement qu'ils couvrirent de leurs ovations les hymnes patriotiques interprétés par le chœur de la Société de chant. Vincent Métaz, excité par le spectacle, ne put se retenir de mêler ses applaudissements innocents à ceux des naïfs citoyens. Bertrand, muet, le regard fixé sur les bûchers, se serrait contre son parrain. Son extrême sensibilité le conduisait à penser que ces flammes dévorantes étaient vengeance, non pardon.

— C'est beau, non ? C'est comme un feu d'artifice ! cria Vincent à son cadet, qui manquait souvent d'enthousiasme.

— Artifice est bien le mot qui convient à cette pantomime ! dit Axel, amer, à l'intention de Vuippens, qui partageait ses sentiments.

Depuis la fin de la guerre du Sonderbund, M. Métaz, capitaine de la milice démobilisé, se tenait à distance des révolutionnaires de pacotille et des opportunistes, ralliés au nouveau régime radical en espérant les prébendes que les conservateurs leur avaient longtemps refusées. L'exultation vulgaire de ceux qui se bousculaient autour des bûchers, comme si les vieux instruments de torture dévorés par les flammes eussent été utilisés, la veille, contre d'innocents patriotes, l'écœurait.

— On eût mieux fait de conserver ces engins pour les mettre dans un musée ! Ils auraient servi à l'édification des générations futures, dit Vuippens.

A voir et entendre les hommes et les femmes, réunis, les pieds dans la neige, devant l'église Notre-Dame, on devinait aisément

1. Compte rendu publié par le journal fribourgeois *le Confédéré,* le 3 février 1848.

que la plupart d'entre eux appartenaient aux classes modestes de la population. Des paysans — courte veste à basque, chapeau noir à larges ailes, mollets pris dans des jambières de feutre ou de laine — s'appuyaient sur leur bâton ferré. Les femmes, petit fichu blanc des dimanches aux épaules, portant coiffe molle de soie noire aux ailes tuyautées, longue jupe de drap sombre et tablier brodé, se frottaient peu aux citadines. On reconnaissait les servantes et les lingères à leur bonnet blanc et au châle qu'elles tenaient croisé sur la poitrine. Les épouses d'artisans, d'ouvriers, de petits fonctionnaires fraîchement nommés et des militants radicaux qui venaient de défiler, voulaient déjà passer pour dames d'une nouvelle société. Elles se tenaient un peu à l'écart, frileusement encapuchonnées et vêtues de paletots épais sur des robes amples et colorées. Chez les hommes, le haut-de-forme et le castor étaient rares et l'on comptait plus de blouses que de redingotes.

En attendant de se rendre à la Grenette voisine, où un banquet patriotique de quatre cents couverts allait être servi, tous ces gens riaient et plaisantaient, se congratulaient. Certains, le verbe haut et déjà éméchés, lançaient des quolibets aux quelques bourgeois compassés qui, devant l'auberge de la Rose, suivaient à distance le déroulement de l'autodafé.

Vuippens fit remarquer à Axel la présence d'une forte proportion d'étrangers à la capitale.

— Ils ont été racolés à travers tout le canton par la nouvelle Association patriotique, expliqua le médecin en désignant à Axel plusieurs meneurs de l'insurrection ratée de janvier 47.

Arrêtés, déférés en justice, condamnés et emprisonnés, ces hommes avaient été libérés par l'armée fédérale. Qualifiés par la presse radicale de détenus politiques, ils paradaient maintenant, d'un groupe à l'autre, avec plus de soulagement que d'assurance. Les dénonciations, dont ils ne s'étaient pas privés, inscrites dans les procès-verbaux, preuves de trahisons que leurs compagnons de révolte ne leur eussent peut-être pas pardonnées, venaient heureusement de partir en fumée avec les outils archaïques des tortionnaires ! Entourés de leurs partisans, les condamnés de 47 se délectaient d'une revanche dont ils comptaient tirer profit.

— Cet autodafé est, au demeurant, une excellente opération politique pour les radicaux, puisque le bon peuple n'en finit pas de crier sa satisfaction, observa M. Métaz.

— Le peuple ! le peuple ! Les radicaux, souvent avides de pouvoir personnel, n'ont que ce mot à la bouche. Jamais le peuple, en tant qu'entité floue, n'a joui d'autant de considération verbale. Masse molle et donc malléable, communauté composite, versatile, innombrable, le peuple n'a « de poli que la surface », comme dit Rivarol ! Tu sais bien que le peuple anonyme a toujours servi de référence civique aux futurs dictateurs. Le peuple de Fribourg — dont on se garde bien de solliciter l'avis par votation — est invoqué dans tous les discours, célébré au cours des beuveries jacobines, félicité pour la clairvoyance qu'on lui suppose, depuis que les tenants du nouveau pouvoir ont décrété que la population fribourgeoise est acquise, sans restriction, aux idées qu'elle combattait, il n'y a pas deux mois, les armes à la main ! jeta, avec hargne, le médecin.

Détournant son regard des bûchers, d'où montait maintenant une âcre fumée, Bertrand désigna soudain un antique ornement de la place Notre-Dame : la fontaine à bassin octogonal, dominée par une colonne au fût cannelé, coiffée d'un chapiteau à feuilles d'acanthes, supportant une statue.

— Et cet homme, avec ce chien, sur cette colonne de pierre, qui est-ce ? demanda l'enfant à son père.

— Cet homme, c'est Samson, et ce chien est un lion, mon garçon.

— Qui c'était, Samson ? demanda l'enfant, toujours curieux.

— Samson vivait, dit-on, douze siècles avant la naissance du Christ. C'était un juge d'Israël, sage et écouté, car il avait reçu de Dieu une force prodigieuse, qu'il conserverait tant qu'il ne couperait pas ses cheveux, très longs comme tu vois, et qu'il ne boirait que de l'eau. On raconte qu'il captura trois cents renards, leur attacha des torches à la queue et les lâcha dans les champs de blé des Philistins, ennemis d'Israël, pour incendier leur récolte. On dit aussi qu'ayant rencontré un lion en colère, il lui écarta les mâchoires de ses mains et le déchira en morceaux, comme s'il se fût agi d'une pièce d'étoffe. C'est cet exploit que le sculpteur a représenté. Et les Fribourgeois ont placé là cette très ancienne statue pour rappeler que force et courage sont des vertus patriotiques [1], expliqua Axel.

1. Cette statue, sculptée par Hans Gieng en 1547, d'après la fameuse gravure d'Albert Dürer, se dressait, jusqu'en 1958, au sud-est de la place Notre-Dame. Après réfection du bassin octogonal de la fontaine en pierre de Soleure, elle a été déplacée et se trouve aujourd'hui à l'angle nord-ouest de ladite place, devant la basilique Notre-Dame.

— Tu pourrais aussi raconter à tes fils comment a fini cet hercule de foire ! intervint, ironique et gouailleur, Louis Vuippens.

Comme Axel marquait un temps d'hésitation, Vincent se tourna vers le médecin.

— Dis-le, toi ! Qu'est-ce qui est arrivé ?

— Eh bien, ce brave Samson devint un jour amoureux d'une belle femme, nommée Dalila, et accepta de satisfaire sa curiosité en lui révélant que sa force étonnante résidait dans sa longue chevelure. Mme Dalila, qui avait pactisé avec ses ennemis, lui coupa les cheveux pendant qu'il dormait et, devenu faible comme un homme ordinaire, Samson tomba aux mains des Philistins, qui lui crevèrent les yeux et le mirent en prison. Tous cela pour vous dire, mes petits, qu'il faut se méfier des demoiselles trop curieuses et, surtout, ne pas se laisser couper les cheveux par n'importe qui ! conclut le médecin, avec un clin d'œil à son ami Métaz.

— Mais les cheveux, ça repousse, observa judicieusement Bertrand.

Axel, qui tirait de tout récit une morale, crut bon de compléter la légende.

— Les cheveux de Samson repoussèrent, en effet, et un jour où les rois ennemis se tenaient rassemblés dans leur temple pour adorer des idoles, il écarta les colonnes qui soutenaient le toit et tous furent écrasés avec lui.

— Et cette dame Dalila aussi ? s'inquiéta Bertrand.

— L'Ancien Testament ne dit pas ce qu'elle devint.

— On dit qu'elle se fit coiffeuse ! ironisa Vuippens.

Axel proposa de laisser les Fribourgeois à leurs amusements et de boire le coup de l'étrier.

Les deux amis allèrent s'attabler à l'auberge de la Rose, tandis que les garçons couraient acheter des beignets, qu'un pâtissier avisé proposait sur un éventaire.

Aussitôt débarrassé de sa houppelande et assis près de la cheminée, Louis Vuippens mit Axel au courant de la situation fribourgeoise.

— Une des premières décisions du nouveau Grand Conseil, arbitrairement installé au lendemain de la défaite du Sonderbund, a été de prononcer, avec la déchéance de toutes les autorités légales, la dissolution de l'Association catholique, dont les radicaux redoutent l'activité et le prosélytisme, dit le médecin.

— Cette méfiance peut paraître justifiée, aux yeux des ultras, par le fait que le clergé fribourgeois a ouvertement soutenu le Sonderbund. Dès l'ouverture des hostilités avec l'armée fédérale, on a vu des prêtres accompagner, comme aumôniers, les bataillons sécessionnistes. Certains miliciens de chez nous m'ont même assuré, sans en apporter la preuve il est vrai, que des ecclésiastiques s'étaient mis à la tête des troupes de la ligue, dit Axel, qui avait participé à la prise de Fribourg.

— Tu dois savoir qu'après l'assassinat par la soldatesque de l'abbé Duc, chapelain de Villars-les-Joncs — crime dont le pape Pie IX a voulu connaître les circonstances pour le condamner avec la dernière énergie —, des curés, redoutant la terreur anticléricale qui menace, ont abandonné leur cure. Les plus nombreux sont cependant restés à leur poste et s'emploient, comme leur évêque, Mgr Marilley, à calmer la population, frustrée d'une vraie résistance aux fédéraux par la reddition prématurée de chefs pusillanimes, dit encore Vuippens.

— La reddition, que certains jugent maintenant prématurée, a permis d'épargner bon nombre de vies humaines des deux côtés, Louis. Les Fribourgeois n'auraient pu contenir nos forces sans renforts. Or, les renforts ne pouvaient leur parvenir. Toi, tu sais cela aussi bien que moi, répliqua Axel.

— N'empêche que le nouveau gouvernement, déjà impopulaire, a besoin de se donner une légitimité démocratique. C'est pourquoi quelques zélateurs viennent de fonder cette Association patriotique, censée faire oublier l'Association catholique dissoute. Les catéchumènes du radicalisme se montrent d'autant plus hargneux que leur conversion au régime est plus récente, ricana le médecin.

Axel savait qu'encouragés par les politiciens vaudois et la protection d'une armée d'occupation bravache les partisans du nouveau gouvernement se promettaient, le cas échéant, de dicter à ceux des leurs qui s'étaient hâtivement emparés des places, les mesures susceptibles de répondre le mieux à ce qu'ils nommaient avec emphase les aspirations du peuple.

— Ce qui vient de se passer sous nos yeux légalise la rébellion avortée de l'année dernière, amorce de guerre civile, lancée par une poignée de plébéiens violents, que les gouvernements radicaux de Berne et de Vaud eussent soutenus si l'affaire avait eu, à l'époque, un commencement de réussite, assura Louis.

Tout le monde savait, à Fribourg, que les seuls faits d'armes des rebelles d'hier, aujourd'hui libérés et triomphants, étaient d'avoir

« massacré, avec des raffinements de cruauté, un homme du *Landsturm* fribourgeois, tombé en leur pouvoir, et blessé un courrier du gouvernement, envoyé dans le Valais [1] ». Le docteur Vuippens, qui avait eu à soigner, depuis la fin de la guerre, les victimes des exactions commises par les hommes de main du nouveau régime, montrait moins d'indulgence que son ami pour le pouvoir radical.

— Quand le général Dufour, fidèle à la franchise et à la loyauté qui le caractérisent, a dit, en découvrant avec stupeur la conduite des Bernois et des Vaudois lors de l'affaire de Fribourg : « Je ne crois pas qu'une bataille perdue nous eût fait plus de tort », combien il voyait juste ! observa le médecin.

— Je sais tout cela, mais beaucoup de confédérés n'ont pas compris que ce conflit fratricide n'était pas qu'une lutte entre protestants et catholiques suisses. C'était, comme l'a dit aussi Dufour, « une guerre entre les principes qui, depuis longtemps, divisent l'Europe ». Et cela ne fait que commencer, Louis.

Quand Vincent et Bertrand rejoignirent leur père et Vuippens, tous prirent une collation de saucisses et de fromages, puis Axel envoya Vincent dire à Lazlo, qui gardait la berline, abritée dans une remise à quelque distance de la place Notre-Dame, de conduire son attelage au-delà de la porte de Morat, où les voyageurs le rejoindraient à pied. Etant donné le climat de suspicion qui régnait à Fribourg à l'encontre de tout ce qui pouvait passer pour aristocratique, mieux valait ne pas exposer une luxueuse voiture à l'insolence des radicaux, occupés à célébrer leur victoire. Exhortés par les discours patriotiques et, à cette heure-là, échauffés par les libations, certains n'eussent pas manqué de s'en prendre à un tel signe extérieur de fortune.

Un quart d'heure plus tard, tandis que les invités du banquet radical échangeaient, sous la Grenette, des toasts enthousiastes, l'équipage des Métaz s'engagea sur la route qui, par Bulle et Châtel-Saint-Denis, les conduirait à Vevey.

La berline n'avait pas parcouru une lieue que Vincent et Bertrand, exténués par une journée fertile en émotions, s'étaient endormis, épaule contre épaule. Axel, certain de ne pas être entendu de ses fils, se pencha vers Louis.

— J'ai découvert, lors de mon dernier séjour à Genève,

1. *Fribourg, la Suisse et le Sonderbund*, Pierre Esseiva, Imprimerie catholique suisse, Fribourg, 1882.

qu'Alexandra avait été informée par ma mère de la fin tragique de Marthe. Ne peut-on mettre cette indiscrétion, heureusement sans conséquence étant donné mes rapports avec Elise, sur le compte de la sénilité ? Ma mère va sur ses soixante-sept ans et me paraît souvent bizarre, demanda Axel à Louis.

— Rassure-toi, ta mère, à part ces syncopes qu'elle nous fait de temps en temps, supporte vaillamment la vieillesse. Elle est parfaitement saine d'esprit. Seulement, je la crois un peu ficelle... pour ne pas dire un peu rossarde. Elle n'a jamais eu grande et sincère affection pour Elise, tu le sais. La générale, catholique militante, divorcée remariée, et ta femme, protestante, fille de pasteur, antipapiste convaincue, ne peuvent se comprendre, même si, réciproquement, elles s'estiment. La générale reproche surtout à sa bru de n'avoir pas su te rendre heureux et, plus encore, d'avoir cessé d'être, depuis la naissance de Bertrand, une épouse à part entière. Elle me l'a dit un jour, à sa façon. « Une femme vraiment amoureuse ne voit pas plus loin que son amour. Elle n'interdit pas son lit à son mari sous prétexte qu'une grossesse pourrait mettre sa vie en danger. On prend des précautions, mais on ne se refuse pas quand on aime. » Et elle a ajouté, avec cet air extatique que nous lui connaissons quand elle devient sentimentale : « L'amour, mon petit Louis, sauf pour des olibrius de votre genre, c'est la grande affaire de la vie. Mon garçon a fait porter du bois à Elise. Elle l'a bien cherché. » Voilà, à peu près ce qu'elle m'a dit. Alors, de là à faire comprendre à ta banquière, dont elle n'ignore rien des sentiments qu'elle te porte, que la voie est libre, il n'y a qu'une confidence adroitement glissée.

— Je n'admets pas que ma mère puisse parler de ces choses avec Alexandra ! dit Axel, courroucé.

— Mon vieux, tu sembles ignorer que les femmes n'ont pas, entre elles, plus de pudeur que les hommes, peut-être moins. Elles se racontent toutes leurs histoires de cœur, et même d'alcôve, avec force détails, conclut le médecin en donnant une tape fraternelle sur le genou d'Axel.

— Encore une fois, je ne comprends pas que l'on puisse agir ainsi ! répéta Axel. C'est rendre ma pauvre Alexandra malheureuse, l'inciter à se conduire comme une gourgandine avec moi, alors qu'elle sait fort bien qu'elle n'a rien à espérer. J'ai presque le double de son âge et je l'ai bercée quand elle était petite...

— ... elle attend que tu recommences, pardi ! Et l'âge ne fait rien à l'affaire. D'ailleurs, avec ta toison poivre et sel, ton regarc bicolore et ton allure de mâle désabusé, tu es des plus séduisants, pour les jeunes femmes, mon cher. Et l'orpheline est devenue une femme, osseuse mais ardente. D'ailleurs, moins osseuse qu'elle ne paraît. Je l'ai examinée l'été dernier, quand les Laviron craignaient qu'elle n'ait contracté une pleurésie. Eh bien, je peux te dire qu'elle a tout ce qu'il faut et là où ça doit se trouver. Alexandra fait partie de ces femmes qui sont plus agréables à voir nues qu'habillées, acheva le médecin, avec un clin d'œil grivois.

— Tu fais l'article ou quoi ! dit sèchement Axel.

— Ne te fâche pas, ami. Je donnerai beaucoup pour que Zélia me porte autant d'intérêt que t'en montre Alexandra, dit Louis, tristement.

— Tu n'as toujours pas de nouvelles de Koriska ?

— Aucune. Lazlo, qui connaît bien les façons des gens de Koriska, et en particulier de ta chère Adriana, m'a laissé entendre que je n'en aurai sans doute jamais. Zélia m'avait pourtant dit : « Si j'ai un jour besoin de secours, je t'appellerai. » Mais rien depuis ce message laconique de l'an dernier : « Patience. Tout va bien. » Patient, je le suis, mais si je savais Zélia malheureuse, ou retenue contre son gré dans les Carpates, j'irais la chercher, dussé-je y laisser ma peau ! conclut rageusement le médecin.

Axel, qui savait à quoi s'en tenir sur les mœurs des Zigeuner, l'absence de scrupule et la rudesse primitive de sa demi-sœur, dont on ignorait encore si elle avait ou non succombé à l'horrible infection qui la rongeait, s'abstint de tout commentaire. Le voyage se poursuivit un temps en échange de banalités et s'acheva en silence.

Le docteur Vuippens retrouva, satisfait, son cabinet de consultation de La Tour-de-Peilz et, avec un peu de confusion, ses patients habituels, négligés depuis plus de deux mois.

Après la taille de la vigne, qui l'occupa jusqu'à la mi-mars, et en attendant la période favorable aux premiers labours, Axel Métaz mit à profit ses loisirs pour visiter les négociants en vins de la Suisse alémanique.

Un soir, en rentrant chez lui, il trouva Elise fort irritée contre les autorités cantonales. Le Conseil d'Etat avait intenté un procès, qualifié d'inique par M$^{me}$ Métaz, à la veuve du théologien Alexandre Vinet, née Sophie de la Rotaz.

— Ces gens sont vraiment sans cœur et les magistrats ont singulièrement manqué de tact pour avoir rendu leur jugement scandaleux le 6 mai, surlendemain du jour anniversaire de la mort de M. Vinet[1] ! dit-elle, courroucée.

Elise vénérait le souvenir et répandait l'enseignement du défunt théologien, écrivain et critique de réputation internationale, homme de foi et de courage. Face à Henri Druey, porté au pouvoir par la Révolution radicale de 1845, Alexandre Vinet avait prôné la liberté des cultes « même au prix de la séparation de l'Eglise et de l'Etat ». Pour cette raison et quelques autres, les radicaux révolutionnaires l'avaient chassé, en 1846, avec plusieurs de ses collègues de l'Académie de Lausanne, où il occupait la chaire de professeur de littérature française. Promoteur de l'Eglise évangélique libre, il n'avait pu assister au synode constitutif de cette institution, qui s'était tenu les 9 et 10 juin 1847, un mois après sa mort, au Désert, domaine de la famille Rivier depuis 1799, situé aux portes de Lausanne.

Bien que protestante militante affichant des idées libérales, M<sup>me</sup> Métaz tenait au respect de la liberté religieuse, dont Alexandre Vinet avait été l'ardent zélateur. N'avait-il pas osé écrire : « Quand tous les périls seraient dans la liberté, toute la tranquillité dans la servitude, je préférerais encore la liberté ; car la liberté c'est la vie, et la servitude, c'est la mort. » Or, le tribunal de police de Lausanne venait de juger, le samedi 6 mai, deux contraventions à l'arrêté du 28 mars interdisant les assemblées religieuses autres que celles de l'Eglise nationale. Les prévenus étaient, au côté de M<sup>me</sup> Vinet, M. Charles Scholl, ancien pasteur de Lausanne — éditeur, avec Charles Secrétan et Alexis Forel, des œuvres du défunt théologien —, et M. Vernaud-Roux.

M<sup>e</sup> Guiza, défenseur de M<sup>me</sup> Vinet, avait prononcé une plaidoirie mesurée et intelligente, de nature à mettre devant leurs responsabilités politiques et morales aussi bien les accusateurs que les juges. « Le fait qui donne lieu à la poursuite est constant, avait reconnu l'avocat, M<sup>me</sup> Vinet ne le nie pas, elle s'est empressée d'en convenir. Prendrai-je devant vous la défense de la liberté religieuse ? Cette discussion ne serait pas à sa place devant le tribunal ; elle s'ouvrira sous peu dans une autre enceinte, et il faut espérer, pour l'honneur du canton, que la liberté religieuse en sortira toujours triomphante. D'ailleurs la cause de la liberté religieuse est

1. Alexandre Vinet était mort à Clarens le 4 mai 1847.

gagnée partout ; au milieu de tous les mouvements qui agitent l'Europe, la liberté religieuse est proclamée en première ligne. » Me Guiza avait conclu : « Mme Vinet ne se repent pas de ce qu'elle a fait, elle n'a aucun regret. Si elle est péniblement affectée, ce n'est pas pour elle, c'est pour le digne pasteur Scholl, victime de son zèle et de son dévouement ; c'est pour sa patrie qu'elle aime et qui souffre de pareils procès. Quant à elle, elle s'honore d'être la première frappée pour la cause de la liberté religieuse[1]. »

Mme Vinet et le pasteur Scholl avaient néanmoins été condamnés à cinquante francs d'amende ; seul M. Vernaud avait été acquitté.

— Alexandre Vinet était notre apôtre de la liberté religieuse. Sophie Vinet est fidèle à la mémoire de celui dont elle a partagé la vie, la foi et les souffrances. Je pense à la mort de leur fille Stéphanie, emportée à dix-huit ans par une maladie de poitrine, à l'infirmité de leur fils Auguste et aux maux si fréquents du professeur, dit Elise avec émotion.

— Le Conseil d'Etat sent bien que la population ne le suit plus aussi aveuglément qu'en 1846. Il doit donner des gages à ses fidèles, à ceux qui penchent vers le communisme, vers l'autoritarisme, remarqua Axel.

— Ces poursuites ne riment à rien, vous le savez comme moi. L'Eglise libre a maintenant, non seulement des lieux de culte, mais une école de théologie. Alors, pour être conséquent avec lui-même, M. Druey devrait faire jeter tous les fidèles de cette Eglise en prison ! lança Elise, que son mari n'avait jamais vue si près de la colère.

Quelques jours plus tard, Axel Métaz eut à prendre une décision concernant la suite des études de Vincent. Elise l'informa, alors qu'il rentrait de Belle-Ombre, que le principal du collège désirait le voir au plus tôt, au sujet du comportement de Vincent, et que le premier vicaire de l'église catholique s'était présenté, pour transmettre les plaintes de son curé et d'un certain nombre de paroissiennes. Là encore, l'aîné des fils Métaz était en cause. On lui reprochait ce que le prêtre avait nommé « des polissonneries sacrilèges » à l'égard des catholiques.

1. *Journal de Genève*, mai 1848.

— Qu'est-ce que ça veut dire ? Ce curé aurait-il des visions ? C'est à la mode chez les papistes ! dit Axel, se moquant.

— Ce prêtre est un homme de qualité et, qui plus est, une relation amicale de votre mère. Vincent a fait des siennes, c'est certain, tant au collège qu'à la chapelle de la rue d'Italie. D'après le vicaire, il a remplacé l'eau du bénitier par le contenu d'encriers, sans doute empruntés au collège, si bien que les fidèles se tachent le front en se signant. Sans parler de leurs vêtements, mouchetés par des aspersions d'encre qui n'ont rien de liturgique, expliqua Elise, retenant difficilement son rire.

Axel, imaginant la scène, ne put, lui, contenir son hilarité et, pendant un instant, les deux époux furent incapables d'articuler un mot. Retrouvant son sérieux, Mme Métaz acheva d'informer son mari :

— Des paroissiennes se sont plaintes et comptent même vous demander un dédommagement. Le curé assure que plusieurs robes ou corsages ont été gâchés par la faute de notre espiègle, dit Elise, cette fois-ci sans sourire.

— Est-on certain que Vincent soit l'auteur de cette farce ?

— Le sacristain l'a pris deux fois sur le fait, c'est-à-dire occupé à vider le bénitier de son eau bénite pour remplacer celle-ci par de l'encre. Ce vieil homme a coursé notre garnement sans pouvoir le rattraper. Seulement, en s'enfuyant, Vincent a perdu son écharpe dans l'église et le sacristain l'a ramassée. Pas de doute, Axel, Vincent est coupable. Quant à ce qui s'est passé au collège, je l'ignore, le principal veut n'en parler qu'avec vous !

— Très bien. Ne disons rien, pour l'instant, à Vincent, de la farce du bénitier. Je veux d'abord voir le principal du collège. Autant régler les deux affaires en même temps, conclut M. Métaz, pratique.

Le lendemain après-midi, le principal du collège accueillit Axel avec solennité.

— Croyez bien que je suis désolé, monsieur, d'avoir à vous apprendre que le conseil des maîtres du collège a prononcé l'exclusion de M. Vincent Métaz de Fontsalte, votre fils, élève de l'école moyenne. La réputation de notre enseignement, dont je suis le garant, ne pourrait que souffrir de la présence prolongée d'une telle chenoille[1].

Axel nota mentalement que le principal devait être fort mécon-

1. Individu qui se plaît à mal faire.

tent pour qualifier Vincent d'un terme vaudois, le patois étant interdit au collège.

— Ce garçon est extrêmement intelligent, reprit l'éducateur. Un peu trop, même, au gré de ses maîtres, si l'on en juge par sa rare faculté d'invention quand il s'agit de faire des niches à ses camarades, voire aux maîtres eux-mêmes. Voulez-vous que je vous cite sa dernière mauvaise action, monsieur ? Eh bien, il n'a rien trouvé de mieux que de scier les pieds du pupitre du maître de mathématiques en prenant soin de laisser le meuble reposer sur les parties séparées par la scie. Naturellement, quand le maître s'est accoudé, la table a basculé, entraînant tout ce qu'elle supportait. Perdant l'équilibre et n'ayant rien pour se retenir, notre professeur est tombé de l'estrade. Il aurait pu, étant donné son âge, se casser un membre. Ce sont les élèves du premier rang qui l'ont relevé, heureusement sans blessure sérieuse. Quelques ecchymoses tout de même.

— Je ne puis que présenter des excuses à ce professeur et condamner une telle action. Elle appelle, en effet, une sanction exemplaire. Même si je le déplore, en tant que père et ancien élève d'un collège plus que centenaire, le renvoi du coupable s'impose, monsieur le Principal, dit Métaz, s'efforçant à la gravité.

— Je transmettrai vos excuses, monsieur, car votre fils, s'il n'a pas nié sa responsabilité, a refusé d'en présenter lui-même à sa victime, sous prétexte qu'il allait certainement être renvoyé du collège et que « ça suffit comme ça », a-t-il dit avec insolence !

— J'enverrai une lettre personnelle au maître de mathématiques, pour dire les regrets de notre famille, ajouta Axel.

Il apprit encore que Vincent fabriquait, suivant la saison, dans son pupitre pendant les cours, des sifflets avec des noyaux d'abricot, des claquettes avec des coques de noix et des allumettes, du poil à gratter avec les fruits urticants du platane. Il élevait des araignées, des hannetons, des coccinelles et, même, des escargots. Il collectionnait les arêtes de poisson pour en faire des signets, ce qui donnait un fumet particulier à ses livres et cahiers. La semaine précédant ce que le principal nommait l'attentat contre le professeur de mathématiques, il avait lâché des souris pendant le cours de dessin de M^lle^ Germont !

— Oui, monsieur, des souris au dos peint en vert et blanc ! Quand M^lle^ Germont lui a demandé pourquoi ces souris peintes, il a répondu, sans se démonter, que vert et blanc sont les couleurs du canton et que ses souris portent le blason de Vaud ! Je pourrais encore vous citer d'autres plaisanteries d'aussi mauvais goût. Je passe sur la propension de votre fils à régler ses comptes, et parfois ceux des autres, à coups de poing ! Vous comprendrez donc, bien qu'il m'en coûte vis-à-vis de votre très honorable famille, que je me dois de renvoyer du collège un élève qui donne d'aussi mauvais exemples à ses camarades, conclut le principal.

Soulagé de constater que M. Métaz admettait sans discuter le bien-fondé de la sanction qui frappait son rejeton et ne semblait pas enclin à faire jouer ses relations au sein de la commission des écoles pour la faire annuler, le pédagogue daigna enfin sourire.

— J'imagine, puisque vous n'en parlez pas, que le frère cadet de Vincent, Bertrand, élève du collège latin, vous cause moins de soucis et se comporte normalement ? demanda Axel.

— Bertrand Métaz, voyons. Ah oui, bien sûr. Excellent élève, discipliné, pondéré, travailleur et toujours prêt à rendre service. A mon avis, vous en ferez un ministre de l'Evangile. Sa piété et l'intérêt qu'il porte aux textes bibliques semblent indiquer une vocation précoce. A voir son comportement, on ne pense pas un instant qu'il est frère de Vincent Métaz, monsieur. D'ailleurs, Bertrand n'a pas ce regard bizarre dont votre aîné se montre si jaloux qu'il ne supporte même pas qu'un camarade y fasse seulement allusion. Remarquer son œil vairon, c'est risquer un mauvais coup, commenta le principal.

Depuis l'enfance, Axel avait l'habitude d'entendre toutes les niaiseries qu'inspiraient aux simples et aux malveillants le regard vairon des Fontsalte : la crainte qu'il inspirait aux vieilles femmes, la faculté de jeter des sorts, la capacité de voir en même temps les choses et l'envers des choses, de lire dans les pensées d'autrui, que les superstitieux lui attribuaient. En découvrant, un peu tard, que le regard du père était semblable à celui du fils, le principal comprit qu'il venait de commettre une bévue. L'œil le plus clair de son visiteur venait de brusquement s'assombrir, en même temps qu'une crispation des maxillaires révélait une susceptibilité explosive.

— Nous avons, en effet, dans notre famille un regard un peu particulier. C'est le regard d'Alexandre le Grand et de Jules César, monsieur le Principal. Il n'y a guère que les ignorants, les butors et les imbéciles qui osent s'en étonner, conclut, sec et digne, Axel, se dirigeant vers la porte sans prendre la main que le principal lui tendait.

Quittant le vieux collège, où il avait lui-même, autrefois, commis quelques bêtises et reçu des réprimandes, Axel se rendit à l'Institut Sillig situé à la sortie ouest de Vevey, dans l'entre deux villes, pour tenter d'y faire admettre son turbulent héritier.

L'Institut Sillig, du nom de son fondateur Edouard-Frédéric Sillig, un pédagogue originaire de Saxe, installé à Vevey depuis 1826, où il avait fondé sa propre école, atteignait maintenant une renommée internationale. En plus des Suisses romands ou alémaniques, fils d'industriels, de grands négociants, de juristes, d'hommes politiques, M. Sillig recevait de nombreux étrangers, Allemands, Anglais, Français et même Américains. Cette année-là, l'Institut comptait parmi ses élèves Godfrey Wedgwood, de Stoke-on-Trent, petit-fils du célèbre céramiste Josiah Wedgwood — inventeur d'une faïence fine de couleur crème, dite « pâte de la reine » depuis que Victoria l'avait adoptée — ; Ernest Baedeker, de Coblence, fils de l'auteur des guides touristiques ; Johann Faber, arrière-petit-fils de Kaspar Faber, le fabricant de crayons de Nuremberg ; Sidney Coolidge [1], un jeune Américain très sportif. Car l'Institut dispensait, en plus des cours traditionnels, des leçons de gymnastique, d'aviron et d'équitation. On y enseignait aussi la musique et le chant, matières fort négligées dans les établissements similaires. M. Sillig rappelait souvent à ses élèves le reproche lancé par le major Davel [2] à la foule venue assister à son exécution et incapable de moduler un psaume expiatoire : « Vous n'avez aucun soin d'apprendre la musique, qui est si utile pour chanter les louanges du Seigneur. » A l'Institut, où régnait une discipline sévère, on louangeait le Seigneur en mesure, les jours de culte.

Bien que M. Métaz n'eût pas tenté de dissimuler les motifs peu édifiants du renvoi de son fils du collège de Vevey, Vincent fut admis sur-le-champ à la pension Sillig, où l'on avait l'habitude de recevoir des fils de famille turbulents, qui avaient besoin d'être dressés, à condition que leurs parents règlent ponctuellement les frais assez élevés d'une telle rééducation.

1. Devenu Major dans l'armée des Etats-Unis, il fut tué pendant la guerre de Sécession, lors de la bataille de Chickamauga, le 20 septembre 1863.

2. Jean-Daniel-Abraham Davel, notaire de son état et major dans la milice vaudoise, organisa, le 31 mars 1723, une rébellion militaire pour libérer le canton de Vaud de la tutelle bernoise. Son action ne fut comprise ni du peuple ni des aristocrates lausannois, qui le livrèrent à la justice de Leurs Excellences de Berne. Condamné à mort, il fut décapité le 24 avril 1723. Il est considéré aujourd'hui comme le héros de l'indépendance vaudoise.

— Nous en ferons, soyez-en sûr, un gentleman accompli, qui portera avec honneur et distinction votre nom, assura le directeur.

Axel régla deux mois d'avance et annonça qu'il ferait, dès le lendemain, accompagner son fils à l'Institut.

Cette affaire, la plus importante aux yeux du père de famille, étant réglée, M. Métaz se rendit à la chapelle catholique de la rue d'Italie, vit le curé, présenta des excuses circonstanciées, assura que celui qui avait remplacé l'eau bénite par de l'encre serait puni, obtint les noms et adresses de trois paroissiennes en colère et laissa une enveloppe pour l'entretien de la chapelle. En regagnant Rive-Reine, il fit un détour par la boutique de la meilleure fleuriste de la ville, qui fournissait l'hôtel des Trois-Couronnes et tous les châteaux des environs. Chacune des dames catholiques, aux vêtements prétendument gâchés par l'encre non bénite, recevrait un somptueux bouquet, accompagné d'un bristol offrant excuses et regrets de M. Axel Métaz de Fontsalte, bourgeois de Vevey.

Ce soir-là, Vincent Métaz, dûment chapitré et informé de son sort, fut envoyé au lit sans dessert. Quand Bertrand vint apporter au puni, cantonné dans sa chambre, une part de tourte aux pommes prélevée par Pernette, il trouva son frère altier et désinvolte.

— Je suis fameusement content d'aller à Sillig. C'est l'institut le plus couru par les riches étrangers. Je vais y rencontrer des garçons venus de partout. On dit qu'on s'y amuse autant qu'on s'instruit et que le sport, comme disent les Anglais, tient une grande place. Aussi, je ne regrette pas d'être renvoyé du collège, sauf que père n'est pas content et que maman fait sa tête des mauvais jours, dit Vincent, avant de mordre dans le dessert immérité.

— Mais, moi, alors ! Je vais plus être de mise avec toi. Ça, c'est pas bien ! bougonna Bertrand.

— T'as qu'à te faire renvoyer par le principal, tiens ! Je te dirai comment y faut faire et père te mettra à Sillig avec moi, conseilla le reclus.

— J'oserai jamais. Et puis, un Métaz renvoyé, ça suffit dans la famille ! conclut Bertrand en quittant la chambre.

# 3.

Ceux qui, de leur propre aveu, constituaient le cercle Fontsalte, se réunirent le 14 mai 1848 à Lausanne, dans les salons de Beauregard, pour célébrer, à l'invitation de Charlotte, le soixante-huitième anniversaire du général.

Blaise eût préféré une fête plus intime, mais il n'osait priver sa femme du plaisir frivole de recevoir avec apparat parents et amis. Charlotte ne manquait jamais une occasion de rappeler qu'elle était marquise de Fontsalte et que cette position lui conférait des obligations mondaines particulières.

En s'habillant, ce matin-là, Blaise se souvint avec plus d'attendrissement que de nostalgie d'un autre de ses anniversaires. C'était la première année du siècle. Il avait vécu le jour de ses vingt ans seul, couché au fond d'une barque, entre Vevey et Villeneuve, tenant sous la menace de son pistolet un batelier vaudois, auxiliaire cupide d'une espionne au service de l'ennemi autrichien, Mlle Flora Baldini. La veille, il avait fait la connaissance de l'épouse d'un entrepreneur veveysan chez qui, jeune capitaine des Affaires secrètes et des Reconnaissances, il s'était présenté avec un billet de logement.

— Drôle de voyage que la vie ! dit-il à Charlotte, venue montrer sa robe de soie tourterelle et sa coiffure apprêtée.

— Que voulez-vous dire par là ?

— Tandis que je voguais sur le Léman, le 14 mai 1800, pour aller démanteler un réseau d'espions, aurais-je pu imaginer que, quarante ans plus tard, ayant fait la guerre tout mon soûl, je vivrais en Suisse, que vous seriez ma femme, que l'espionne Flora serait devenue la veuve de mon meilleur ami, Ribeyre de Béran, que j'aurais un fils, longtemps ignoré, et deux petits-fils. Hein ! Quel romancier eût osé imaginer cela, Charlotte, dites-moi ?

— Mieux qu'imaginé, Blaise, nous avons vécu cela ! Comme je suis reconnaissante à la vie de vous avoir rencontré ! ajouta-t-elle, émue, en jetant ses bras autour du cou de son mari.

— C'est à un fourrier de l'armée d'Italie, à jamais anonyme, que nous devrions être reconnaissants, Charlotte. Le billet de logement qu'il me remit était un passeport pour le bonheur !

Tandis que le général nouait sa cravate, Charlotte examina son mari avec complaisance.

L'âge avait argenté sa moustache drue de hussard, comme sa chevelure, toujours épaisse et bouclée, qu'elle comparait autrefois à de la paille de fer ! Son regard vairon, tantôt lourd, bienveillant, impérieux ou madré, changeant avec l'humeur du moment, conservait l'étrange pouvoir de fascination qui captivait les femmes et subjuguait les hommes. La prestance aussi était intacte. La taille haute, rigide, rassurait. Les épaules résistaient à la voussure, fréquente chez les hommes grands. Le buste puissant équilibrait un embonpoint cardinalice dû, affirmait Blaise, à la trop riche table de Beauregard.

L'aisance de mouvement, entretenue par l'équitation, la marche, la natation et la chasse au chamois ; la vivacité des réflexes, contrôlée deux fois la semaine, fleuret en main, chez le maître d'armes, eussent permis au général, s'il eût été coquet, de retrancher dix bonnes années de son âge.

Charlotte l'ayant quitté pour « voir si tout était en ordre », Blaise endossa sa jaquette et redressa l'insigne de commandeur de la Légion d'honneur qui ornait sa boutonnière. Ce geste lui remit en mémoire le texte d'une lettre du général Guillaume Henri Dufour au général Jean Martin Petit, pair de France et commandant des Invalides, quand le roi Louis-Philippe avait exigé, en 1841, que l'on remplaçât, sur la décoration, l'effigie du Premier consul par celle d'Henri IV !

« Comment se fait-il, avait écrit Dufour, décoré de la Légion d'honneur en 1815 par Napoléon Ier, que, dans un pays où l'on relève les statues de l'empereur, où l'on accueille ses cendres avec enthousiasme, où l'on reconnaît la légitimité de son règne et où l'on se fait honneur de ses institutions, on bannisse son effigie de la décoration qu'il a créée pour récompenser tous les services, pour honorer tous les mérites ? Pense-t-on que l'étoile serait moins brillante si elle reflétait l'image de son créateur[1] ? » Fontsalte avait aussitôt envoyé une chaleureuse lettre d'approbation à celui qu'il considérait comme le plus grand des Suisses de son temps.

En fin de matinée, les invités apparurent, ceux venus la veille de Genève, les époux Laviron et Alexandra, puis ceux de Vevey, Axel, Elise et leurs deux garçons, Louis Vuippens avec le pasteur Duloy, ceux de Lausanne, dont Flora, qui excusa sa sœur Tignasse, laquelle « n'était pas dans un bon jour ». L'aînée des Baldini « perdait un peu la tête », comme disait pudiquement l'adjudant Trévotte, chargé parfois de promener en cabriolet la veuve du garde pontifical, « pour lui faire prendre l'air ».

Après les félicitations d'usage et la remise des cadeaux à Blaise, le cercle se forma au salon, pour la verrée d'avant dîner. Aussitôt, la conversation s'engagea sur les événements qui, depuis trois mois, agitaient l'Europe.

« L'année 1848 sera celle des révolutions », avait déclaré le marquis Blaise de Fontsalte en apprenant la fin du règne de Louis-Philippe et la proclamation de la République. Les événements du printemps semblaient donner raison à cet homme qui, ayant marché de Marengo à Waterloo du même pas que l'histoire de son temps, avait acquis l'intuition des conjonctures historiques.

De l'Atlantique à la mer Noire, de la Baltique à la Méditerranée, le souffle enivrant de la liberté réveillait les peuples et affolait les princes. Libéralisme et nationalisme, tels paraissaient être les moteurs de l'agitation.

Les principes de 1789, colportés par les armées de la première République, dévoyés par la Terreur, travestis par les vanités impériales, exilés avec Napoléon, étouffés par les monarchies vengeresses, perçaient soudain la gangue des tyrannies restaurées, telles ces plantes enfouies, qui resurgissent de terre un beau matin.

— On ne tue pas les idées, avait coutume de dire votre défunt maître, Martin Chantenoz, rappela le général à Axel.

Le mari d'Elise approuva. Il suivait, à travers les articles des

1. M. Olivier Reverdin a communiqué à l'auteur cette correspondance inédite de son trisaïeul, le général Dufour.

journaux suisses et étrangers, en lecture au Cercle du Marché, à Vevey, la propagation de l'incendie révolutionnaire.

En 1815, le congrès de Vienne avait disséqué l'Europe pour le confort des monarques, exécuteurs du petit Corse génial et batailleur, conquérant affamé qui avait confisqué des trônes, coiffé des couronnes usurpées, offert des sceptres à ses frères et sœurs, mis dans son lit la fille de l'empereur d'Autriche.

Une nouvelle notion, celle de nationalité, héritière réactionnaire des partitions impériales, était née, entre un bal et un dîner fin, lors de ce congrès de Vienne. Metternich, qui l'avait tenue sur les fonts baptismaux de la Sainte-Alliance, regrettait aujourd'hui de ne pas avoir noyé l'ingrate dans l'eau bénite des Habsbourg. En incendiant la maison de campagne du chancelier, dont toute la vie et l'action avaient été vouées à la grandeur de l'Autriche, les étudiants, ouvriers et bourgeois viennois, bizarrement unis dans l'émeute du 13 mars, avaient contraint Ferdinand Ier à sacrifier son ministre pour sauver son trône.

Depuis, politiciens, philosophes et publicistes s'exerçaient pour définir le mot nationalité, terme nouveau du langage diplomatique. Dans le cercle Fontsalte, réuni ce jour-là, on retint en souriant la définition d'un ancien carbonaro français, fondateur avec James Fazy de la Société des Amis du peuple, Philippe Buchez, qui présidait depuis le 23 avril, à Paris, l'Assemblée constituante élue au suffrage universel[1]. D'après ce saint-simonien militant, chef des néo-catholiques, le concept de nationalité était : « le quelque chose en vertu de quoi une nation subsiste, même lorsqu'elle a perdu son autonomie. »

La nébulosité sémantique de ce quelque chose encourageait toutes les interprétations et, en ce printemps, les patriotes révolutionnaires de tous pays ne manquaient pas d'y faire référence. Les uns, pour secouer le joug d'une puissance étrangère, les autres, pour contester le servage, affecté de bénignité hypocrite, dont souffraient les classes laborieuses.

En Suisse, tandis que les radicaux réclamaient au nouveau gouvernement français l'extradition de Siewgart-Muller, chef du Sonderbund réfugié en France, dans le Doubs, à vingt kilomètres de la

1. Philippe Buchez (1796-1866), médecin, historien, publiciste, élu représentant du peuple pour le département de la Seine, présida la Constituante jusqu'au 15 mai 1848.

frontière helvétique, la Diète à majorité radicale-libérale pressait la commission, chargée d'élaborer un projet de Constitution, d'activer ses travaux. Depuis le 17 février, les commissaires se concertaient, examinaient les propositions des uns et des autres, supputaient, s'opposaient, tergiversaient, parfois dans une ambiance de palabre.

Le pacte fédéral de 1815 avait vécu et l'on s'appliquait, en dépit des mises en garde de la France, de l'Autriche et de la Russie, qui exigeaient le statu quo, à le remplacer par un nouvel accord, lequel, proclamaient les radicaux, « ne devrait rien à l'étranger ».

Les journaux suisses ouvraient largement leurs colonnes aux politiciens centralistes ou fédéralistes, soucieux de faire partager aux citoyens leur conception d'une confédération moderne. Les radicaux, grisés par leur victoire, multipliaient les déclarations grandiloquentes, auxquelles les conservateurs répliquaient par des propos acides et désabusés. Parmi les premiers, Henri Druey, président du Conseil d'Etat du canton de Vaud, encourageait les radicaux suisses à ne pas lésiner sur les méthodes propres à transformer la société, avouant parfois des conceptions inquiétantes lorsqu'il déclarait : « La démocratie peut s'accommoder d'une sorte d'absolutisme monarchique quand ce dernier s'exerce dans l'intérêt commun des citoyens » !

Druey était de ceux qui estimaient, avec un peu de présomption, que la guerre civile du Sonderbund et la victoire radicale avaient donné le branle à la révolution socialiste universelle, qu'ils appelaient de leurs vœux. Le bouillant Vaudois n'avait-il pas envoyé à des républicains français banquetant à Chalon-sur-Saône, une adresse proclamant la Sainte-Alliance des peuples face à la Sainte-Alliance des princes. Sir Strafford Canning, ambassadeur de Grande-Bretagne à Berne, bien que sympathisant déclaré des radicaux, avait qualifié ce propos d'action de propagande !

A Paris, c'était l'interdiction du dernier banquet réformiste du XIIe arrondissement et du défilé qui devait suivre, manifestations prévues le 22 février, qui avait brusquement cristallisé les mécontentements et permis aux meneurs de déclencher des émeutes sanglantes. En quarante-huit heures, la plèbe, entraînée par des politiciens avisés, avait clos le règne de Louis-Philippe et aboli la monarchie. Cette mutation avait coûté la vie à une centaine d'émeutiers, gardes municipaux et soldats de la ligne.

Depuis l'avènement de la IIe République, proclamée le 27 février par un gouvernement provisoire où figuraient Lamartine, Ledru-Rollin, Louis Blanc et Crémieux, tous républicains bon teint, les ultras, socialistes, communistes et anarchistes, génériquement qualifiés de rouges par les modérés, entretenaient une agitation agressive. Ils contestaient la foi révolutionnaire des nouveaux représentants, jugés trop tièdes. Lamartine avait dû user de toute son éloquence pour convaincre la foule, qui campait autour de l'hôtel de ville, d'abandonner le drapeau rouge au profit du drapeau tricolore. Certains, stimulés disait-on par le Russe Mikhaïl Bakounine, se proclamaient nouveaux sans-culottes et comptaient ranimer les violences sanguinaires de la Terreur afin d'éliminer les républicains modérés, portés au pouvoir le lendemain des premières émeutes. Déjà, les Tuileries, vidées de leurs meubles et objets d'art par des pillards, avaient été transformées en asile pour invalides du travail. Sur les murs de Paris, des milliers d'affiches, parfois manuscrites, divulguaient les vœux, souvent incongrus, du peuple. L'un réclamait le vin à quatre sous le litre, l'autre exigeait l'abattage des chevaux de race, un troisième, plus pratique, demandait le report des échéances ! On comptait maintenant, pour informer les citoyens, plus de cent cinquante feuilles nouvelles, certaines au titre prometteur : *Journal de la canaille*, *Robespierre*, *le Volcan*, *le Boulet rouge*, *l'Incendiaire*. Dans le même temps, une trentaine de clubs politiques s'organisaient, dont le club de l'Emancipation des femmes, soutenu par les saint-simoniens, l'écrivain socialiste Pauline Roland et M^me^ George Sand, publiciste engagée.

Plus redoutables que les palabreurs des clubs et les philosophes de salon, se révélaient les nostalgiques de la guillotine. Certains réclamaient cent mille têtes à couper, ce qui semait un désarroi compréhensible à la Bourse, vidait les coffres des banques et incitait les aristocrates peu soucieux d'orner les nouvelles lanternes à gaz à se réfugier à la campagne en attendant des jours meilleurs. Au long des rues et devant les monuments publics, les républicains mystiques s'adonnaient à l'arboriculture intensive. Paris possédait maintenant une véritable forêt d'arbres de la liberté. M^me^ Dosne, égérie de M. Thiers, avait cru civique et prudent d'offrir un jeune peuplier à ces planteurs de symboles défeuillés !

Partout en Europe, les socialistes, les idéalistes, les anarchistes, parfois les utopistes, inspirés par les événements parisiens, sortaient de la clandestinité pour passer à l'action. Chaque jour, la presse suisse faisait état, en s'en réjouissant le plus souvent, de nouveaux embrasements révolutionnaires.

Axel, en Vaudois réfléchi qui ne juge pas sans savoir, appréciait depuis longtemps la manière dont son père, après un temps consacré à l'analyse des informations publiques, diffusées par les journaux, ou confidentielles, apportées par d'anciens compagnons du service des Affaires secrètes et des Reconnaissances, proposait au cercle des intimes une synthèse édifiante des événements.

— Contrairement à ce qu'a soutenu M. Metternich, dit le général quand le vin de Belle-Ombre mit de l'or dans les verres, les révolutions qui se répandent et se répondent à travers l'Europe, depuis quelques mois, ne sont pas orchestrées par une mystérieuse organisation internationale.

— Ces actions paraissent cependant concertées, remarqua Axel.

— Les mêmes causes ayant les mêmes effets, la servitude et la misère des peuples étant aussi pesantes à Londres qu'à Berlin, Vienne ou Paris, on devait s'attendre, un jour ou l'autre, à ce que les idées des Proudhon, des Ledru-Rollin, des Mazzini, des Gioberti, des Bakounine, incitent les plus malheureux à passer à l'action contre leurs oppresseurs. M. de Tocqueville l'avait prédit, le 27 janvier, devant ses pairs : « Chez les ouvriers, une nouvelle passion, la passion sociale, va relayer les passions politiques », et c'est ce qui arrive, développa le général.

— Si l'on ajoute à cela que les peuples encore sous tutelle oppressive de l'Autriche, de la Russie ou de la Prusse, tels le Piémont, la Lombardie, la Vénétie, la Pologne, la Hongrie et d'autres, retrouvent soudain, dans le nationalisme, la volonté de conduire eux-mêmes leur destin, le patriotisme vient renforcer le libéralisme, ajouta Pierre-Antoine Laviron.

Le vieux banquier, tenu au courant des événements dans les capitales européennes par ses correspondants financiers, conservait la sérénité de règle dans sa profession. La grande banque, dont les intérêts ne tenaient pas plus compte des frontières que des régimes politiques, constituait une sorte d'institution informelle, plus sensible aux fluctuations des rentes, des monnaies, des actions des sociétés de chemin de fer ou de navigation, qu'au sort des peuples.

— Et, contrairement aussi à ce qu'affirment les journalistes, l'agitation n'a pas commencé à Paris avec les émeutes de février, mais à Milan, quand les citoyens, las du joug autrichien, se livrèrent à une démonstration originale en cessant de fumer, reprit le général.

— En quoi cela pouvait-il gêner les autorités ? s'étonna Charlotte.

— Le commerce du tabac, monopole d'Etat, fournit d'importantes ressources au gouvernement, qui comprit fort bien la signification du geste. Il réagit d'ailleurs avec un certain humour, bien qu'on ne sache pas qui prit l'initiative, pour narguer les abstinents volontaires, d'inviter les soldats de la garnison à se répandre dans la ville en tirant avec volupté sur des cigares qui ne leur avaient rien coûté. La modestie de leur solde, plus encore que la discipline militaire, qui interdit de fumer dans la rue, n'aurait pas permis, sans l'assentiment des autorités, cette débauche fumigène, qui ébahit les passants. Certains soldats, plus fanfarons que d'autres, affectaient même, m'a-t-on rapporté, de fumer deux cigares à la fois ! Bon nombre de ces fumeurs, dont on peut penser qu'ils avaient aussi goûté aux redoutables vins lombards, inferno ou grumello, qui râpent le palais et agacent les nerfs, se rassemblèrent, dans l'après-midi du 3 janvier, sur la place Saint-Charles et rue Durini. C'est là, à l'injonction de deux sergents, que la comédie tourna au drame. On vit soudain les militaires mettre sabre au clair ou baïonnette au canon et se jeter sur les Milanais, venus proclamer sans violence les raisons de leur refus de consommer le tabac de l'Etat, expliqua le général.

— Cet affrontement fit-il des victimes ? demandèrent, d'une seule voix, Charlotte et Flora.

— D'après mes informations, il y eut une soixantaine de blessés, dont six moururent avant le coucher du soleil. Un enfant de quatre ans et un vieillard de soixante-quatorze ans figuraient parmi les victimes de cette échauffourée, dont nous voyons aujourd'hui les conséquences. Elle annonçait, en effet, une révolte d'une autre ampleur puisque, entre le 18 et le 23 mars, les Milanais ont contraint les occupants autrichiens à quitter la capitale lombarde. Mais tel que je connais le général autrichien Radetzky, qui dispose de quatre-vingt-dix mille hommes, cela pourrait bien n'être qu'une manœuvre dilatoire. En attendant que soit réglée la situation à Vienne, il s'est retiré dans les forteresses du quadrilatère. Je gage qu'il en surgira à son heure, pour remettre l'aigle des Habsbourg sur le perchoir lombard ! conclut Blaise.

— Les journaux rapportent que toute la Lombardie est en effervescence et que les grandes villes ont reconnu le gouvernement provisoire de Milan. On dit aussi que le grand-duc de Toscane, Léopold II, connu pour ses idées libérales, a décidé de prendre la tête d'une croisade contre les Autrichiens ; que le duc de Parme, Charles II, est en fuite, et qu'un gouvernement de patriotes dirige maintenant le duché. Et puis, il y a quelques jours, le 25 avril, quarante volontaires vaudois, conduits par le major Borgeaud, sont partis de Lausanne pour Milan, afin de prêter main-forte aux nouvelles autorités, compléta Axel.

Flora, maintenant acquise aux idées libérales et toujours véhémente quand sa terre natale était en cause, intervint.

— Mais, mes amis, les Lombards n'ont fait qu'imiter les Siciliens, qui s'étaient révoltés dès le 29 janvier. Ils avaient brisé les vitres du palais royal à Messine et s'étaient soulevés à Palerme, contre Ferdinand II, roi des Deux-Siciles, cette brute qui fait trancher la tête des uns, bastonner les autres, déporter qui lui déplaît. Cinquante mille soldats napolitains, envoyés dans l'île pour ramener les Palermitains à la raison, sympathisèrent avec les émeutiers ainsi qu'à Catane et à Trapani. Et Ferdinand, effrayé, a aussitôt accordé une nouvelle Constitution, conclut avec chaleur la veuve du général Ribeyre.

— Sous la pression de ses sujets, Ferdinand a même envoyé une armée napolitaine en Lombardie pour appuyer les forces de Charles-Albert, roi de Sardaigne, qui paraît bien décidé à débarrasser le Piémont des Autrichiens. Il a été le premier à troquer les couleurs royales contre le drapeau tricolore — rouge, blanc, vert — des patriotes italiens. Et, chose amusante, l'armée napolitaine de Ferdinand est commandée par le général Guillaume Pepe, ancien aide de camp de Murat devenu carbonaro qui, en 1823, s'est battu en duel avec M. de Lamartine, aujourd'hui ministre. Le poète a écrit en 1825, dans son *Dernier Chant du pèlerinage d'Harold,* une sévère tirade contre l'Italie, qui se termine par ces vers, insultants pour tous les Italiens :

*Je vais chercher ailleurs (pardonne, ombre romaine !)*
*Des hommes, et non pas de la poussière humaine,*

récita Blaise avec l'emphase lamartinienne qui convenait.

— On cite heureusement plus souvent Mazzini que Lamartine, général. Notre doctrinaire s'est empressé, au lendemain de la proclamation de la République à Paris, d'envoyer au gouvernement provisoire une adresse de l'Association nationale italienne en précisant que le but de celle-ci est celui « qu'ont prêché et prévu tous les grands Italiens, depuis Arnaud de Bresse jusqu'à Machiavel, depuis Dante jusqu'à Napoléon : l'unification politique de la Péninsule ». N'en déplaise à M. Guizot, on ose maintenant parler en France d'une Italie unique et unie, rapporta Vuippens.

— « L'Italie se fera seule ! » lança Flora avec fierté, répétant le cri de ralliement des Lombards.

— Peut-être ! C'est ce que laisse augurer ce qui s'est passé à Venise le 22 mars, reprit le général. Daniele Manin et Nicolo Tommaseo, un temps emprisonnés pour avoir osé demander à Metternich l'indépendance de la Vénétie, ont été délivrés par le peuple, outré par l'affaire des cigares de Milan. Les patriotes vénitiens se sont ensuite emparés de l'arsenal et ont obtenu la capitulation de la garnison autrichienne. La République Sérénissime que nous, Français, avions annexée d'un trait de plume en 98 et que le traité de 1815 avait rendue à l'Autriche, vient d'être restaurée sous le nom de République de Saint-Marc.

— C'est là une bonne nouvelle, dit Axel, qui se souvenait de l'arrogance des officiers autrichiens au café Florian et aux soirées de la Fenice, lors de son séjour à Venise avec Adriana, en 1820.

— Certes, des rives du Pô à l'Adriatique, les Italiens estiment à leur portée cette unité tant réclamée, mais ceux qui annoncent la fin de la tutelle autrichienne sont peut-être présomptueux. Ferdinand Ier, roi de Bohême depuis 1836 et roi de Lombardie depuis dix ans, n'est pas monarque à lâcher ses possessions. D'ailleurs, d'après ce que racontent des voyageurs arrivant de Venise, les Autrichiens préparent le blocus de cette cité, facile à isoler, dit M. Laviron.

Restée italienne de cœur et de passion, Flora suivait régulièrement l'évolution de la situation dans la péninsule.

— Je sais par un Lausannois, permissionnaire de la Garde vaticane, venu faire visite à ma pauvre Tignasse, qui ne l'a même pas reconnu, que le pape Pie IX a contenu les révolutionnaires et promulgué à Rome une nouvelle Constitution libérale, le 14 mars dernier. Il a décidé, depuis, d'envoyer dix-sept mille soldats, sous le commandement du général Giovanni Durando, pour soutenir les Vénitiens. Le Saint-Père a béni cette armée en disant : « Comme chef de l'Eglise, je suis en paix avec tout l'univers ; mais comme prince italien, j'ai le droit de défendre la patrie italienne. »

— N'est-ce pas une autre révolution que cet engagement de l'Eglise catholique au côté des patriotes qui ne veulent que l'unité de l'Italie ? demanda avec malice Elise Métaz.

— Un postillon m'a en effet rapporté que les soldats du pape chantent un nouvel hymne patriotique, dont le grand Verdi a fait la musique, compléta Vuippens avec un sourire.

— Les Italiens doivent surtout compter sur Charles-Albert, car le roi de Piémont-Sardaigne, bien que d'une nature indécise, me paraît plus conscient que les autres princes et ducs de la péninsule de l'ampleur d'un mouvement irréversible. Après avoir promulgué une nouvelle Constitution, nommée Statut fondamental, il a confié l'armée à son fils Victor-Emmanuel, héritier de la couronne, révéla Blaise.

— Et Cavour, dont la mère, née Suzanne de Sellon, est notre voisine rue des Granges, quel rôle joue-t-il en Piémont ? La révolte contre les Autrichiens doit satisfaire ses ambitions ? demanda Pierre-Antoine Laviron.

— Bizarrement, Cavour ne joue, pour l'instant, aucun rôle actif. A mon avis, il attend que Charles-Albert l'appelle pour lui confier des responsabilités, car il croit que c'est par l'alliance des princes italiens que viendra l'indépendance de l'Italie et par des réformes concertées avec les peuples un véritable libéralisme. Dans le journal *Il Risorgimento,* qu'il a fondé l'an dernier avec Balbo, Galvano et Santa Rosa, il soutient cette thèse et s'intéresse plus aux questions économiques qui, d'après lui, influenceront beaucoup la vie future des Italiens. D'ailleurs, il se méfie des socialistes à la mode française et vient de publier une brochure qui, sous le titre *Des idées communistes et des moyens de les combattre*, indique nettement la limite des alliances politiques acceptables, répondit Blaise.

— Enfin, l'indépendance et l'unité de l'Italie sont en marche. Souhaitons qu'elles se fassent sans l'aide de ceux qui, sous couvert de chasser l'occupant autrichien, veulent détruire les institutions existantes pour établir des régimes socialistes ou communistes, lança Flora.

— Rien n'est encore joué et, dans les semaines qui viennent, on saura si votre vœu, chère Flora, a une chance d'être exaucé. Si l'empereur d'Autriche, paralysé par la révolution viennoise et par l'insurrection qui se développe en Hongrie sous l'impulsion de

Kossuth, n'a pas encore réagi, il est probable qu'il ne restera pas toujours immobile devant ce qui se passe en Italie, pronostiqua Blaise.

On évoqua ensuite les événements de Berlin, où trois jours d'émeutes, entre le 14 et le 17 mars, avaient incité le roi de Prusse, Frédéric-Guillaume IV, souverain réputé libéral, à convoquer une Assemblée chargée de proposer une nouvelle Constitution. On commenta les émeutes de Mayence et les barricades de Dresde, où les manifestants, parmi lesquels le maître de chapelle Richard Wagner, avaient incendié le théâtre, et puis les femmes en vinrent au cas plus émoustillant et plus scabreux de Louis Ier de Bavière, qui venait de perdre son trône par la faute d'une danseuse espagnole, Lola Montes.

— La belle Lola est arrivée à Genève le 4 avril et l'on murmure qu'elle y attend son royal amant, lequel a dû, à soixante-deux ans, abdiquer le 20 mars au bénéfice de son fils, Maximilien II, révéla Anaïs Laviron.

Alexandra, jusque-là silencieuse, intervint.

— Curieuse femme que cette courtisane ! On ne sait même pas si elle est vraiment espagnole et danseuse. En tout cas, personne à Genève ne la reçoit. Jusqu'à présent, elle n'a trouvé aucun homme pour la conduire au théâtre. Les seuls qui s'intéressent à elle sont les journalistes, qui la promènent autour du lac et tentent de lui faire raconter ses souvenirs, dit la jeune banquière, traduisant l'opinion de la bonne société genevoise.

— Le général, toujours bien informé par ses amis, en sait peut-être plus que nous, dit Pierre-Antoine, invitant ainsi Blaise à livrer ses informations.

Fontsalte ne se fit pas prier.

— Cette belle femme dit se nommer María Dolores Porriz y Montes, mais les meilleurs agents britanniques, français et bavarois ont été incapables de jamais démêler si elle est née à Séville, en 1818, d'un père espagnol ; à Montrose, en 1820, d'un père écossais ; ou, ce qui paraît le plus vraisemblable, à Limerick, en 1824, d'un père anglais ! Encore que le millésime soit, comme le reste, sujet à caution ! Il est vrai que sa mère, Margaret Oliver, Créole d'une grande beauté, a épousé successivement un officier espagnol, puis un officier irlandais, sans pour autant se priver d'amants, ce qui permet toutes les suppositions. Cette ardente libertine est peut-être incapable de dire avec certitude qui est le père de sa fille ! précisa Blaise en riant.

— En tout cas, le roi Louis a fait sa maîtresse comtesse de Landsfeld et lui a concédé un fief qui produit cent vingt-cinq mille francs de France par an. Il lui assure, en outre, une pension viagère de cinquante-deux mille francs de France. Je sais cela par la banque Lombard Odier, dont on murmure qu'elle assure la correspondance entre le roi de Bavière et Mme Montes, dit Alexandra.

— Cette comtesse du ruisseau, réfugiée à Genève, placera peut-être son argent chez Laviron Cornaz et Cie. Bonne affaire ! persifla Axel.

— Nous n'accepterions pas ce genre de dépôt, mon ami ! s'indigna le banquier.

— Voyons, Pierre-Antoine, l'argent ne sent jamais mauvais, a dit Vespasien[1], ironisa le pasteur Duloy.

— Il ne conserve pas non plus l'odeur du stupre, renchérit le médecin.

— Ma lingère m'a dit que des hommes se sont battus en duel pour les beaux yeux de cette dévergondée, risqua Mme Laviron.

— Et, parfois, ils en meurent, comme ce Léon Dujarrier, du journal *la Presse,* expédié dans un monde sans gazette par son confrère du *Globe,* M. Beauvallon, rappela Fontsalte.

— Cette femme vend l'amour et sème le malheur ! Un mort, un emprisonné et un roi déchu, quel bilan ! s'exclama Anaïs Laviron.

— Comment le roi de Bavière a-t-il pu se laisser prendre au filet de cette aventurière ? demanda Charlotte.

— Comme tous les autres avant lui, chère amie ! Par la grâce, le charme, l'audace d'une belle créature. Comblée de faveurs, de cadeaux, logée dans un palais, pourvue d'un équipage princier, anoblie, rentée, devenue favorite du roi, elle cessa de danser en public, réservant ses exhibitions lascives au souverain qui, la soixantaine passée, ne pouvait qu'être heureux de mettre dans son lit une amoureuse experte, de trente-cinq ans sa cadette, acheva le général.

— Liaison bien banale. Tous les rois ont eu des maîtresses, à commencer par les plus grands, sans que cela produise des révolutions, observa Alexandra.

1. D'après Suétone, c'est ce qu'aurait répondu l'empereur Vespasien à son fils, Titus, qui lui reprochait l'impôt sur les urinoirs.

— L'erreur de Mme Montes, Alexandra, fut de se mêler de politique. Elle affichait des idées libérales, ce qui lui valut dans un premier temps la sympathie des étudiants. Puis, assurée de la protection du roi, elle se mit à distribuer des coups de cravache aux personnes de qualité qui osaient critiquer ses fantaisies, comme à ses valets, à faire et défaire les ministères, à distribuer les portefeuilles et les décorations, bref à gouverner la Bavière de son alcôve. Cela indisposa fortement le bon peuple, qui le fit savoir. Malgré quelques jeunes admirateurs, qui voyaient en elle la zélatrice des idées républicaines, les protestations prirent vite une tournure violente. Le 9 février dernier, les amis de la courtisane furent assiégés par la foule, dans la maison d'un traiteur. Lola Montes, qui, on doit le reconnaître, n'a jamais manqué de courage physique, entraîna le roi sur les lieux de l'émeute pour haranguer les manifestants. Ce fut une fatale erreur. La foule tourna sa colère contre le couple. Notre amazone eut beau brandir un pistolet, il fallut une charge des cuirassiers pour la tirer, avec le roi, des mains de la plèbe. Le lendemain, Louis Ier ordonna la fermeture de l'université, ce qui augmenta la colère des étudiants. Unis pour une fois aux ouvriers et aux bourgeois, ils pillèrent le palais de la danseuse et outragèrent son royal amant. La Chambre des pairs finit par faire entendre raison au souverain, qui accepta d'éloigner la scandaleuse comtesse. Puis, déçu par l'ingratitude de ses sujets, Louis Ier céda le trône à son fils.

— Il a eu grand tort d'abdiquer ! Un souverain généreux, ami des arts et des artistes, qui a beaucoup embelli Munich, ne cède pas à la rue, commenta Charlotte.

— Ma chère, la vindicte des Munichois, furieux de voir leur roi ridiculisé par une aventurière, fut telle que Lola Montes dut quitter la ville sous la protection de plusieurs escadrons de cavalerie. Voilà comment finit la carrière bavaroise de la courtisane et voilà pourquoi la République de Genève en hérite, sans doute provisoirement… à moins que la belle ne débauche M. James Fazy et devienne l'égérie des radicaux ! conclut Blaise en riant.

Les femmes commentaient entre elles le destin de la danseuse, dont les Genevois feignaient d'ignorer la présence dans leur ville, et les hommes revenaient aux événements politiques quand Trévotte annonça l'arrivée, à Beauregard, du colonel-comte Piotr Golewski, qui n'était pas attendu.

— Qu'il entre et soit le bienvenu ! s'écria Fontsalte.

— Qu'on mette un couvert de plus ! ordonna Charlotte.

On fit fête au noble Polonais, dont la haute silhouette, élégante quoiqu'un peu voûtée, le regard pervenche et la chevelure blanche ondoyante plaisaient aux femmes. Avec l'aisance naturelle du vieil aristocrate, il baisa les doigts des dames et reçut l'accolade du général Fontsalte, enchanté de revoir cet ami.

Axel, qui avait hébergé l'officier au moulin sur la Vuachère après sa participation à l'expédition ratée contre la Savoie, en 1834, céda son fauteuil à l'arrivant, dont il devina qu'il faisait effort pour dominer sa lassitude.

— D'où venez-vous, à cette heure ? demanda Blaise, quand le visiteur fut pourvu d'un verre de dézaley.

— De Londres, en passant par Paris, dit le colonel.

— De Londres ! Les Anglais, eux, n'ont pas de révolution en cours. Ils sont à l'abri sur leur île, font du commerce et ne s'inquiètent guère du sort des peuples du continent, n'est-ce pas ? observa Vuippens.

— Détrompez-vous, mon ami ! Les Anglais ont toujours sur les bras les affaires d'Irlande, depuis qu'ils ont émancipé les catholiques et supprimé le Parlement autonome. Les meneurs de Jeune Irlande prêchent la révolution contre Albion et la tragique famine, qui sévit depuis 45, n'arrange rien, rectifia le Polonais.

— Nous qui ne sommes pas encore en situation de famine devrions passer à table. La cuisine s'impatiente, interrompit Charlotte en quittant son siège pour offrir son bras au comte Golewski.

L'entrée — des filets de perchette — servie, le docteur Vuippens relança la conversation sur les Irlandais affamés.

— Ce n'est pas la première famine, hélas ! Pour ne parler que de notre siècle, en 36, en 37, en 39, les Irlandais ont connu la faim. Dans ce pays — le plus peuplé d'Europe, d'après M. Disraëli, avec ses huit millions d'habitants —, on manque de nourriture dès que les récoltes de pommes de terre sont insuffisantes. Les Irlandais vivent de pommes de terre, comme les Chinois de riz, observa le médecin.

— Bien dit. Mais cet aliment de base fait maintenant cruellement défaut. Depuis 45, le mildiou, propagé par un champignon au nom barbare [1], anéantit la production annuelle de pommes de terre, tandis que les intempéries répétées compromettent les récoltes de

1. *Phytophthora infestans.*

blé et d'orge. D'où une famine comme on en connaissait au Moyen Age[1]. On dit qu'à ce jour plus de huit cent mille Irlandais seraient morts de faim, précisa le colonel.

— Et les Anglais ne font rien pour aider ces malheureux ? demanda Flora.

— Le Premier ministre John Russel a déjà dépensé cent mille livres sterling pour importer du maïs américain et le gouvernement de Sa Majesté subventionne les chantiers ouverts pour occuper les chômeurs, mais cela ne suffit pas et l'on voit des centaines d'Irlandais embarquer, chaque mois, pour les Etats-Unis. Car c'est la panique depuis qu'au manque de nourriture se sont ajoutés le typhus, le scorbut, la dysenterie, maladies contagieuses qui accompagnent souvent l'insuffisance d'aliments sains et frais. Il faut dire que les gens affamés mangent n'importe quoi pour prolonger leur triste vie. Dans les campagnes, il n'y a plus assez de cercueils pour enterrer les morts qu'on jette dans des charniers. On a même signalé des cas de cannibalisme, ajouta le colonel, ce qui déclencha les exclamations horrifiées des femmes.

— Ce fameux progrès, cette science bienfaisante, dont on nous rebat les oreilles, sont-ils impuissants à conjurer pareil fléau ? dit Mme Laviron avec humeur.

— A notre époque, alors que l'on se prépare, dit-on, a immerger dans l'océan, de Londres à New York, un câble télégraphique qui permettra aux Anglais de communiquer en rien de temps avec les Américains, il suffit donc d'une moisissure pour affamer des millions de gens ! Voilà qui devrait rendre les savants plus modestes ! renchérit M. Laviron.

Le colonel Golewski vida son verre et sourit.

— Ah ! Vous ne connaissez pas votre bonheur, les Suisses ! Après l'épreuve d'une courte guerre civile, voilà votre démocratie consolidée, les libertés individuelles confirmées, tandis que vos délégués cantonaux préparent une nouvelle Constitution, dont on ne peut attendre que du bien et cela dans le calme, dit le Polonais.

— Vous ignorez sans doute que nous venons, nous aussi,

1. Au cours du premier week-end de juin 1997, lors du festival intitulé The Great Irish Famine Event, organisé à Dublin pour rappeler la grande famine et l'émigration massive qu'elle provoqua, M. Tony Blair, Premier ministre britannique, a reconnu publiquement, en présence de M. John Bruton, Premier ministre d'Irlande, la responsabilité du gouvernement britannique de l'époque dans une tragédie qui fit plus d'un million de victimes.

d'avoir notre petite révolution, dit Axel d'un ton gentiment ironique.

— Exact, les événements de Paris, d'Italie et de Prusse ont inspiré nos ardents confédérés, qui ont décidé de faire entrer Neuchâtel dans le giron radical, baptisé républicain pour la circonstance. Et c'est chose faite depuis le 1er mars, précisa Vuippens.

— L'affaire s'est, semble-t-il, passée sans effusion de sang, et convenez que la situation de Neuchâtel, territoire hybride puisque canton suisse et principauté prussienne, méritait d'être enfin clarifiée, constata Blaise.

Le comte Golewski se souvenait seulement que Neuchâtel était resté neutre pendant la guerre du Sonderbund, mais il ignorait tout du récent changement de régime. Axel résuma pour lui les événements.

— Dès que fut connue, dans les montagnes du Neuchâtelois, la proclamation de la République à Paris, les radicaux du Locle et de La Chaux-de-Fonds hissèrent la bannière confédérale sur les hôtels de ville, firent disparaître l'aigle becquée de Prusse aux ailes éployées et décidèrent de marcher sur Neuchâtel, pour imposer un gouvernement républicain. Cette idée suscita des réactions dans les villages, dont les habitants ne souhaitent pas de changement politique, et à Neuchâtel même, parmi les royalistes. On vit les gens s'armer, tandis que le Conseil d'Etat du canton-principauté dépêchait des émissaires au Directoire fédéral, pour demander qu'il fît respecter l'autorité du gouvernement légal, et à Berlin, pour prévenir Frédéric-Guillaume IV que l'intégrité de sa possession helvète était sérieusement menacée. Mais les événements allèrent plus vite que les délégués. Les gens du Locle, de La Chaux-de-Fonds, du Val-de-Travers et des Brenets, un millier d'hommes à peu près, commandés par Ami Girard et Fritz Courvoisier, envahirent Neuchâtel, montèrent au château, prirent possession de la ville sans rencontrer de résistance, arrêtèrent les membres du Conseil d'Etat et, avec l'assentiment de la majorité de la population, établirent un gouvernement provisoire que le Directoire fédéral s'empressa de reconnaître, avant même que M. de Sydow, le représentant du roi de Prusse, eût quitté Neuchâtel. Le digne diplomate prussien remit aux commissaires fédéraux une protestation en bonne et due forme contre la destitution du gouvernement légitime et l'atteinte portée aux droits reconnus de Sa Majesté le roi de Prusse, prince de Neuchâtel et comte de Valangin, depuis le congrès de Vienne, c'est-à-dire 1815, acheva Axel.

— Je crains que le roi de Prusse ne puisse accepter pareille humiliation sans réagir, commenta le Polonais.

— Mais, bien sûr ! Cela va nous valoir une guerre avec les Prussiens, soupira Laviron, partagé entre crainte et satisfaction, car il voyait arriver dans sa banque les fonds que les patriciens neuchâtelois retiraient des établissements de leur canton, pour les mettre à l'abri dans ceux de Genève.

— Jusqu'à présent, ce brave Frédéric-Guillaume, qui a fort à faire, depuis le 18 mars, avec ses propres révolutionnaires, s'est contenté de témoigner son estime à ses sujets suisses restés fidèles à sa personne et réduits à vivre « sous une autorité qu'ils ne peuvent considérer comme légitime ». Il a décoré de l'Aigle rouge de 2e classe M. de Sydow, son dernier ambassadeur en Suisse, de l'Aigle rouge de 3e classe le chancelier Favarger qui avait fait le voyage de Berlin pour donner l'alerte, puis Sa Majesté a sagement invité tous les Neuchâtelois « à ne prendre conseil que de la position et du bonheur de leur pays, sans se laisser arrêter par les liens qui les attachent à Elle », révéla Blaise avec un sourire ironique.

— N'empêche que certains royalistes ne désarment pas. Quelques-uns s'en sont pris, le 12 mars, aux radicaux, qui leur ont tiré dessus. Le journal nous a appris que deux hommes ont été tués et une femme blessée, rapporta Vuippens.

— Ce qui a décidé le Directoire fédéral à envoyer à Neuchâtel deux bataillons bernois et deux bataillons vaudois, pour maintenir l'ordre, précisa Blaise.

— Pour soutenir les usurpateurs, voulez-vous dire, mon ami ! lança Mme Laviron, qui avait horreur du désordre.

— Oh ça ! que se soit à Fribourg ou à Neuchâtel, nos miliciens radicaux vaudois montrent toujours beaucoup de courage quand il s'agit d'aller rosser des citoyens dont le seul tort est de ne pas épouser les idées socialistes ou communistes sans discuter ! fulmina Charlotte.

— Ces changements sont dans l'air, que cela plaise ou pas. Et, à Neuchâtel, les élections du 17 mars ont donné une écrasante majorité aux républicains puisque, sur un peu plus de cinq mille votants — la plupart des royalistes ont refusé de participer au scrutin —, les radicaux ont obtenu quatre mille sept cent quatre-vingts voix, ce qui leur donne quatre-vingt-trois sièges à l'assemblée chargée de proposer une nouvelle Constitution cantonale, contre six aux amis du roi de Prusse[1]. Cela prouve bien, mes amis, que les Neuchâtelois entendent être suisses à part entière, déclara le général.

— Et nous ne pouvons que les approuver, firent en chœur Vuippens et Axel.

Après le dîner, le colonel Golewski eut un aparté avec Blaise de Fontsalte.

— Paris, d'où j'arrive, est actuellement le vrai centre révolutionnaire européen, commença-t-il. Vous ne pouvez imaginer pareil grouillement de patriotes, qui s'organisent pour porter la liberté dans leurs patries respectives. On se demande si, de toutes ces énergies libérales, ne pourrait pas sortir, un jour, une sorte de république européenne idéale. Napoléon n'a-t-il pas dit : « L'Europe sera républicaine ou cosaque » ? rappela l'ancien officier des lanciers de la Garde impériale.

Blaise sourit à cette évocation d'une Europe républicaine.

— Mon ami, ce n'est pas pour demain ! dit-il, atténuant le propos qu'il aurait spontanément tenu.

— Sans doute, sans doute. Mais, à Paris, fonctionne le Club de l'émigration polonaise, le Club des émigrés italiens, le Club démocratique ibérique, trois sociétés allemandes d'ouvriers et d'intellectuels, maintenant regroupées en une Société démocratique allemande, présidée par Georg Herwegh[2], que le roi de Prusse a accueilli en 1842 en lui disant imprudemment : « Soyons bons ennemis », ce qu'ils sont devenus ! Sous les ordres d'Herwegh, une Légion allemande, augmentée de nombreux Français, Polonais et patriotes d'autres pays, s'était mise en route fin mars. Le 25 avril, cette troupe avait passé le Rhin. Mais elle fut arrêtée dans sa marche parce que les modérés veulent faire l'Allemagne nouvelle par la réforme, plutôt que par la révolution. La Légion allemande

1. Il semble que les opposants au régime radical se manifestèrent plus courageusement le 14 avril, lorsque fut soumise à l'approbation de l'ensemble des citoyens neuchâtelois la nouvelle Constitution. Celle-ci ne recueillit qu'une médiocre majorité : 5 813 acceptations contre 4 395 refus.

2. Poète et homme politique allemand. Né à Stuttgart en 1817, mort à Baden-Baden en 1875. Militant du mouvement démocratique Jeune Allemagne. Il s'exila en Suisse pour échapper à la conscription et collabora à la presse radicale. Le recueil de poèmes *Chants d'un vivant*, publié en Suisse en 1841, et son essai *Vingt et un arcs de Suisse,* publié en 1843, firent sa renommée littéraire. Après l'échec de la Légion allemande il revint s'installer en Suisse et ne rentra en Allemagne qu'en 1866.

a été anéantie par les troupes fédérales le 28 avril, à Nieder-Dossenbach. Beaucoup de patriotes français, polonais, hongrois, italiens, russes et même suisses ont été faits prisonniers.

— Les poètes, quand ils se mêlent d'expéditions militaires, se fourvoient presque toujours ! Ce n'est guère encourageant, et cette affaire d'Allemagne ressemble un peu trop à l'expédition de 1834 contre la Savoie, dont vous étiez, rappela Blaise.

— Celle-ci eut, au moins, un heureux résultat, puisqu'elle me vaut notre amitié, dit le colonel, chaleureux.

— Mon estime vous est à jamais acquise, colonel, quelles que soient vos... imprudences, répliqua Blaise en donnant une tape sur l'épaule du Polonais.

— Cet échec de la Légion allemande nous a encouragés à constituer une Légion polonaise. Purement polonaise. C'est notre grand poète Adam Mickiewicz[1] qui a inspiré ce mouvement.

— Encore un poète ! s'exclama Blaise, qui s'empressa d'ajouter : mais, celui-ci, nous le connaissons bien, puisqu'il fut professeur de littérature latine à l'Académie de Lausanne, en 1839, avant que M. Victor Cousin lui offre une chaire au Collège de France.

— Chaire qu'on lui retira en 1845, parce qu'on trouvait ses façons excentriques. Il s'était bêtement laissé envoûter par ce fou de Towianski, qui se prenait pour saint Pierre et disait s'entretenir avec la Vierge, compléta Golewski, avec un haussement d'épaules.

— Les très brillantes *Leçons sur l'histoire et les Etats slaves* de Mickiewicz sont toujours enseignées à nos étudiants, dit Blaise.

— Le 6 avril, ce grand patriote a été reçu à Rome par le pape Pie IX, qui a béni notre étendard, reprit le comte. Depuis le 10 avril, des Polonais sont en Lombardie pour combattre les Autrichiens au côté des patriotes italiens. Il y a quelques semaines, le 26 avril, j'ai revu Mickiewicz à Paris. Il m'a demandé de recruter des officiers et des hommes, car notre mouvement est maintenant menacé d'une stupide scission. Le prince Czartovyski et le comte Zamoyski se battent, eux aussi, pour l'indépendance des peuples, mais ils veulent une armée polonaise, exclusivement aristocratique, au service des princes soi-disant libéraux.

Blaise, dont les quartiers de noblesse ne faisaient pas de doute, puisque les seigneurs de Fontsalte figuraient dans tous les inven-

1. 1798-1855.

taires des titres du comté de Forez établis depuis le XV$^{e}$ siècle, était, comme son défunt père, démocrate par esprit de justice et par raison.

— L'aristocratie, colonel, vous le savez mieux que personne, a sa place dans le combat libéral qui commence. Le peuple a toujours besoin d'exemples et c'est le devoir de l'aristocratie de les lui proposer. Comme ce fut autrefois le privilège de la noblesse de porter les armes, aujourd'hui elle se doit de porter la conscience de la démocratie, dit le général.

— Certes, mon ami. Mickiewicz a le peuple avec lui et aussi des aristocrates exilés comme moi, mais d'autres nobles polonais, qui composèrent un temps avec les Russes, ont aujourd'hui plus d'influence que Mickiewicz sur les princes et ducs italiens. Le roi Charles-Albert ne nous rejette pas, mais il entend limiter les effectifs de notre Légion polonaise à six cents hommes ! Une misère, général !

— Et que comptez-vous faire ? demanda Fontsalte.

— Décider nos réfugiés polonais vivant en Suisse, et qui commencent à s'amollir, à reprendre les armes. Notre Légion polonaise a besoin de renforts. Le combat des Italiens est aussi le nôtre. Nous ne déposerons plus les armes avant que la Pologne, la Bohême, l'Italie, la Hongrie, la Serbie, la Croatie, bref, comme l'a dit Emma Herwegh, « que toute l'Europe soit libre et le dernier bagne ouvert ».

Blaise de Fontsalte avait déjà entendu cette émouvante chanson. Il y avait, comme toujours, dans les croisades de son ami polonais une part de romantisme, de mysticisme, d'extravagance héroïque.

— Cet engagement vous honore, mon ami. Je souhaite la réussite de cette nouvelle et exaltante entreprise. Le vieux soldat que je suis n'est plus bon, hélas, qu'à donner des encouragements et aussi, comme autrefois, à vous offrir vivre et couvert si, d'aventure, les choses ne tournent pas comme vous l'espérez.

Un peu plus tard, raccompagnant son visiteur, le général lui tendit un opuscule.

— J'ai reçu cet intéressant document, qu'une ligue ouvrière, qui se dit internationale, vient de publier à Paris. Lisez-le. Je ne sais rien encore des auteurs, MM. Karl Marx et Friedrich Engels, mais ce *Manifeste du parti communiste* me paraît être une sorte de catéchisme révolutionnaire d'un ton neuf, dit le général.

Le colonel-comte remercia, serra longuement la main de son hôte et descendit l'escalier du perron.

Blaise de Fontsalte le suivit un instant des yeux, puis, l'esprit hanté par la nostalgie des combats, il regagna le havre douillet de Beauregard.

# 4.

Pour les Helvètes, abrités derrière une neutralité reconnue et naturellement enclins à une sorte de narcissisme national, la grande mutation politique en cours dans leur pays avait estompé, dans les conversations, bien que la presse en rendît compte, les journées révolutionnaires parisiennes de juin. Plus sanglantes que celles de février, celles-ci avaient fait, d'après les informations reçues par le général Fontsalte, des milliers de victimes et de considérables dégâts.

Les émeutes, conduites et orchestrées par les socialistes, communistes et anarchistes, avaient provoqué une réaction violente — contre-révolution estimait la presse radicale — de la part du gouvernement provisoire soutenu par une Assemblée composée en majorité de personnes attachées à l'ordre et au respect des lois.

La plupart des huit cent soixante-seize représentants envoyés à l'Assemblée constituante française avaient accepté la République de février mais se proposaient discrètement d'en faire, au contraire des ultras qui voulaient une république progressiste et sociale, un régime modéré, bourgeois, bien-pensant. On comptait, parmi les délégués, plus de quatre cents juristes, magistrats, avocats, avoués ou notaires, une douzaine de journalistes, des professeurs, une centaine d'anciens officiers, des ecclésiastiques et seulement vingt-cinq artisans, contremaîtres ou ouvriers !

Ceux qui rêvaient d'un Etat louis-philippard sans Louis-Philippe, exilé en Angleterre, se voyaient déjà gérants d'une république pateline et boutiquière. Ils avaient accepté sans grande protestation que M. Crémieux, ministre de la Justice, autorisât le retour en France du prince Louis Napoléon Bonaparte dont les partisans, conduits par le fidèle Persigny, héros malheureux des expéditions de Strasbourg et de Boulogne, avaient défilé, le 5 mai, des Invalides à la Concorde, avant de déposer des couronnes frappées du N, initiale de Napoléon et première lettre de nostalgie, au pied de la colonne Vendôme. Devant l'intérêt populaire suscité par cette manifestation, les bonapartistes avaient inscrit le prince comme candidat aux élections partielles du 4 juin. Cela sans en référer à l'intéressé, qui, récemment admis constable auxiliaire au poste de police de Marlborough Street, à Londres, assurait, ponctuel et discipliné, sa ronde nocturne autour de Trafalgar Square. Le succès électoral avait étonné l'exilé et dépassé les prévisions de ses plus chauds partisans. Non seulement les Parisiens avaient élu Louis Napoléon député à la Constituante avec plus de quatre-vingt mille voix, mais la Corse et les départements de l'Yonne et de la Charente-Inférieure en avaient fait spontanément leur représentant.

En apprenant cette élection et l'abolition de la loi de 1832, qui avait banni de France les membres de la famille Bonaparte, le général Fontsalte ne manifesta pas grande satisfaction.

— D'abord, on contestera la validité de sa candidature et de son élection. En admettant que l'une et l'autre soient entérinées, il aura contre lui les légitimistes, les orléanistes, les républicains, les socialistes, les fonctionnaires, les polygraphes serviles, les philosophes de salon et de barrières, les moralistes de taverne et tous les songe-creux dont Paris est la nurserie. Ou il ne sera rien ou sa présence déclenchera des violences qui lui seront reprochées. Si j'étais à sa place je remercierais le bon peuple qui m'a pris pour mon oncle et j'enverrais ma démission au président de la Constituante, acheva Blaise.

On sut bientôt que Louis Napoléon semblait avoir entendu à Londres le conseil donné à Lausanne par Blaise de Fontsalte. Le prince-député avait fait publier, le 14 juin, afin d'éviter que son élection ne devînt « prétexte à des troubles déplorables et à des erreurs funestes », qu'il se démettait d'un mandat qu'il n'avait pas sollicité. Il avait ajouté, réservant adroitement l'avenir : « Bientôt je l'espère le calme renaîtra et me permettra de retourner en France comme le plus simple des citoyens. »

— Superbement joué ! s'exclama alors le général, qui savait à quoi s'en tenir sur la tactique adoptée par le neveu de l'empereur.

Blaise avait, en effet, reçu des envoyés de Persigny chargés de convaincre « le plus prestigieux et le plus fidèle officier général du service impérial des Affaires secrètes et des Reconnaissances » d'user de son influence pour amener les vieux grognards exilés en Suisse à se ranger sous la bannière d'un bonapartisme nouveau. Fontsalte avait poliment éconduit ses visiteurs : « Ceux qui, comme moi, suivirent l'empereur sur les champs de bataille d'Europe, ceux qui ont partagé sa gloire et souffert son humiliation, ont aujourd'hui passé l'âge des engagements politiques hasardeux », avait-il dit, d'un ton sec.

Quelques jours plus tard, à partir du 22 juin, sans que le prince Louis Napoléon y fût pour rien, Paris s'était de nouveau enflammé et hérissé de près de quatre cents barricades. En moins d'une semaine, le général Louis Eugène Cavaignac, député promu ministre de la Guerre, nanti de tous les pouvoirs de l'exécutif, avait jugulé une révolution dont Lamartine disait : « Explosion de guerre servile et non de guerre civile », tandis que l'avocat républicain Alexandre Marie s'écriait : « C'est la barbarie qui a osé lever la tête contre la civilisation. » Evaluée à près de quarante mille hommes, la masse mouvante des insurgés comptait dans ses rangs beaucoup de braves ouvriers, déçus par l'échec des Ateliers nationaux créés en mars pour réduire le chômage et la misère.

— Le gouvernement provisoire a sans doute eu tort d'envoyer dans ces ateliers plus de vingt mille condamnés de droit commun, libérés par la Révolution de février, révéla Blaise.

— C'est incroyable ! Des malfaiteurs ! s'indigna Charlotte.

— Incroyable mais exact. Ces gens n'ayant rien à perdre, bien armés et entraînés par des meneurs expérimentés, vrais stratèges révolutionnaires, émules du Russe Mikhaïl Bakounine, qu'on a vu à Paris peu de jours avant l'émeute, exigeaient, plus que l'égalité des droits, celle des jouissances, dit le général.

Plusieurs Genevois qui se trouvaient à Paris avaient été témoins de ce qu'ils considéraient comme une insurrection organisée contre la République par ceux qui se disaient les plus républicains ! Dans leurs lettres à leurs parents et amis, l'étudiant en droit Gustave Moynier[1], Etienne Pascalis, les pasteurs Edouard Verny et Antoine Vermeil regrettaient que les défenseurs de l'ordre républicain se

1. Futur fondateur de la Croix-Rouge avec Henry Dunant.

soient souvent comportés avec la même sauvagerie que les insurgés.

Cavaignac avait en effet rétabli l'ordre à coups de canon, tué ou fait fusiller plus de trois mille émeutiers, emprisonné quinze mille autres et perdu mille cinq cents gardes nationaux massacrés par les rebelles. Mgr Affre, archevêque de Paris, brandissant le crucifix, avait tenté de jouer les médiateurs entre les révoltés et l'armée. La balle anonyme d'un tireur de barricades l'avait couché sur le pavé du faubourg Saint-Antoine. Trois généraux — Jean-Baptiste Bréa, Fleurus Duvivier et François de Négrier — figuraient aussi parmi les morts. Blaise de Fontsalte admirait beaucoup le courage de François de Négrier. Il avait vu cet officier se battre à Friedland et appréciait qu'il fût resté fidèle à l'empereur jusqu'à Waterloo.

Après avoir lu, dans le numéro de *l'Illustration* qu'il venait de recevoir, le détail des affrontements parisiens, le général commenta :

— Voilà un bien lourd bilan [1], dont la République sort maculée de sang, mutilée, hagarde, et le parti républicain décapité et déprécié.

Puis il enchaîna, à l'intention de son fils, venu dîner à Beauregard :

— C'est par crainte, et aussi par démagogie, que certains républicains ont soutenu une minorité de jacobins séditieux, révoltés contre la loi républicaine qu'ils prétendaient défendre. En encourageant à la révolte des milliers de miséreux, ces irresponsables, qui comme Louis Blanc et Marc Caussidière, se sont empressés de passer la Manche pour mettre leur précieuse personne à l'abri de la répression, ont finalement fait le jeu de la réaction bourgeoise et rendu la République à ceux qui entendent s'en servir plus que la servir. Les boutiquiers, les gens d'affaires et de Bourse, qui prospéraient sous Louis-Phillipe, doivent être rassurés puisque l'armée et la Garde nationale sont restées loyales. Les Thiers et les Odilon Barrot triomphent. Gageons que, si Louis Napoléon rentre maintenant en France, il sera reçu comme le sauveur d'une république

1. Le bilan officiel, très minimisé au dire des témoins et des historiens, fit état de 1 460 morts, dont deux tiers de militaires et gardes nationaux ; 2 569 blessés soignés dans les hôpitaux ; 11 671 émeutiers incarcérés dans les prisons et les forts de Paris. 6 374 d'entre eux furent bientôt libérés et 4 348 déportés en Algérie.

exsangue et malade, conclut gaiement Blaise de Fontsalte, émoustillé par une telle perspective.

Au cours de l'été, qui fut tout entier, à Rive-Reine, consacré aux travaux de la vigne, les journaux annoncèrent que les Français éliraient, en septembre, leur président de la République au suffrage universel. Mais, pour les Suisses, le grand événement de l'automne 1848 fut l'adoption d'une nouvelle Constitution fédérale[1].

Rédigés par un comité de vingt-trois membres — un par canton, plus un président — les textes constitutionnels furent soumis, dès septembre, aux vingt-deux gouvernements cantonaux. Quinze cantons et un demi-canton les adoptèrent, six cantons et un demi-canton les refusèrent, sans pour autant les rejeter. La consultation directe des citoyens en âge de voter, soit dix-neuf pour cent de la population, permit, avec une confortable majorité, d'imposer à tous la Constitution nouvelle. Bien que la moitié seulement des citoyens appelés à se prononcer se soit rendue aux urnes, on estima que sept Suisses sur dix avaient approuvé la Constitution[2].

Celle-ci — dont on citait les pères les plus actifs : MM. Jonas Fürrer, de Zurich ; Johann-Ulrich Ochsenbein, de Berne ; Joseph Munzinger, de Soleure ; Guillaume Naeff, de Saint-Gall ; J.C. Kern, de Thurgovie, et Henry Druey, de Vaud — faisait de l'ancienne Confédération helvétique, née de l'Acte de Médiation de 1803, fortifiée en 1815, un véritable Etat fédéral. Désormais, les gouvernements cantonaux et un gouvernement central se partageraient, sous couvert de souverainetés identiques, les responsabilités politiques, économiques et administratives, garantes de l'intérêt commun du peuple suisse et des droits des citoyens. Et cela sans méconnaître les particularismes cantonaux, souvent reflets d'un chauvinisme atavique, la diversité des langues, des cultures et des religions.

Parmi les cent quatorze articles de cette règle de vie fédérale, les plus importants, aux yeux des Suisses, garantissaient la souveraineté des cantons, à condition que leur propre Constitution ne

1. Elle est, dans ses principes de base, toujours en vigueur.

2. Sur 437 000 électeurs potentiels, 169 743 se prononcèrent pour le oui ; 71 899 pour le non. Les plus nombreux furent les abstentionnistes, près de 190 000. Dans le canton de Vaud, 15 323 citoyens approuvèrent la Constitution ; 3 513 la rejetèrent.

contredise en rien la Constitution fédérale. C'était sagement limiter l'autonomie cantonale aux formes démocratiques d'un Etat moderne. Si les gouvernements cantonaux restaient libres de légiférer en matière de droit civil et commercial, de justice, de police, d'instruction publique et de perception de l'impôt, ils déléguaient, en revanche, leur pouvoir, pour tout ce qui relevait de la défense du territoire, de la diplomatie, des orientations économiques, à un Conseil national chargé d'assurer « la représentation démocratique du peuple aux délibérations du pouvoir commun », à raison d'un député pour vingt mille habitants, et à un Conseil des Etats, émanation de l'ancienne Diète, composé de deux représentants par canton, quelle que soit la superficie et la population de ceux-ci. Cette dernière disposition originale concrétisait le principe de « l'égalité des inégaux[1] ». Le canton de Berne, plus de quatre cent mille habitants, n'avait ainsi pas plus de poids que le canton de Vaud, moins de deux cent mille, ou le petit canton d'Uri, treize mille habitants.

Les membres de la Constituante avaient pallié le cas de désaccord entre les deux chambres représentatives en décidant qu'aucune loi fédérale, décret ou arrêté ne pourrait être appliqué sans avoir reçu, au préalable, l'aval de la majorité absolue des deux assemblées.

Ce bicamérisme, que certains disaient copié sur la Constitution des Etats-Unis, en oubliant que celle-ci avait été inspirée par un Suisse[2], supportait un gouvernement fédéral de sept membres élus à la majorité des deux chambres réunies. Les conseillers fédéraux, sortes de ministres, devaient désigner, chaque année, celui d'entre eux qui dirigerait leurs travaux et remplirait de surcroît les fonctions honorifiques de président de la Confédération. Déjà, les premiers conseillers fédéraux élus, dont Fürrer, Ochsenbein et Druey, pères de la Constitution, s'étaient partagé les responsabilités, réparties en dicastères ou départements. Les Vaudois ne furent pas étonnés d'apprendre que le radical Henri Druey avait obtenu le département de Justice et Police. Plus que ceux des Finances, du Commerce, de l'Agriculture, ou même de l'Intérieur, ces orga-

1. Formule de M. Xavier de Boccard, lors d'une conférence sur *L'Expérience suisse et la fédération de l'Europe*, prononcée le 12 mai 1958, à Lyon.

2. Jean-Jacques Burlamachi (1694-1748), dont il est prouvé aujourd'hui que l'ouvrage *Principes du droit naturel*, publié en 1747, à Genève, chez Barrillot et fils, et immédiatement traduit en plusieurs langues, inspira largement les rédacteurs de la Constitution américaine de 1787.

nismes offraient un observatoire politique et des moyens d'action directs sur les populations, qui, dans certains cantons comme Fribourg, Zoug et Valais, n'étaient nullement acquises aux thèses radicales.

Les amis de Blaise de Fontsalte avaient aussitôt approuvé une charte qui, entrée en vigueur dans le temps des vendanges, faisait de la Suisse une entité démocratique européenne apte à parler d'une seule voix dans les discussions internationales. Axel Métaz voyait surtout dans les textes confirmation d'une mainmise plus radicale que libérale sur le pays, mais attendait de réels avantages pour le commerce des engagements déjà pris par le gouvernement siégeant à Berne, promue capitale fédérale. L'unification des monnaies, des unités de poids et mesures, la suppression des douanes cantonales, l'amélioration du réseau routier, la mise en service d'une poste fédérale efficace et l'accélération de l'établissement des chemins de fer, secteur dans lequel la Suisse, du fait des rivalités et atermoiements cantonaux, avait pris un retard considérable, seraient bienvenus.

Lors d'un séjour à Genève, le Veveysan évoqua cette mutation capitale avec sa filleule et Pierre-Antoine Laviron. Alexandra et son père adoptif, comme la plupart des banquiers genevois, fondaient de grands espoirs sur une évolution politique, économique et administrative qui stimulerait les affaires.

— Depuis l'épreuve du Sonderbund, les gens aspirent à la paix civile et religieuse. Ils veulent à la fois l'indépendance du pays par rapport aux nations européennes et la sécurité de nos frontières. Liberté et égalité ne peuvent que favoriser la prospérité pour tous. Or la Constitution admet judicieusement, avec le respect de l'autonomie cantonale, la part de conservatisme présente chez chaque Suisse, mais elle atténue les protectionnismes cantonaux, obstacles au progrès et carcan des affaires, dit le banquier.

Devant l'air dubitatif de son parrain, Alexandra intervint pour soutenir le point de vue de M. Laviron.

— Demain, la Confédération sera un grand marché libre et chacun participera sans encombre aux échanges commerciaux intérieurs et avec l'étranger. Plus de droits de péage, de transit, d'entrepôt, de pontonnage, plus d'octroi ! lança-t-elle, enjouée.

— Mais, en revanche, une douane aux frontières extérieures, s'empressa d'observer Axel.

— Nous avons les meilleurs fromages et d'excellents vins.

Pourquoi acheter des tommes de Savoie et des vins de Bourgogne ? La douane limitera les importations abusives et protégera ainsi notre industrie, notre agriculture, notre artisanat, pronostiqua avec assurance le banquier.

— Et gênera peut-être nos exportations, pour peu que nos voisins répliquent en prélevant de nouveaux droits, dit Métaz, dont les barques portaient à Genève quantité de produits vaudois destinés à la France, à l'Angleterre ou à l'Espagne : fromages de la Gruyère, chocolats fins de Cailler, sel des mines de Bex, beaux papiers de La Sarraz, peaux tannées de Lausanne et, depuis peu, les fameux Cigares de Vevey, adoptés par M^me^ George Sand, que fabriquait dans une ancienne chapellerie veveysanne un Français, M. Bernard Lacaze.

— Il y aura des compensations puisque les droits perçus aux frontières par la douane suisse iront, pour moitié, aux finances fédérales et, pour moitié, aux cantons, précisa M. Laviron.

— A mon avis, parrain, la concurrence — qui est aussi émulation, ne l'oublie pas — sera plutôt intérieure, car la Constitution garantit à tous l'égalité devant la loi, la liberté de croyance et de culte, le droit d'établissement, de domicile et d'industrie, dit-elle.

— A tous… sauf aux Juifs [1], corrigea Axel.

M. Laviron eut un geste de la main signifiant combien lui paraissait négligeable, dans la République de Genève, l'influence des enfants d'Abraham.

— Genève ne contient pas trois cents Juifs ! lança-t-il.

— Et pour cause ! rétorqua Axel, ironique.

Peu de temps après la vendange, un peu tardive cette année-là, Axel Métaz fut interrompu dans ses travaux par une visiteuse inattendue. Pernette fit un jour irruption dans le bureau de son maître.

— Il y a là une dame en grand deuil, qui vient de Fribourg et demande à vous voir d'urgence. Paraît que vous la connaissez. Elle s'appelle Andret qu'elle a dit, rapporta la vieille servante, manifestement impressionnée par l'aspect de la voyageuse.

1. Le droit d'établissement en Suisse ne sera accordé aux Juifs qu'en 1866. En 1860, la communauté juive de Genève ne comptait que deux cent soixante membres.

— Bien sûr que je la connais ! Fais-la venir, ordonna Axel, à qui le terme grand deuil fit aussitôt pressentir un drame.

A peine Mme Andret fut-elle entrée dans la pièce qu'elle chercha un siège du regard, s'en approcha en titubant et s'y effondra au bord de la défaillance. Puis, incapable d'articuler un mot, elle se mit à sangloter. Axel tira une chaise près d'elle et lui prit doucement la main.

— Voyons, Marthe, que se passe-t-il ? Calme-toi, parle. Qu'est-il arrivé ? Que puis-je faire pour toi ?

— On peut plus rien faire, monsieur, hoqueta la jeune femme en posant sur Métaz un regard désespéré.

— Comment ça ?

— Non, monsieur, non, non ! Vous savez pas ! Il a tué mon mari, mon Pierrot ! Il l'a tué, hurla Marthe avant de s'abandonner, le menton sur la poitrine, au chagrin qu'elle ne pouvait dominer.

Axel demeura un instant silencieux, ôta le chapeau de Marthe, puis lui caressa les cheveux. Elle n'avait pas à nommer l'assassin de son mari. Axel savait qu'il ne pouvait s'agir que de Samuel Fornaz, son ancien contremaître des vignes. Le premier fiancé de Marthe Jaquier n'avait jamais accepté qu'elle lui eût préféré le fils d'un riche notaire de Fribourg.

Elise, sans doute alertée par Pernette, arriva fort à propos pour soutenir la veuve, au bord de l'évanouissement. Quand Mme Métaz fut parvenue à faire boire un peu d'eau à la visiteuse, en l'exhortant en termes apaisants à reprendre possession d'elle-même, Marthe, avec une trémulation incontrôlable des lèvres, qui donnait à son récit un rythme haché, finit par raconter le drame vécu trois jours plus tôt, à Fribourg.

— Faut vous dire qu'un grand nombre de Fribourgeois ne supportaient plus la tyrannie du gouvernement radical de Fribourg. Et c'est pire depuis que le Conseil d'Etat a fait arrêter et porter hors du canton notre évêque, Mgr Marilley.

— Mgr Marilley a été arrêté et expulsé ! s'étonna Elise.

— Ah ! ça non plus, vous ne savez pas encore ! On a emmené Sa Grandeur comme un voleur ! Geynoz, le lieutenant du préfet, le colonel Egger et le secrétaire de préfecture Rouiller sont entrés à l'archevêché à deux heures de la nuit, le 25 octobre, pour notifier à Monseigneur sa déportation hors du canton. Ils sont partis en voiture pour Payerne, accompagnés de carabiniers. Mais on dit que les radicaux de Fribourg veulent donner l'évêque en garde au gouvernement de Vaud, expliqua Marthe, s'animant soudain.

— La mort de ton mari est-elle en rapport avec cet événement ? demanda Axel.

— Non et oui. Faut vous dire que depuis des semaines il s'était formé, à Fribourg, une conspiration conduite par des hommes de l'aristocratie, les anciens politiciens, ceux que les radicaux appellent conservateurs. Tout était bien organisé, croyez-moi. Ils avaient même composé un gouvernement de rechange pour remplacer les gens qui devaient être chassés des emplois qu'ils ont pris de force en décembre 47. Le soulèvement était prévu pour la nuit du 23 au 24 octobre. Comme vous voyez, c'était avant qu'on déporte notre évêque. Mais tout le monde savait qu'il se préparait quelque frouille[1]. Les radicaux étaient en colère parce que Mgr Marilley ne voulait pas reconnaître la nouvelle Constitution, ni donner les biens de l'Eglise catholique à l'Etat, ni laisser au Petit Conseil le droit de nommer seul les professeurs de théologie, les curés et même le pouvoir de censurer les prêches du dimanche ! Le moment était donc bien choisi de se révolter pour empêcher ça. Des gens devaient venir de tout le canton, se réunir à Fribourg et chasser les mauvais. Toute la population attendait cette libération.

— Et ton mari, Pierre Andret, était du complot, avança Axel.

— Oui, bien sûr. Son père, avec ses amis, devait marcher sur l'hôtel de ville et s'y tenir. Pierre et d'autres devaient aller à la prison relâcher ceux que les radicaux tiennent enfermés depuis des mois. Pierre et des étudiants en droit avaient essayé, en février, de faire sortir les prisonniers politiques mais, déjà, ils avaient été trahis et les miliciens vaudois, qui nous surveillent depuis la défaite du Sonderbund, les attendaient à la Mauvaise Tour. Par miracle, Pierre leur avait échappé, mais Samuel, toujours à tourner autour de chez nous, surtout quand il avait bu une channe[2] de trop, lui avait crié : « Je sais ce que tu veux faire, mais je saurai te rapercher[3] », bredouilla Marthe avant de se mettre à pleurer.

— Pourquoi dis-tu, pour l'affaire de février, dont j'ai entendu parler : « Ils avaient déjà été trahis » ? interrogea Axel.

— Parce que, cette fois, on les a encore trahis. Mais on a su à

1. Tricherie, mauvais coup.
2. Broc, le plus souvent d'étain, dans lequel on servait le vin.
3. Attraper.

temps que la police avait éventé le plan secret. Faut savoir que plusieurs aristocrates de la ville, et même des prêtres, étaient contre cette révolte. Ils disaient que ce serait encore une affaire ratée. Les chefs ont voulu contremander ceux qui devaient les rejoindre. Mais les courriers ne purent arriver partout à temps et, à Châtel, les gens avaient déjà désarmé les gendarmes, arrêté le préfet, pris deux canons. Des colonnes s'étaient mises en marche pour Fribourg, de Rue, de Gruyères, et même des communes voisines du canton de Berne. Mais la femme du préfet de Châtel a fait prévenir les milices de Moudon et de Payerne. Elles sont vite venues renforcer le bataillon vaudois qui occupe Fribourg et qui était déjà sous les armes. Et c'est en rentrant chez nous que Pierre, qui avait pu se tirer d'affaire et cacher ses pistolets chez l'épicier, rencontra Samuel. Le bandit s'était acagnardé[1] seul, pour que son crime ait pas de témoins. Mais notre voisine, qui attendait le retour de son fils et de son mari, eux aussi dans le complot, a bien vu de sa fenêtre Samuel insulter Pierre, le menacer de sa baïonnette. Ils se sont un peu battus et puis Samuel a reculé. La voisine a entendu, quand il a levé le chien de son fusil, il a dit : « Tiens, fini de miquemaquer, ruclon[2] de jésuite ! » et il a tiré, tiré de près, l'assassin ! Et mon Pierre est tombé ! Mort ! Mort ! Il me l'a tué ! acheva Marthe hurlant sa douleur, avant de s'abandonner, défaillante, dans les bras d'Elise.

— Que pouvez-vous faire ? demanda Elise à son mari, dont elle voyait l'œil vairon refléter une colère contenue.

— Faut demander justice, monsieur. Ils ont mis Samuel en prison, comme ça, pour calmer les gens du quartier. Mais c'est sûr qu'ils lui feront rien. Ils diront que c'est Pierre qui a commencé et que l'autre a fait que se défendre, intervint M^me^ Andret, reprenant soudain conscience.

La décision de M. Métaz était déjà prise.

— Je vais à Fribourg. Samuel a été, autrefois, mon commis et sous mes ordres pendant la guerre du Sonderbund : je dois voir de quoi il retourne exactement. Ne laissez pas partir Marthe avant qu'elle soit un peu remise, conseilla Axel à sa femme.

— Mais elle a des enfants qui ont besoin de leur mère, observa M^me^ Métaz.

1. Caché, dissimulé, posté.
2. Objet que l'on jette à la poubelle.

— Ma belle-mère et les servantes s'en occupent. Dieu merci, mes deux petits sont bien soignés, larmoya Marthe.

Un quart d'heure plus tard, Axel Métaz de Fontsalte, ayant revêtu son uniforme de capitaine de la milice vaudoise, était, au grand trot dans son cabriolet, avec Lazlo pour cocher, sur la route de Fribourg. Le Tsigane, qui vouait au maître de Rive-Reine une véritable dévotion et que rien, étant donné ce qu'il avait vécu, ne pouvait étonner, sourit en voyant les pistolets passés dans la ceinture du capitaine.

Une brume crépusculaire montait de la Sarine quand l'équipage arriva à Fribourg. Axel se rendit directement au cantonnement de la milice vaudoise et exigea du sous-officier de service d'être conduit près du caporal fourrier Samuel Fornaz.

— Je le connais et je suis avocat. Il serait bon que je l'interroge, dit Métaz avec autorité.

— Je me pose la question de savoir si je puis autoriser une visite au prisonnier, dit le jeune gradé, à la fois désinvolte et suffisant.

— Ne vous posez pas de question, sergent. C'est un ordre. Je n'ai pas de temps à perdre. Et rectifiez la position, s'il vous plaît, quand un supérieur vous adresse la parole, dit sèchement le capitaine.

Le sous-officier se fit aussitôt déférent.

— On a mis le prisonnier dans l'ancien cachot, sous l'hôtel de ville, parce qu'on craint que des parents ou des amis du notaire qu'il a tué, en se défendant bien sûr, ne viennent lui faire un sort. Ces gens sont d'autant plus rancuniers que leur soulèvement contre le gouvernement a échoué, mon capitaine, dit le sergent.

— Faites-moi conduire, ordonna Axel, ignorant le commentaire.

Un milicien débraillé à l'haleine vineuse guida Métaz jusqu'à l'hôtel de ville et fit ouvrir la pièce dans laquelle somnolait Fornaz. A la vue de son ancien maître en uniforme Samuel se dressa, boutonna son dolman et tendit à Axel une main que celui-ci refusa ostensiblement.

— Bon, bon ! Je vois qu'on vous a raconté des histoires à mon sujet, dit Fornaz, à la fois rogue et inquiet.

— On m'a, en effet, rapporté que tu as tué Pierre Andret.

— C'est vrai... mais parce que nous étions attaqués ! Il me menaçait !

— Non parce qu'il te menaçait, comme tu le dis : il n'était pas armé. Non parce qu'il troublait l'ordre public : le soulèvement avait été éventé. Avoue-le, Samuel, tu as tué parce que Pierre Andret t'a pris autrefois la femme que tu devais épouser. Tu es un banal assassin, qui vient de faire une veuve et deux orphelins. Ce qui est impardonnable. Voilà la vérité, dit Axel, net et cassant.

Fornaz se rassit, accablé, devant la table où se trouvaient les reliefs d'un repas. Puis il se regimba.

— Les juges diront si je mérite d'être puni pour avoir débarrassé Fribourg d'un comploteur, ami des jésuites, qui voulait, on le sait, avec ses compères, pendre les membres du Conseil d'Etat et reprendre le pouvoir au peuple et…

Axel Métaz, excédé, fit un pas en avant, saisit Fornaz au col, le tira violemment de la chaise et le souleva à bout de bras.

— Garde ces propos pour les imbéciles et les ignorants, Samuel. Quoi que tu dises, tu n'échapperas pas à ta conscience et, si tu vas devant les juges, je rassemblerai assez de témoignages, y compris ceux d'il y a quinze ans, quand Marthe se plaignait déjà de tes façons, pour prouver que tu as souvent menacé de mort Pierre Andret et que ton acte criminel n'est que vengeance d'un jaloux. Et, qui plus est, d'un jaloux ivrogne. Quoi qu'il arrive, quoi que décident des magistrats, maintenant au service des radicaux, comme ils étaient hier et seront demain peut-être au service des conservateurs, ta vie n'aura plus aucun attrait, aucun sens. Tu seras méprisé de ceux qui, aujourd'hui, te protègent par couardise ou intérêt !

Ayant parlé, M. Métaz, d'un geste brutal, rejeta Fornaz sur son siège.

Vaincu — l'œil vairon d'Axel l'avait toujours mis mal à l'aise —, l'ancien contremaître, coudes sur la table, se frictionna la tête nerveusement.

— Bon Dieu, pourquoi toujours avez-vous raison ! lança-t-il, hargneux et désorienté.

— Parce que la vérité est plus forte que tout et qu'il existe une justice immanente. Et cette justice-là finit par vous rapercher où que l'on se cache ! dit Axel, usant volontairement du terme vaudois dont Samuel avait un jour accablé son rival.

— C'est vrai que j'ai plus goût à rien depuis cette affaire. Je fais toutes les nuits le même cauchemar. Je suis attaché sur un bûcher, comme ceux du 31 janvier, sur la place Notre-Dame, et Marthe, en riant comme une folle, laide, grimaçante, échevelée telle une sorcière, met le feu sous mes pieds ! avoua-t-il.

Comme M. Métaz demeurait silencieux, Samuel leva un regard las sur son ancien maître.

— Qu'est-ce que je dois faire ? Oui, qu'est-ce que je dois faire, dites, dites-moi ? Je le ferai, je vous jure, supplia-t-il.

Le capitaine Métaz tira un pistolet de sa ceinture.

— Il est amorcé, dit-il en posant l'arme sur la table.

Puis il quitta le cachot sans se retourner.

Sitôt la porte refermée sur le prisonnier, Axel s'immobilisa dans le couloir et attendit. Il se retint de réveiller le milicien qui l'avait accompagné. Accroupi contre le mur, l'homme dormait, bouche ouverte, son fusil entre les genoux. La détonation le fit sursauter. Il se dressa lourdement, criant au qui-vive en brandissant son arme.

— Coffyâ[1] ! Qu'est-ce qui se passe, capitaine ?

— La justice est passée. Occupez-vous du prisonnier. Je vais de ce pas faire mon rapport à votre commandant, dit Axel, laissant le soldat, stupéfait, ouvrir le cachot où gisait Fornaz la tête éclatée.

Les autorités militaires, pas plus que les magistrats, satisfaits d'un dénouement qui ne leur posait aucun cas de conscience, ne reprochèrent au capitaine Métaz de Fontsalte d'avoir « oublié » son pistolet sur la table d'un prisonnier en attente de jugement et qui, son geste le prouvait, devait se sentir coupable. Pour les politiciens radicaux, le seul aspect gênant du drame fut que le suicide de Fornaz donnait raison aux Andret et aux conservateurs. La mort du notaire, dont les funérailles furent imposantes, résultait d'un acte prémédité, comme le clamaient sa veuve et sa mère. Si l'évêque, Mgr Etienne Marilley, n'avait pas été expulsé du canton, nul doute qu'il eût profité de la circonstance pour stigmatiser, dans son oraison funèbre, les dangers que faisaient courir aux citoyens les pratiques de certains militaires étrangers et les radicaux exaltés.

M. Métaz tint à organiser et à assumer tous les frais de l'enterrement de Samuel Fornaz dont il avait, sans état d'âme, forcé le destin. Le corps du suicidé fut ramené à Rivaz, son village natal, et inhumé près de ses parents. Samuel étant sans autre famille que des cousins, indifférents ou honteux, qui ne se dérangèrent pas pour assister à la mise en terre de l'ancien contremaître, Axel conduisit seul le deuil, en compagnie du vieux pasteur Duloy, mis au courant des circonstances très particulières du décès de Fornaz.

— Que soit épargné à ce malheureux garçon, devenu assassin

1. Juron : saleté, ordure.

pour avoir trop aimé une femme, le sort de Caïn, qui, dans sa tombe, voit éternellement l'œil de Dieu sur lui, dit le pasteur.

— Amen, répondit M. Métaz.

Quand, à Beauregard, Charlotte de Fontsalte apprit que les radicaux vaudois avaient accepté de se faire les geôliers de Mgr Etienne Marilley et que le président du Conseil d'Etat, Henri Druey, avait fait enfermer le prélat dans le château de Chillon, comme autrefois Bonivard, elle poussa des hauts cris et alerta la communauté catholique.

Bientôt, on répandit copie, dans tout le canton, de la correspondance échangée au cours des semaines précédentes entre les autorités fribourgeoises et l'évêque, d'où il ressortait clairement que ce dernier avait refusé toute laïcisation du domaine ecclésiastique et interdit aux prêtres de son diocèse de prêter serment au nouveau gouvernement.

Dans une longue lettre du 22 octobre [1], en réponse à l'ultimatum du Conseil d'Etat, l'évêque expliquait comment et pourquoi la population catholique de Fribourg avait été « froissée et alarmée » par l'expulsion de nombreux curés et les exactions commises à l'égard de certains autres, par les amendes infligées aux couvents et aux religieux [2], par les calomnies répandues sur le clergé dans les réunions publiques et les proclamations officielles, par la mise sous administration civile des biens de l'Eglise et, surtout, par l'article 2 de la nouvelle Constitution, qui ne garantissait « l'exercice de la religion catholique que dans les limites de l'ordre public et des lois ». D'après Mgr Marilley cette disposition « permettrait aux agents de la police, ou bien à une majorité dans le Grand Conseil, suivant la nature de leurs dispositions religieuses, de mutiler d'abord, puis de proscrire tout à fait, l'exercice du culte catholique ».

1. Publiée, comme les citations qui suivent, dans le recueil *Monseigneur Marilley ou le prisonnier de Chillon*, Imprimerie de Fr. Grumel, Carouge, 1848.

2. Huit cent dix mille francs étaient réclamés aux couvents, plus soixante mille francs aux membres du clergé séculier. Les radicaux exigeaient encore, de vingt anciens élus ou notables considérés comme responsables de l'adhésion de Fribourg au Sonderbund et menacés de poursuites pour haute trahison, la somme d'un million six cent mille francs. Etude de M. André Winckler, *l'Affaire des contributions fribourgeoises,* dans la revue *Annales fribourgeoises*, publication de la Société d'histoire du canton de Fribourg, tome LIII, 1975-1976, Imprimerie Fragnière S.A., Fribourg, 1976.

L'évêque déclarait ne pouvoir, en conséquence, se soumettre aux sommations qui lui avaient été adressées avant de conclure, ferme et courtois : « En finissant, Monsieur le Président et Messieurs, nous vous déclarons avec assurance que nous croyons avoir rempli consciencieusement notre devoir. Quelles que puissent être les conséquences de notre conduite, quel que soit le sort qui nous attend, le calme, la confiance en Dieu, la vue de la croix, les espérances de la vie future et par-dessus tout la grâce divine nous soutiendront. »

Les conséquences ne s'étaient pas fait attendre. Après un voyage de quarante-huit heures, avec arrêts à Payerne et à Lausanne, dans une voiture à deux chevaux où avaient pris place les représentants fribourgeois escortés de carabiniers, l'évêque récalcitrant avait été incarcéré à Chillon, comme un vulgaire voleur de poules !

Le prélat était tout de même mieux loti que son plus illustre prédécesseur, le prieur de l'abbaye genevoise de Saint-Victor, François Bonivard, enchaîné, de 1530 à 1536, dans un souterrain humide du château médiéval, devenu curiosité touristique. Au contraire de cet adversaire du duc de Savoie, dont le sort avait inspiré un poème fameux à lord Byron, Mgr Marilley disposait d'une cellule « de onze pas de long sur trois de large, pauvrement meublée et recevant le jour d'une fenêtre unique garnie de barreaux de fer[1] », mais donnant sur le lac. Il pouvait même recevoir quelques visiteurs, à condition que ceux-ci s'engagent à ne pas parler politique et que l'entretien se déroule en présence du préfet de Vevey et de deux gendarmes !

Comme Charlotte, Flora et leurs amis catholiques se plaignaient du sort réservé à l'évêque par les radicaux, Vuippens, admis en qualité de médecin à visiter le prisonnier, rassura Mme de Fontsalte.

— Mgr Marilley est parfaitement serein et en bonne santé. Il est bien nourri par ceux qui, comme vous, lui font porter victuailles et vins. Et vous pouvez être assurée, ma chère, que les Vaudois ne lui réservent pas le sort peu enviable des Juifs de Villeneuve, qui furent enfermés et mis à mort à Chillon en 1348, il y a donc exactement cinq cents ans, sous prétexte qu'ils répandaient la peste dans le pays ! dit Louis, plus amusé que scandalisé par l'internement d'un évêque.

1. *Fribourg, la Suisse et le Sonderbund,* Pierre Esseiva, Imprimerie catholique suisse, Fribourg, 1882.

— Pour les protestants sectaires et les révolutionnaires radicaux, le papisme, comme ils disent, est une sorte de peste, Louis. On peut donc tout craindre pour Sa Grandeur, répliqua l'épouse du général.

On alerta bientôt le pape Pie IX et le cardinal Soglia, secrétaire d'Etat, adressa, le 10 novembre, à la demande du Saint-Père une lettre au Directoire fédéral de Berne pour justifier la conduite de Mgr Marilley qui, dans son différend avec les autorités fribourgeoises, avait « sauvegardé un droit qui n'était pas le sien, mais celui de l'Eglise ». Et le cardinal ajoutait : « Le Saint-Père ne peut donc refuser ni faire attendre l'appui de sa voix apostolique à l'égard d'un évêque innocent. En réclamant la liberté du prélat et son prompt retour à son siège, il croit agir non seulement d'après la justice, mais dans l'intérêt même du gouvernement. Puisqu'il y aura sans doute, parmi les catholiques un certain nombre qui, en soulevant leurs regards au-dessus de la terre, béniront le Seigneur d'avoir donné à la Suisse un de ces événements qui raniment la foi dans les peuples, mais il y en aura d'autres qui, si aucune voix ne s'élevait pour la défense de la justice, pourraient se croire autorisés par la nécessité à opposer la violence contre la violence, et le cœur paternel de Sa Sainteté aurait encore la douleur de voir s'aigrir cette malheureuse plaie que les haines politiques ont ouverte dans le sein de la Suisse. »

— Eh ! Eh ! ce pape de cinquante-six ans, dont on vante les idées libérales et dont le premier geste fut, le 16 juillet 1846, d'amnistier les condamnés politiques romains, ne se laisse pas impressionner par les radicaux ! Ira-t-il jusqu'à lancer une nouvelle croisade pour libérer Marilley ? dit Vuippens en riant, après avoir lu le message pontifical.

— Dieu nous préserve d'un conflit avec Rome. Mais la niaiserie et l'outrecuidance des radicaux fribourgeois et vaudois risquent tout bonnement de ranimer une guerre de religion entre Suisses, observa le général Fontsalte.

— Alors que ces messieurs viennent de voter une Constitution fédérale garantissant le libre exercice des cultes, certains s'empressent de restreindre cette forme de la liberté de conscience, la première de toutes les libertés, renchérit Axel, soutenu par Elise.

Bien que protestante et fille de pasteur, Mme Métaz, comme la grande majorité des fidèles de l'Eglise réformée, déplorait l'arrestation de Mgr Etienne Marilley, unanimement estimé à Genève et Lausanne comme à Fribourg. La très sérieuse *Revue des Deux Mondes* traçait d'ailleurs un portrait flatteur du nouveau prisonnier de Chillon : « Monseigneur Marilley est un prélat jeune encore, d'une haute piété, d'un esprit vif, d'un caractère ferme : il est adoré de la population. Toute sa personne respire une candeur attirante, son regard se baisse volontiers vers la terre, son geste est timide ; mais on reconnaît son énergie intérieure à un éclair qui sort tout à coup de ses yeux, et à l'émotion contenue de sa voix », écrivait le publiciste.

Déjà, de nombreuses pétitions adressées aux membres de l'Assemblée fédérale helvétique circulaient à travers les cantons. De France et d'Allemagne des lettres d'encouragement et de soutien étaient adressées au prisonnier, dont de nombreux religieux réclamaient la bénédiction, tandis qu'un poète local, qui n'avait certes pas le souffle de Byron, publiait une ode en sept strophes dédiée au prélat privé de liberté.

Charlotte et Flora, plus combatives que jamais, répandaient cette œuvrette, sans crainte de faire sourire leurs amis.

*Chillon ! bien des captifs ont peuplé ton enceinte,*
*Et mêlé leurs soupirs aux flots de ton récif ;*
*Mais tu n'as jamais eu de victime si sainte,*
*Tu ne connus jamais de si noble captif.*
*Sais-tu quel prisonnier t'est donné pour ta gloire,*
*Et va dans l'univers éterniser ton nom ?*
*Sais-tu que désormais tu vivras dans l'histoire*
*Avec le captif de Chillon ?*

« Fermez le ban ! » ironisait le général, chaque fois que les deux amies déclamaient ces vers de mirliton.

Le sort de l'évêque Marilley, qui, extrait le 13 décembre de sa prison de Chillon, prit le chemin d'un exil imposé pour s'installer en France, à Divonne, à trois lieues de Genève, dans le château d'une arrière-petite-fille de Mme de Sévigné, passa au second plan dans les conversations du cercle Fontsalte quand on apprit, au pays de Vaud, que les Français, après s'être dotés d'une nouvelle Constitution républicaine et démocratique, venaient d'élire au suffrage universel, le 20 décembre, le premier président de la nouvelle République et que l'élu n'était autre que le prince Louis Napoléon Bonaparte.

Blaise de Fontsalte n'avait pas été surpris d'apprendre, le 18 septembre, que le prince avait été de nouveau choisi comme député par cinq départements, mais le nombre des électeurs qui venaient de le porter à la présidence de la République le stupéfia.

Axel et Vuippens furent témoins de son étonnement.

— Je me doutais qu'il serait élu, mais qui eût pensé à un tel engouement populaire pour le neveu de l'empereur ! Vous rendez-vous compte que 7326385 Français ont pris part au vote et que 5334326 d'entre eux ont choisi Louis Napoléon ! 74,2 pour cent des voix ! Quelle revanche pour le proscrit, le comploteur maladroit de Strasbourg et de Boulogne ! Quand on pense que Cavaignac, qui a tout de même rétabli l'ordre en juin, ne bénéficie que de 1448107 voix, soit 20 pour cent des suffrages exprimés, que M. Ledru-Rollin, terreur des aristocrates et des bourgeois, n'a pas 400000 partisans, que M. Raspail, l'emprisonné, candidat malgré lui, n'en compte que 36000 ! Mais le crêpe de deuil revient à notre cher Lamartine. Ce naïf avaleur de couleuvres rouges, qui conduisit la Révolution avec des mots de poète, se voyait déjà président d'une république qu'il a tenue sur les fonts baptismaux. Or, il connaît l'extrême humiliation de ne recevoir que 19910 voix ! Moins de un pour cent des Français lui ont été reconnaissants de son action généreuse et modératrice !

— C'est une cruelle injustice, lança Charlotte.

L'épouse du général était une grande admiratrice de l'auteur des *Méditations poétiques* depuis qu'elle savait que Mme Julie Charles [1], dolente épouse d'un physicien français, rencontrée à Genève en 1816, avait été la belle Elvire du poète.

— Heureusement que ce pauvre Changarnier fait le serre-file des candidats évincés avec moins de 5000 voix, une misère ! précisa Blaise.

— C'est donc bien le peuple qui a porté le neveu de Napoléon au pouvoir, constata Axel.

— Certes, mais que va-t-il en faire ? interrogea Vuippens.

— Peut-être un 18 brumaire ! dit le général, levant son verre, sourire aux lèvres, comme qui porte un toast.

1. Mme Charles, née Julie Bouchaud des Hérettes (1784-1817), que Lamartine avait rencontrée à Aix-les-Bains en 1816, souffrait depuis longtemps de la phtisie qui devait l'emporter. Elle était venue à Genève à l'invitation de son ami et admirateur Marc-Auguste Pictet, pour consulter le célèbre docteur Butini qui soignait la phtisie avec du bouillon d'escargot.

# 5.

Les échos des événements de France, la mise en train, dans le canton de Vaud, des nouvelles dispositions constitutionnelles, les réceptions à Rive-Reine ou à Beauregard ne suffisaient pas à distraire Axel Métaz du harcèlement des remords qui l'habitaient depuis la mort de Marthe Bovey.

Le repos du vignoble succédant aux vendanges l'avait privé, jusqu'en janvier, de son activité de prédilection. Mais, dès février, on l'avait vu grimper dans les parchets pour libérer les sarments encore attachés aux passets, que d'autres nommaient échalas, et qui devaient être nettoyés et trempés dans un bain d'eau sulfatée. Au cours de matinées glaciales, il avait examiné un à un les ceps pour désigner à Armand Bonjour, fils de vigneron et nouveau contremaître en charge du vignoble, ceux que dix fructifications avaient épuisés et qu'il faudrait remplacer. Assisté de ce jeune gaillard, dont il appréciait les qualités et le sérieux depuis qu'il avait servi comme ordonnance pendant la guerre du Sonderbund, Axel avait sondé la terre pour évaluer la pénétration du gel, vérifié les joints des murets, fait curer les coulisses qui draineraient les eaux quand fondrait la couche de neige, encore épaisse sur le mont Pèlerin.

Le vin nouveau encuvé demandait aussi des soins, février étant le mois du transvasage nécessaire à l'oxygénation des blancs. Après le soutirage de la fine lie, Axel, ayant trouvé le vin trouble, envoya Lazlo ramasser un demi-seau de gravier du lac, qui, soigneusement lavé, fut distribué dans les tonneaux. En quelques jours, le vin devint clair et doré.

— C'est une recette des vieux vignerons vaudois, que m'a enseignée mon parrain Simon Blanchod, commenta Métaz devant le Tsigane, étonné.

Pendant que le maître de Rive-Reine donnait son temps à la vigne et au vin, Régis Valeyres, parfait second, le déchargeait du train-train des affaires courantes. M. Métaz n'intervenait dans la gestion de sa flottille de cochères, l'exploitation de ses carrières de Meillerie, la gérance des entrepôts, qu'en cas d'incidents ou d'accidents et pour prendre des décisions qui comportaient un engagement de dépenses. Quant aux choix et à l'administration de ses placements financiers, sa filleule Alexandra s'en acquittait, à Genève, au mieux de ses intérêts.

Aussi connaissait-il, en ce printemps, des périodes de vacuité douloureuse, des méditations moroses et de fréquentes et irrépressibles insomnies. Quand il ne s'isolait pas en naviguant à bord de son yacht, l'*Ugo*, sous prétexte d'inspection à Meillerie ou d'une visite de chantier à Cully, il faisait atteler son cabriolet et montait à Belle-Ombre, son refuge haut perché au milieu des vignes. Là, sur la terrasse abritée d'une tonnelle dont le feuillage naissant promettait l'ombre future, le Veveysan méditait en suivant d'un regard las les barques aux voiles en oreilles, qui glissaient sur le lac bleu, jouets insaisissables. Belle-Ombre lui offrait sérénité et silence. Il s'y sentait à l'abri des influences, en accord avec lui-même. Sa mère, un jour en veine de confidences, lui avait laissé entendre qu'il avait été conçu à Belle-Ombre. Depuis, il se plaisait à penser qu'existait entre la vieille maison et lui un mystérieux accord, une parenté occulte, et que l'esprit des lieux, sorte d'ange gardien, lui serait à jamais secourable.

Le printemps lumineux ravivait, vernissait le décor, accentuait le relief des montagnes de Savoie, la découpe des rives vaudoises et, au loin, des sommets valaisans. Cet univers familier prenait l'aspect du neuf qu'une restauration exagérée confère aux scènes bucoliques des tableaux anciens.

Axel ressentait ce renouveau de la nature, si patent autour du Léman, comme une insulte à sa mélancolie. Tirant sur sa pipe, il relisait Senancour dans la belle édition de 1804, cadeau de Martin Chantenoz, et découvrait en *Oberman* un frère capable de traduire en mots l'insignifiance de la vie. Comme le héros romantique, cher à son défunt mentor, Axel éprouvait une amère jouissance à évoquer « le souvenir des choses à jamais effacées », à se répéter le lugubre *nevermore* croassé par l'importun corbeau de Poe, à se remémorer le conseil du vieux Chactas à *René*, substitut de M. de Chateaubriand, mort au cours de l'été précédent : « Il faut que tu renonces à cette vie extraordinaire qui n'est pleine que de soucis ; il n'y a de bonheur que dans les voies communes. » Or il restait dans les « voies communes » et, inconsciemment, n'aspirait qu'à en sortir !

Les étrangers voient trop souvent le Vaudois comme un être rustique, à la sensualité fruste, uniquement soucieux du rendement de son vignoble, de sa terre et de la protection de ses biens, dur à la tâche comme aux émois du cœur. Ils l'imaginent avant tout pratique, réaliste, amateur de grosses fêtes bruyantes, dénué de la capacité de souffrir par l'esprit des maux imaginaires qui font la fragilité d'âme.

Orgueil et pudeur virile sont des paravents opaques derrière lesquels le Vaudois dissimule une secrète sensibilité, une passion latine de la poésie qu'inspire au terrien la fréquentation quotidienne d'une Arcadie lacustre, la cadence des saisons, l'harmonie du décor et une sereine croyance aux générosités du créateur. Car la religion réformée — au contraire de la catholique qui exprime et dépeint — laisse, dans le dépouillement des lieux de culte, toute liberté de représentation à l'imaginaire de chacun.

Ainsi, pour Axel Métaz de Fontsalte, la lettre XLVI d'*Oberman*, cent fois relue, apparaissait comme une triste définition de sa propre existence. « Toujours attendre, et ne rien espérer ; toujours de l'inquiétude sans désirs, et des agitations sans objet ; des heures constamment nulles ; des conversations où l'on parle pour placer des mots, où l'on évite de dire des choses ; des repas où l'on mange par excès d'ennui ; de froides parties de campagne, dont on a jamais désiré que la fin ; des amis sans intimité ; des plaisirs pour l'apparence ; du rire pour contenter ceux qui bâillent comme vous ; et pas un sentiment de joie dans deux années ! Avoir sans cesse le corps inactif, la tête agitée, l'âme malheureuse, et n'échapper que fort mal dans le sommeil même à ce sentiment d'amertumes, de contrainte, et d'ennuis inquiets : c'est la lente agonie du cœur ; ce n'est pas ainsi que l'homme devait vivre. »

« Ce n'est pas ainsi que je devrais vivre ! » se répétait Axel Métaz.

L'image qu'il s'était faite de la mort de Marthe Bovey, d'après le premier et unique récit d'Elise, le poursuivait, accusatrice obstinée. Tel Faust, le héros goethéen préféré de Chantenoz, Axel s'était compromis dans l'éternel combat entre le Bien et le Mal, la chair et l'esprit. Faust, malgré sa culpabilité, avait survécu à son péché, alors que la femme, sa victime, condamnée, trépassait comme Marthe avait trépassé.

Axel se reprochait de n'avoir pas décelé à temps, dans l'enseignement philosophique de Chantenoz, la mise en garde explicite de son vieux maître. Longtemps, il avait résisté aux exigences de la bête — à qui Vuippens, en médecin et en agnostique, reconnaissait des droits —, sans pour autant se résigner à la frustration sexuelle imposée par la santé d'Elise. Et puis, Méphisto, « l'esprit qui toujours nie », s'en était mêlé, lors des conférences de Sainte-Beuve à l'Académie de Lausanne, en mettant sur son chemin une belle veuve rousse. Sa relation égoïste avec Marthe n'avait même pas eu l'excuse atténuante de la passion amoureuse. Il s'était cru capable de scinder la nature double de l'amour. La chair refusant cette ségrégation avait corrompu l'esprit. Comme chez Faust, la lutte entre animalité et humanité avait pris l'aspect d'un jeu pervers. La bête l'avait emporté et Marthe, comme Marguerite, avait succombé, le laissant, tel le vieux savant vaniteux, en proie à d'inextinguibles remords.

— J'ai vendu mon âme, sans même le savoir, dit-il, lors d'un tête-à-tête avec Louis Vuippens, son seul confident.

— Tu ne vas pas recommencer ! Marthe était consentante, non ? Tu ne l'as pas violée ? Elle ne t'a même pas dit qu'elle était enceinte ? Alors !

— Alors, elle n'a pensé qu'à ma tranquillité, à ma réputation, à Elise aussi, probablement, souffla Axel.

— Des douzaines de femmes meurent chaque année, dans ce pays, des suites d'avortements. Comme le serment d'Hippocrate interdit à un médecin de se mêler de ces choses, des sages-femmes serviables ou cupides, ou des matrones villageoises sans hygiène, que l'on nomme bêtement chez nous faiseuses d'anges, interviennent sur des filles, et même sur des épouses, terrorisées par la perspective d'une maternité scandaleuse. Et, quand la fièvre et l'infection se déclarent et qu'on fait appel au médecin, la mort est déjà en route ! J'en sauve une sur cinq, Axel !

— Je sais tout cela, Louis, mais ça ne change rien au fait ni aux pensées lancinantes qui m'assaillent dès que je suis sans occupation ! répliqua Métaz, agacé parce qu'il se croyait incompris.

— Sais-tu que tu vas tomber malade. Et cette maladie a un nom : asthénie. Elle conduit à la lypémanie ou mélancolie, affection grave, qui va jusqu'à provoquer chez l'être humain le désintérêt de toutes choses et, finalement, de la vie même. Le suicide ne s'explique pas autrement, prévint Louis.

— Dieu merci, je n'en suis pas là ! Rassurez-vous, docteur, dit Axel avec un piètre sourire.

— Non ! Mais, vois ta mine, tes joues creuses, ton regard vairon de plus en plus terne, tes cheveux niellés de blanc. Ce sont là des symptômes qui ne trompent pas. Elise se rend compte de ton état. Elle m'a dit que tu perds l'appétit, autre symptôme. Il est temps que tu réagisses contre cet abattement, qui n'est pas dans ton caractère, qui n'est pas d'un Vaudois. Et d'abord, cesse de lire Senancour, un malade, un aboulique, un dilettante, qui s'est renié lui-même.

— Sainte-Beuve a écrit d'*Oberman* que c'est « l'un des livres les plus vrais du siècle, l'un des plus sincères témoignages », cita Axel, sans grande conviction.

— C'est ça ! Voilà ce que les critiques parisiens nomment avec emphase le mal du siècle, lança Vuippens.

— Je ressens, en effet, une certaine incommodité à vivre, confessa Axel.

— Une incommodité à vivre ! Diantre ! Quel luxe ! C'est l'affection distinguée dont les oisifs, les languides, les intellectuels, et sans doute les paresseux, se proclamaient, après la chute de l'Empire, victimes privilégiées. Mais ce siècle-là est révolu, Axel. Le monde a changé, change tous les jours. Sois réaliste, comme on dit maintenant, reviens à toi ! Tu es vaudois, que diable ! robuste et sensé. Tu as deux garçons en bonne santé et intelligents, tu n'as plus de femme au sens charnel de la fonction… ça d'accord, mais tu as une épouse excellente, maîtresse de maison parfaite, des vignes qu'on t'envie, des affaires prospères et une fortune rondelette, alors fais ton bonheur de…

— Je sais, des « voies communes » ! interrompit Axel, excédé.

— … et attend que le hasard, le dieu auquel tu crois, ou le diable, qui ne doit pas être un si mauvais bougre, te propose des distractions plus pimentées ! acheva le médecin, ignorant l'interruption.

— Tu me rappelles Chantenoz dans ses moments d'exaltation. Ce sont des mots, rien que des mots ! dit Axel, sèchement.

Louis Vuippens considéra son ami avec une tendresse fraternelle et, loin de se décourager, proposa aussitôt :

— Laissons les mots et passons aux actes. Le père Maxime Rebaz, le médecin de Bourg-Saint-Pierre, que j'ai vu hier, a repéré des chamois, des petits rouges, bons à tirer avant qu'ils ne remontent vers les sommets. Dans trois jours, je le rejoins pour chasser en Valais. Viens avec moi. Ce sera bon pour toi et l'air frais des cimes te rendra l'appétit ! ordonna Vuippens.

— Crois-tu ? demanda Axel, avec un sourire forcé.

— Bien sûr que je le crois ! Et laisse les morts enterrer les morts ! conclut Vuippens, qui avait lu saint Luc.

Axel finit par accepter la partie de chasse et fit prévenir son père qui, souvent, l'avait accompagné dans la quête acrobatique des petits rouges, les chamois les plus vifs et les plus méfiants.

Le général Fontsalte déclina l'invitation à chasser mais accepta de se joindre aux deux amis « pour profiter du voyage en Valais ».

— Tandis que vous chasserez, je monterai jusqu'à l'hospice du Grand-Saint-Bernard pour voir ce qui s'y passe. Je vous rejoindrai au retour à Bourg-Saint-Pierre, car je ne suis plus assez alerte et n'ai plus assez de souffle pour grimper pendant des heures derrière un chamois ou un bouquetin.

On se mit d'accord et, au jour dit, la berline du général fit un bref arrêt à Rive-Reine pour charger Vuippens et Axel. Puis l'équipage, conduit par le vieux Trévotte, s'engagea, par Montreux et Villeneuve, sur la route du Valais. Chemin faisant, Blaise de Fontsalte donna la raison de sa visite à l'hospice.

— J'ai reçu une nouvelle lettre du prévôt, qui ne laisse pas de m'inquiéter. Il me confirme sa déclaration de l'année dernière à la presse. J'ai recherché l'article que j'avais conservé et qui vous avait peut-être échappé.

Il tendit une coupure de journal à son fils. Axel lut à haute voix, afin que Vuippens fût informé :

— « Le gouvernement du Valais, né d'une révolution faite avec des baïonnettes étrangères, vient de frapper l'hospice du Grand-Saint-Bernard d'une contribution de 80 000 francs de Suisse (120 000 francs de France) », lut Métaz, étonné.

— Sûr que les radicaux ont de plus en plus besoin d'argent ! Ils ont pourtant taxé d'importance les aristocrates et les communautés religieuses de Fribourg, commenta Vuippens.

— Ecoutez la suite, dit Blaise, invitant Axel à reprendre sa lecture.

— « Le 15 décembre 1847, ce même gouvernement avait fait envahir l'hospice par la force armée des Vaudois et par quatre commissaires cantonaux et un notaire pour faire l'inventaire du couvent et de tout ce que l'ordre possède en Suisse. Les jeunes moines s'opposèrent à ces investigations. A deux heures de la nuit arrivèrent deux commissaires fédéraux, Delarageaz, de Vaud, et Frey, de Bâle. Henri Druey, qui les accompagnait, crut préférable, étant donné sa réputation, de s'arrêter à Bourg-Saint-Pierre. Les commissaires firent crocheter les portes que les moines refusaient d'ouvrir. Certaines portes, qui résistaient, furent simplement enfoncées à coups de hache. Tous les voyageurs qui avaient passé la nuit à l'hospice furent fouillés avant leur départ, afin qu'ils ne puissent rien soustraire à la fouille et aux saisies. Une garnison a été laissée à l'hospice par les commissaires. » Ce texte[1] est signé par le prévôt du Grand-Saint-Bernard, François-Benjamin Filliez, conclut Axel.

— Vous comprendrez tous deux que je veuille voir quel sort on réserve maintenant au tombeau de Desaix. Les radicaux sont bien capables de vendre le monument et de mettre le héros dans une fosse anonyme ! Tout ce qui rappelle la grandeur de Bonaparte, véritable parrain de la Confédération[2] — je me souviens de son discours aux délégués suisses, à Paris, le 12 décembre 1802, quand il proclama : « La nature a fait votre Etat fédératif ; vouloir la vaincre n'est pas d'un homme sage[3] » —, exaspère les radicaux, qui voudraient récrire l'histoire à leur façon !

A Bourg-Saint-Pierre, le général abandonna sa berline aux chasseurs, que rejoignit bientôt le docteur Rebaz, et s'assura le concours d'un muletier pour monter, par la route, encore enneigée en cette saison, jusqu'à l'hospice du Grand-Saint-Bernard, où il était toujours attendu en ami. On fixa rendez-vous trois jours plus tard à

1. *Journal de Genève,* 4 janvier 1848.

2. Par l'Acte de Médiation du 19 février 1803, qui réorganisa la République helvétique, mit fin aux luttes entre fédéralistes et unitaristes et assura une large autonomie des cantons.

3. Bonaparte ajouta ce jour-là : « Sans les démocraties de vos petits cantons, vous ne présenteriez rien que ce que l'on trouve ailleurs ; vous n'auriez pas de couleur particulière. Songez bien à l'importance d'avoir des traits caractéristiques ; ce sont eux qui, en éloignant l'idée de ressemblance avec les autres Etats, écartent celle de vous confondre avec eux, et de vous y incorporer. »

l'auberge *Au déjeuner de Napoléon*, où Bonaparte, en route pour l'Italie, avait pris une collation le 20 mai 1800. Depuis que le Dijonnais Adolphe Joanne avait publié son *Itinéraire descriptif et historique de la Suisse* et que M. Baedeker, autre auteur de guides, conseillait la visite, l'auberge était devenue un haut lieu du tourisme européen, ce qui profitait à tous les villageois.

Au printemps, la quête du chamois paraissait plus aisée qu'en automne, car les animaux évoluaient à moindre altitude, en général à la limite des conifères. L'approche, en revanche, restait plus hasardeuse. Si les jeunes boucs de deux à trois ans et les chevreaux de l'année précédente cherchaient les pentes ensoleillées, pour y brouter les premières plantes vertes, ces montagnards, ayant perdu du poids pendant la mauvaise saison, montraient une vélocité accrue. Les chasseurs aperçurent plusieurs hardes et des femelles allaitantes accompagnées de chevreaux d'un mois, qui broutaient des lichens sur des pentes exposées au sud ou se reposaient sous des barres rocheuses. Plus haut, ils approchèrent à portée de fusil de jeunes chamois adultes, aventurés sur un névé, mais qui, tous, s'enfuirent, sautant de rocher en éboulis, au risque de se rompre les os.

Axel Métaz, Louis Vuippens et le médecin de Bourg-Saint-Pierre, vieillard sec, noueux et infatigable, durent se contenter d'un vieux bouquetin à la vue basse, imprudemment descendu dans une combe ensoleillée pour déguster de tendres astragales. A la demande d'un fermier, Vuippens abattit un aigle de près de deux mètres d'envergure, qui, non content d'un ordinaire composé de lièvres variables, de tétras et de maigres marmottes récemment sorties du terrier hivernal, s'en prenait parfois aux agneaux. Tableau de chasse décevant, certes, mais belles journées passées à gravir les sentiers, à respirer l'air vif, chargé de senteurs printanières.

C'est au cours des veillées en montagne, dans les fermes ancrées sur des replats élevés, chez des fermiers, hôtes rustauds et sans façons, mais accoutumés à nourrir et à héberger les chasseurs de chamois venus des villes de la plaine, Martigny, Lausanne et même Genève, qu'Axel Métaz sentit se dissiper le spleen dont il souffrait depuis bientôt un an.

Tremper des quartiers de pommes de terre brûlantes dans le fromage fondu sur la braise, lave jaune où se dissolvent les copeaux crémeux que l'hôte racle d'un couteau habile, à même la meule de pâte dure, avant d'ajouter, de temps à autre, la giclée de vin blanc qui donne le fumet, relevait, d'après Vuippens, de la fraternité du chaudron ! Déguster de fines tranches de viande séchée au vent des cimes sur du pain de seigle, à moins que l'hôtesse ne serve une étuvée de choux avec lard et saucisses : tels étaient les festins des chasseurs. Et puis, après souper, bavarder autour de l'âtre en cassant les noix sèches, arrosées d'une chane de fendant sec et franc, éloignait les soucis. Entre deux bouchées ou deux verres, il s'en trouvait toujours un pour raconter comment tel petit rouge l'avait nargué pendant des heures, folâtrant de piton en piton, se tenant, rusé, hors de portée de fusil, jusqu'à ce que l'homme, mollets noués par la fatigue et souffle court, renonçât à la poursuite.

En buvant la lie âcre des Valaisans, servie par des filles robustes et rieuses, aux seins blancs débordant de corselets lacés et dont le visage s'empourprait quand on répondait d'un sourire à un frôlement qui n'était point de hasard, Axel Métaz reprit goût à la vie. Et puis, les conversations des deux médecins lui rappelèrent qu'il existait bien d'autres maux dans le monde, plus douloureux que ceux dont il se croyait accablé.

Louis Vuippens s'était rendu à Paris quelques semaines plus tôt, pour rencontrer des chirurgiens qui expérimentaient la découverte d'un médecin américain, susceptible d'entretenir un état d'insensibilité chez les opérés. Il dut satisfaire la curiosité de son confrère, considéré comme le praticien le plus sûr du bas Valais. Le docteur Rebaz n'avait pas souvent l'occasion de s'informer des progrès de la médecine et ne connaissait l'existence de la découverte américaine que par les journaux. Il se montra sceptique quant à son efficacité.

— L'an dernier, déjà, le docteur Louis Durand a écrit au *Journal de Genève*[1] pour signaler les méfaits de l'éthérisation, dit Maxime Rebaz. D'après notre éminent confrère « les effets produits sont comparables à ceux de l'ébriété alcoolique et conduisent à l'asphyxie, parfois à la mort ». Il a même précisé qu'une femme, qui avait subi sous éther l'ablation du sein, et qu'un homme, amputé d'un membre, avaient succombé.

— Mon ami, depuis la première utilisation de la vapeur d'éther, le procédé a reçu de nombreux perfectionnements, dont le remplacement de l'éther sulfurique par une autre espèce d'éther, nommée chloroformyle, ou en abrégé chloroforme. L'auteur du procédé est

1. 18 janvier 1848.

sir James Young Simpson, d'Edimbourg, chirurgien, un des accoucheurs de la reine Victoria. Simpson s'en sert pour les accouchements, car le produit entretient l'état d'insensibilité pendant trois à six heures. Cela ne cause aucun dommage ni à la mère ni a l'enfant, révéla Vuippens.

— Evidemment, ce doit être une bonne chose, car je vois de pauvres femmes qui, lors de la mise au monde d'un premier enfant, souffrent plus que de raison. Mais où trouver ce produit ? demanda le vieux médecin.

— Les pharmaciens Morin et Süsskind, de Genève ont obtenu du chloroforme pur qu'ils vendent à prix modique. Je vais vous en faire envoyer. Car je compte, moi aussi, m'en servir, dit Louis Vuippens.

Quand les Vaudois rencontrèrent le général Fontsalte, comme prévu, à l'auberge *Au déjeuner de Napoléon,* Axel Métaz avait retrouvé sa vigueur, un teint coloré, une parfaite aisance musculaire, bénéfice de l'exercice intensif des jours de chasse. Blaise ne parut qu'à demi rassuré quant au tombeau du héros de Marengo, confié à la garde des moines du Grand-Saint-Bernard par Bonaparte.

— Le conflit entre les moines et le gouvernement radical du Valais est loin d'être apaisé. La sécularisation des biens de l'ordre a été décidée et la vente de ceux-ci fixée au 19 mai. Le gouvernement valaisan compte en tirer au moins un million cinq cent mille francs, dont quatre-vingt mille francs pour le seul hospice du Saint-Bernard, somme déjà réclamée au prévôt en décembre de l'an dernier. Mais rien n'est joué, heureusement, car si l'évêque de Sion a accepté de verser huit cent cinquante mille francs pour son clergé et signé une convention avec les radicaux, les moines du Saint-Bernard ne veulent rien entendre : ni payer ni être vendus. Le prévôt François-Benjamin Filliez est parti pour Gaète, dans le royaume de Naples, pour voir le pape Pie IX, qui s'y est réfugié à cause d'une révolution à Rome. En attendant, le prieur claustral de l'hospice, qui remplace le prévôt, refuse toute entrevue avec les gens du gouvernement. Et puis, nos vaillants moines ont fait imprimer un manifeste, destiné à prévenir tous les catholiques d'Europe de ce qui se trame en Valais pour anéantir un ordre si utile et vieux de huit cents ans.

— Croyez-vous que les gouvernements européens vont agir en faveur de l'ordre de saint Bernard ? Ils ont plus à faire avec ces révolutions et contre-révolutions qui n'en finissent pas, observa Vuippens.

— En tout cas, leur manifeste, dont voici le texte, est un appel à la chrétienté, un véritable glas. Ecoutez ça, dit le général en tirant un papier de sa poche. « Lorsqu'une société voit approcher l'heure de son anéantissement, loin d'abandonner toute espérance, elle tourne naturellement ses regards vers ceux qui l'ont soutenue, protégée, défendue pendant des siècles. » Je vous fais grâce de l'énumération des rois, des bienfaiteurs illustres que citent les moines, ainsi que de l'état détaillé des spoliations passées et en cours. J'en viens à la conclusion. « Ce compte, que le gouvernement du Valais exige, nous le devons et le rendons à l'Europe entière : puisqu'il ne s'agit pas ici d'un établissement privé, mais européen. Tous les peuples ont fourni leur pierre pour élever ce monument de bienfaisance, parce que chacun avait à en profiter. Néanmoins, le gouvernement du Valais vient en saper les fondements. Le Saint-Bernard ne peut céder. » J'ai conseillé au prieur d'envoyer un messager à Louis Napoléon, président de la République française, en lui rappelant qu'il est citoyen de Thurgovie, officier d'artillerie suisse, ami du général Dufour et que l'empereur, son oncle, dont il se veut l'héritier, avait, par décret impérial du 26 octobre 1810, confirmé le clergé valaisan et les moines du Grand-Saint-Bernard dans leurs prérogatives et garanti leurs biens et propriétés, précisa Blaise.

A la fin du voyage de retour vers Vevey, une discussion s'ouvrit sur les événements d'Italie, dont Blaise avait été copieusement informé, pendant son séjour au Grand-Saint-Bernard, par un voyageur anglais qui rentrait de Lombardie. L'ancien officier des Affaires secrètes et des Reconnaissances avait aussitôt détecté chez cet homme, élégant et de bonne compagnie, officiellement négociant, un espion de M. Palmerston, qui regagnait Londres par des voies moins commodes mais plus discrètes que celles aux multiples escales des compagnies maritimes ! Quand Blaise s'était étonné de ce choix, l'Anglais avait répondu sans rire qu'il craignait le mal de mer, allant jusqu'à feindre la honte qu'aurait ressentie le représentant d'un peuple de marins à faire pareil aveu.

— Vous serez certainement enchantés d'apprendre ce que j'ai tiré de ce fils d'Albion, dit Fontsalte.

Axel et Louis ayant approuvé, le général reprit :

— M. Giuseppe Mazzini, doctrinaire, moraliste et philosophe révolutionnaire que nous connaissons bien, chassé de Suisse malgré la protection de Druey, est arrivé à Rome le 18 mars, via Milan, maintenant reprise par les Autrichiens de Radetzky. Il s'y est enrôlé symboliquement, car on ne l'a jamais vu une arme à la main, dans les bandes de M. Garibaldi. Après un séjour à Lugano, il fit une apparition à Florence, où son ami François Dominique Guerrazzi, dictateur républicain de la Toscane depuis la fuite du duc Léopold II, refusa ses services. Et cela bien que les deux hommes eussent appartenu, un moment, au même triumvirat, le troisième larron étant Giuseppe Montanelli, avocat toscan, que l'on croyait mort depuis la bataille de Curtatone.

— J'ai lu quelque part que, déçu également par Charles-Albert de Piémont, Mazzini s'était écrié : « La guerre des rois est finie, celle des peuples va commencer », se souvint Axel.

— C'est bien son genre d'éloquence, dit Blaise avant de poursuivre. En tout cas, dès son arrivée à Rome, il a supplanté sans effort le triumvirat révolutionnaire qui a chassé le pape en novembre dernier. Mazzini a proclamé une république à sa mesure et s'est fait nommer dictateur : étonnante promotion, vous en conviendrez, pour un républicain intransigeant ! ironisa Blaise.

— Les dictateurs se hissent souvent sur les épaules des démocrates, constata Vuippens.

— On aurait pu s'attendre à ce que M. Mazzini, devenu dictateur romain, s'empressât de rappeler le Saint-Père, réfugié à Gaète, en se souvenant qu'il avait adressé à Pie IX une chaleureuse lettre de félicitations pour son action libérale en septembre 47 ! Mais il confirma, au contraire, l'abolition du pouvoir temporel du pape sur la ville sainte ! Allez prévoir ce que va faire un tel homme ! ajouta Blaise.

— Va-t-il pouvoir gouverner longtemps ? Il y a de telles rivalités entre patriotes italiens que l'on peut s'attendre à tout. Mazzini s'oppose, dit-on, à Vincenzo Gioberti, un autre révolutionnaire protégé des radicaux vaudois. Mazzini est pour une Italie unitaire et républicaine, Gioberti veut une fédération italienne, organisée sous l'autorité du pape. D'ailleurs, si l'on en croit la presse, ce dernier a le vent en poupe et les Piémontais l'on fait ministre, dit Vuippens, informé, par des réfugiés piémontais qu'il soignait, de toutes les querelles et compétitions entre patriotes transalpins.

— Ce qui explique que Mazzini ait évité Turin, constata Axel.

— Après la défaite des Lombards à Novarra, le 23 mars, et l'abdication de Charles-Albert, on peut craindre que toute l'Italie ne retombe sous la férule autrichienne. Les troupes de Radetzky sont prêtes à marcher sur Rome avec les Napolitains et les Espagnols, qui ne pensent qu'à rétablir l'autorité du pape, expliqua Fontsalte.

— Et que disait votre Anglais de tout cela ? demanda Axel au général.

— Ce gentleman laissait entendre que cette agitation européenne ne déplaisait pas à lord John Russell, Premier ministre de Victoria. Car on a l'esprit libéral, à Saint-James ! Pourvu que la révolution ne traverse pas la Manche et n'aille pas encourager la rébellion latente des Irlandais affamés, les Britanniques considèrent, comme toujours, que les continentaux sont des agités immatures. Ils les regardent gesticuler et marquent les points en fournissant des armes à toutes les factions… solvables. Les Anglais, mes amis, ont toujours les mêmes buts : l'abaissement de la France, l'agrandissement de leur empire colonial, la maîtrise absolue des mers et la prospérité de leur commerce. L'empereur les considérait comme une nation de boutiquiers hypocrites. Il avait encore une fois raison, conclut Blaise au moment où la berline entrait dans la cour pavée de Rive-Reine.

Quelques jours plus tard Axel trouva dans son courrier une longue et volumineuse lettre de Guillaume Métaz. L'exilé vaudois, dont la réussite américaine était plus souvent évoquée dans les milieux financiers et d'affaires de Genève et de Zurich qu'à Vevey, qu'il avait quitté depuis près de trente ans, donnait des nouvelles de sa famille et rappelait à celui qu'il considérait encore comme un fils, qu'il venait d'atteindre l'âge respectable de septante-sept ans. « Imagine, cher Axel, que c'est près du double de la durée moyenne de vie que nos *statisticians*, comme on les appelle ici, accordent à l'Américain moyen ! »

A cette correspondance privée était jointe une sorte de rapport sur un événement qui, depuis plus d'un an, agitait l'Amérique : la découverte de l'or en Californie. Axel avait bien lu, comme tous les Suisses, l'annonce de cette trouvaille sans y attacher plus d'importance que n'en accordaient les Romands à ce qui se passait sur un continent lointain. Il se souvint cependant d'un article du *Journal de Genève* qui, sous le titre « Merveilles de la Californie », avait révélé au cours de l'hiver[1] que le colonel Richard Barnes Mason, gouverneur civil et militaire de la Californie, avait fait l'été précédent un rapport « sur les mines d'or et de mercure récemment découvertes dans cette magnifique conquête ». Axel avait souri en lisant : « L'Europe doit commencer à comprendre l'espèce de vertige qui s'est emparé des têtes américaines et qui pousse des myriades d'émigrants vers ce nouvel Eldorado. » Le Vaudois, méfiant, avait fait la part de l'enthousiasme emphatique et de l'exagération journalistique. Quand, plus tard, un autre article du même journal avait fait état de nouvelles arrivées de New York par le steamer *Canada*, qui confirmaient, avec la découverte de l'or, la fébrilité qui régnait en Californie, il avait eu une pensée pour son père putatif, dont il connaissait l'intérêt qu'il portait à tout ce qui se passait à l'ouest du Mississippi.

Par une étrange concomitance, qui n'avait pas suscité d'interrogations dans le cercle Fontsalte où l'on évitait toujours de parler des Etats-Unis, pour ne pas rappeler à Charlotte un passé dont elle préférait ne pas se souvenir, les journaux, depuis plusieurs semaines, publiaient des annonces publicitaires du genre « Californie, voie directe par Porto-Bello et Panama à bord d'un fin voilier, cloué et chevillé en cuivre, doublé de bronze à neuf, au départ de Marseille » ou encore signalaient à l'attention des lecteurs la publication d'un *Guide de l'émigrant* aux Etats-Unis, décrivant les divers Etats de l'Union, la manière d'émigrer avec, en appendice, « des lettres récemment écrites par des Vaudois établis en Illinois et Tennessee ». Et cela au prix de 12 batz ou 1 franc 75 centimes chez G. Bridel, à Lausanne.

La documentation envoyée par Guillaume, dont l'abondance étonna Axel, qui n'en comprit pas tout de suite l'objet, retraçait l'histoire de la découverte de l'or californien dans la propriété d'un colon suisse que Guillaume Métaz disait bien connaître, Johann-August Sutter, couramment nommé par les Américains, tantôt capitaine, tantôt colonel John Sutter.

« Le colonel Sutter est né à Bâle, en 1803. Il est donc plus jeune que toi de deux années », précisait Guillaume avant de rapporter les aventures de ce curieux citoyen de Suisse alémanique.

« M. Sutter, bourgeois de Rünenberg, a connu une vie aventureuse avant de s'embarquer pour l'Amérique en 1834, en aban-

1. 9 janvier 1849.

donnant femme et enfants, avec l'espoir d'y faire fortune. Après bien des vicissitudes, ce Bâlois entreprenant, que j'ai rencontré peu après son arrivée dans l'Union, a fondé, en 1839, en Californie, sur un territoire appartenant aux Indiens Otschékamé, un immense domaine, aussitôt patriotiquement baptisé Nouvelle-Helvétie. »

Cette colonie rappela à Axel d'autres établissements suisses à l'étranger, comme le malheureux Novo Friburgo, au Brésil, et la New Vevay, dans l'Ohio. Mais, là où beaucoup avaient échoué, Sutter semblait avoir réussi. Guillaume ne tarissait pas d'éloge sur la débrouillardise de « son ami Sutter, qui avait su d'abord amadouer les Indiens par des cadeaux, obtenu qu'ils se mettent à défricher la terre, à construire des chemins et acceptent de cultiver le sol sous la direction de quelques colons dévoués ». Ce qui, d'après Guillaume, « avait suscité l'enthousiasme des nouveaux colons invités à construire un royaume où chacun trouverait le bonheur en travaillant ».

« Johann-August avait de l'ambition et des goûts de luxe nés peut-être, écrivait Guillaume avec une malice aisément décelable, de la fréquentation des beaux militaires français, prussiens, autrichiens ou russes qui, au commencement du siècle, cantonnaient à Bâle en attendant de franchir le Rhin. Naturellement, on peut voir Sutter comme un aventurier, mais il appartient à cette race forte et intrépide qui a produit les coureurs de bois et les découvreurs, type d'hommes dont l'Amérique a toujours besoin », poursuivait Guillaume.

De son récit, il ressortait que M. Sutter s'était d'abord dirigé vers le Missouri pour s'installer à Saint Louis, capitale de l'Etat. « Sutter s'était arrêté là parce qu'il avait lu à Bâle l'ouvrage de Gottfried Duden, autre Suisse, qui, ayant exploré le pays, s'était enthousiasmé à la vue de « tout ce que la nature offre ici à l'homme », précisait le narrateur.

Avec deux Allemands et deux Français, Sutter s'était ensuite rendu à Cincinnati et c'est là qu'à la fin de l'automne 1834 Guillaume Métaz, déjà président de la O'Brien & Métaz General Merchants, de Boston, revenant de la Nouvelle-Vevey, avait rencontré Sutter au Cercle allemand de Cincinnati.

« A l'époque, on croisait là quantité d'aventuriers qui se faisaient passer pour ce qu'ils n'étaient pas, ce que fit aussi Sutter, se disant soudain ancien officier de la Garde suisse de Charles X, ce qui ne faisait de tort à personne », confessait Guillaume, pratique, avant d'ajouter : « Johann-August, ayant eu des déboires, choisit de se faire colporteur et trouva des commanditaires, dont je fus, qui lui confièrent des marchandises à vendre. Il fit des affaires avec les fermiers et je perdis sa trace jusqu'à ce qu'on le signalât à Santa Fe où la situation commerciale était devenue difficile à cause d'une guerre indienne et de la présence de négociants concurrents. Plus tard, Sutter, à qui je rendis visite, me confia qu'il avait passé du bon temps en dépensant le produit des ventes qu'il aurait dû envoyer à ses commanditaires. Je me souciais peu des autres mais quand je l'ai sommé de payer ce qu'il me devait, il s'est exécuté, sans que je sache ni demande d'où sortait l'argent ! A chacun ses affaires, pas vrai mon garçon ! Je l'ai encore aidé à fonder, à Westport, un magasin pour approvisionner des Indiens, assez argentés car ils vendent des fourrures aux négociants venus de la côte Est. Là, Sutter se lia avec un curé défroqué, Canadien français, qui lui parla de la Californie comme d'un merveilleux pays. En 1838, avec quelques compagnons, dont un menuisier allemand, Werler, un Mexicain, Pablo Gutierez, deux chasseurs de fourrure, un Bavarois et un Tyrolien, il se mit en route sur les conseils d'un autre Suisse, Francis Ermatinger, agent de la Hudson Bay Company. Il lui fallut cependant quinze mois pour atteindre la Californie, où il fonda ce domaine, désormais fameux, de la Nouvelle-Helvétie puisque toute l'Amérique connaît aujourd'hui son nom. »

Poursuivant son exposé, Guillaume rapportait le miracle de la première pépite, ce qui parut à Axel une sorte de conte exotique. « C'est James Wilson Marshall, un ancien charpentier du New Jersey, devenu un associé de Sutter pour construire une scierie qui, le 19 ou le 24 janvier 1848, la date exacte étant discutable, trouva la première pépite d'or en élevant une digue pour faire fonctionner un moulin à eau sur le domaine. Sutter fit expertiser le métal et reçut confirmation qu'il s'agissait d'or pur. La nouvelle se répandit comme une traînée de poudre, bien que Sutter et Marshall eussent souhaité plus de discrétion, et des tas de gens se mirent à tamiser le sable des rivières, à gratter les talus, à creuser la montagne. Les premières véritables mines d'or furent bientôt ouvertes et nommées Mines-Basses par quelque deux cents gaillards qui lavaient l'or du lever au coucher du soleil ! Naturellement, les autorités américaines furent informées et, le 25 juin, le colonel Mason, du 1er régiment de dragons, accompagné du lieutenant Tecumseh Sherman, visita le pays et fit rapport à Washington, au brigadier général Jones, de ce qu'il avait vu. Voici d'ailleurs ce rapport, que j'ai pu me procurer et qui t'en dira assez sur la situation à l'époque.»

Avant d'aller plus avant, Axel bourra sa pipe et l'alluma, intrigué par le luxe d'informations dont Guillaume l'accablait. Le rapport du colonel Richard Barnes Mason, daté de son quartier général de Monterey, le 17 août 1848, et adressé au ministre de la Guerre des Etats-Unis, lui parut clair et précis.

«Monsieur,

» J'ai l'honneur de vous informer qu'accompagné du lieutenant Sherman[1], mon aide de camp, je suis sorti le 12 juin dernier pour visiter le nord de la Californie et les mines d'or de la vallée du Sacramento. Nous sommes arrivés à San Francisco le 20. Toute la population mâle était partie pour les mines d'or. La ville, d'habitude si animée, était déserte. Le 25, nous reprîmes la route, par Bodega et Sonoma, pour le fort de Sutter. Nous y arrivâmes le 2 juillet au matin. Tout au long de la route, nous n'avons vu que des maisons désertes, des fermes abandonnées, des moulins inoccupés, les champs et les récoltes livrés aux troupeaux et aux animaux errants. Au fort, il y a un peu plus d'activité et d'affaires. Les bateaux déchargent leurs cargaisons et des charrettes transportent les marchandises. Le capitaine Sutter n'a pu garder que deux ouvriers à son service, un carrossier et un forgeron qu'il paye au prix de 10 dollars par jour. Les marchands lui paient, à lui-même, 100 dollars, pour une seule chambre. J'ai vu louer une petite maison au prix de 500 dollars, par mois.

» Nous avons célébré l'anniversaire de l'Indépendance au fort et sommes partis le 5 juillet. Je fis 25 miles qui me conduisirent à la Fourche américaine, qui est connue sous le nom de Lower Mines (Mines-Basses) ou Mormon's Diggings (Fouilles-des-Mormons). Tous les flancs des collines sont couverts de tentes de toile ou d'abris provisoires en branchages. Un magasin a été installé et des baraques font office de cantines.»

1. William Tecumseh Sherman, 1820-1891. Futur brigadier général Sherman, qui devait s'illustrer dans l'armée nordiste pendant la guerre de Sécession, notamment au cours des batailles de Vicksburg et Atlanta. Il deviendrait, en 1869, commandant en chef de l'armée des Etats-Unis. Les Américains ont donné son nom à un char de la Seconde Guerre mondiale.

Guillaume Métaz négligeait d'écrire que le président James K. Polk avait été très critiqué par ses concitoyens. Ces derniers avaient longtemps considéré que la Californie, « terre lointaine et sauvage », ne méritait pas les sacrifices que supposait une difficile guerre de conquête contre le Mexique. En effet, pour accéder à la Californie par bateau, il fallait contourner le continent sud-américain, ce qui supposait un voyage de 15 000 milles ! Par terre, le parcours, qui consistait à traverser, d'une côte à l'autre, des territoires peu hospitaliers, était fort risqué à cause des Indiens.

Initialement province du vice-royaume espagnol de Mexico, la Californie appartenait au Mexique depuis l'indépendance de 1821. L'Etat mexicain s'était révélé incapable de conserver le Texas, d'abord colonisé par des Américains, puis entré dans l'Union en 1845, après une période d'indépendance. Ces événements et des incidents frontaliers meurtriers devaient conduire à la guerre entre le Mexique et les Etats-Unis, et notamment à la conquête de la Californie, confirmée par le traité de Guadalupe Hidalgo, signé le 2 février 1848 et ratifié à Washington en mai.

En février, au moment de la signature du traité, la nouvelle de la découverte de l'or était encore ignorée, aussi bien à Mexico qu'à Washington. L'événement arrivait à point nommé pour justifier, *a posteriori,* les initiatives de Polk.

Neuf ans plus tôt, quand Sutter s'était présenté aux autorités mexicaines comme « Suisse et républicain », il avait obtenu du gouverneur une concession de dix ans dans la vallée du Sacramento, à l'embouchure du fleuve Río de los Americanos. Le gouvernement des Etats-Unis se montrerait-il aussi généreux, maintenant que la Nouvelle-Helvétie était au cœur d'un Eldorado prometteur. Déjà, comme pour affirmer ses droits sur l'or californien, le Trésor américain frappait des pièces d'or avec, pour signe distinctif, CAL audessus de l'aigle américaine !

Après confirmation officielle de la présence d'or en Californie, Guillaume Métaz, bien informé par ses agents commerciaux et par les politiciens qu'il fréquentait à Boston, s'était intéressé à ce que les journalistes nommaient maintenant la ruée vers l'or.

« Dès l'annonce par la presse de la découverte de l'or par Marshall, la ruée commença, écrivait-il. On vit arriver de partout des aventuriers attirés par la publicité que le gouvernement américain avait volontairement donnée à la trouvaille. L'or transformait la "terre lointaine et sauvage" en Eldorado. Et, du coup, la guerre valait le coût ! Surtout quand des voyageurs rapportèrent qu'on trouvait là-bas des pépites grosses comme des noix. Je sais que, deux mois après la publication de la nouvelle, plus de vingt mille personnes étaient déjà arrivées en Californie où règne aujourd'hui encore un parfait désordre, car des gens sans aveu détroussent ceux qui ont eu la chance de ramasser de l'or. La seule loi est celle de Lynch. Depuis le commencement du printemps, on estime que plus de cinquante mille chercheurs, venus des Etats de la côte atlantique sont arrivés en Californie par la mer et que cinquante mille autres se sont mis en route par voie de terre ! Sans compter, dit-on à Boston, tous les gens qui quittent l'Europe pour venir en Californie. On m'a assuré qu'un navire aurait appareillé ces jours-ci de Monterey, en emportant mille deux cents livres d'or, à seize dollars l'once, et une pépite de vingt-cinq livres !

» Tout cela est folie », reconnaissait Guillaume avant d'annoncer : « C'est là que je veux en venir. Trouver de l'or est certes une bonne espérance mais aussi une aventure pleine d'aléas. Bien plus sûr est le bénéfice que l'on peut tirer du commerce, c'est-à-dire de la vente aux enfiévrés de l'or, de matériel, armes — indispensables à qui veut pouvoir défendre son or ou son placer —, denrées alimentaires et même meubles, fanfreluches, montres, bijoux et objets de décor, car les femmes, de mœurs plus ou moins légères, sont déjà sur place, prêtes à assurer le repos et le tourment du chercheur d'or. Les couvertures se vendent de quatre-vingts à cent dollars pièce, un vase d'étain est échangé contre trois onces d'or — après fusion, l'once d'or rend dix-huit dollars cinquante cents —, une pelle ou une pioche vaut vingt dollars, un baril de farine peut être payé jusqu'à six cents dollars, un pistolet à six coups se négocie pour six ou huit onces d'or ! Bref, un commerçant peut faire tout l'argent qu'il veut, car la clientèle abonde et la marchandise est rare ! Un de nos courtiers m'a dit : “Sir, croyez-moi, armez une goélette de deux cent cinquante à trois cents tonneaux, chargez-la de provisions, d'habits tout faits, de bottes, de souliers, de whisky, vous ferez un bénéfice de deux cents à mille pour cent !”

» Un journal sérieux comme le *New York Herald* rapporte cette semaine : “San Francisco est vide. Des gens qui gagnaient deux mille dollars par an sont partis pour les placers. Les soldats désertent, les hôtels sont sans personnel, les commerces ferment. La soif de l'or est devenue la source de tous les maux. Le voyage jusqu'aux placers est hasardeux. Les gens meurent en route par centaines. Et cependant on compte soixante-sept navires en partance de New York pour la Pacifique. C'est la fièvre californienne qui s'est emparée des populations ! Il est parti de New York, en moins de trois mois, cinq mille sept cent quarante-neuf personnes sur quatre-vingt-dix-neuf bateaux !" Voilà un échantillon de ce qu'écrivent les journalistes. Je sais encore qu'on prépare des maisons préfabriquées en bois qui, expédiées en pièces détachées, seront montées en Californie. J'ai eu l'idée, avec mon gendre et un architecte malin, de faire fabriquer de la même façon un hôtel à monter sur place. Un hôtel un peu luxueux, qui pourra héberger deux cents clients. Je l'ai vendu soixante-dix mille dollars à une compagnie, alors qu'il me revenait à moins de trente mille ! Une belle affaire. J'en ai deux autres plus petits en chantier ! »

Arrivé à cette partie de la lettre de Guillaume, Axel subodora où le premier mari de Charlotte allait en venir. La suite l'éclaira complètement.

« Il convient donc, Axel, que nous entrions en affaire, toi, moi et Laviron. Il s'agit de m'expédier et faire embarquer à Marseille ou au Havre, pour San Francisco, Monterey, San Diego ou San Pedro, ports où fonctionne la douane de l'Union, les marchandises dont voici une liste, qui n'est peut-être pas encore complète :

» 50 douzaines de chemises de laine ; 400 couvertures grandes et de bonne qualité ; 15 pièces de flanelle ; 20 douzaines de chemises de flanelle ; 20 pièces de drap, deux tiers bleu, un tiers noir et brun, de bonne et moyenne qualité ; 5 pièces de drap bleu et brun fort, pour habillement d'hiver ; 200 surtouts en drap fort et étoffe grise, genre hollandais, de bonne moyenne qualité ; 20 beaux manteaux pour homme, genre espagnol ; 45 beaux manteaux pour femme, grands, très-apparents, genre espagnol ; un assortiment complet d'habillement en drap, habits, redingotes et pantalons, deux tiers bleu, un tiers noir et brun, de bonne moyenne qualité. »

Guillaume demandait encore des foulards, des centaines de pièces d'indienne, de couleurs vives, à fleurs, rayées, de fantaisie ; des bas d'homme, des bas de femme, des tulles et dentelles, des gilets, des châles, des jaquettes, des toiles de Bretagne pour fabriquer nappes et serviettes, etc.

Au rayon quincaillerie, il avait noté une impressionnante quantité d'ustensiles de cuisine, des hachettes, des haches, 50 douzaines de pelles, 50 douzaines de pioches, des couteaux, des marteaux, des ciseaux, des rasoirs, des cuillers, des fourchettes, des moulins à café, des tire-bouchons, des aiguilles, etc.

La verroterie n'était pas oubliée : 50 grosses de colliers bleus, rouges et noirs. Un assortiment de jolie fausse bijouterie, boucles et pendants d'oreilles, bagues, etc.

A cela s'ajoutaient des peignes à papillotes, dont quelques douzaines en écaille de tortue, 50 grosses de boutons de nacre pour chemises; 50 grosses pipes, des savonnettes, des calepins, 20 services à thé complets, 450 douzaines d'assiettes, des jattes, des lavabos, des pots de nuit.

En ce qui concerne les denrées alimentaires, l'Américain demandait 500 caisses de vin de Bordeaux rouge, 20 barriques du même, 50 caisses de vins de Bourgogne, 25 barils de vins forts du Midi, 50 douzaines de bouteilles de champagne, 25 caisses d'absinthe et encore d'autres boissons alcoolisées.

Axel devrait encore trouver 1 000 paires de souliers ordinaires pour hommes, plus 1 000 autres paires de jolie forme et moyenne qualité. Et aussi des souliers pour femme, 500 paires de bottines, 200 paires de bottes, 800 parapluies, 50 parasols, 50 quintaux de savon, des miroirs, des meubles dont 20 sofas; de la parfumerie : 150 douzaines de bouteilles d'eau de Cologne, 50 douzaines de bouteilles de lavande et encore des rubans, du sucre en pain, des fusils à deux coups, des pistolets, 500 000 capsules pour fusils et pistolets, des selles, des brides, des éperons, des chapeaux de forme mexicaine!

Abasourdi par une telle commande[1], Axel en vint aux recommandations de Guillaume : les cargaisons seraient accompagnées de leurs factures et le manifeste devrait être signé par le consul américain du port d'expédition. Toutes les marchandises seraient assurées contre tous risques par le meilleur assureur suisse.

Ce n'est qu'au dernier paragraphe que Guillaume Métaz abordait l'aspect financier des opérations. Il promettait, dans un premier temps, le remboursement immédiat des marchandises et des frais engagés par ses associés pour satisfaire sa demande, « Laviron étant assez riche pour avancer les fonds », écrivait-il. Il s'en-

1. L'auteur s'est inspiré d'un document commercial émanant du département de l'Agriculture et du Commerce des Etats-Unis qui donne « une nomenclature dont peut le plus utilement se composer une cargaison pour les ports de la Californie », publié dans *Voyage en Californie* par Ed. Bryant, dernier alcade de San Francisco, Arthus Bertrand, Paris, 1849.

gageait également à céder un quart des bénéfices que rapporterait la vente des marchandises dans les comptoirs déjà implantés par ses soins à proximité des mines et placers et dans les nouvelles agglomérations où les chercheurs d'or venaient se ravitailler et se distraire. On ferait les comptes au bout d'un an, à dater de la réception par O'Brien & Métaz General Merchants, des marchandises expédiées d'Europe. En conclusion, Guillaume invitait Axel à faire diligence, « les Anglais s'étant déjà assuré des débouchés ».

Axel ralluma sa pipe, qu'il avait laissé éteindre, tant sa lecture l'avait absorbé, et demeura un long moment rêveur. Malgré son âge avancé, Guillaume Métaz n'avait rien perdu du sens aigu des affaires et de sa faculté de toujours entreprendre, avec une audace tempérée de circonspection. Ces qualités premières, alliées à une certaine forme de matoiserie, à un souci constant d'acheter au moindre coût et de vendre au plus haut prix, à une rigueur qui, en affaires, ne laissait pas place aux sentiments, lui avaient permis de réunir une des plus grosses fortunes du Massachusetts, de siéger au Sénat de l'Etat et de faire figure de sage, souvent d'arbitre, dans le monde du haut négoce de Nouvelle-Angleterre.

Au soir de ce jour, au cours du dîner, Axel Métaz révéla à Elise les grandes lignes du projet de Guillaume et annonça à sa femme qu'il se rendrait à Genève, pour en parler avec Pierre-Antoine Laviron et Alexandra.

— Je suis heureuse que cet homme ne soit pas, si j'ose dire, resté votre père. Je l'imagine avec un livre de comptes à la place du cœur ! Comme je vous préfère Fontsalte, dit-elle, posant une main caressante sur celle de son mari.

# 6.

Axel Métaz trouva la rue des Granges en pleine effervescence et Pierre-Antoine Laviron fort en colère contre M. James Fazy. Avant même que le Veveysan ait pu exposer les raisons de sa visite, le banquier révéla celles de sa fureur.

— Savez-vous que notre dictateur — car chaque jour il se dévoile davantage — veut envoyer à la fonte nos vieux canons ?

— Quels canons ? Ceux de la milice ? Peut-être sont-ils démodés, risqua Axel.

— Démodés, ils le sont certainement, mais ils appartiennent au patrimoine de Genève. Certains datent du XVII^e siècle et sont pièces de musée !

Axel, qui connaissait l'intransigeance de son vieil ami quant à l'intégrité historique de la République, le laissa développer ce que tout Genève nommait, depuis quelques jours, l'affaire des canons.

— Je vais éclairer votre lanterne, mon ami, car vous n'avez pas vécu comme nous, Vieux-Genevois, les événements qui expliquent l'attachement à nos antiques bouches à feu, commença le banquier.

Axel, prévoyant que l'exposé pourrait être long, s'adossa dans son fauteuil et alluma sa pipe. Pierre-Antoine, dont, malgré l'âge, les cheveux plaqués et partagés par une raie médiane rigoureusement rectiligne conservaient leur couleur aile de corbeau, entretenue par un coiffeur inspiré, s'éclaircit la voix.

— Le 3 février 1814, les Autrichiens de l'armée du général-comte Bubna, qui occupaient Genève depuis le 30 décembre 1813 et veillaient à la restauration de notre République indépendante, avaient emporté, en se retirant, quatre-vingt-sept canons représentant la quasi-totalité de l'artillerie genevoise et, d'après l'inventaire de l'époque, six mille six cents quintaux de matériel. Cette spoliation avait fortement contrarié les Genevois, qui attachent à leurs bouches à feu armoriées des XVIIe et XVIIIe siècles une valeur patriotique et sentimentale. Il faut dire que cette artillerie a été acquise par nos ancêtres au prix de grands sacrifices financiers. On estima la valeur des bouches à feu emportées par les Autrichiens — artillerie que les Français au temps de l'annexion avaient, eux, respectée — à plus d'un demi-million de francs.

» La restitution de ces canons avait été l'une des premières demandes de Charles Pictet de Rochemont, devenu secrétaire général de l'administration des pays conquis par les Alliés. Plus diplomate que nous, Pictet admettait que ces armes, enlevées à Genève, fussent laissées à la disposition des Autrichiens tant que Napoléon, soudain revenu de l'île d'Elbe, ne serait pas définitivement vaincu ! Après quoi, les canons devraient nous être rendus. Mais un jeune lieutenant de chasseurs genevois, Joseph Pinon, se lança sans attendre à la poursuite des canons dérobés après avoir extorqué au comte de Colloredo, commandant en chef de l'armée autrichienne, une lettre ordonnant la restitution immédiate de notre artillerie. Les quatre-vingt-deux pièces avaient été embarquées à Longemalle sur trois grandes barques, transportées à Ouchy d'où elles avaient été acheminées, par Yverdon, Brougg, Schaffouse et Ulm, jusqu'à Vienne. Pinon, qui les suivait, sans jamais pouvoir les rattraper, pour faire exécuter l'ordre de Colloredo, parvint ainsi jusqu'à Schönbrunn. Passant outre à l'étiquette qu'il ignorait, il obtint une audience de l'empereur François II. Ce dernier, amusé par la pugnacité de l'officier genevois, touché par les arguments patriotiques que Pinon développa avec véhémence, ordonna la restitution des canons. Le lundi 5 septembre 1815, Joseph Pinon, qui avait quitté les siens au mois de mars, revint à Genève. Quand il annonça le retour prochain de nos pièces, nous fûmes des milliers de jeunes et d'anciens à nous réunir sous ses fenêtres pour l'acclamer. Félicité par nos édiles, Joseph Pinon fut bientôt promu lieutenant-colonel et reçut un sabre d'honneur. Sachez, cher Axel, que nous le plaçons, comme patriote, au même rang, dans notre Panthéon genevois, que dame Royaume et François Bonivard !

— Et les canons furent rendus ?

— Les Autrichiens tinrent en partie parole. Un premier convoi arriva le 31 décembre 1814, au moment où, dans l'euphorie, nous célébrions le premier anniversaire de l'indépendance restaurée, les autres furent livrés le 23 février et le 18 avril 1815. Toutefois, quarante-huit bouches à feu seulement ont, à ce jour, été rendues à Genève sur les quatre-vingt-sept empruntées par les Autrichiens [1], conclut Pierre-Antoine, amer.

Or, on venait d'apprendre que ces canons, sans doute inutilisables, mais que les Genevois regardaient comme des reliques, allaient être envoyés à la fonte par le gouvernement radical de James Fazy, à court d'argent !

— Si Joseph Pinon était encore de ce monde [2], il irait dire son fait à Fazy ! Croyez-moi. En attendant, je viens de signer une pétition pour tenter de limiter ces destructions iniques, conclut le banquier.

Quand il stigmatisait l'attitude dictatoriale de Fazy, Pierre-Antoine Laviron, libéral modéré, traduisait le sentiment d'une partie de la population conservatrice, qui suivait d'un œil humide la destruction des remparts de la ville. Dans bien des domaines, le comportement de Fazy et du gouvernement radical à sa dévotion aboutissait à une totale mainmise politique sur toutes les institutions. Sur l'Académie, notamment, dont le recteur, le savant de réputation mondiale Auguste De la Rive, ainsi que plusieurs professeurs, parmi lesquels tous ceux de la faculté de Droit, avait démissionné.

Le gouvernement avait alors décidé, le 25 octobre 1848, que tous les professeurs de l'Académie seraient soumis à une nouvelle élection. Le 5 novembre, on avait appris que six candidats avaient été évincés pour des raisons purement politiques. Sur les sept restant en compétition, pour la chaire d'Esthétique et de Littérature française, le jury, constitué par Fazy et siégeant dans la salle du Grand Conseil, avait désigné, le 10 avril 1849, Henri-Frédéric Amiel, un ancien élève de Martin Chantenoz, qui venait de passer cinq années à Berlin, après un court séjour à Paris. Pierre-Antoine Laviron sou-

1. Deux autres canons genevois, de 1680 et de 1725, restés au musée de l'Armée à Vienne, ont été restitués en… 1923. On peut voir de nos jours, sous la halle du bâtiment des archives d'Etat de Genève, trois canons rendus par les Autrichiens. Dans une série d'articles publiés en septembre 1917 dans le *Journal de Genève,* Frédéric Barbey a conté, sous le titre « L'Homme aux canons », l'aventure de l'intrépide Joseph Pinon. Cet texte a été repris dans *Les pierres parlent*, ouvrage du même auteur, éditions F. Rouge et Cie, Lausanne, 1940.

2. Joseph Pinon était mort le 13 octobre 1839.

tenait que le jury, aux ordres de Fazy, avait fait son choix avant même l'audition des postulants, invités à présenter cinq leçons à titre d'épreuves.

Déjà, lors des élections d'octobre 1848, Fazy, furieux de voir la majorité échapper à sa liste, avait annulé le scrutin, alors que les conservateurs venaient de remporter trois sièges au Conseil national, c'est-à-dire à l'exécutif. Tous les conservateurs s'étaient abstenus de voter au deuxième tour, pour protester contre cette atteinte directe à la démocratie.

— Le gouvernement radical croit détenir la science infuse, commenta Laviron. Il décrète le bien-être pour tous, une prospérité nouvelle de la Fabrique, la sagesse universelle, la disparition des maladies, pourquoi pas l'eau du lac transformable en vin, la chaleur en hiver et la neige en été ! Et, quand ce qu'il a décrété ne devient pas réalité, le gouvernement radical s'en étonne, crie à la malveillance des aristocrates, s'en prend à l'étranger, aux jésuites qu'on a chassés, aux Juifs à qui l'on refuse le droit d'établissement, aux momiers qui prient dans leur coin, aux unijambistes et aux manchots qui n'en peuvent mais ! Voilà quelle est l'intelligence de ce régime, prêt à décréter sans rire que le triangle aura désormais quatre côtés ! fulmina M. Laviron, congestionné par la colère.

— Dans le canton de Vaud, nous avons aussi des radicaux de ce type, mais leur impopularité va croissant. Henri Druey a été hué par les participants lors d'un tir cantonal, dit Métaz.

— Fazy sent bien, lui aussi, qu'une partie de l'électorat peut lui échapper. Aussi cherche-t-il à se donner une importance internationale. En janvier, notre président du Conseil d'Etat a pris quelques semaines de congé en France. Il a été reçu à l'Elysée par le président de la République. Au cours de l'entretien, le prince Louis Napoléon lui a dit : « Qui aurait cru que nous nous retrouverions l'un et l'autre à la tête d'une république ! » rapporta Pierre-Antoine.

— Comparaison flatteuse pour M. Fazy ! reconnut Axel.

— Quand deux anciens carbonari se rencontrent, ils ne peuvent que se congratuler, n'est-ce pas ! Heureusement que le prince-président avait reçu, la veille, son ancien professeur et grand ami notre général Dufour[1]. Il aura ainsi été plus exactement informé de la vie politique genevoise, conclut le banquier.

1. Le général Dufour fut reçu par Louis Napoléon le 8 janvier 1849, James Fazy le 9 janvier.

Alexandra, vêtue d'une redingote d'allure masculine, qui mettait l'extrême finesse de sa taille en valeur, toujours vive et enjouée dès qu'elle retrouvait son parrain, apparut opportunément pour interrompre la conversation et permettre à Axel d'exposer le projet commercial ambitieux de Guillaume Métaz.

Quand le Vaudois eut donné lecture des propositions de l'homme d'affaires américain, M. Laviron tint à relire la commande et fit la moue.

— L'idée est excellente et l'opération peut produire du profit, si j'en juge par la foule de ceux qui se découvrent, même chez nous, une soudaine vocation de chercheur d'or. Il n'est que de lire les journaux. Il ne se passe pas de semaine qu'on ne donne des nouvelles de cet Eldorado. Des gens sont même assez fous pour liquider leurs affaires et émigrer. C'est le cas de M. Henri Menn, ce brave éleveur de vers à soie, que je connais. Il a mis en vente sa magnanerie et huit mille mûriers « pour cause de départ pour les Etats-Unis », expliquait l'annonce qu'il a publiée il y a quelque temps dans la *Revue de Genève*.

— Mais que pensez-vous de la proposition de Guillaume ? demanda Axel.

— Que l'affaire est acceptable, bien que je trouve notre Vaudois américanisé peu généreux. Qu'en pense Alexandra ? dit Laviron en se tournant vers sa fille adoptive.

La jeune banquière reprit la lettre de Guillaume, qu'elle venait de lire attentivement, et la parcourut à nouveau.

— La proposition est certes intéressante, mais cet homme est d'une pingrerie de quaker ! Un cinquième des bénéfices et un versement annuel ! Nous prend-il pour des bobets ou des samaritains [1] ? Pour former l'association qu'il souhaite, nous devons exiger un tiers des bénéfices, des comptes et versements trimestriels et non annuels. Et cela, à dater de la réception de la cargaison. N'est-ce pas plus juste rétribution de l'énorme travail que représente cette commande ? dit-elle, véhémente, avec un regard à Pierre-Antoine, qui approuva d'un signe de tête, ravi de voir son élève traiter le dossier comme il l'eût fait lui-même.

Axel se tut, la mine sévère, étonné par les exigences de sa filleule. Celle-ci, interprétant exactement ce silence, reprit aussitôt :

— Trouver les marchandises, en discuter les prix, car, pour de

1. Des benêts ou des secouristes.

pareilles quantités, on doit obtenir de bonnes remises, rassembler tout ce fourniment dans un port français, faire emballer les produits fragiles, les denrées périssables, veiller à l'embarquement et convaincre un assureur de garantir une telle cargaison, prendra beaucoup de temps et coûtera cher. Si Péa veut bien, je lui écris, moi, à Métaz, et je lui fais part de nos conditions. En attendant sa réponse, je mets deux ou trois courtiers en campagne pour réunir ce qui fait l'objet de la commande, conclut Alexandra d'un ton sec.

Axel demeura un instant pensif.

— A quoi penses-tu, parrain ? dit-elle, tirant Axel de sa réflexion.

— Si Guillaume refuse tes conditions et que tu as déjà mis l'affaire en train, que feras-tu ? demanda-t-il.

— Nous nous passerons de lui, tiens ! Nous sommes parfaitement capables de préparer une cargaison, de l'expédier et de trouver sur place à San Francisco, à Monterey, des dépositaires actifs. Nous avons déjà un bon transitaire en douane à Chagres, un port du Panama, où exerce un consul américain compréhensif. Maintenant que nous savons ce dont les Californiens ont besoin, rien de plus facile et, pour nous, d'un meilleur rapport, non ?

— Agir ainsi serait déloyal, une sorte d'abus de confiance vis-à-vis de Guillaume. Cela manquerait par trop d'élégance ! observa sèchement Axel, dont l'œil clair s'assombrit soudain, signe de contrariété que connaissait bien Alexandra.

La jeune femme sourit, du même sourire que Pierre-Antoine, le sourire plein de commisération d'experts évaluant la naïveté d'un profane.

— Parrain ! Il n'y a pas d'élégance en affaires. L'élégance ne se chiffre pas et ne rapporte rien. M. Guillaume Métaz ne met aucune élégance dans les conditions usuraires qu'il propose et il ne s'attend pas à ce que la banque Laviron Cornaz et Cie soit élégante. Il s'attend à ce qu'elle soit efficace… mais à moindre prix ! C'est un très habile entrepreneur, un finaud, sa réussite et sa fortune le prouvent, et il applique l'adage de mon vieil admirateur anglais sir Francis Keith quand il cite Alexander Pope : *If possible honestly, if not somehow make money* [1], cita Alexandra en riant.

— En tout cas, si l'affaire ne se fait pas avec mon p…, avec

1. Si possible honnêtement, sinon, d'une manière ou d'une autre, gagnez de l'argent. Pope n'a fait que traduire la formule d'Horace.

Guillaume, se reprit-il, je n'engage pas de capitaux dans ce commerce-là, déclara Axel en quittant son siège pour aller jusqu'au balcon jeter un regard sur la promenade de la Treille, où fleurissait, avant tous les autres, un vieux marronnier connu des Genevois.

Que restait-il de la petite orpheline, tendre et pusillanime, qu'il avait recueillie vingt ans plus tôt, dans ce banquier enjuponné ? Il avait devant lui une capitaliste imaginative et compétente, endurcie par la fréquentation des gens d'affaires, retors et âpres au gain. Alexandra, habile à déceler les manœuvres des concurrents, à les contrer, à ruser comme eux, à monter des opérations financières et commerciales profitables, avait-elle perdu toute notion de probité, tout sens moral, toute sensibilité ?

Parce qu'elle était femme et la première associée active d'une banque privée de haut lignage, le milieu bancaire genevois, aussi fermé qu'une loge maçonnique, ne s'en était pas méfié. Au commencement, on souriait avec une curiosité teintée d'ironie et, aussi, un peu d'agacement à la voir visiter les agents de change, se rendre chaque matin rue de la Corraterie, des dossiers sous le bras, militer dans les salons pour la création d'une Bourse à Genève. Puis, on avait été étonné d'apprendre qu'elle voyageait, rencontrait des banquiers et des hommes d'affaires à Zurich, à Londres, à Munich, à Amsterdam et que les clients de la banque Laviron Cornaz et C^ie^ se disaient satisfaits des conseils qu'elle dispensait, dans son bureau aux portes capitonnées de cuir. Beaucoup avaient d'abord pensé que Pierre-Antoine Laviron, arbitre respecté, financier sans taches, dont on connaissait la prudence, la piété et l'intérêt qu'il portait aux bonnes œuvres, avait adopté cette orpheline vaudoise pour que son épouse, qui toujours pleurait sa fille Juliane, eût une compagnie affectueuse. De rares mauvaises langues avaient insinué que Pierre-Antoine s'était offert une jeune maîtresse et que le seul moyen à sa portée de se l'attacher et de la surveiller était de la faire entrer dans sa banque. Mais, au fil des années, Alexandra Cornaz-Laviron s'était imposée et bénéficiait maintenant de la considération que les gens de finance accordent à ceux qu'ils envient ou qu'ils craignent. On savait, rue de la Corraterie et rue du Rhône, que le sourire gracieux de cette grande femme aux hanches étroites, aux longues jambes, fluette et paraissant dépourvue d'appas propres à inspirer le désir, cachait une intelligence vive, un sens inné des chiffres, des connaissances étendues, une volonté inflexible et une aptitude à spéculer, longtemps déniée à son sexe. Reconnue, respectée, redoutée par certains, mademoiselle Alexandra, ainsi que la nommaient banquiers et agents de change, était devenue une figure de la banque genevoise.

Le maître d'hôtel apparut à point nommé dans le salon pour rompre un silence qui commençait à devenir gênant. Le vieux serviteur invita tout le monde à rejoindre M^me^ Laviron à la salle à manger. La qualité des mets servis rue des Granges ne fit pas oublier à Axel l'incident du salon, mais il dégusta en connaisseur l'omble chevalier accompagné d'une sauce aux câpres.

— C'est Alexandra qui a composé le menu, comme chaque fois que vous êtes attendu, dit Anaïs Laviron, répondant aux compliments qu'Axel venait de décerner à la maîtresse de maison.

Après le repas, Pierre-Antoine se retira pour la sieste imposée par le médecin à ce septuagénaire qui, pour avoir toujours bien vécu, connaissait des digestions lentes et laborieuses.

— Pendant que Péa se repose et avant que nous nous mettions d'accord sur l'affaire qui t'amène, veux-tu m'accompagner au Bourg-de-Four, chez Jullien. J'ai commandé des livres. Ou bien es-tu fâché au point de ne pas vouloir sortir avec moi ? demanda Alexandra qui ignorait tout de l'art de minauder.

Axel consentit et, sur les pavés de la rue des Granges, offrit son bras à sa filleule qui se serra contre lui.

— Tu sais, tu n'as pas à te faire de souci pour Guillaume Métaz. Il acceptera nos conditions, même si, dans un premier temps, il essaie de nous contraindre à couper la poire en deux en nous demandant de ramener à un quart notre part des bénéfices. Il comprendra aussi que nous sommes — pas toi, trop honnête benêt, mais Pierre-Antoine et moi — capables de monter l'affaire sans lui. Et puis, ce que je demande n'a rien d'exagéré. C'est ce qu'on propose habituellement dans ce genre d'affaire, qui ne va pas sans risques. Et cela aussi, l'Américain le sait... mieux que toi, mon doux parrain, conclut la jeune femme avec un regard tendre.

Axel Métaz, sensible au charme de cette femme dont il savait l'amour qu'elle lui portait depuis l'enfance, devait toujours faire effort pour se défendre du trouble délicieux que sa tendresse provoquait en lui. Il ne demandait qu'à oublier le malentendu de la matinée.

— Bien. Je n'entends rien à ce jeu de bluff, genre poker américain. Je te laisse faire. Après tout, puisque risque il y a, je puis aussi bien perdre que gagner, comme Pierre-Antoine et toi. Je te fais confiance pour le montant de ma mise, mais ne me ruine pas. J'ai des enfants, ajouta le Veveysan.

Comme ils descendaient le petit escalier qui aboutit à la librairie des frères Jullien, Alexandra déposa un baiser furtif sur la joue d'Axel.

Mlle Cornaz-Laviron était une fidèle cliente de la librairie, ouverte en 1838 par les éditeurs et imprimeurs Jean-Henri, dit John, et Jean-Louis Jullien. Les livres commandés étaient arrivés et Axel s'étonna de découvrir parmi eux le *Manifeste du parti communiste* de MM. Marx et Engels, ouvrage auquel se référaient de plus en plus souvent les révolutionnaires européens.

— Il faut connaître les idées exprimées par ces philosophes avancés, ne serait-ce que pour pouvoir les combattre plus efficacement, car elles se répandent actuellement dans les basses classes de la société, expliqua-t-elle pour justifier son emplette.

Parmi les livres reçus figuraient aussi *Vanity Fair,* de William Makepeace Thackeray et, traduit en français, *les Hauts de Hurlevent,* ouvrage d'une romancière anglaise, Mlle Emily Brontë, dont M. Swinburne avait dit : « Le meilleur roman qu'une femme ait jamais écrit. »

Axel et sa filleule regagnèrent ensuite l'hôtel Laviron, rue des Granges, où Pierre-Antoine les attendait. Tous trois se rendirent alors rue de la Corraterie, où fut rédigée, dans les termes choisis par Alexandra, la contre-proposition destinée à Guillaume Métaz. Le lendemain matin, réconcilié avec sa filleule qui l'accompagna jusqu'à Longemalle, où était amarré l'*Ugo,* Axel regagna Vevey.

Deux semaines plus tard, à l'heure mauve du crépuscule, moment qu'il goûtait entre tous en fumant sa pipe sur la terrasse de Rive-Reine, face au lac, la rêverie d'Axel Métaz fut interrompue par l'apparition du valet de Flora, la veuve du général Ribeyre. Le billet que lui remit le domestique, visiblement ému, avait été rédigé à la hâte par le docteur Vuippens. « A réception de ce billet, viens tout de suite à Lausanne. Notre amie Flora veut te voir. Elle est très gravement malade et peut passer d'un jour à l'autre. Louis. »

Aussitôt, Axel fit atteler, prévint Elise de l'appel qu'il venait de recevoir et de son départ immédiat. Il savait le général et sa mère absents de Lausanne. Le couple passait toujours une quinzaine de jours à Fontsalte-en-Forez au printemps. Et cette année-là, le général devait négocier un nouveau contrat pour une meilleure diffusion en France et en Europe des eaux de la source Fontsalte aux vertus reconnues par les médecins. La concurrence était de plus en plus vive dans ce domaine, surtout depuis que la Société des Eaux minérales alcalines d'Evian, « salutaires pour les malades de la vessie et des voies urinaires », annonçait partout qu'elle approvisionnait régulièrement des dépôts « dans les principales villes de Savoie, de Suisse, de France, d'Italie et d'Allemagne ».

— Puis-je vous accompagner ? demanda M^me^ Métaz.

— C'est aimable à vous de le proposer, mais la nuit tombe et, seul, j'irai plus vite, dit-il en prenant les rênes que Lazlo lui tendait.

L'élargissement et la réfection de la chaussée rendaient depuis quelques mois la route de Vevey à Lausanne plus sûre et plus roulante. Dans son cabriolet, doté de nouvelles roues cerclées de caoutchouc dur, Axel parcourut au grand trot, sauf dans la montée de Saint-Saphorin, en moins d'une heure, les quatre lieues et demie qui séparent les deux villes.

Flora occupait, avec sa sœur Tignasse, en contrebas de la place Saint-François, une jolie maison qu'on nommait dans le cercle Fontsalte « la grotte aux veuves » parce que située près de l'hôtel Gibbon construit sur l'ancien domaine de La Grotte où le célèbre historien anglais Edward Gibbon avait vécu et rédigé son fameux ouvrage, *Histoire de la décadence et de la chute de l'Empire romain.*

Axel fut accueilli par une servante qui, une lanterne à la main, vint au-devant du visiteur en entendant le cabriolet s'arrêter devant le perron.

— Comment est Madame ? interrogea-t-il en sautant de sa voiture.

— On craint le pire, monsieur. Le docteur Vuippens est près d'elle, dit la femme d'une voix chevrotante.

Elle s'excusa, en montant le perron, de ne pas l'accompagner jusqu'à la chambre de la malade.

— Vous comprenez, je ne peux pas laisser M^me^ Rosine seule bien longtemps. Elle sent qu'il se passe quelque chose et ça la rend bien nerveuse, ajouta la domestique.

Depuis quelques semaines, les troubles mentaux de Tignasse s'étaient aggravés. Récemment, elle avait échappé à la surveillance et s'était rendue à la cathédrale, chapeautée et barbouillée de fard, affirmant qu'elle allait se marier !

Vuippens attendait Axel sur le palier du premier étage, devant la chambre de Flora.

— Qu'est-il arrivé ? demanda Métaz, anxieux.

— Sans doute un anévrisme spontané, qui doit être ancien. J'imagine la lente perforation de la tunique d'une artère dans la région du cœur et je crains une déchirure complète et soudaine. L'hémorragie interne peut devenir foudroyante. Je lui ai tout de même administré ce qu'il faut, mais le remède ne fera que retarder l'échéance, quelques jours ou quelques heures. Je ne pense pas, vu son état de faiblesse, qu'elle dure encore bien longtemps, Axel. Va, elle t'attend, conclut Vuippens en poussant la porte.

Axel trouva Flora reposant dans son lit, pâle et respirant avec difficulté. Il posa un baiser sur son front moite.

— Mon petit, me voici arrivée au bout de la route. Je vais rejoindre Ribeyre, dit-elle d'une voix faible en posant sur son filleul son beau regard gris.

Comme Axel allait protester, elle souleva une main qu'il prit dans les siennes.

— Vuippens ne m'a pas caché la gravité de mon état. Tu connais sa franchise un peu brutale. Mais, tu sais, je n'ai pas peur de la mort. Mon seul souci est Rosine. Qui va s'en occuper, après mon départ ? Ta mère bien sûr, mais ce sera difficile. Je compte aussi sur toi. Tu sais comme elle t'a aimé, quand tu étais petit, que tu allais chercher des sucres d'orge dans son épicerie, au Jardin des gourmandises, à La Tour, hein !

Axel hocha la tête. Etre forcé de se souvenir que la pauvre Tignasse l'avait, trente-cinq ans plus tôt, initié au plaisir, le rendait honteux, lui inspirait une sorte de vaine répugnance, comme s'il eût été autrefois caressé par la vieille femme égarée qu'il voyait aujourd'hui.

— Ne te fais aucun souci pour ta sœur : tu sais que nous l'entourerons tous avec affection, marraine.

— Mais ce n'est pas pour ça que je t'ai appelé, Axel. C'est parce que je ne veux pas partir en laissant subsister un mensonge, qui a fait beaucoup de mal à un homme.

Flora se tut un instant, comme épuisée, puis elle fit signe à son filleul d'approcher.

— Je ne peux pas parler très fort, mon garçon, mais il faut que tu saches. Oh ! comme je regrette que Blaise et ta mère soient loin ! Si je… enfin si je ne suis plus là, tu leur diras. Promets-moi !

— Je promets. Mais, dire quoi ?

Après un silence, qui n'était pas de réflexion mais symptôme d'une immense lassitude, la malade fit effort pour parler.

— Te souviens-tu du jour de ton retour de Venise, où tu avais fui après que ton père, enfin… que Guillaume, eut découvert que tu n'étais pas son fils, mais celui de Blaise, c'était, je crois, en 1820. Nous étions chez ta mère, chassée par Guillaume et réfugiée dans la maison de sa tante Mathilde, rue de Bourg. Tu m'as reproché d'avoir provoqué une révélation scandaleuse qui bouleversait tant de vies.

— Je m'en souviens parfaitement, dit Axel, pour permettre à Flora de reprendre son souffle.

— Je t'ai raconté, ce jour-là, qu'au moment du passage de Bonaparte allant en Italie, j'avais été un peu espionne pour les Autrichiens, parce que je haïssais les Français qui avaient tué mon fiancé, du régiment des Gardes-Suisses de Louis XVI. Je t'ai dit aussi que Fontsalte m'avait fait arrêter et mise sous la garde de Trévotte, son ordonnance. Je t'ai raconté que Trévotte avait brutalement abusé de moi. Tu ne voulais pas le croire.

— Je me le rappelle en effet. J'ai eu du mal à croire à ce viol, même si j'ai su plus tard par ma mère que, pour te défendre, tu avais tenté de tuer Titus avec un poignard ramassé je ne sais où, confirma Axel.

— Ce jour-là, tu m'as dit une phrase que j'ai toujours conservée à l'esprit : « Plus j'avance en âge et dans la connaissance des êtres et plus je crois que le plus intéressant de la vie de chacun est ce qu'il en cache. »

— J'ai dit ça, moi ?

— Oui, et après tu m'as raconté ce qui s'était passé entre toi et Tignasse, ce que j'ai eu à mon tour du mal à croire et qui, cependant, était vrai. Mais ce n'est pas l'affaire. Ce que je veux que tu saches, Axel, c'est que Trévotte ne m'a ni brutalisée ni violée. C'était un mensonge. Oh ! il aurait sans doute bien voulu, plus pour m'humilier que pour connaître une volupté dérobée. Mais, voilà, ce pauvre homme n'a jamais rien pu faire d'une femme. Je l'ai su cette nuit-là. La nature a privé cet hercule de la faculté de copuler. Il a, comme on disait autrefois, l'aiguillette nouée ! acheva Flora entre deux inspirations sifflantes.

— Mais alors, marraine, pourquoi avoir construit cette fable ?

— Nous nous sommes mis d'accord, le brave Titus et moi. Il s'agissait de sauver son honneur de mâle et, pour moi, d'apparaître en victime d'un soudard et d'obtenir la liberté. Les hommes qui souffrent d'impuissance vivent la pire des humiliations, Axel. Nous avons toujours gardé le secret et jamais je n'ai fait la moindre allusion à cette aventure. Seul mon cher Ribeyre, ce parfait mari, qui ne comprenait pas que je puisse adresser la parole à un homme censé m'avoir violée des années plus tôt, a été mis par moi dans la confidence. Mais maintenant, je veux que ta mère et Blaise sachent que Titus ne s'est pas mal conduit. Voilà. Maintenant, je suis en paix avec ma conscience, acheva-t-elle en s'abandonnant, exténuée, sur ses oreillers.

Axel Métaz reposa la main de Flora sur le drap et, respectant ce moment de repos, se dirigea vers la fenêtre de la chambre. Au pied de la colline, au-delà des rives d'Ouchy, dans la nuit installée, une clarté dorée semblait jaillir du lac, comme si la lune, ronde et pleine au-dessus des montagnes de Savoie, réveillait une jumelle immergée.

— Maintenant, tu peux dire à Vuippens d'envoyer chercher M. le curé Reidhaar. J'ai aussi besoin de me mettre en règle avec le Bon Dieu, dit-elle.

M. Reidhaar, destitué comme d'autres prêtres par les radicaux, exerçait clandestinement son ministère.

— Va, Axel, et reviens me voir, si Dieu veut que je sois encore là quelque temps, dit-elle encore.

— Bien sûr que tu seras là, demain et les autres jours. Tu n'es pas aussi malade que tu crois, dit Axel, s'efforçant à la conviction.

— Oh ! ma tête fonctionne bien, mon garçon, mais je sens que la vie s'en va du côté de mon cœur, dit-elle.

Métaz se pencha sur la vieille dame alitée, dont il connaissait la force de caractère et la lucidité. Après un dernier baiser, qu'elle reçut les yeux pleins de larmes, il quitta la chambre et descendit au salon, où Vuippens attendait.

— Je vais passer la nuit ici, Louis, et demain matin j'irai au bureau du télégraphe, dès l'ouverture, pour envoyer une dépêche à Fontsalte. Ma mère doit être prévenue de l'état de sa vieille amie, dit-il.

Le médecin eut un geste vague, qui traduisait son doute de voir Flora survivre jusqu'au retour de Charlotte. Comme d'autres malades l'attendaient à Vevey ou à La Tour, Louis donna ses consignes à la servante, pour que soient administrés les remèdes prescrits, et quitta la maison.

Mme Ribeyre de Béran survécut deux semaines et put, avant de quitter la vie sans souffrances excessives, revoir son amie de toujours, Charlotte Rudmeyer, aujourd'hui marquise de Fontsalte. Le sort, cette fois plus bienveillant qu'ironique, voulut que Flora Baldini rendît son dernier souffle alors que l'adjudant Trévotte, venu lui faire visite, lui serrait la main. En voyant des larmes glisser sur les joues ridées du vieux grognard, Axel se dit que le Bourguignon avait sans doute aimé Flora d'un amour idéal et que le secret qui liait ces deux êtres devait avoir, quelque part, valeur d'alliance.

Charlotte fut la plus affectée de tous les membres du cercle Fontsalte.

— Nous étions comme deux sœurs. Nous ne nous sommes jamais quittées et, toutes deux, nous avons épousé des généraux français, ce que nous n'aurions pu imaginer quand nous étions pensionnaires chez les dames ursulines. Flora n'a pas eu, comme moi, le bonheur d'avoir des enfants, un fils surtout, qui eût porté le nom de l'homme qu'elle avait choisi sur le tard, dit Charlotte en quittant le cimetière où Flora reposait près de son époux.

Ce même jour, Axel prit Blaise à part et lui fit part de l'ultime confidence de Flora quant à viol autrefois perpétré par Titus.

— Mon pauvre Axel, j'ai toujours su l'incapacité de mon vieux Trévotte. Combien de fois ne l'ai-je pas entendu, au bivouac, raconter ses bonnes fortunes imaginaires, avec telle servante ou telle dame de compagnie ! Combien de fois, aussi, ne l'ai-je pas vu aller au-devant de la mort avec l'espoir d'en finir avec une vie privée du plaisir d'amour, dit le général.

— Et comment aviez-vous su ? demanda Axel.

— Ah ! mon fils, les filles manquées ne sont pas toujours discrètes et telle, qui connaît avec l'un ce que l'autre n'a pu lui faire connaître, parle sur l'oreiller, se moque, expliqua Blaise, avec un sourire ambigu.

— Ses camarades n'ont pas dû ménager leurs sarcasmes à Titus. J'imagine les plaisanteries grossières et les rires gras, dit Axel.

— Détrompez-vous. D'abord, un homme sensé, un soldat, ne rit pas du compagnon affligé d'une telle impuissance. Ensuite, tout le régiment respectait Trévotte, dont on connaissait la bravoure. Enfin, un seul imbécile, une fois, osa faire allusion à certaine déficience révélée par une gourgandine. Titus le provoqua en duel, au sabre de cavalerie, et l'impudent fut lardé de telle façon qu'il souffrit désormais de la même inutilité auprès des filles que celui qu'il avait offensé, rapporta Blaise.

Il confia aussi à son fils que, pour respecter la volonté de Mme Ribeyre de Béran, il informerait Charlotte sous le sceau du secret.

Une diversion au chagrin des amis de la défunte Flora fut apportée par le retour, à Lausanne, du colonel-comte Piotr Golewski. En voyant pour la première fois cet homme long et sec, hâve, au regard ardent des illuminés, Vincent, qui accompagnait son père à Beauregard, trouva qu'il ressemblait à don Quichotte tel que l'avait portraituré un illustrateur de Cervantès.

L'ancien officier du 1er régiment de chevau-légers de la Garde impériale confessa sur-le-champ à son ami Blaise qu'il était maintenant résolu à rester en Suisse, même à devenir suisse, tant il était déçu par ses compatriotes. Les rivalités subalternes entre aristocrates, propriétaires terriens et gens du peuple, ouvriers ou paysans, tous patriotes à leur manière, avaient, une fois encore, consommé l'échec d'un soulèvement libérateur.

— Depuis que la Pologne est gouvernée par Ivan Fedorovitch Paskevitch, ce général russe qui se battit contre les Français en 1815 et qui est en train de mater la révolte hongroise, les Polonais semblent résignés à leur sort. Il faut dire que les Russes ont l'habileté de rendre leur autorité acceptable par tous ceux qui n'ont pas la patrie chevillée au cœur. La majorité semble s'accommoder de la situation. Aujourd'hui, l'âme de la Pologne est hors de Pologne. Elle est dans les associations d'émigrés et de proscrits, en Angleterre, en France, en Suisse, dit, désabusé, le noble comte.

Pour avoir parcouru, paladin désespéré, tous les pays d'Europe où des patriotes combattaient les princes, les despotes ou les occupants étrangers, le Polonais brossa un tableau objectif de l'échec général des révolutions amorcées en février 1848 à Paris.

La tentative du Piémont et de la Lombardie pour s'affranchir de la tutelle autrichienne, croisade conduite par Charles-Albert, avait été interrompue, en mars, à Novarra par les troupes de Radetzky, tandis que la Sicile retombait sous le joug de Ferdinand II. A Venise, les jours de la République de Saint-Marc, fondée par Daniele Manin, semblaient comptés. Le blocus, instauré depuis le 13 août 1848 par les Autrichiens, devenait insupportable, le choléra ajoutant aux conséquences de la famine[1].

Les patriotes magyars, stimulés par Kossuth, dispersés par les Russes avec l'aide des Roumains, attendaient des jours meilleurs. Quant au Parlement de Francfort, Assemblée constituante, qui portait, depuis mars 1848 et les événements révolutionnaires de Berlin et de Dresde, tous les espoirs des libéraux allemands partisans d'une Confédération germanique, sorte d'empire héréditaire «petit-allemand», il venait d'essuyer un camouflet fatal avec le refus de Frédéric-Guillaume IV de Prusse de coiffer la couronne que les députés lui offraient. Les parlementaires allemands, à nouveau désunis, s'étant dispersés, seuls les républicains authentiques avaient tenté de reconstituer à Stuttgart une assemblée libérale. Le gouvernement du Wurtemberg venait de la dissoudre et d'expulser ses membres.

Dans l'Etat de Bade et le Palatinat bavarois, une troisième résurgence de révolution, conduite par des patriotes réfugiés en Suisse, au lendemain de deux tentatives avortées, venait d'être réprimée avec l'aide de la Prusse, dont le souverain menaçait la Confédération de représailles.

On murmurait déjà que Frédéric-Guillaume IV, dont les troupes stationnaient le long de la frontière suisse, aurait volontiers monté une expédition punitive contre «ce peuple insolent» qui accueillait les révolutionnaires vaincus, les aidait à reprendre force, leur procurait parfois des armes. Le roi de Prusse eût sans doute profité de cette incursion pour reconquérir la principauté de Neuchâtel d'où les républicains avaient chassé sans courtoisie son représentant.

Les autorités helvétiques faisaient mine de négliger cette menace et proclamaient que la Suisse ne se laisserait jamais dicter sa conduite par ses voisins étrangers. Néanmoins, les radicaux avaient nommé un commissaire chargé de faire évacuer les régions frontalières par les réfugiés. Ils avaient aussi invité les cantons à sur-

1. Venise se rendit en août 1849. Daniele Manin fut parmi les quarante défenseurs de la ville exclus de l'amnistie accordée par l'Autriche. Il s'exila à Paris où, refusant toute aide, il subsista en donnant des leçons d'italien. Il devait y mourir le 22 septembre 1857.

veiller plus étroitement les révolutionnaires venus d'ailleurs. Pour apaiser le roi de Prusse et le grand-duc de Bade, le jeune gouvernement fédéral venait de contraindre à résider, « à huit lieues au moins de la frontière », bon nombre de réfugiés, dont trois meneurs considérés comme dangereux — Becker, Lommel et Heinzen — qui tentaient de former en Suisse alémanique une « légion germano-helvétique au service de la Sicile ». Le plus actif des trois, Jean-Philippe Becker, un Bavarois, ancien aide de camp de Johann-Ulrich Ochsenbein pendant la guerre du Sonderbund, avait fomenté des révolutions dans le duché de Bade et le Palatinat. Bien accueilli par James Fazy à Genève, il venait d'y fonder un établissement industriel que l'on disait déjà très prospère. Mais tous les expatriés n'étaient pas aussi bien lotis.

Les échecs successifs des révolutions européennes avaient eu pour résultat immédiat de conduire des milliers de patriotes à chercher refuge en Suisse. On voyait arriver, dans le Tessin et les Grisons, des Italiens mêlés à des déserteurs autrichiens. Des Hongrois, des Polonais et des Danois se répandaient dans les cantons de Zurich et de Bâle, d'autres Italiens choisissaient les cantons de Vaud et de Genève où le plus ardent zélateur de l'indépendance italienne, Giuseppe Mazzini, comptait de nombreux amis parmi les radicaux.

Le plus célèbre des Allemands réfugiés à Zurich était le compositeur Richard Wagner. Tous les mélomanes suisses qui, comme Alexandra, avaient assisté à la représentation de *Tannhäuser*, à Dresde, en octobre 1845, professaient une admiration sans bornes à l'égard du musicien.

Auréolé de gloire artistique mais dépourvu d'argent, Wagner était arrivé à Zurich le 29 mai 1849, fuyant un mandat d'arrêt. Le bruit courait que l'artiste, maître de chapelle du roi Frédéric-Auguste II depuis sept ans, non content d'avoir publié dans les journaux des articles virulents et tenu, lors de réunions publiques, des discours subversifs, figurait parmi les incendiaires du théâtre de Dresde. Les témoins crédibles des émeutes de Saxe affirmaient qu'il n'en était rien et qu'on ne pouvait reprocher à M. Wagner que des écrits et des propos séditieux, ce qui suffisait, en ce temps de répression, à envoyer un homme en prison, voire à la mort.

L'engagement révolutionnaire du compositeur restait en réalité du style et du ton de celui des intellectuels socialistes, qui voyaient dans toute société organisée une geôlière des libertés publiques et individuelles. Ces esprits forts prônaient la révolution universelle, tout en se méfiant des doctrinaires comme Karl Marx et Friedrich Engels, auteurs du fameux *Manifeste du parti communiste*, qui proposaient une société sans classes et clamaient : « Prolétaires de tous les pays, unissez-vous. »

Piotr Golewski, qui avait rencontré Wagner à Zurich quelques jours plus tôt, mit sous les yeux de Blaise un extrait des *Volksblätter,* organe du socialiste Auguste Röckel dans lequel Wagner annonçait, oracle grandiloquent, que la lutte de l'homme contre la société établie, « la lutte la plus sainte, la plus sublime qui ait jamais été menée », était engagée et que les révoltes de Paris, Berlin et Vienne préparaient le champ de bataille d'un plus « grandiose combat ».

— Jusqu'à présent, ce combat grandiose n'a valu aux patriotes que plaies, bosses et persécutions, constata Golewski.

— Les artistes sont ainsi toujours prompts à se griser d'idées et de mots ! L'action n'est pas leur fait. Il ne faut considérer que les œuvres musicales de Richard Wagner. D'après Alexandra, elles confinent au génie ! D'ailleurs, le musicien n'a-t-il par reçu le meilleur accueil à Zurich ? dit Blaise.

— Le meilleur accueil, en effet. Hébergé par son ami Alexandre Müller, un professeur de musique allemand, chef choriste au théâtre de Zurich, il a été présenté à Jacob Sulzer et à Franz Hagenbach, tous deux secrétaires d'Etat du canton, qui lui ont obtenu un passeport suisse, précisa le colonel.

— Le gouvernement de Zurich et les autorités fédérales ont tort de recevoir et de soutenir ces intellectuels, qui ne pensent qu'à étendre le radicalisme à toute l'Europe ! jeta Charlotte, jusque-là silencieuse.

— Ma chère, les radicaux ne font qu'appliquer une loi qui date de 1836 et prévoit, si ma mémoire est bonne : « Tout étranger ayant commis, en dehors du territoire de la Confédération, un crime purement politique ou cherchant à échapper à l'étranger à toute autre poursuite pour des raisons politiques, et qui de ce fait se réfugie en Suisse peut, même sans posséder les papiers exigés, conformément à la loi du 20 septembre 1833, obtenir une autorisation de séjour, et si la durée du séjour a dépassé un an, l'autorisation d'y établir son domicile. » Voilà ce que dit la loi et tous les réfugiés et proscrits en profitent, acheva Blaise.

Quand, après cela, M. Henri Druey, chef du département fédéral de Justice et Police — on eût dit ministre en France —, affirmait : « La Suisse n'est pas faite pour le droit d'asile, mais le droit d'asile est fait pour la Suisse », il ne rassurait qu'à demi les gouvernements étrangers. Plus de dix mille réfugiés allemands, dont sept mille soldats rebelles à leurs princes, avaient passé la frontière et leur présence commençait à créer des difficultés qui n'étaient pas que diplomatiques. Les cantons devaient, dans bien des cas, subvenir aux besoins des émigrés, les loger et veiller à ce qu'ils ne poursuivent pas d'activités subversives trop ostensibles, les ambassadeurs des puissances concernées se montrant d'une extrême susceptibilité. Cependant, pour prouver qu'elle était déterminée à se défendre, même par les armes, contre toute ingérence étrangère, la Suisse venait de mobiliser et d'envoyer aux frontières du nord des contingents fédéraux. Dans la même temps le Conseil national, peu désireux d'aller jusqu'à l'affrontement militaire avec la Prusse, recourait à la médiation de la France afin que les patriotes qui seraient éventuellement expulsés de Suisse ou regagneraient volontairement leur pays soient amnistiés et ne fassent l'objet d'aucune exaction. Le gouvernement fédéral demandait aussi au gouvernement français de laisser libre passage sur son territoire, jusqu'aux ports de la Manche ou de l'Atlantique, à tous les réfugiés politiques qui préféreraient immigrer en Grande-Bretagne ou aux Etats-Unis. C'est à cela que s'employait avec zèle et humanité M. Alexis de Tocqueville, depuis quelques jours ministre des Affaires étrangères du prince-président Louis Napoléon Bonaparte[1].

— Finalement, il n'y a qu'en France que la République semble instaurée de façon durable, constata le colonel Golewski, concluant le survol des révolutions avortées.

— Instaurée pour combien de temps, colonel ? Déjà, Louis Napoléon, qui semble vouloir calquer son destin sur celui de son oncle, vient d'entreprendre sa première campagne d'Italie. Au contraire de l'empereur, qui enleva Pie VII, lui, pour satisfaire ses électeurs catholiques, entend rétablir l'autorité temporelle de Pie IX à Rome. Il a envoyé Oudinot, avec un corps expéditionnaire de quatorze mille hommes qui ont débarqué, ces jours-ci, à Civitta-Vecchia et marchent sur la Ville éternelle, où le bouillant Garibaldi se prépare, dit-on, à défendre jusqu'à la mort la République

1. Nommé le 3 juin 1849, il conserva son portefeuille jusqu'au 30 octobre de la même année.

romaine de M. Mazzini. Quant à ce dernier, d'après mes informateurs, il aurait déjà bouclé son portemanteau pour rentrer en Suisse ! s'esclaffa le général.

— Mon cher grand ami, c'est bien étrange de voir la France s'engager dans un conflit avec les républicains qui sont le fer de lance du mouvement national italien, alors que, partout ailleurs, Louis Napoléon soutient les patriotes en lutte pour leur indépendance, s'étonna Golewski.

— Ah ! les nouveaux bonapartistes se cherchent encore. L'Assemblée législative française est en majorité conservatrice et le prince-président doit compter avec elle, même si je lui fais crédit de sentiments libéraux sincères, commenta Blaise.

Le colonel Golewski, installé à Lausanne, reprit bientôt auprès du général Fontsalte le rôle laissé depuis longtemps vacant par la disparition de Claude Ribeyre de Béran. Blaise rouvrit le manuscrit inachevé que les deux anciens officiers des Affaires secrètes et des Reconnaissances avaient en partie rédigé « pour servir à une meilleure connaissance de l'Europe sous Napoléon Ier ». Le Polonais apporta au général ses propres souvenirs et réflexions sur la politique étrangère de l'empereur, notamment en ce qui concernait la Pologne, où napoléonisme et patriotisme avait longtemps rimé dans les cœurs polonais.

Charlotte s'amusa beaucoup en voyant, jour après jour, les deux hommes penchés sur cartes et rapports et, plus encore, en les écoutant commenter l'actualité. Dès qu'ils eurent connaissance, en juin, du siège de Rome par le corps expéditionnaire français, Blaise et Piotr retrouvèrent le plaisir de jouer aux stratèges. Quand la presse annonça l'entrée, le 3 juillet, des Français dans la Ville éternelle, et le retour de Pie IX, Mme de Fontsalte, en bonne papiste, se réjouit, mais son mari, comme le Polonais, déplora l'accueil, plus que frais, réservé aux Français par la population romaine.

Axel et Elise, qui faisaient de fréquentes visites aux Fontsalte avec leurs fils, constataient avec plaisir que tant Vincent que Bertrand s'intéressaient à l'histoire et ne manquaient jamais une occasion de poser des questions aussi bien à leur grand-père qu'au colonel Golewski.

Vincent portait une grande admiration au noble polonais. Le colonel ayant persuadé le garçon qu'un homme n'est vraiment complet que juché sur un cheval, Blaise approuva cette assertion et offrit à son petit-fils au regard vairon une jument à robe pommelée. Le fils aîné d'Axel devint vite, grâce à l'enseignement de Golewski, un excellent cavalier et, bientôt, on vit le vieil homme et l'adolescent faire de longues randonnées, visitant dans l'arrière-pays les lieux historiques de l'Helvétie. A l'heure du pique-nique, Vincent ne se lassait pas d'entendre son ami raconter, avec la flamme et le lyrisme slaves, les charges des lanciers impériaux que l'officier avait autrefois conduites contre ces mêmes Prussiens qui, aujourd'hui, menaçaient la Suisse.

Elise, excellente pianiste, eût préféré que son fils aîné s'intéressât plus à la musique qu'à la guerre mais Vincent estimait que les cours de chant dispensés à l'Institut Sillig suffisaient à son éducation musicale. En revanche, Bertrand, plus docile que l'aîné, étudiait le solfège et le piano avec application et ne manquait pas un concert, depuis que les musiciens régionaux et les virtuoses de passage pouvaient se produire à Vevey dans une belle salle, au premier étage du bâtiment de la douane.

C'est à l'occasion du ressat des vendanges, offert par les Métaz de Fontsalte aux vendangeurs et aux amis sur la terrasse-jardin de Rive-Reine, que Bertrand, encouragé par sa mère et Alexandra, fit la démonstration publique de ses capacités pianistiques. Sur le demi-queue d'Elise, il interpréta quelques pièces de Schubert, longuement répétées avec sa mère. Il recueillit des applaudissements chaleureux de la part d'un auditoire qui goûtait plus les flonflons des fanfares militaires et les galops des bals villageois que les morceaux classiques. Pour la première fois, Bertrand eut le sentiment de dominer son frère, dans un domaine où la science et la sensibilité tenaient plus de place que le muscle et l'audace. Vincent, qui, lors de la prestation d'une harpiste à l'Institut Sillig, avait vu le directeur offrir des fleurs à l'artiste, se saisit du bouquet de reines-marguerites qui décorait le buffet et, mimant une profonde révérence, le remit à Bertrand, ce qui suscita une joyeuse ovation des invités.

Plus tard dans la soirée, tandis que vendangeurs et vendangeuses couraient le picoulet traditionnel autour de la place du Marché, Alexandra, qui avait appris la veille la mort de Frédéric Chopin, décédé le 17 octobre à Paris, se mit à son tour au piano, à la demande d'Axel et des intimes qui savaient son talent reconnu par tous les mélomanes genevois. Se souvenant que Chopin était aussi un grand patriote polonais, elle interpréta avec violence et émotion, à l'intention du colonel Golewski, la *Polonaise* en *la* bémol majeur, dite Héroïque. Le crescendo des octaves résonna bientôt dans la tiède nuit d'automne, comme une charge de chevaliers fantômes sur le lac noir. Tantôt défi belliqueux du rebelle, tendre nostalgie de l'exilé, plainte pathétique du peuple opprimé, promesse de libération, cette musique rude et brillante, toute de passion et de foi en la patrie, subjugua l'assistance, muette et recueillie.

Le dernier accord plaqué, Alexandra, rigide comme une lame dans le fourreau de soie turquoise qui moulait son corps frêle, demeura un moment immobile devant le clavier, tandis que de lourdes larmes roulaient sur les joues maigres du comte Golewski. Jaillissant de son siège, le Polonais traversa la terrasse, déploya ses longs bras, enlaça la pianiste, la souleva du tabouret et, mêlant ses pleurs à celles de l'interprète, s'écria, afin que nul n'en ignore :

— Ce soir, Madame, vous êtes la Pologne !

# 7.

Le 12 janvier 1850, à Lausanne, quelques grognards, vestiges humains des guerres de l'Empire, se réunirent en mémoire du dévoué Vaudois qui avait accompagné Napoléon Ier à Sainte-Hélène, Jean-Abram Noverraz, mort un an plus tôt.

Malgré la bise cinglante et le tapis de neige durci par un gel intense, une douzaine d'hommes emmitouflés, moustaches givrées, bonnet enfoncé jusqu'aux yeux, se retrouvèrent devant le domaine de La Violette, propriété autrefois acquise par le valet de l'empereur, avec le legs de ce dernier. Sur les manteaux et les houppelandes, les croix à ruban rouge eussent suffi à faire connaître ces rescapés des batailles qui, inconsciemment, confondaient dans une même nostalgie le regret de leur jeunesse et les aventures exaltantes, brutales, parfois cruelles, qui l'avaient dévorée.

Au milieu de ces vieillards perclus et égrotants, appuyés sur leur canne, rivalisant d'efforts pour dresser leur dos douloureux, le général Fontsalte faisait figure de gaillard épargné par le temps. Sa haute taille, sa prestance, sa redingote à col de fourrure, la chapka dont il s'était coiffé, butin pris sur un cosaque à Borodino, son insigne de commandeur de la Légion d'honneur, le désignaient, d'office, comme le chef de ces retraités de la gloire, dernier carré de la grande armée des ombres, thuriféraires obstinés du héros que Noverraz avait servi dans son île-geôle jusqu'à son dernier jour.

Saluts militaires, mains serrées fortement, évocation des morts de l'année, rappel de faits d'armes s'interrompirent quand la veuve de Noverraz, Marie Schuler, épousée en 1847, apparut pour convier le groupe à pénétrer dans la maison.

Il fut confirmé, à cette occasion, que le 17 juin 1848, Jean-Abram Noverraz avait légué au Conseil d'Etat de Vaud les souvenirs napoléoniens qu'il détenait, dont trois selles à la française en velours cramoisi, trois fusils de chasse, la clef de la maison de Longwood et une carte de la Suisse, annotée de la main de l'empereur. Blaise, autrefois informé par le défunt, ajouta que, par codicille à son testament, le brave Noverraz avait demandé que certains souvenirs qu'il avait conservés — un pistolet d'arçon orné d'une tête de méduse en argent, un gobelet en argent aux armes impériales, une pièce d'acajou prélevée à Sainte-Hélène sur l'enveloppe du cercueil de Napoléon Ier, deux gilets d'uniforme en casimir blanc, un crochet de botte, ainsi que deux nappes « ouvragées, l'une de deux aigles et deux N couronnés, l'autre d'un aigle conduisant de jeunes aiglons » — soient remis au prince Louis Napoléon Bonaparte. Il avait chargé conjointement de cette mission sa sœur, Suzanne-Elisabeth, épouse de M. Jean-François Gonnet, et deux membres du Conseil d'Etat de Vaud, MM. Vernet et Gaudin.

— A ce jour, les autorités vaudoises n'ont pas cru nécessaire de respecter cette volonté du regretté Noverraz et les objets destinés au président de la République française sont toujours en possession du Conseil d'Etat[1], précisa le général, suscitant chez ses compagnons un murmure réprobateur.

Après ce rassemblement, Blaise convia ses compagnons à une collation bien arrosée à Beauregard. Au fil des années, le général était devenu pour les grognards une sorte d'oracle. Certains venaient de fort loin pour demander conseil, solliciter un appui ou simplement, le plus souvent, pour connaître son opinion sur les événements de France. Beaucoup, qui subsistaient difficilement, repar-

1. Ce n'est que le 12 décembre 1856 que le Conseil d'Etat de Vaud demanda à l'ambassadeur de Suisse à Paris de faire savoir à Napoléon III qu'il était « disposé à lui remettre divers objets ayant appartenu à l'empereur Napoléon Ier, qu'il tient de l'ancien valet de chambre Noverraz pour être remis aux héritiers du grand homme ». L'ambassadeur, s'étant acquitté de sa mission au cours d'une audience particulière de Napoléon III, répondit au Conseil d'Etat que Sa Majesté l'empereur des Français, considérant que les objets proposés n'avaient pas un assez grand intérêt historique pour trouver place dans l'un des musées impériaux, serait peinée de priver les Vaudois de souvenirs auxquels ils semblaient mettre tant de prix. Article de Clément Bosson, *Revue historique vaudoise*, LXXXIe année, 1973, Lausanne.

taient avec une bourse remplie. Au cours du repas, plusieurs vétérans voulurent connaître l'opinion de leur hôte sur l'accession à la présidence de la République de Louis Napoléon Bonaparte.

Tandis que s'établissait un silence respectueux, le général, dont le regard vairon traduisait tout le plaisir qu'il prenait à être ainsi sollicité, marqua un temps de réflexion avant de répondre :

— Louis Napoléon a eu, ces temps-ci, une réaction républicaine, commença-t-il, certain d'éveiller la curiosité des auditeurs. Oui, en voyant Pie IX, qu'il a remis sur son trône romain, retourner à l'absolutisme et prendre des mesures réactionnaires malgré ses engagements antérieurs, ce qu'on me rapporte de toute part, le prince a manifesté sa désapprobation auprès d'un de nos jeunes amis, son aide de camp, Edgar Ney, le plus jeune fils de notre tant regretté maréchal, en disant : « La République française n'a pas envoyé une armée à Rome pour y étouffer la liberté italienne. » Il a fait savoir au pape qu'il devait prononcer une amnistie générale, décréter la sécularisation de l'administration romaine et accepter un gouvernement libéral. Cette campagne d'Italie a coûté cher à la France et doit non seulement assurer son influence en Italie mais aussi prouver au monde que le nouveau gouvernement français est décidé à défendre les principes républicains partout où, étant admis par le peuple, ils seraient menacés, dit Blaise.

— Est-ce dire, mon général, que vous allez, comme certains de nos anciens compagnons d'armes, servir le neveu comme vous avez servi l'oncle ? demanda quelqu'un.

Le regard vairon de Blaise se teinta de mélancolie.

— D'abord, je suis trop âgé pour me lancer dans une nouvelle carrière, et puis nous ne sommes qu'au commencement d'un règne. Si le neveu suit le chemin de l'oncle, le démocrate peut devenir autocrate. Ce que le peuple accepta autrefois d'un génie plein de panache, dans une Europe sortant à peine de la féodalité, l'admettra-t-il de l'élu d'un parti politique conservateur, dans une Europe en devenir libéral ? risqua le général.

— A propos d'Europe, j'ai découpé, dans un journal français, une phrase que M. Victor Hugo a prononcée l'été dernier, alors qu'il présidait, à Paris, ce Congrès de la paix qui n'a produit que des vœux pieux. Puis-je en donner lecture à nos camarades, mon général ? demanda un ancien commandant de chasseurs.

Blaise, d'un geste de la main, autorisa la lecture. Le vieil homme ajusta son lorgnon et lut à haute voix :

— « Un jour viendra où l'on verra ces deux groupes immenses, les Etats-Unis d'Amérique, les Etats-Unis d'Europe, placés en face l'un de l'autre, se tendant la main par-dessus les mers, échangeant leurs produits, leur commerce, leur industrie, leurs arts, leur génie[1]. » Qu'en pensez-vous, mon général ? Une Europe unie et prospère, n'était-ce pas le but de l'empereur ? N'est-ce pas pour cela que nous nous sommes battus ?

La réponse, catégorique, de Blaise ne se fit pas attendre.

— Le député Victor Hugo croit encore aux promesses de 1848, alors que les réactionnaires parisiens arrachent les arbres de la liberté, plantés il est vrai avec un peu trop d'empressement par des bourgeois prompts à s'en faire des paravents contre le souffle révolutionnaire, ironisa Fontsalte.

— Mais les Etats-Unis d'Europe, mon général ?

— C'est une vision idyllique et utopique. Car on ne peut comparer la vieille Europe à la jeune Amérique. Ne parlons pas des seuls vrais Américains qui sont les Indiens, de moins en moins nombreux, chassés et pourchassés par les nouveaux venus. Les autres sont des Européens individuellement transplantés, mais, émigrants volontaires, ils ont adopté une langue commune, l'anglais, une monnaie commune, le dollar, une Constitution fédérale. Toutes les différences d'origine se diluent au fil des générations et nous aurons bientôt un peuple américain. Il n'en sera jamais de même en Europe, ensemble hétérogène de peuples divers ayant chacun sa langue, à laquelle il est attaché, sa monnaie, ses unités de poids et mesures, ses mœurs, et surtout sa mémoire, longue histoire particulière, faite principalement de rivalités, souvent de guerres, avec ses voisins. Alors, mes amis, laissons les Etats-Unis d'Europe aux poètes comme M. Victor Hugo !

L'hiver était dans toute sa rigueur et les chutes de neige renouvelaient la housse blanche du vignoble, dont n'apparaissait plus que les alvéoles irréguliers des murets gris, quand le courrier apporta à Axel la réponse attendue de Guillaume Métaz. Ainsi qu'Alexandra l'avait prédit, l'Américain acceptait les conditions de Laviron

1. Le Congrès de la paix se tint en août 1849, à Paris. Victor Hugo en fut élu président, le vice-président étant l'Anglais Richard Cobden, parlementaire opposé aux lois protectionnistes et surnommé apôtre du libre-échange.

Cornaz et Cie, tout en faisant observer qu'il assumait plus de risques que ses associés. Il demandait aussi que chacun participât, en proportion de sa mise, aux frais d'assurance, « étant entendu qu'en cas de perte de la cargaison l'indemnité serait ainsi partagée », ajoutait-il prudent.

Guillaume avouait pour la première fois une santé chancelante, mais se réjouissait de voir bientôt le pavillon suisse, rouge à croix blanche, flotter sur des navires marchands. « M. James Funk, un marin originaire de Suisse alémanique, devenu capitaine au long cours, a fait construire ici un paquebot et l'a baptisé *Wilhelm Tell*, en l'honneur de notre pays natal. La maison Withlock, de New York, dirigée elle aussi par un Suisse, a financé la construction d'un autre vapeur, *Helvétie*. Ces armateurs viennent d'adresser au Conseil fédéral, à Berne, une demande de création d'un pavillon suisse[1] pour leurs navires qui transporteront peut-être bientôt des chercheurs d'or et des émigrants vers la Californie, dont l'attirance ne se dément pas. Il faut, bien sûr, s'attendre à des réticences de la part des puissances maritimes, mais nous espérons que le gouvernement fédéral, si chatouilleux en ce qui concerne l'indépendance helvétique, saura se montrer convaincant.

» Mes magasins, ouverts depuis près d'un an dans plusieurs villes de l'Ouest, et mes échoppes ambulantes font de bonnes affaires car, partout, s'établissent des camps de chercheurs d'or dont certains sont en passe de devenir des villes. On compte maintenant en Californie plus de cinq mille Mexicains, des milliers d'Italiens, Allemands et Français, des centaines de Canadiens, Russes, Chinois, Australiens, Hongrois, Norvégiens, Portugais. Il y a heureusement peu de Suisses. Tous ces gens se groupent spontanément par nationalité et donnent des noms à l'endroit où ils se

1. Au cours de sa séance du 31 mai 1850, le Conseil fédéral devait répondre favorablement à ces demandes et charger le Département militaire de confectionner le pavillon. C'est l'ambassadeur de France qui fit parvenir les emblèmes suisses au Havre, d'où ils furent expédiés en Amérique. La marine de commerce helvétique ne fut pas reconnue pour autant. Les gouvernements russe, français, allemand, anglais, hollandais et américain s'opposèrent à l'attribution d'un pavillon « à un pays qui n'a en fait de façade maritime que des lacs ». Il fallut attendre 1921 pour que la conférence de Barcelone reconnaisse aux pays sans littoral le droit de posséder un pavillon national. Aujourd'hui, plus de trente navires marchands arborent le pavillon suisse. Le port d'attache de ces navires est Bâle, le Rhin offrant le seul accès au grand large pour une marine qui occupe un millier de marins.

posent, French Corral, Irish Creek, Italian Bar, German Bar. Nos gérants de dépôts attendent avec impatience les marchandises commandées en Europe qui, de bien meilleure qualité que celles des entreprises de la côte Est, se vendront aisément. »

L'homme d'affaires se félicitait également du comportement des Suisses installés aux Etats-Unis. « On compte maintenant dans l'Union plus de soixante-cinq mille Suisses prêts à devenir de bons citoyens américains. Ils sont venus principalement des cantons alémaniques mais aussi de Romandie. Ils se sont établis le plus souvent en Pennsylvanie, dans les Carolines, en Virginie, dans l'Indiana et l'Ohio. Des Glaronais viennent de s'installer dans le Wisconsin. Ils ont appelé leur village New Glarus, et puis des Vaudois de l'Eglise libre, qui se disent brimés chez nous, ont créé une communauté à Knoxville, dans le Tennessee, alors que des bénédictins, dont on se serait bien passé, délégués par l'abbaye d'Einsiedeln, construisent un monastère dans l'Indiana. J'aide de mes deniers la Société suisse de chant, fondée à Cincinnati. Elle vient de participer avec succès à la première fête de chant choral organisée dans l'Union. »

Après avoir constaté avec soulagement que la fièvre de l'or contaminait moins souvent les Suisses que les autres Européens, Guillaume ajoutait : « Cependant, il arrive que des Suisses débarquent à Boston, prêts à monter sur les *clippers* qui portent les émigrants en cent jours à San Francisco. Certains, moins fortunés, choisissent la voie de terre et s'engagent dans un voyage hasardeux de trois mille cinq cents kilomètres. Naturellement, nous équipons les uns et les autres, mais je ne consens pas de crédit à des gens dont on ne sait ce qu'ils deviendront. Les chances de faire fortune existent, certes, mais celles de laisser sa peau dans l'aventure sont beaucoup plus nombreuses !

» J'ai fondé une Société d'entraide pour les Suisses les plus méritants, dont je pense qu'ils pourront avoir une heureuse influence sur les populations cosmopolites de la Californie. Il faut espérer que ces nouveaux territoires suivront bientôt lois, règles et mœurs de la démocratie américaine. Il y a quelque temps déjà, M. Edward Everett, le président de l'université Harvard, a harangué des Suisses en partance pour l'Ouest en disant à peu près : "Tenez votre Bible d'une main, votre civilisation de l'autre, et imposez votre empreinte sur le pays." »

Quant à M. Sutter, dont le territoire venait de souffrir d'une affreuse crue du fleuve Sacramento, Guillaume rapportait qu'il avait fondé une cité nouvelle, Sutterville, et qu'il avait fait venir sa famille de Bâle. « Il est considéré comme le bienfaiteur de la Californie car, avec une sagesse qu'on ne lui soupçonnait pas, il vient de planter quantité d'arbres fruitiers et de créer des potagers, dont la production, étant donné le climat, promet de beaux bénéfices. De nombreux étrangers de marque, artistes, savants, hommes politiques, rendent visite au colonel Sutter dans la belle maison que lui a construite l'architecte John Bidwell à Hock. On a même vu chez Sutter le prince Paul de Wurtemberg, accompagné d'une demi-douzaine d'officiers, qui donna de somptueuses réceptions à San Francisco.

» Tout cela pour te dire, mon cher garçon, que j'attends avec impatience la cargaison commandée. J'ai envoyé mon accord à ce vieux rapace de Laviron qui, d'après un Genevois de passage ici, serait complètement sous l'empire d'une fille adoptive. Mettre une femme dans les affaires de banque, c'est mettre une chèvre dans un potager. D'abord, parce que les femmes sont incapables de vues commerciales, ensuite parce que Dieu les a faites pour dépenser l'argent non pour le gagner ! » concluait Guillaume Métaz.

Sitôt reçu cette lettre, Axel Métaz décida de se rendre à Genève. Il fut accueilli à la banque de la rue de la Corraterie par une Alexandra triomphante.

— Je te l'avais bien dit, parrain, qu'il accepterait nos conditions. Et tu vois que j'ai eu raison de mettre l'affaire en route. Dans une semaine, les marchandises seront réunies au Havre. Le capitaine d'un cargo à vapeur, qui porte aussi des voiles, est prêt à tout embarquer. Avant six semaines M. Guillaume Métaz sera livré, dit-elle.

— Et l'assurance ? interrogea Axel.

— J'ai traité avec la Compagnie royale d'assurances, que notre ami Hentsch a fondée à Paris en 1820, avec le banquier zurichois Holtinguer. C'est une société suisse d'assurances maritimes ancienne et sérieuse.

— En somme, il ne nous reste plus qu'à attendre les premiers profits. Tu as admirablement organisé notre affaire, Alexandra. Guillaume a beau écrire que les femmes sont incapables de vues commerciales, ma filleule fait exception à sa règle ! dit Axel en riant.

— Il t'a écrit ça, ce vieux rapiat ?

— Oui, et aussi que mettre une femme dans une affaire c'est lâcher une chèvre dans un potager ! ajouta Axel pour agacer sa filleule.

— Ce Métaz américain est de ceux qui pensent encore que les femmes sont tout juste bonnes à faire des enfants, tenir leur intérieur et parader dans les salons en portant toilettes et bijoux pour attester la fortune du mari ! Mais les temps changent et quand nous aurons le droit de vote, comme les hommes, tu verras de quoi les femmes sont capables, même dans les affaires publiques ! dit Alexandra.

— Dans les affaires publiques ?

— Par exemple, nous aurions interdit l'usage des mines pour détruire les fortifications. Sais-tu qu'en décembre dernier, à peine les démolitions commencées, un enfant a été tué, deux ont dû être amputés et plusieurs ne sont pas encore remis de leurs blessures parce qu'une mine a explosé prématurément[1]. Cela est dû à l'incurie des autorités, à l'ignorance des agents des Ponts et Chaussées recrutés par Fazy. Il a choisi des amis politiques dévoués plutôt que des gens capables. Cet enfant mort déshonore l'administration et toutes les mères de famille genevoises sont de mon avis ! acheva la jeune femme, le regard flamboyant.

— Horrible accident, en effet, consentit Axel.

— Si les femmes pouvaient faire entendre leurs voix, après un tel drame, M. Fazy et ses amis seraient destitués et l'architecte qui dirige les démolitions mis en prison pour homicide ! ajouta Alexandra.

— En attendant…

— En attendant, emmène-moi manger des huîtres d'Ostende et un chapon truffé au restaurant des Bergues, demanda la jeune femme, soudain radoucie.

Axel Métaz n'avait aucune raison de refuser et, quelques minutes plus tard, parrain et filleule roulaient dans le cabriolet d'Alexandra vers l'hôtel le plus prisé de la clientèle internationale. Après avoir descendu la Corraterie et traversé la place Bel-Air, Axel emprunta le Grand-Quai au petit trot, puis, au pas, engagea le cabriolet sur le pont des Bergues. Comme l'équipage arrivait à hauteur de la pas-

1. *Journal intime* d'Henri-Frédéric Amiel, 20 décembre 1849, L'Age-d'Homme, Lausanne, 1976-1997, tome 2, 1978.

serelle reliant le pont à l'île Rousseau, Alexandra demanda un arrêt. Elle désigna, sur la rive gauche, du côté des Eaux-Vives, un vaste chantier très animé.

— Les terrassiers qui ont démoli les remparts sont en train de combler le port aux Bois jusqu'au bastion de Hesse. Ils vont aplanir le terrain pour créer une promenade au bord du lac et un jardin anglais. C'est là qu'on placera, dit-on, le relief du massif du Mont-Blanc, auquel a travaillé pendant dix ans[1] M. Etienne Sené. Il est fait de bois de tilleul et mesure plus de six mètres de long sur près de cinq de large. Le mont Blanc a soixante-dix-neuf centimètres de hauteur. On dit que l'artiste, un Français descendant du fameux ébéniste parisien Sené l'Aîné, qui fabriqua le lit de la reine Marie-Antoinette, a planté plus de cinq cent mille sapins lilliputiens sur les flancs des montagnes ! Quel travail !

— Nous irons voir ce chef-d'œuvre dès qu'il sera accessible, je te le promets, dit Axel, s'adressant à cette filleule de vingt-huit ans sur le ton dont il usait quand elle était fillette.

Malgré le froid vif, la neige fondante et souillée, il se sentait d'humeur aimable, presque tendre, goûtant dans l'intimité du cabriolet capoté de cuir la tiédeur et le parfum de la femme assise contre lui sur l'étroite banquette de velours capitonné.

Alexandra, aux sens toujours en éveil, ressentit cette disposition nouvelle et, sous le plaid dont ils s'étaient couverts jusqu'à mi-corps, elle ôta son gant, prit la main de son compagnon, la pressa affectueusement. Lui, sachant les sentiments, depuis longtemps avoués, que lui portait sa filleule, décourageait habituellement tout geste d'abandon, tout épanchement sentimental. Ce matin-là, mû par un irrépressible élan de tendresse, il referma les doigts sur la main fine d'Alexandra.

— Comme tu as froid, dit-il, pour atténuer la portée de son geste, lui conférer assez de naturel afin qu'elle n'aille pas s'imaginer qu'il baissait la garde.

— Oui, j'ai froid, aux mains, aux pieds… mais pas au cœur, ce matin, dit-elle, radieuse, révélant ainsi qu'elle percevait tel un message cette caresse spontanée de l'homme aux tempes grises qu'elle aimait depuis toujours.

1. De 1835 à 1845. Un guide de Genève, publié en 1908 par le *Journal de Genève,* indique encore la présence du relief promenade du Lac. On ignore aujourd'hui ce qu'est devenue cette œuvre monumentale.

Comme le cabriolet se remettait en route, Axel libéra la main de la jeune femme.

— Remets ton gant, dit-il.

Le cheval fit un écart sur les planches rendues glissantes sous la neige pétrie par les charrois et Axel reprit fermement les rênes.

Parvenu devant l'entrée monumentale de l'hôtel, M. Métaz descendit de la voiture, jeta une couverture sur le dos de la bête et confia la bride à un groom.

— Conduis mon cheval à l'écurie, à l'abri des courants d'air, mon garçon.

Le ton Fontsalte et la bonne-main suffirent à faire prendre au sérieux la consigne, à garantir le zèle du chasseur.

Le directeur du restaurant, ayant aussitôt reconnu la seule femme banquière de Genève, associée de la banque privée Laviron Cornaz et C^ie^, voulut savoir quelle table conviendrait au couple.

— Près du feu, je vous prie, dit Alexandra, autoritaire et distante.

L'homme s'inclina et conduisit Axel et sa compagne près de la haute cheminée de marbre où dansaient les flammes claires.

— Si je t'avoue que je suis heureuse d'être là avec toi, me feras-tu les gros yeux comme si je disais une incongruité, cher parrain ? murmura la jeune femme.

— La minauderie ne te va pas, ma belle, pas plus que ne me va le madrigal. Mais, confidence pour confidence, je suis heureux moi aussi, Alexandra.

Comme elle souriait, comblée par un aveu dont elle voulut croire qu'il n'était pas de simple courtoisie, Axel s'empressa de diluer cette illusion.

— Heureux, surtout, d'avoir l'occasion de t'entretenir tête à tête de mon fils Vincent. Il a fait d'énormes progrès chez Sillig mais je crains que la fréquentation de garçons d'une autre éducation, Anglais, Allemands, Américains, rejetons de familles très riches, ne lui donne des idées de grandeur. A seize ans, Vincent est presque un homme. Il est grand, beau, fort, intelligent…

— En somme, il ressemble à son père ! coupa Alexandra, à la fois persifleuse et tendre.

Axel négligea l'interruption.

— Il est aussi vaniteux comme un paon, sûr de lui, casse-cou et capable de foucades imprévisibles. Et il joue de son regard vairon pour charmer tout ce qui l'approche.

— Comme son père ! répéta la jeune femme en riant.

— Depuis qu'il a été désigné pour le rôle du dieu Pan dans le cortège de Bacchus, lors de la fête des Vignerons de l'année prochaine, il ne se tient plus de joie. Il passe des heures la flûte au bec à répéter des entrechats avec le souci évident de mettre en valeur son corps d'athlète. Bref, je crains qu'il n'ait trop tendance à s'intéresser aux plaisirs de la vie et à négliger l'essentiel, conclut Axel.

L'arrivée du serveur interrompit la conversation. Après qu'ils eurent, avec gourmandise, dégusté quelques huîtres, Axel reprit son exposé :

— Vincent, comme je le disais, m'inquiète un peu. D'autant plus que, depuis quelque temps, sous prétexte qu'il est premier en mathématiques, qu'il a le goût de la spéculation et parle maintenant couramment anglais et allemand, assez bien italien, il proclame qu'il vaut mieux faire travailler l'argent que travailler soi-même dans des entreprises soumises aux risques des goûts et des modes. Bref, et c'est là que je veux en venir, il veut être banquier ! conclut-il, un peu aigre.

— Ce garçon est donc moins futile qu'il ne paraît. Il est certain que la banque va offrir, dans les années qui viennent, de belles perspectives. Perspectives liées au commerce international. Tu le vois déjà avec l'affaire que nous venons de conclure, dit Alexandra.

— Peut-être, mais je crois surtout que Vincent imagine le métier de banquier comme une occupation de dilettante. C'est-à-dire qui laisse beaucoup de temps pour les sports, les plaisirs, les voyages. Il croit qu'en consacrant quelques heures par jour à la banque on peut vivre dans le confort et s'offrir toutes les distractions qu'on veut. En attendant, je l'envoie faire son droit à Lausanne, ce qui ne peut nuire à un postulant banquier. Qu'en penses-tu ?

— Je pense que tu dois me l'envoyer dès les prochaines vacances. Je vais lui montrer ce qu'est le métier de banquier. Et puis, plus tard, si sa vocation se précise, nous l'expédierons quelques mois en Angleterre chez Keith, notre correspondant. Il traite beaucoup avec les deux Amériques, l'Inde, la Russie, même l'Australie. La banque anglaise est actuellement la meilleure école et John est un vrai renard financier, dit-elle.

— Bien. Au fait, ce Keith est-il toujours prétendant à ta main ou a-t-il trouvé une lady insulaire ?

— Il me fait savoir, deux ou trois fois par an, qu'il est toujours célibataire. Lors de notre dernière rencontre, à Paris, chez le banquier Emile Pereire, où nous étudiions la possibilité d'une participation française et anglaise dans nos futurs chemins de fer, il s'est étonné que je ne sois pas encore mariée, ce qui à mon âge est, à ses yeux, une sorte de tare. Et puis, il m'a déclaré sans ambages, avec une délicatesse toute britannique, qu'il croit représenter pour moi le dernier parti possible ! acheva Alexandra en riant franchement.

— Le fait est que tu devrais être mariée depuis longtemps, dit négligemment Axel.

— Tu sais bien pourquoi et pour qui je suis en train de virer à la vieille demoiselle. Le seul mari qui me convient est déjà pris. Et, même s'il avait été libre, je ne crois pas qu'il m'eût épousée. Je suis trop laide et trop maigre. Il a eu de si belles maîtresses ! Alors, tant pis ! Je me contente d'aimer sans retour, confessa Alexandra, émue et résignée.

Axel, s'étant assuré du regard qu'aucun dîneur ne s'intéressait à eux, étendit le bras et posa la main sur celle de sa filleule.

— Tais-toi, tais-toi, petite sotte. D'abord, tu es plutôt jolie et Vuippens te classe dans les fausses maigres depuis qu'il t'a auscultée ! Et puis, ne préjuge pas de ce qui aurait pu être et ne fut pas. Ne préjuge pas, non plus, de mes sentiments passés ou présents. Mais dis-toi qu'à mon âge, et dans la situation conjugale particulière où je me trouve, et que tu connais, l'homme moral doit renoncer à soi-même, se sacrifier entièrement à un principe vertueux, acheva-t-il à voix basse.

La vue des larmes dans les yeux de sa filleule le remplit de confusion. La crainte que d'autres puissent remarquer cette émotion le contraria. Mais Alexandra, aussi soucieuse que lui de discrétion, libéra sa main et ravala ses pleurs.

— La paix du cœur ne réside pas dans l'abnégation, dit-elle, un peu sèchement.

Puis elle ajouta, en allemand :

— *Willst du ein ganzes Herz, so gieb ein ganzes Leben*[1].

Comme le serveur approchait pour présenter « le chapon du Mans truffé » annoncé sur la carte, avant de découper et servir,

1. « Si tu veux un cœur entier, donne une vie entière », Frédéric Rückert, poète allemand, 1789-1866.

Alexandra, ayant retrouvé son sang-froid, s'enquit de Bertrand, le benjamin des Métaz de Fontsalte.

— Avec lui, aucun souci. Obéissant, pieux, travailleur, dévoué aux autres, je le vois pasteur, ce qui ne déplaira certes pas à Elise. Grâce à notre vieil ami, le ministre Duloy, Bertrand a été mis en garde contre tout sectarisme religieux. Il n'a pas cette détestation des papistes que nous voyons chez certains jeunes réformés. Il s'entend d'ailleurs très bien avec sa grand-mère catholique. Ma mère lui a promis de le conduire à l'ermitage de Nicolas de Flue[1], au Ranft, dans les montagnes d'Unterwald. Car Bertrand a une véritable admiration pour notre ermite national, bien que cet intérêt me paraisse plus fondé sur le patriotisme que sur la religion, expliqua Axel.

— C'est un tendre, un timide, mais je le crois capable de plus d'audace qu'il ne paraît. A mon avis, ce garçon nous étonnera, prédit la jeune femme.

— Il m'a déjà étonné en acceptant le rôle d'Acratos, échanson de la suite de Bacchus. On le verra donc, au côté de son frère Pan, dans le cortège de la fête des Vignerons, portant une outre de vin, dit Axel.

Le repas terminé par un sorbet, Alexandra voulut, malgré le froid et parce que soudain le soleil était apparu, monter sur le toit terrasse de l'hôtel, sorte d'*altana* vénitienne, pour voir le mont Blanc dans toute sa majesté hivernale. Seule une famille anglaise, dont les enfants se disputaient la longue-vue du père, affrontait le vent du nord qui, chassant les nuages, teintait le ciel d'indigo et rendait l'air limpide.

Axel Métaz et sa filleule restèrent un moment accoudés et muets face au spectacle grandiose des Alpes enneigées. Au-delà du lac, les hautes vagues de roc, se succédant jusqu'à l'horizon, serrées autour du mont Blanc, devenaient garde prétorienne de géants portant capuches immaculées.

— Figés à l'ère tertiaire par la force orogénique qui semble avoir interrompu leur marche vers le Léman, ces sommets inégaux, de l'aiguille Verte aux trois pointes des Vergys, n'offrent-ils pas à la Suisse le rempart méridional le plus sûr et à Genève le plus

1. 1417-1487. Mystique vénéré comme le génie de la Suisse pour avoir évité, en décembre 1481, une guerre civile entre les cantons et inspiré le Convenant de Stans, traité d'alliance intercantonal, première charte constitutionnelle de la Confédération. Nicolas de Flue a été canonisé en 1947. C'est le seul saint suisse.

somptueux décor ? commenta Alexandra, se souvenant des leçons de Nicolas-Théodore de Saussure [1], dont elle avait autrefois suivi les conférences.

— Le général affirme que le mont Blanc représente Napoléon couché sur le flanc, observa Axel en entourant de son bras les frêles épaules de sa compagne.

Frileuse, elle s'abandonna à cette étreinte affectueuse, leva sur Axel un regard où se lisait autant de passion que de détresse. Il lui sourit et, se souvenant d'autres assauts, esquivés ou agréés par faiblesse, il ne tenta pas, cette fois, d'éviter le baiser fougueux qu'elle posa sur ses lèvres. Ils demeurèrent ainsi, immobiles et silencieux, conscients d'avoir, de nouveau, franchi la frontière de l'interdit.

Quand survint un autre groupe de touristes ils quittèrent la terrasse de l'hôtel. Echangeant des banalités pour tromper leur gêne, ils regagnèrent la rue des Granges, où Pierre-Antoine Laviron les attendait. Avant de descendre de voiture dans la cour pavée, Alexandra prit la main de son compagnon entre les siennes.

— Axel, dit-elle, usant pour la première fois du prénom de son parrain, quoi qu'il arrive, et même si cette journée doit être sans suites ni conséquences, je ne l'oublierai jamais.

— Disons que nous la mettons entre parenthèses, Alexandra, répondit-il avec un sourire mélancolique et complice.

De plus en plus poussif, Pierre-Antoine Laviron n'apparaissait à la banque que pour la réunion matinale des associés, le chapitre, disait-on. Il passait les après-midi chez lui et déléguait chaque mois plus de pouvoirs à sa fille adoptive. Il accueillit Axel de Fontsalte, comme il préférait le nommer, avec chaleur, et entraîna aussitôt le Vaudois au salon, le fit asseoir et lui servit d'office un verre de vin blanc du Mandement.

— Vous a-t-elle annoncé la nouvelle ? demanda-t-il sans préambule.

— Guillaume Métaz accepte nos conditions, oui je le sais, dit Axel.

— Ça, je sais que vous savez. Je veux parler de l'événement qui

1. 1767-1845. Fils d'Horace-Bénédict de Saussure (1740-1799). Comme son célèbre père — inventeur de l'hygromètre à cheveu, fondateur de la météorologie rationnelle, promoteur de la seconde ascension du mont Blanc avec Joseph Balmat, en 1787, après avoir inspiré la première en 1786 — Nicolas-Théodore enseigna la minéralogie et la géologie à l'Académie de Genève.

agite le milieu bancaire, événement qui doit beaucoup à l'obstination de notre chère Alexandra.

Comme Axel avouait son ignorance, Laviron, ménageant son effet, prit le temps avant de lancer :

— La création d'une Bourse ! Oui, mon cher Axel, nous disposerons bientôt, à Genève, d'une vraie Bourse, comme à Paris, Londres et New York. Le jour approche où la Corraterie pourra rivaliser avec le Stock Exchange et Wall Street ! Enfin !

Axel, qui avait d'autres pensées en tête ce jour-là, félicita néanmoins le banquier. Il suivait depuis des années les efforts déployés par Pierre-Antoine et Alexandra pour convaincre les seize membres de la Société des agents de change, cénacle très fermé qui produisait chaque jour la cote en catimini, d'informer en priorité les associés des banques privées, qui faisaient à travers l'Europe la véritable réputation financière de Genève.

— Je n'imagine pas ce qui va changer, dit Axel, perplexe.

— Ce qui va changer ! D'abord, le nombre des agents de change sera porté à vingt et un dès l'an prochain. Ensuite, nos commis accrédités recevront sur place, chez Nicolas Prévost, maison Demole, 8, rue de la Corraterie, où se réunissent, chaque jour à onze heures, les agents de change, communication immédiate de la cote. Celle-ci sera rédigée les lundi, mercredi et vendredi à quatre heures de l'après-midi, imprimée le même soir et distribuée le lendemain. Nous comptons obtenir bientôt, pour les banquiers, un local contigu à la chambre de réunion des agents de change. Nous pourrons ainsi leur donner nos ordres sur-le-champ.

— Et à quand la criée et une corbeille autour de laquelle se tiendront agents de change et banquiers, comme à Londres ou à Paris ? risqua Axel.

— Ça, ce n'est pas pour tout de suite. Nous autres, Genevois, avançons pas à pas. Les agents de change sont très jaloux de leurs prérogatives. Ils ont le goût du secret, traitent les affaires à voix basse, un peu comme dans nos banques privées, quand se réunissent les associés, vous le savez bien. Mais je ne donne pas deux ans avant que nous ayons notre corbeille, comme ailleurs ! conclut Laviron avec un clin d'œil malin.

La fluctuation des devises, l'offre et la demande en lettres de change, papiers à l'escompte, cours de l'or et de l'argent, dans les différentes Bourses européennes constituaient des informations de première importance pour les gestionnaires de fortune. Celles-ci parvenaient à Genève par les courriers, c'est-à-dire, comme le faisait remarquer en soupirant Jacob de Candolle, l'associé de Charles Turrettini, « à la vitesse des chaises de poste et des diligences ». Les banquiers, et M. Laviron le premier, attendaient avec impatience une accélération décisive des communications.

La nécessité d'une Bourse avait été longtemps contestée par le pouvoir politique, qui redoutait l'influence économique et financière d'une telle institution. Depuis 1720, tous les gouvernements s'étaient opposés à la création d'un tel organisme, alors que banquiers et changeurs genevois, dont le sérieux et la compétence avaient déjà été reconnus par Voltaire, disposaient d'un réseau international, qui eût permis de satisfaire plus aisément aux besoins financiers de l'industrie et rendu plus sûrs les placements à l'étranger.

Les agents de change, initiés aux secrets des arbitrages, car les opérations concernaient aussi bien le franc français, le florin hollandais, le mark-banco de Hambourg, le thaler de Prusse que la livre anglaise et maintenant le dollar, assuraient, depuis plus d'un siècle, pour leurs concitoyens, une partie des services que rendaient depuis longtemps les premières Bourses organisées à Londres, Paris, Berlin, Anvers ou Amsterdam.

Cela n'empêchait pas les capitalistes genevois de placer, depuis le XVIIIe siècle, leurs fonds à l'étranger au lieu d'investir dans les industries locales, ce que les libéraux, bien avant M. James Fazy et les radicaux, ne manquaient pas de leur reprocher.

Et cependant, les expériences désastreuses n'avaient pas fait défaut. Pierre-Antoine Laviron, qui aimait devant Axel rappeler ses souvenirs de jeunesse, était sur ce thème intarissable.

— On se souvient encore, dans certaines familles aristocratiques, de la fameuse rente dite des Trente Demoiselles qui causa quelques ruines spectaculaires, commença-t-il.

— Joli nom ! Ces rentes étaient-elles fondées sur le commerce des demoiselles des rues chaudes ?

— Vous n'y êtes pas, mon cher Axel. Ces demoiselles rentées étaient des plus vertueuses, je vous assure. D'ailleurs Anaïs en était !

— Oh pardon ! Alors, expliquez-moi, dit Axel un peu confus.

Pierre-Antoine devait souffrir d'une vocation pédagogique contrariée car il se plaisait toujours à instruire un interlocuteur.

— Sous l'Ancien Régime, la rente viagère était en France un

des instruments financiers privilégiés. Les agents de change et les banquiers, qui incitaient leurs clients à souscrire ce type d'emprunt proposé par le Trésor français, avaient imaginé, afin de limiter les risques, de capitaliser leurs rentes sur les têtes des jeunes patriciennes genevoises, dont l'espérance de vie paraissait supérieure à toute autre ! D'où le nom de rente des Trente Demoiselles. On trouvait parmi les trente demoiselles impliquées les filles des meilleures familles : Jeanne Claire Fazy, Marie-Madeleine Gallatin, Jeanne Henriette Sellon, Andrienne Pictet, Jeanne Suzanne De la Rive, Amélie Louise Vieusseux, Andrienne Françoise Diodati et Anaïs Cottier, ma future épouse, conclut M. Laviron.

— Et cette rente produit-elle toujours ? s'enquit Axel.

— Hélas, ce fut un désastre ! Le succès avait été tel que de nombreux investisseurs s'étaient endettés collectivement en signant des billets solidaires, afin de profiter de cette aubaine. Mais la chute de la monarchie provoqua en France, en 1792, l'écroulement financier que vous savez. Car, lorsque, après la débâcle, le gouvernement révolutionnaire français se mit à payer les intérêts des rentes en assignats fortement dévalués, de nombreuses familles aristocratiques et bourgeoises de Genève se trouvèrent aux trois quarts ruinées. Celles notamment qui, au cours des dernières décennies, avaient misé sur les possibilités de gain facile offertes par les billets solidaires, utilisés pour l'achat des rentes viagères.

— Miser sur la vie des gens, fût-ce celle de jeunes et vertueuses demoiselles, est un jeu dangereux, j'oserai dire équivoque, cher Pierre-Antoine !

Le banquier ne releva pas et reprit son exposé.

— Le père d'Anaïs eût été ruiné si mon père, son associé dans la banque Cottier-Laviron, n'avait pas subodoré à temps les conséquences des événements qui bouleversaient la France. Cela permit aux deux amis de vendre les titres des Trente Demoiselles qu'ils détenaient, un bon prix, à des agioteurs ignorants, qu'ils se gardèrent bien d'éclairer.

Axel Métaz eut une moue signifiant qu'il condamnait aussi ce procédé.

— Prévenir les douze agents de change de l'époque n'eût fait qu'anticiper sur la débâcle prévisible. Un banquier, mon cher, ne doit de comptes qu'à ses clients. Dans notre milieu c'est le chacun pour soi qui prime, sauf quand il s'agit d'opérer un sauvetage nécessaire à la bonne réputation de la place. Ainsi, quand, en 1821,

Paccard connut des difficultés, Candolle et Turrettini s'empressèrent d'intervenir. Et d'ailleurs, mon père et mon futur beau-père firent tout, dans les années 90, pour aider leurs confrères en difficulté…

— En rachetant leurs banques, n'est-ce pas ?

— En prenant la relève de ceux qui, ne pouvant faire face à leurs engagements, préférèrent céder leur actif à des confrères sérieux pour sauver, au moins, leur honneur.

Axel se tut et vida son verre.

— Mais toutes les révolutions n'ont pas été défavorables à nos banques, Axel, crut bon de corriger M. Laviron.

— On dit toujours : « Le malheur des uns fait le bonheur des autres », Pierre-Antoine. Nous savons tous que M. Gabriel Eynard a commencé sa fortune sous le Consulat, en Italie, en assurant la subsistance des troupes françaises qui venaient d'envahir le Piémont et, ensuite, en vendant très cher aux vaincus affamés le blé qui leur faisait défaut ! Le fait qu'il soit devenu un grand philanthrope ne doit pas faire oublier cela, dit Métaz.

— Certes, mon ami, et c'est bien la Révolution française de 1848 qui a conduit les autorités genevoises à admettre, enfin, la création d'une Bourse dont le règlement s'inspirera des usages du Stock Exchange.

Axel Métaz se souvint des journées de février 1848. Il se trouvait à Genève deux ans plus tôt, quand il avait vu arriver, place Bel-Air, la malle-poste de Paris ornée d'un drapeau rouge. Le lendemain, la crise financière avait été enclenchée par la chute des cours et la mévente soudaine des valeurs, le papier de France affichant 5 % de perte alors que les paiements étaient suspendus à Paris. A Genève, la banque Bandon, établissement français qui proposait aux investisseurs genevois des effets d'industrie et de commerce, avait brusquement cessé ses paiements par défaut de liquidités.

En 1848, Pierre-Antoine Laviron, dont le réseau d'informateurs fonctionnait à merveille, n'avait, pas plus que son père en 1792, été pris au dépourvu par cette nouvelle révolution. Il s'était donc débarrassé discrètement, une semaine avant la chute des cours, de tout le papier français, ne conservant que des actions des chemins de fer dont le développement se poursuivrait, avait-il justement estimé, quel que soit le régime en place à Paris.

M. Laviron avait encore rehaussé le prestige de son établissement en vidant les portefeuilles de ses clients de tous les effets français menacés. Ces gens, les Métaz et les Fontsalte les premiers, lui étaient encore reconnaissants d'une telle décision.

Depuis deux ans, la banque privée Laviron Cornaz et Cie, où ne figuraient plus les Cottier — Anaïs, dernière du nom, ayant passé tout son avoir sur la tête d'Alexandra, nouvelle associée —, pouvait se prévaloir d'une réputation égale à celle des plus anciens établissements du genre. Le modèle restait cependant la banque Lombard Odier et Cie, fondée en 1798[1], dont les associés, bien que protestants, géraient, murmurait-on, la fortune des papes.

La banque privée Laviron Cornaz et Cie offrait, comme ses concurrentes, crédits et services à l'économie locale, tout en assurant des placements à l'étranger, obligations d'Etat ou de grandes villes en expansion, compagnies de chemin de fer, mines d'or ou de charbon, entreprises de construction de barrages ou de canaux.

— Dès que le télégraphe électrique fonctionnera, mon cher, notre banque sera la première servie. Alexandra s'en occupe. J'ai connu autrefois notre grand horloger suisse Abraham-Louis Bréguet, mort académicien français en 1823. Et nous comptons beaucoup sur Antoine-Louis, son très savant petit-fils, pour livrer à Genève le télégraphe électrique à cadran. Cette invention, déjà adoptée par les chemins de fer français entre Paris et Rouen, rendra quasi instantanées les communications entre toutes les Bourses européennes.

En attendant la mise en service du télégraphe, M. Laviron déplorait la méfiance helvétique devant les nouveautés techniques et encore plus le retard de la Confédération dans la construction des chemins de fer dont il était un fervent zélateur. Cependant, un pas avait été franchi dans ce domaine quand, le 12 novembre 1849, le président du Conseil national, Alfred Escher, avait déposé une motion contresignée par de nombreuses personnalités, dont le général Dufour, invitant le Conseil fédéral « à tout mettre en œuvre pour construire rapidement des chemins de fer ». Le message avait été reçu et les conseillers fédéraux avaient pris en décembre un arrêté autorisant le gouvernement fédéral à demander à deux experts internationaux réputés, MM. Robert Stephenson et

1. Cet établissement, dont les dirigeants actuels, héritiers des fondateurs, sont MM. Thierry Lombard et Patrick Odier, célèbre en 1998 le deux centième anniversaire de sa création.

H. Swinburne, un *Rapport sur l'établissement des chemins de fer en Suisse*. Le premier expert, membre du Parlement britannique, était fils du célèbre constructeur de machines à vapeur. Après avoir exploité les mines d'or et d'argent de sa famille en Colombie et au Venezuela, il était rentré en Angleterre pour prendre la succession de son père décédé et se consacrer à la construction des locomotives et des chemins de fer. Il avait déjà été choisi comme conseiller par le roi Léopold de Belgique et par le gouvernement norvégien, désireux de doter leur pays de réseaux ferrés.

— Les experts se sont engagés à rendre leur rapport à l'automne prochain. Il ne restera plus alors qu'à faire admettre le tracé qu'ils proposeront aux autorités fédérales et cantonales, ce qui, à mon avis, n'ira pas sans mal. Eh oui ! mon pauvre ami, nous en sommes encore aux prémices, alors qu'en France comme en Angleterre roulent des convois sûrs et que Louis Napoléon, président de la République française, inaugurera bientôt la ligne Paris-Dijon[1]. On dit que la capitale des ducs de Bourgogne s'est dotée d'une superbe gare. Je me demande, mon pauvre ami, si je verrai jamais un train rouler entre Genève et Berne, gémit le banquier, bien conscient de la lente dégradation de sa santé.

Au repas du soir, Alexandra réussit à convaincre son parrain de rester deux jours de plus à Genève pour assister, le 18 janvier, à un événement artistique qu'elle jugeait considérable. La célèbre cantatrice italienne Marietta Alboni, qui venait de connaître un succès époustouflant au cours de trois concerts donnés à l'Opéra de Paris, serait à Genève pour chanter *la Favorite,* de Donizetti.

— C'est le contralto le plus étendu, le plus souple et le plus pur que l'on connaisse. Le directeur de Covent Garden, où elle a chanté en 1847, avait passé ses appointements de douze mille à cinquante mille francs pour la saison. Cette année-là elle eut plus de succès à Londres que Jenny Lind, qui chantait au théâtre de la Reine. Je t'assure, parrain, qu'il ne faut par manquer la représentation, insista la mélomane.

Comme Axel se taisait, Alexandra, comprenant les raisons de cette réticence, ajouta :

— Tu devrais même dire à Elise de nous rejoindre. Connaissant son goût pour l'art lyrique, je suis sûre qu'elle viendra avec plaisir.

1. La ligne fut ouverte fin 1850 mais l'inauguration officielle ne se fit que le 1er juin 1851.

— Nous lui enverrons une dépêche demain matin. Je serais heureuse de la revoir, dit Mme Laviron, réglant ainsi l'affaire.

Ce soir-là, seule Anaïs Laviron avait veillé avec Axel et sa filleule. Au moment de la séparation, quand vint pour chacun l'heure de regagner sa chambre, Alexandra eût aimé recevoir plus qu'un baiser furtif de son parrain. Mais n'avait-il pas dit que cette journée devait être mise entre parenthèses ? Alexandra, la banquière, avait fait, ce jour-là, un bon investissement amoureux. Comme à la Bourse elle saurait attendre le meilleur moment pour prendre son bénéfice !

Ayant accepté l'invitation des Laviron, Elise rejoignit son mari à Genève. C'est accompagné de trois femmes, M. Laviron ne sortant plus le soir, qu'Axel entendit Marietta Alboni dans *la Favorite*. Le public élégant qui remplissait ce soir-là le théâtre de Neuve fit à la cantatrice une véritable ovation, notamment dans les airs fameux « O mon Fernand » et « Va dans une autre patrie ». Après la représentation, au cours du souper prévu par Anaïs Laviron rue des Granges, si tous furent d'accord pour reconnaître l'admirable talent de Mme Alboni, les femmes regrettèrent ses rondeurs exagérées, l'épaisseur de sa taille, son allure de matrone italienne.

— Sa maîtrise de trois octaves et plus, le velouté, le moelleux de sa voix limpide, charment au plus haut point, mais quel dommage que son aspect massif, presque masculin, et ses traits épais enlèvent à son physique la grâce de son chant, dit Alexandra.

— Il faut l'entendre les yeux fermés, et c'est ce que j'ai fait, dit Mme Laviron.

— Je partage l'avis d'Alexandra : Mme Alboni chante superbement le rôle de Léonore, mais elle n'en a pas la tournure, qu'on imagine séduisante. D'ailleurs le critique du journal *le Constitutionnel*, un Italien dont j'ai oublié le nom, qui l'a entendue à Paris, il y a deux ou trois ans, dans *Sémiramide,* de Rossini, disait d'elle : « Un éléphant qui a avalé un rossignol [1] », renchérit Elise.

— Quand on pense qu'elle n'a que vingt-six ans, on peut tout de même s'étonner de l'ampleur de ses formes. Mais je dois dire que sa fougue, son œil hardi me plaisent autant que sa voix. J'ima-

1. Pier-Angelo Fiorentino après la représentation de *Sémiramide* au théâtre des Italiens en 1847. Cité par Olivier Merlin dans son excellent ouvrage *Quand le bel canto régnait sur le boulevard*, Fayard, Paris, 1978.

gine qu'elle est, à la ville, une femme gaie, aimant la bonne chère, observa Axel avec un sourire.

— Nous sommes médisants ! Peut-être est-elle tout simplement enceinte, comme me l'a suggéré une amie à l'entracte. N'a-t-elle pas épousé récemment, à Londres, le marquis Charles Pepoli, vous savez, l'auteur du livret des *Puritains*, révéla M^me^ Laviron.

— En tout cas elle est déjà engagée pour reprendre, à Paris, le rôle de M^me^ Pauline Viardot, autre cantatrice fameuse, dans *le Prophète,* de Meyerbeer, annonça Alexandra, abonnée à la *Gazette musicale.*

Elise disposait, comme son mari, d'une chambre sous le toit des Laviron. Au moment de la séparation, elle demanda à Alexandra si elle accepterait, le lendemain, de l'accompagner dans les rues basses pour faire quelques emplettes. Axel, qui se défendait mal d'une vague culpabilité depuis l'évolution de ses rapports avec Alexandra, admira l'aisance et le naturel de sa filleule vis-à-vis de celle qu'elle aurait pu considérer comme légitime rivale.

Elise, qui avait été la première à deviner autrefois chez la petite orpheline l'affection excessive, presque trouble, que l'adolescente portait à son parrain, n'éprouvait plus aucun sentiment de jalousie et vantait à chaque occasion les qualités et les mérites d'une femme qu'elle avait, enfant, initiée à la musique et dont elle appréciait aujourd'hui la force de caractère, la réussite dans la banque, domaine jusque-là réservé aux hommes.

L'été 1850 devait fournir aux mélomanes genevois l'occasion d'une autre découverte heureuse, celle d'un jeune pianiste américain originaire de La Nouvelle-Orléans, Louis Moreau Gottschalk. Dès que le premier concert de cet interprète et compositeur de vingt et un ans fut annoncé, Alexandra convia Elise, Axel, le général et Charlotte à venir écouter l'artiste le 7 août.

Axel eût peut-être rechigné à s'éloigner de ses vignes en août, mois où, les sarments ayant achevé leur croissance, il devenait nécessaire d'enlever le feuillage qui dépassait des échalas afin que la grappe ne soit pas privée de soleil, mais Elise le convainquit de laisser cette tâche à Armand Bonjour pour l'accompagner à Genève.

Depuis la journée du chapon des Bergues, ainsi que la nommait Alexandra, le Vaudois avait revu plusieurs fois sa filleule et leur relation virait à la complaisance amoureuse, à l'amouritié comme disait autrefois Martin Chantenoz, contractant en un seul mot amour et amitié. Ce penchant composite s'exprimait chez Alexandra par de tendres attentions, chez Axel par l'acceptation sans réticences de celles-ci. Quand il s'était ouvert à Vuippens d'une complicité sentimentale qu'il se faisait fort de cantonner dans un platonisme irréprochable, le médecin avait été, comme souvent, catégorique.

— Il est certain que l'amour serait de nature plus noble si l'instinct sexuel, inhérent à l'humaine condition, n'intervenait pas, mon vieux. Mais tu es en train de jouer une pièce qui est le contraire de celle que tu as jouée avec la pauvre Marthe Bovey. Tu voulais le plaisir sans les sentiments et maintenant tu veux les sentiments sans le plaisir. Tu imposes à la gentille et ardente Alexandra un amour statufié, un amour auquel il manque la vie. Il n'y a qu'une alternative, Axel, ou vous cessez cajoleries, mignardises, rendez-vous champêtres, rêvasseries ludiques, ou vous couchez ensemble, comme des amants normaux, sains de corps et d'esprit. Mais, bon Dieu ! prends un parti net, sans te confire en scrupules superflus vis-à-vis d'Elise, qui ne peut donner que du sentiment conjugal et pas le reste !

C'est en remuant des pensées moroses, où se mêlaient le bonheur de retrouver Alexandra, qui savait toujours leur ménager de tendres tête-à-tête, même quand Elise était à Genève, et l'intuition qu'il aurait dû renoncer à poursuivre un jeu équivoque, dont l'aboutissement apparaissait de plus en plus évident, qu'Axel se rendit à Genève. Il choisit de faire le trajet par le lac, seul avec son bacouni, à bord de l'*Ugo*. Elise, à qui la navigation à la voile donnait des nausées, préférait le vapeur *Helvétie* qui, propulsé par ses cent vingt chevaux, reliait Vevey à Genève en moins de cinq heures. Ainsi, Axel s'offrait un long moment de solitude et de méditation entre l'eau et le ciel, l'une reflétant l'autre, harmonie en deux tons de bleu et soleil estival. Naviguer sous voile latine, poussé par le vent d'est, porté par le Léman familier, témoin rageur ou imperturbable de tous les événements de sa vie, inspirait au Veveysan quiétude et sagesse. En débarquant à Genève au milieu de l'après-midi, il n'avait pris aucune décision radicale. Il préférait laisser les choses suivre leur cours naturel, avec l'espoir sincère de voir Alexandra maintenir leur relation en l'état, tout en redoutant de se sentir désappointé s'il en était ainsi !

Louis Vuippens n'eût pas manqué de taxer de lâcheté cette attitude, de dauber une fois de plus sur le caractère vaudois qui, confondant parfois prudence et atermoiement, ne cesse de peser le pour et le contre, laissant ainsi la décision au hasard impatient !

Tout Genève parlait de Louis Moreau Gottschalk. Sa maîtrise du clavier lui avait valu à Paris, à l'issue d'un récital salle Pleyel, les chaleureuses félicitations de Frédéric Chopin. « Vous connaîtrez de grands succès comme virtuose », avait prédit le compositeur en lui tenant la main. Et cette prédiction s'était réalisée. L'admiration de Théophile Gautier, de Victor Hugo, de George Sand et l'approbation des critiques les plus exigeants n'avaient pas grisé l'Américain qui, depuis son arrivée à Genève, travaillait chaque jour pendant des heures sur le grand piano à queue envoyé de Paris par M. Pierre Erard.

Tandis que les membres du cercle Fontsalte prenaient place dans la salle du Casino, Mme Laviron fit observer qu'une rangée de fauteuils, pourvus de coussins de velours vert, semblait réservée à des personnalités attendues. Anaïs ne se trompait pas et, peu de temps avant le commencement du récital, Charlotte de Fontsalte reconnut, dans le groupe élégant que conduisait le directeur du Casino, la grande-duchesse Anna de Russie[1] — épouse divorcée du grand-duc Constantin, tante de la reine Victoria et sœur du roi Léopold de Belgique —, la reine Adélaïde de Sardaigne et la duchesse de Saxe-Weimar, qui passaient l'été à Genève. Dans la suite des altesses, Blaise identifia sans peine le baron de Vauthier, chambellan de la grande-duchesse de Russie et aussi, murmurait-on, depuis longtemps son amant.

Charlotte, dont tout le cercle connaissait le goût pour les têtes couronnées ou découronnées, se sentit flattée de partager les mêmes émotions artistiques que la tante de Victoria et cela d'autant plus qu'elle savait être l'exacte contemporaine de la grande-duchesse.

Assisté par un bon orchestre, Gottschalk interpréta d'abord le *Konzertstück,* de Weber, puis un fantaisie de Bellini, *la Somnambule,* avant de jouer, avec un brio exceptionnel au dire d'Alexandra et Elise, *Chasse du jeune Henri*, paraphrase de l'ouverture d'un

1. Née Julienne-Henriette-Ulrique de Saxe-Cobourg-Gotha, le 23 septembre 1781, elle avait été mariée, sous le nom d'Anna Feodorovna, au grand-duc Constantin de Russie, frère de l'empereur Nicolas Ier, le 26 février 1796. Les époux avaient divorcé le 1er avril 1820.

opéra de Méhul. Mais le public, déjà conquis, attendait l'artiste dans ses propres compositions, dont les critiques parisiens avaient vanté les rythmes, les timbres clairs et dansants. Même le redoutable Pier-Angelo Fiorentino, qui s'était tant moqué des formes pléthoriques de Mme Alboni, avait été enthousiasmé. Originalité, charme, distinction, capacité à faire déferler « un ouragan de sons » aussi bien qu'à susurrer « des mélodies caressantes », Louis Moreau, qui avait accompagné Chopin jusqu'à son caveau du Père-Lachaise, le 17 octobre de l'année précédente, était considéré par certains laudateurs comme le successeur du célèbre Polonais.

Les Genevois, comme les Parisiens l'avaient fait, applaudirent *la Savane : danse créole, la Moissonneuse* et *le Bananier*, pièces aux réminiscences exotiques, brillantes, parfois endiablées, du jeune Américain. Seule, Charlotte déclara qu'elle préférait le jeu du pianiste quand il jouait Weber et qualifia ses compositions de chopinades à la sauce nègre !

Alexandra et Elise, en revanche, se promirent de courir, dès le lendemain, chez Atar, libraire-marchand de musique, pour acquérir les partitions de Louis Moreau Gottschalk publiées par l'éditeur français Léon Escudier.

Après cette soirée, on entendit au cours des semaines qui suivirent, aussi bien rue des Granges qu'à Rive-Reine, les accents de *Bamboula : danse des nègres*, autre musique de M. Gottschalk, inspirée par les chants des Noirs de la Louisiane, ancienne colonie française où il était né et où ses parents avaient possédé trois esclaves.

Tout au long de l'été, Alexandra et Elise suivirent les concerts donnés par l'Américain à travers la Romandie. Après une nouvelle prestation à Genève, le 21 août, le pianiste se produisit à Lausanne, suscitant un véritable délire, inhabituel chez les Vaudois. Il dut, ce soir-là, jouer cinq fois *le Bananier*, morceau préféré d'Alexandra, qui, sans voir en Gottschalk le successeur de Chopin, trouvait fraîcheur, gaieté et fantaisie à ses compositions, plus difficiles à interpréter qu'il ne pouvait paraître à des auditeurs moins instruits de l'art de la fugue et du contrepoint. Grâce à des mélomanes veveysannes entreprenantes, dont Elise Métaz, M. Gottschalk accepta même de se produire au Casino de Vevey. Il y connut l'habituel succès avant de se rendre à Neuchâtel, où il était attendu.

A l'occasion du concert d'adieu de l'Américain, donné le 17 décembre, à Yverdon, Alexandra passa par Vevey, pour prendre dans sa voiture Elise Métaz qui ne voulait pas manquer l'événement. La jeune fille remit au docteur Vuippens une lettre que Zélia venait de lui adresser et murmura :

— A lire entre les lignes, ne croyez-vous pas, Louis, qu'il s'agit d'un appel au secours ?

Emu, les maxillaires serrés, le médecin prit avidement connaissance du message de la Tsigane et le tendit à Axel.

— Tiens, lis ! Et dis-moi pourquoi cette petite dinde ne m'écrit pas ça à moi !

Axel lut :

— « Bien chère Alexandra,

» Je suis maintenant sans espérance de retourner à l'heureuse existence que j'ai connue près de vous. Je vis comme une plante flétrie qu'on coupera le jour où un orage de grêle l'abattra. Louis seul, que j'ai aimé, que j'aime par-dessus tout, aurait pu me rendre au siècle et à moi-même. Mais, l'ayant quitté depuis quatre années, jamais je ne lui demanderai de risquer sa vie, si utile aux autres, pour une Jenisch couverte de péchés. Quelle force, d'ailleurs, pourrait me tirer de Koriska ? C'est un monde à part, où l'étranger ne peut survivre. Un îlot de folie dans les Carpates, hors du temps terrestre. Cette lettre est sans doute la dernière que vous recevrez de moi. Ne m'oubliez pas et priez. »

Axel rendit la lettre à son ami. Son œil clair dardait des éclats d'escarboucle, signe de colère.

— Quand partons-nous pour Koriska ? demanda-t-il au médecin.

— Il faut arriver avant l'orage fatal qu'elle redoute. Le plus tôt sera le mieux, dit Vuippens, déterminé.

— Je mourrai de peur pendant votre absence… mais vous devez délivrer Zélia, dit Alexandra en joignant les mains des deux amis dans les siennes.

DEUXIÈME ÉPOQUE

# Le Temps des abandons

# 1.

— C'est la plus mauvaise saison pour pareil voyage, dit Lazlo, quand, après les fêtes de fin d'année, Axel fit part au Tsigane de sa décision d'aller à Koriska tirer Zélia des griffes d'Adriana.

— Le docteur Vuippens et moi estimons que le temps presse, Lazlo. Nous croyons Zélia en danger de mort.

— Elle n'aurait jamais dû retourner là-bas, Monsieur. Ceux qui en sortent, qui connaissent le monde, ne peuvent plus y vivre bien. Il faut choisir. Mais Zélia est une bûche, une vraie bûche ! conclut-il rageusement.

Lazlo, lui, avait choisi de fonder un foyer et de ne plus vivre en nomade. En épousant Marie-Blanche, qui venait de lui donner un troisième enfant, il s'était enraciné à Rive-Reine et policé. Depuis qu'il avait acquis la nationalité suisse, ce dont il était fier, les Veveysans le considéraient comme un citoyen ordinaire. Tous appréciaient sa belle humeur, sa serviabilité, son sérieux. Par petits achats successifs, Lazlo avait agrandi le parchet de vigne, don d'Axel. Sa dernière vendange, jointe à celle de son maître, afin qu'il en tirât un meilleur prix, lui rapporterait de quoi offrir à Marie-Blanche un de ces nouveaux fourneaux-bouilleurs qui produisaient de l'eau chaude pour la toilette et la lessive. Majordome, cocher, scieur de bois, rapetasseur de volets, de toitures et de chars, batelier, peintre, jardinier, ce maître Jacques était estimé de tous. La vieille Pernette le traitait comme le fils qu'elle n'avait pas eu, Vincent et Bertrand le sollicitaient sans cesse pour réparer un tabouret, monter un hameçon, fabriquer un sifflet, recoudre un cartable, ressemeler des chaussures.

— Quels que soient les risques, Lazlo, nous sommes décidés, le docteur et moi, à tout tenter pour ramener Zélia. Tu vas préparer mes bottes fourrées, graisser ma carabine, sortir et nettoyer la grande malle de voyage, celle qu'on attache derrière la berline.

— Bien sûr que je vais avec vous ! décréta Lazlo, catégorique.

Axel ne s'attendait pas à un tel engagement. Il n'imaginait pas le Tsigane disposé à revoir son pays et sa tribu. Il se fût bien gardé de lui imposer pareille épreuve. Mais Lazlo serait un guide précieux, un interprète loyal et, étant donné sa force et sa débrouillardise, un puissant renfort en cas de nécessité.

— Marie-Blanche ne verra peut-être pas cette expédition d'un bon œil et je ne voudrais pas que tu te croies obligé de m'accompagner. Tu peux être mal reçu à Koriska. On doit te considérer, là-bas, comme une sorte de déserteur. Tu sais combien Adriana est rancunière.

— Ça, Monsieur, c'est mon affaire. Une affaire entre Zigeuner. Emmenez-moi, je pourrai rendre service !

— Oh certes ! Mais réfléchis et sache que je comprendrais très bien que tu ne t'embarques pas dans une telle aventure. Tu as une femme et des enfants, tu es heureux ici et tu n'as plus rien d'un bohémien.

— Pour ça, vous vous trompez ! Ma tête a pas changé. Je suis toujours un de ces Zigeuner, un Jenisch, comme ils disent par ici. Mais je sais maintenant où est la meilleure vie pour une famille. Aussi, j'irai avec vous, sauf si vous voulez pas. Moi aussi, je voudrais que Zélia soit heureuse avec le docteur, comme moi avec Marie-Blanche. Elle a jamais voulu que je vous le dise, mais Zélia, c'est peut-être bien ma sœur…

— Comment « peut-être bien » ? N'en es-tu pas sûr ? s'exclama Axel, au comble de l'étonnement.

— Ah ! vous savez, à Koriska, comme ailleurs dans nos tribus, les enfants, ils sont un peu à tout le monde. C'est pas comme ici, où il y a un état civil et des papiers, dit le Tsigane.

— Je sais. Mais alors, pourquoi penses-tu que Zélia est ta sœur ?

— Ben, je vais vous dire. D'abord, parce que jamais j'ai eu envie d'elle. Y a pas de désir entre gens du même sang. Et puis aussi, Zélia m'a dit que j'étais son frère, mais elle voulait pas que le docteur le sache. Vous comprenez, pour elle qui est instruite, c'était pas bien, c'était pas…

— Flatteur, acheva Axel.

— Quand voulez-vous partir ? dit Lazlo, estimant l'affaire réglée.

— Que tout soit prêt dans une semaine. Mais empêche Marie-Blanche d'ébruiter le projet. Nous dirons que nous partons chasser l'ours dans les Carpates.

Quand Axel annonça à Elise son intention d'aller rechercher Zélia au cœur des Balkans, l'épouse ne cacha pas sa désapprobation.

— Quoi ! Vous engager en plein hiver sur des routes enneigées, pour aller dans un pays de sauvages enlever une bohémienne aux siens parce que Louis se languit d'une Jenisch lascive ? Voyons, Axel, ce n'est pas sérieux ! C'est même dangereux. De la folie pour tout dire. Je ne vous conseille pas de poursuivre !

L'œil clair d'Axel vira au brun. Conscient de remplir au mieux ses devoirs de chef de famille, il ne tolérait pas que l'on discutât ses projets ou ses décisions.

— Mais, chère amie, je ne vous demande ni avis ni conseil. Je vous informe. Vous aurez la bonté de dire, si l'on vous questionne, ce que ne manqueront pas de faire les commères, que le docteur Vuippens et moi chassons l'ours en Slovaquie. Toutes mes dispositions sont prises : nous partirons dans une semaine. Lazlo conduira la voiture.

Ce soir-là, lors du dîner, Axel vit qu'Elise avait pleuré. Mais faire allusion à ce chagrin, plus motivé par le dépit de voir son mari faire acte d'autorité que par la crainte des dangers qu'il pourrait encourir, eût ranimé une vaine querelle.

Avant de s'endormir, Métaz s'interrogea longuement sur la conduite à tenir vis-à-vis du général Fontsalte. Blaise devait tout ignorer encore de la résurrection de sa fille et ne pouvait donc imaginer que le cercueil arrivé d'Angleterre et déposé dans le caveau des Fontsalte en mai 1833 pût contenir les restes d'une servante. Au contraire d'Elise, il admettrait aisément les buts de l'expédition dans les Carpates.

Le lendemain après-midi, quand le Veveysan se présenta à Beauregard, il découvrit d'emblée, au cours d'un tête-à-tête avec le général, que celui-ci savait depuis longtemps qu'Adriana vivait encore.

— J'étais décidé à vous le dire après avoir réglé certains détails de sépulture, dit Blaise. Ce qui a été fait lors de mon dernier séjour à Fontsalte.

Laissant le Vaudois à son étonnement, le général quitta son fauteuil et s'en fut prendre, dans une commode, un coffret qu'Axel reconnut au premier regard. C'était celui qu'il avait lui-même placé dans le caveau des Fontsalte, à Fontsalte-en-Forez, après l'inhumation du cercueil censé contenir les restes d'Adrienne.

— Je crois que ceci vous appartient, mon cher enfant. Il a été nettoyé, dit Blaise en déposant le coffret sur un guéridon, devant Axel.

— Cette boîte doit contenir deux médailles d'un saint, qui n'a jamais existé ailleurs que dans l'imagination des faux moines de Koriska, et, aussi, la tresse de cheveux qu'Adriana m'avait fait porter avec son supposé testament, dit Axel, partagé entre émotion et agacement.

— Vérifiez, je vous prie, ordonna le général, dont le regard vairon ne trahit aucun sentiment.

Axel fit jouer le verrou du coffret, l'ouvrit et tira les deux médailles d'or de saint Pertinent, autrefois offertes par Adriana et Zélia. Il ne put se résoudre à soulever la lourde tresse de cheveux noirs, lovée dans le fond de la boîte.

— Rien ne manque. Mais comment avez-vous su que votre fille vivait encore ? demanda-t-il.

— Par un surveillant de la prison de Londres, qui permit autrefois de substituer une pauvre fille à Adrienne. Il y a six mois, dénué de ressources, ce garde-chiourme anglais est venu me réclamer de l'argent pour avoir sauvé ma fille du gibet. Fort de cette révélation, j'ai mis quelques vieux amis en campagne et j'ai eu confirmation de l'existence d'Adrienne. Elle vit recluse dans ses montagnes, détruite, m'a-t-on dit, d'une manière hideuse par la syphilis.

— Je sais tout cela par Vuippens, qui vit Adrienne il y a quelques années, à la demande de Zélia. L'inconnue du caveau est en vérité la servante Miska, que j'ai connue autrefois et qu'Adrienne a délibérément sacrifiée, compléta Axel.

— Quel monstre que cette fille ! J'ai fait donner une sépulture décente, mais anonyme, à cette pauvre suivante que nous étions, vous et moi, allés chercher à Calais. Ainsi, les choses sont rentrées dans l'ordre, conclut le général.

Un moment plus tard, comme Axel développait ses préparatifs, le général insista pour qu'il utilisât sa grande berline de voyage, plus lourde, plus robuste et plus spacieuse que la voiture des Métaz. Ce véhicule, bien suspendu, avait été conçu d'après la berline de l'empereur et comportait des aménagements imaginés par le carrossier de lord Byron.

— Vous apprécierez la chaufferette à braise, qui est encastrée dans le plancher, et aussi la table pliante et les banquettes mobiles, qui deviennent de bonnes couchettes la nuit venue. Je vous montrerai aussi la cache où se trouve toujours une paire de pistolets. J'ose espérer que vous n'aurez pas à vous en servir !

A l'heure de l'apéritif, Louis Vuippens rejoignit son ami à Beauregard et fut bien aise de constater que les événements le dispensaient, ainsi qu'Axel, de faire des cachotteries au général. Ce dernier se garda d'interroger le médecin sur la maladie d'une fille définitivement rayée de sa vie et de ses préoccupations.

Le général proposa encore aux partants de consulter le colonel Golewski pour connaître le meilleur itinéraire hivernal. Son premier voyage à Koriska, Axel Métaz l'avait entrepris par un riant automne, avec Martin Chantenoz, à partir de Weimar, où ils avaient rendu visite à Goethe. Cette fois-ci la route serait plus courte, mais l'hiver la rendrait sans doute moins praticable.

— Mon brave ami connaît bien ces pays. Il les a parcourus en tous sens. Il y a connu je ne sais combien d'escarmouches et conduit de nombreux coups de main. Il sait tout des mœurs des Tsiganes, que les Polonais nomment Cigonas. Nous l'attendons pour dîner. Ses conseils vous seront utiles, dit le général.

Le noble polonais ne dissimula pas que l'hiver ne serait pas seul à compliquer la randonnée. Il mit en garde les voyageurs contre les convulsions révolutionnaires, les guerres larvées, les insurrections et leurs répressions brutales, que les événements de 1848 avaient ravivées dans les Balkans.

— Depuis le XIVe siècle, ces peuples d'origines ethniques disparates, de religions et de langues différentes, se sont toujours trouvés sous le joug des Turcs, des Russes, des Grecs ou des Autrichiens. Les révolutions de 1848 ont réveillé les nationalismes, donné aux peuples le goût de la liberté. Mais ce désir d'indépendance s'est ajouté, en les stimulant, aux ancestrales ambitions et rivalités des uns et des autres, qui, vivant côte à côte, veulent maintenant s'assurer la possession de territoires qu'ils estiment leur revenir. Si bien que, de l'Adriatique à la mer Noire, de la mer

Ionienne à la mer Egée, toute la péninsule est en effervescence, sans que le voyageur étranger sache jamais à quoi s'en tenir ni à qui il a affaire. Moldo-Valaques, Serbes, Croates, Bosniaques, Monténégrins, Bulgares, tantôt s'opposent, tantôt s'allient pour un temps, ici contre les Russes, ailleurs contre les Autrichiens, souvent contre les Turcs, qu'ils sont unanimes à vouloir chasser d'Europe. Il arrive aussi qu'un peuple demande, contre un autre, la protection du tsar Nicolas, ou de l'empereur François-Joseph, ou du sultan Osman Pacha. Si l'on ajoute à cela que les uns sont catholiques romains, d'autres chrétiens orthodoxes, d'autres encore juifs ou musulmans ; que les Slaves, les Latins, les Sémites passent leur temps à se quereller dans une variété de langues et de dialectes propre à saturer la tour de Babel, vous comprendrez, mes amis, que la situation est… incompréhensible, et cela d'autant plus qu'elle change d'une semaine à l'autre ! prévint le colonel.

— Les Zigeuner qui nous intéressent, de quel parti sont-ils ? Il vaudrait mieux le savoir, dit Vuippens.

— Ils ne connaissent qu'un parti : le leur. Quelques-uns s'embauchent temporairement au service de tel ou tel prince, de tel ou tel chef révolutionnaire, mais n'en épousent pas pour autant les querelles politiques. Conflits, guérillas, révolutions leur fournissent des occasions de pillage et c'est bien ce qui explique l'engagement de certains. Les Tsiganes des Carpates Blanches, eux, sont plus soucieux de la sécurité de leurs troupeaux, de leurs rivières aurifères, de leur liberté de mouvement. Même si quelques bandes sévissent, c'est, comme de tout temps, pour rançonner les voyageurs, sans tenir compte ni de leur nationalité ni de leur religion, précisa Golewski.

Quelques jours plus tard, par un froid sec, sous un soleil radieux qui laquait les sommets savoyards enneigés, Axel et Vuippens quittèrent Rive-Reine à bord de la berline du général, attelée de trois chevaux choisis par Lazlo, conducteur de l'attelage. Pour suivre le conseil du colonel-comte Piotr Golewski, Axel avait recruté un quatrième comparse, Armand Bonjour, à qui les travaux de la vigne laissaient quelques semaines de liberté.

M. Métaz appréciait de plus en plus les capacités, la pugnacité et la discrétion de ce garçon peu loquace, qui avait été son ordonnance pendant la brève guerre du Sonderbund, au cours de laquelle le Veveysan avait fait preuve d'autant de sang-froid que de courage. Promu postillon, il relaierait Lazlo et remplirait, à l'occasion, l'office de courrier en précédant la berline, afin de retenir logement et couvert aux étapes prévues ou imprévues. Ainsi, les deux hommes exposés aux intempéries pourraient alternativement se réchauffer à l'intérieur de la voiture sans qu'il soit nécessaire de marquer des arrêts.

M^me^ Métaz, sans admettre franchement le bien-fondé de l'expédition, s'était résignée à voir son mari courir une telle aventure, diversion qui, le soustrayant un temps à la routine, semblait lui plaire.

— Combien de temps serez-vous absent ? demanda-t-elle au moment de l'au revoir.

— D'après nos calculs, nous devrons parcourir plus de deux cent lieues de Suisse[1] avant d'être à pied d'œuvre. C'est dire qu'en ménageant les chevaux nous ne ferons guère plus de treize ou quinze lieues par jour, si les routes le permettent. Et nous ignorons le temps que nous devrons passer à Koriska. Aussi, ne comptez pas nous revoir avant la mi-mars, dit Axel en l'embrassant.

Vincent — il avait, un moment, émis l'idée de voyager avec son père — et Bertrand vinrent, un peu émus, souhaiter bonne route aux voyageurs.

Les Vaudois firent étape, le premier soir, à Fribourg et, les jours suivants, le temps restant beau et la neige ne couvrant que les hauteurs, ils connurent les auberges de Kirchberg, Aarau, Winterthur, Saint-Gall. Ils entrèrent en Bavière à Bregenz et, par Memmingen, atteignirent Munich après neuf jours d'un voyage sans histoire, ayant parfois parcouru vingt lieues entre huit heures du matin et cinq heures de l'après-midi.

Vuippens décida ses compagnons à prendre une journée de repos dans la capitale bavaroise, embellie par Louis I^er^, mais où régnait maintenant Maximilien II, depuis que le vieux roi avait été contraint à l'abdication après sa coupable liaison avec l'impétueuse Lola Montes.

Peu de temps avant son départ de Vevey, Axel avait appris par Alexandra que la danseuse intrigante venait de quitter la Suisse pour l'Angleterre, et qu'un aventurier genevois, Auguste Papon, qui avait été durant six mois son amant entretenu, venait de publier

1. La lieue de Suisse était de 4800 mètres.

des *Mémoires de Lola Montes, accompagnés de lettres intimes de S. M. le roi de Bavière et Lola Montes* [1], ouvrage scandaleux. L'auteur distribuait aussi la lettre qu'il avait adressée au roi de Bavière, à qui il réclamait un dédommagement financier pour les frais investis dans une liaison dont le seul but avait été « de rappeler à Lola ses devoirs envers son royal bienfaiteur » ! Le maître chanteur sollicitait, en outre, une place de chambellan à la cour de Bavière [2].

Axel et Vuippens prirent le temps de visiter la ville et sa pinacothèque, enrichie par Louis Ier de quelques beaux tableaux de Bruegel, Dürer, Van Dyck et Rembrandt. Ils assistèrent à une représentation d'opéra, vidèrent d'impressionnants pichets de bière en mangeant des saucisses blanches sous les plafonds enfumés de la Hofbräuhaus, la plus célèbre brasserie de la cité, construite en 1589, flânèrent sur Marienplatz et découvrirent l'église de la Trinité, offerte en 1711 « aux Etats provinciaux et à la bourgeoisie munichoise » par un Suisse des Grisons, nommé Viscardi, pour répondre au vœu d'une jeune illuminée.

Les deux amis goûtèrent cette halte confortable, car ils devinaient que des journées moins sereines les attendaient lors des étapes suivantes. Dès le lendemain, alors qu'ils prenaient la route de l'Autriche, la neige, jusque-là peu abondante, se mit de la partie. Deux jours furent nécessaires pour atteindre Salzbourg. Quarante-huit heures plus tard ils entraient dans Vienne où, harassés, ils ne firent que dîner et dormir avant de se mettre en chemin pour la Slovaquie.

Dès qu'ils eurent pénétré dans ces contrées où les routes dites carrossables n'étaient que de mauvais chemins, que personne ne se souciait de déneiger, Lazlo fit ralentir le train. Il ne s'agissait pas de casser un essieu ou un timon, les forgerons capables de réparer étant aussi rares que les villages assoupis sous la neige. Au moment de franchir un pont vétuste sur la rivière Morava, le Tsigane et Armand Bonjour voulurent vérifier la solidité des piles de bois. Ils

1. J. Desoches, imprimeur-éditeur, Nyon, 1849.
2. Auguste Papon allait être, en 1855, le fondateur d'une Société de l'Eglise, compagnie d'assurances censée garantir les curés contre les vols dans les sanctuaires. Or, il organisait lui-même le pillage des églises pour convaincre les prêtres de la nécessité de s'assurer. L'escroquerie découverte, il fut condamné, par contumace, à dix ans de travaux forcés. *Lola Montes*, Jacqueline Wilmes et Jacques Prézelin, Rencontre, Lausanne, 1967.

constatèrent que l'une d'elles avait été récemment sciée et trouvèrent, un peu plus loin, un gué sûr.

— Ce sont peut-être des patriotes slovaques, qui veulent empêcher les convois autrichiens de les poursuivre, dit Vuippens.

— A moins qu'il ne s'agisse de paysans pillards qui, ayant repéré de loin notre voiture, voulaient l'envoyer dans la rivière pour nous dépouiller plus aisément, peut-être sous prétexte de nous porter secours ! dit Lazlo.

— A partir de maintenant, nous devons nous tenir sur nos gardes, dit Axel en parcourant du regard l'inquiétant décor de la vallée de la Morava, qui sinuait entre les contreforts des Carpates.

Après une nuit, détestable à cause de la vermine, passée dans l'unique auberge d'un bourg nommé Hodonín, les voyageurs, approchant du but, décidèrent qu'ils dormiraient désormais dans la berline. Tandis que Lazlo et Armand se reposeraient au chaud sur les banquettes transformées en couchette, Vuippens et Axel monteraient la garde. Au milieu de la nuit, les deux cochers prendraient la relève. Car il devenait désormais difficile de distinguer les patriotes en rébellion contre un potentat local des voleurs de chevaux et des assassins détrousseurs de convois. Distingo d'autant plus malaisé que les mêmes hommes tenaient souvent les deux rôles !

— Jusque-là, le voyage s'est plutôt bien déroulé et, si nous n'avons pas de mauvaise surprise ou ne faisons pas de mauvaise rencontre, nous serons à Koriska dans deux jours, dit Lazlo.

Ils traversèrent la petite ville de Gottwaldov [1] dont les voyageurs dédaignèrent l'auberge, au grand dam du tenancier qui vit s'éloigner la berline aux portières armoriées.

Ce soir-là, les voyageurs établirent le camp dans une clairière proche de la route. Lazlo, prévoyant, avait acheté dans un village des provisions fraîches. Il proposa une *castradina*, mets populaire de la gastronomie monténégrine, à base de mouton bouilli. Accompagné de pommes de terre et d'oignons, ce plat, servi avec d'excellentes galettes de maïs, parut un régal en comparaison des brouets dispensés dans les auberges du pays.

— Aussi bon cuisinier que cocher ! dirent en chœur les

1. Nommée selon Klement Gottwald (1896-1953), homme politique. Anciennement Zlín.

convives, abrités sous une bâche tendue entre la berline et un chêne, devant un bon feu.

Après qu'ils se furent restaurés, quand circula la gourde de lie, tandis que la fumée bleue des pipes se mêlait aux volutes du bois flambant, Axel entreprit Vuippens, silencieux et renfrogné.

— Sais-tu à qui tu me fais penser ? demanda abruptement le Vaudois.

— Mais encore ! dit le médecin d'un ton rogue, qui fit sourire Lazlo.

— Je te vois comme Persée allant délivrer Andromède !

— Que n'ai-je à ma disposition Pégase, le cheval ailé de Minerve, pour atteindre Koriska sans être cahoté sur ces mauvais chemins ! ronchonna Louis. D'ailleurs je me demande si ta demi-sœur n'est pas une réincarnation du monstre délégué par Neptune pour dévorer la fille du roi d'Ethiopie, compléta-t-il.

Et, comme Axel se taisait, il ajouta :

— Peut-être serai-je obligé de lui trancher la tête pour délivrer Zélia !

— J'ose espérer que nous n'en viendrons pas à cette extrémité, dit Axel.

— Mais ta mythologique comparaison est assez juste. Et, plus nous avançons à travers cet étrange pays, vers ce château fantastique dont je douterais de l'existence si Lazlo et toi ne le connaissiez déjà, plus je me sens déterminé, ainsi que Persée, à enlever Zélia. Car, dans cet univers de cauchemar, je l'imagine parfois, telle Andromède, attachée sur le donjon de Koriska et offerte à l'hydre, dit le médecin retrouvant sa fougue.

— Peut-être a-t-elle disputé le prix de grâce à Junon-Adriana, ce qui lui vaut d'être prisonnière comme la légendaire beauté qu'admirait tant mon regretté maître, Martin Chantenoz, sur le fameux bas-relief de Benvenuto Cellini, commenta Axel.

— C'est peut-être pire, car la beauté d'Adriana a été détruite par le chancre qui est bien, par ses effets, une sorte de monstre, dit le médecin.

— Alors, que penser de ce refus de libérer Zélia ?

Cette interrogation d'Axel s'adressait autant à lui-même qu'aux autres.

— Je me demande, comme toi, ce qui peut justifier, ou expliquer, car c'est injustifiable, la séquestration de Zélia à Koriska. Nous sommes dans une situation de conte médiéval, barbare, inadmissible chez nous, dans notre siècle, à l'époque du chemin de fer et du télégraphe électrique, fulmina Vuippens.

— On te rétorquera que nous autres, Helvètes, hautement démocrates et civilisés, nous avons enfermé l'évêque Marilley, innocent de tout crime, dans un cachot de Chillon, comme François Bonivard il y a trois siècles, répliqua Axel en riant.

— Mais nous avons rendu Mgr Marilley à la liberté au bout de quelques semaines, corrigea Vuippens.

— Si vous me permettez, monsieur, il faut savoir que chez nous, les Zigeuner des Carpates Blanches, c'est toujours le Moyen Age, intervint poliment Lazlo, jusque-là silencieux.

— Mais enfin, Lazlo, Adriana a vécu toute sa vie dans le luxe, le confort et les mœurs des pays les plus civilisés d'Europe, dit Vuippens.

— Oui, mais à Koriska, le temps s'est arrêté. Et les façons du monde n'y pénètrent pas, conclut le Tsigane.

Les deux amis prirent le premier tour de garde, tandis que Lazlo et Armand jouissaient d'un repos bien mérité dans la berline où, vers une heure de la nuit, Axel et Louis les remplacèrent.

Cette nuit-là, Axel Métaz de Fontsalte, allongé sur sa couchette dans la voiture close, vit en rêve la tête tranchée d'Adriana, toujours belle, que Vuippens, manches troussées, lui présentait, tenant d'une main les longs cheveux de la décapitée, devenus serpents comme ceux des gorgones, et de l'autre un cimeterre dégoulinant de sang ! Il fut bien aise de voir poindre le jour alors que, déjà, Lazlo bouchonnait les chevaux, tandis que tressautait sur le feu ranimé le couvercle de la bouilloire, d'où s'échappait l'odeur suave du café.

Quittant la route qui conduisait à Olomouc[1], les voyageurs prirent le chemin de Zilina puis, suivant le cours de la rivière Váh, s'enfoncèrent dans ce que Vuippens nomma le vestibule des Enfers. Axel reconnut ce labyrinthe chaotique autrefois parcouru, dont la neige ne parvenait pas à adoucir le sauvage décor. Les rocs aux mille pointes, dents acérées et menaçantes, constituaient une gigantesque herse disposée par les plissements géologiques pour défendre l'accès aux étroits et sombres vallons, où des torrents se frayaient un passage dans des gorges festonnées de glace.

— Nous sommes dans le défilé de Sulov, annonça Lazlo.

1. Anciennement Olmütz.

Il désigna, sur un pic inaccessible, les ruines d'un château médiéval, véritable nid d'aigle d'où fondaient autrefois sur les caravanes les sicaires d'un prince brigand. Les flancs les moins pentus des montagnes apparaissaient couverts de forêts impénétrables où même les ours, affirma Lazlo, avaient du mal à se glisser. De loin en loin, une hutte de berger révélait que des hommes vivaient dans ce pays hostile et, parfois, un aigle planait au-dessus de la berline. Les ravines exhalaient des brumes d'où émergeaient, longs squelettes couchés sous un linceul de neige, des arbres déracinés qui tendaient vers le ciel blafard leurs branches implorantes. La nuit précédente, ils avaient entendu hurler des loups.

— Grandeur et solitude, commenta Vuippens.

— Pas autant solitude que tu crois ! dit vivement Axel, penché à la portière.

Il venait d'apercevoir, à distance, en travers du chemin, trois cavaliers coiffés de chapkas et armés de carabines.

Lazlo, qui les avait vus le premier, arrêta la voiture et descendit de son siège, pour s'avancer, à pied et sans arme, au-devant des hommes, après avoir demandé à Bonjour de le couvrir avec sa carabine. Axel et Vuippens le virent parlementer un moment avec les cavaliers, tirer de sa houppelande un objet qu'il leur montra, puis il revint à la voiture.

— Nous sommes attendus à Koriska, semble-t-il. Ces hommes sont au service du Bulebassa, qui a été informé de notre approche. Ils vont nous escorter, car il faut arriver avant la nuit au château, dit le Tsigane.

— Comment, diable, Adriana a-t-elle pu apprendre que nous arrivions ? Nous n'avons rencontré personne à qui nous ayons révélé le but de notre voyage, s'étonna Vuippens.

— A partir de maintenant, Louis, cesse de t'étonner ! Nous n'avons rencontré personne, certes, mais des guetteurs, des espions nous ont vus. Adriana sait, peut-être depuis que nous avons quitté Vienne, que nous sommes en route pour Koriska. Le réseau gitan vaut bien le service des Affaires secrètes et des Reconnaissances, cher au général Fontsalte, expliqua Axel, appréciant le sourire entendu de Lazlo.

— C'est tout de même étonnant ! Quels drôles de citoyens que ces gens ! reprit le médecin.

— Je vais te dire mieux, Louis. Je suis certain que Lazlo savait que nous étions attendus. C'est peut-être même lui qui a fait connaître notre itinéraire à Koriska, par mesure de sécurité. Je me demande d'ailleurs s'il n'a pas toujours su qu'Adriana était vivante, dit Axel à voix basse.

— Alors, c'est un traître ! s'indigna Vuippens.

— C'est un Tsigane ! Rassure-toi, il ne veut que notre bien et celui de Zélia, s'empressa d'ajouter Axel.

Avant que Lazlo ne remonte sur son siège, Vuippens, curieux, demanda à voir ce que le Tsigane avait montré aux cavaliers.

— Est-ce un passeport ou votre montre ? s'enquit-il.

— Non, monsieur, c'est ceci, que monsieur Axel connaît bien, dit le Tsigane en tirant de son col une médaille de saint Pertinent, suspendue à une chaîne.

Quand la voiture démarra, encadrée par les cavaliers, carabine en travers de la selle, cartouchière en bandoulière, Axel ouvrit le coffret restitué par Blaise de Fontsalte et en tira les médailles de saint Pertinent frappées de la tête de mort une rose entre les dents. Il crut nécessaire de résumer la biographie fictive du saint imaginaire.

— Il semble donc que cette pièce soit une sorte de laissez-passer. J'ai, semble-t-il, encore beaucoup de choses à découvrir. Zélia ne m'a jamais parlé de ça, avoua Vuippens, dépité et amer.

— Peut-être avait-elle honte d'une telle fable, origine de belles escroqueries, proposa Axel pour affranchir son ami et atténuer sa déconvenue.

Il glissa dans sa poche les médailles, estimant qu'elles pourraient être utiles.

Lors de la halte de la mi-journée, les escorteurs, tous vêtus d'un grand manteau bleu à boutons dorés et chaussés de hautes bottes, proposèrent aux voyageurs de partager leur repas, constitué de concombre cru accompagné de fromage blanc, liquide épais et salé, auquel Armand Bonjour trouva un vague goût de crème de la Gruyère.

— Autrefois, les gens de Koriska ne portaient pas d'uniforme, observa Axel, s'adressant à Lazlo.

Ce fut le chef de l'escorte, un gaillard osseux au teint olivâtre, qui répondit dans un excellent français :

— Ce sont les Russes, monsieur, qui nous les ont, si l'on peut dire, fournis ! Et… sans bourse délier ! lança-t-il en dévoilant, dans un grand rire, des dents de loup dont les patriciennes genevoises de la rue des Granges eussent envié la blancheur.

Une heure avant le crépuscule, Axel reconnut, au loin, le mont Babiagiora, qui culmine à mille sept cents mètres.

— Nous voici à Turzovka, le dernier village avant Koriska, dit-il.

Les cavaliers de l'escorte s'élancèrent alors au grand trot, pour précéder la berline sur un chemin étroit, mais soigneusement déneigé et aussi roulant qu'une bonne route de Suisse.

— Pas de doute, nous sommes attendus, dit Axel, au moment où la voiture franchissait un portail de fer, serti entre deux parois rocheuses aussi lisses que hautes.

Axel confessa qu'il ne reconnaissait pas l'accès au château, dont le donjon, dressé derrière une enceinte restaurée, paraissait aussi neuf qu'un décor d'opéra. Le sentier abrupt, qu'il avait dû autrefois gravir pour atteindre une étroite poterne, avait été remplacé par une voie de terre battue, qui s'élevait en lacet jusqu'au porche, dont les lourds vantaux de chêne cloutés de fer s'ouvrirent à l'approche de la berline. Des gardiens en uniforme bleu et culotte bouffante, qui tenaient en laisse d'énormes molosses, s'inclinèrent au passage de la voiture. Par une allée tracée entre des plates-bandes, pour l'heure couvertes de neige, les voyageurs approchèrent le perron du château.

— Il semble que l'on soit passé de la rugosité gothique à la gracieuseté Renaissance ! commenta Axel, qui n'en croyait pas ses yeux.

Lazlo, ouvrant les portières, partagea son étonnement.

— Koriska a bien changé, monsieur Axel, dit-il avec émotion.

— Extérieurement en tout cas ! répliqua Métaz, méfiant.

Tandis qu'un majordome, géant chenu, habit bleu de nuit, bas et gants blancs, aussi hiératique que le *butler* d'un club de Pall Mall, accueillait les voyageurs, Axel vit Lazlo embrassé, enlacé, fêté par une nuée de servantes et de valets frais et roses aux tenues impeccables. Ces Tsiganes, qu'il avait connus enfants, ne rappelaient en rien les moines à robe courte, tondus inquiétants aux oreilles rongées par les engelures, qui, vingt ans plus tôt, assuraient le service spartiate de Zichy, la défunte mère d'Adriana.

— Il se pourrait que, contrairement à ce que Lazlo nous disait hier, les façons du monde aient enfin pénétré Koriska, remarqua Axel.

— Nous allons vous conduire à vos chambres et, quand sonnera l'heure du dîner, j'irai, messieurs, vous prier de me suivre à la salle à manger qui vous est réservée, car la princesse Adriana, notre Bulebassa, qui s'honore de votre visite, ne dîne jamais avec ses hôtes. Elle vous verra demain, dit le *butler*.

— Et où logeront mes cochers ? Je veux communiquer aisément avec eux, dit Axel Métaz, qui trouvait la réception trop pompeuse pour être honnête.

— Ils auront de bonnes chambres de courrier, monsieur. Notre Bulebassa, qui eut autrefois l'un d'eux à son service, a donné des ordres en conséquence, monsieur.

— Mais comment pourrai-je communiquer avec eux, à tout moment, de jour et de nuit, s'il m'en prend fantaisie. C'est ce que je veux savoir, dit sèchement Axel, dont l'œil clair, Vuippens le remarqua, commençait à virer au brun coléreux.

L'homme s'inclina respectueusement.

— Ces messieurs auront valets et femmes de chambre en permanence à leur service pendant tout leur séjour et, s'ils désirent sortir pour faire une promenade, nos troïkas seront à leur disposition, avec couvertures de fourrure, donc…

— Assez de verbiage ! coupa Axel, soudain furieux. Nous ne sommes pas sujets de votre Bulebassa, que je connais depuis longtemps ! J'exige que mes cochers, M. Lazlo Isnakis, qui est citoyen suisse comme M. Armand Bonjour, sergent de l'armée helvétique, soient logés près de nous. Sinon, ils dormiront dans nos chambres. Tenez-vous-le pour dit, conclut Axel.

— Je vais voir ce que nous pouvons faire, monsieur, dit le majordome, narines pincées.

— En attendant, allez dire à votre maîtresse que je n'ai pas l'intention de faire ici un long séjour. Je suis venu avec mon ami pour régler une affaire. Nous comptons que cela se fera dans les meilleurs délais.

— Pouvez-vous me dire où se trouve M^lle^ Zélia. Je souhaite la voir, intervint Vuippens.

— M^lle^ Zélia, la gouvernante, ne quitte guère notre Bulebassa. Vous la verrez donc sans doute demain, avec la princesse, messieurs, conclut le majordome en faisant signe aux visiteurs de le suivre.

Le groupe parcourut de longs couloirs, larges et bien éclairés par des torchères, traversèrent des salons aux beaux parquets couverts de tapis orientaux, meublés en Biedermeier, ce style autrichien mis à la mode après le congrès de Vienne, qui doit beaucoup, à la fois, au genre Empire et au goût Regency, importé d'Angleterre. Aux murs tendus de soie rose, bleue ou jaune étaient accrochés des tableaux de maîtres allemands, autrichiens, hongrois ou russes, que le musée d'une grande ville se fût enorgueilli de posséder.

— Dis donc, quelle galerie ! Cette sauvage a le goût sûr et une vraie fortune ! observa le médecin, admiratif.

— Ses vagabondages d'une cour à l'autre lui ont, certes, formé le goût, mais je subodore que sa collection de tableaux ne lui a pas coûté plus que les uniformes de ses chasseurs ! répliqua Axel en riant.

Les appartements réservés aux visiteurs étaient, eux aussi, meublés dans le goût viennois du moment. Salons et chambres pourvus de lits, de fauteuils, de canapés et de tables en noyer vernissé, mobilier un peu lourd d'aspect mais cossu et confortable.

A l'heure du dîner, il fut confirmé par le majordome que Lazlo et Armand disposeraient de chambres au même étage et proches de celles d'Axel et Louis. En revanche, les deux amis dînèrent fort copieusement tête à tête. Les domestiques, à qui le Bulebassa accordait la grâce de dormir dans des chambres d'invités, prirent leur repas avec le personnel.

Fort marri de ne pas approcher Zélia, dont on pouvait se demander si elle avait été informée de l'arrivée des Vaudois, Louis Vuippens, sitôt le repas terminé, émit l'intention de se mettre à la recherche de la Tsigane. Axel l'en dissuada.

— Nous n'avons aucune chance de la trouver dans cette énorme bâtisse, construite sur les ruines d'un château que j'ai connu et dont, apparemment, il ne reste que le donjon. Attendons, demain, de voir Adriana. Si nous rencontrons trop de mauvaise volonté de sa part, nous aviserons, Louis.

Assis devant un bon feu dans le salon d'Axel, ils venaient d'allumer leur pipe quand un coup discret fut frappé à la porte. Autorisé à entrer, Lazlo s'avança vivement vers Vuippens.

— Je peux vous conduire à Zélia, dit-il à voix basse.

— Où se trouve-t-elle ? demanda Axel, alors que le médecin s'apprêtait déjà à suivre le Tsigane.

— Sa chambre communique avec l'appartement du Boulebassa. Vous ne pouvez donc pas aller chez elle sans attirer l'attention des gardes. Mais, à cette heure-ci, Zélia porte les ordres du lendemain au gouverneur des domestiques et aux cuisiniers. J'ai réussi à lui parler entre deux portes. Elle vous attend dans le cellier. Suivez-moi, monsieur et, si nous rencontrons quelqu'un, ne parlez pas. Laissez-moi dire et faire, fit Lazlo, dont l'assurance rassura les deux amis.

Vuippens parti, Axel sentit croître sa fureur contre sa demi-sœur. Adriana traitait sa suivante comme une esclave et ses visiteurs comme des prisonniers. Il ne serait pas facile d'arracher Zélia aux griffes de la châtelaine de Koriska.

Louis Vuippens fut absent une demi-heure et, quand il revint, sa volubilité inattendue traduisait un mélange de joie et d'irritation.

— Zélia est prête à nous suivre. Elle ne demande que ça, je t'assure ! Elle m'a sauté au cou comme une noyée étreint une bouée de sauvetage. Reste à convaincre Adriana de la laisser partir. Dans le cas où ta folle demi-sœur serait tentée de la retenir contre son gré, Zélia est prête à fuir, même si nous devons user de violence pour l'enlever, car le Boulebassa dispose d'une véritable petite armée de gardes, prêts à tuer et mourir pour sa plus grande gloire.

— Plus facile à dire qu'à faire, Louis ! Si nous devons affronter à quatre un escadron de gaillards comme ceux qui nous ont escortés, nous aurons peu de chances d'enlever Zélia et beaucoup plus d'y laisser notre peau, dit Axel, réaliste.

— En tout cas, je suis décidé à emmener Zélia, coûte que coûte, car elle est, cette fois, résolue au mariage, conclut Louis, farouche et déterminé.

— Et quelle mine a ta fiancée ?

— Superbe. Elle n'a jamais été aussi belle ! A croire que ce climat délétère et ce régime de recluse lui conviennent. En fait, elle m'a dit avoir toujours pris soin d'elle-même, car elle vivait dans l'espérance de me retrouver.

— Tu es donc un homme heureux, Louis, conclut Axel en souhaitant le bonsoir à son ami.

Les amis allaient se séparer pour la nuit quand Armand Bonjour se présenta, accompagné de Lazlo, venu s'enquérir de l'emploi du temps du lendemain.

— Armand le séducteur a quelque chose à vous dire, Monsieur, annonça le Tsigane en riant.

— J'ai fait un brin de cour à la fille qui est venue bassiner mon lit, commença Bonjour. Une belle brune, les cheveux dressés en forme de tiare, au regard mélancolique et qui répond au joli nom de Louba. Elle voulait absolument savoir ce que vous êtes venus faire ici. Je lui ai dit que sa maîtresse était une de vos amies et que vous faisiez étape avant d'aller chasser l'ours dans les Tatras.

— Tu as bien fait. Il faut, ici plus qu'ailleurs, se méfier des femmes curieuses ! dit Axel.

— J'ai cru comprendre qu'elle n'était pas des plus heureuses et je lui ai un peu tiré les vers du nez. J'ai appris ainsi que le personnel hôtelier, le seul que voient les visiteurs, est constitué de gens de la tribu sélectionnés par celle que tous nomment avec autant de crainte que de respect le Boulebassa. Elle choisit les filles pour leur grâce et leur beauté, les garçons pour leur prestance et leur astuce, leur fait donner une bonne éducation, apprendre les langues et les manières, avant de les envoyer dans les meilleurs hôtels européens pour acquérir l'expérience du monde. Ils y retournent régulièrement à tour de rôle pour se tenir au fait des modes, des façons et des goûts des voyageurs afin, m'a-t-elle dit, de fournir aux visiteurs de Koriska le service à la dernière mode des palaces. Valets et femmes de chambre paraissent être à la dévotion de la reine invisible de cette étrange ruche. Car, c'est bizarre, Monsieur, seule la gouvernante et quelques notables du palais peuvent, m'a dit Louba, approcher le Boulebassa.

Lazlo intervint pour ajouter une précision :

— Ce que Louba, qui est une vague cousine à la mode de Koriska, n'a pas dit, c'est que les parents des garçons et des filles envoyés à l'étranger n'ont pas le droit de quitter le pays pendant l'absence d'un membre de leur famille et que, sur ordre du Bulebassa, ils répondent sur leur vie de son retour, dit le Tsigane.

— Méthode odieuse ! commenta Vuippens.

Axel savait, lui, qu'il en avait été de même pour les parents de Lazlo, quand celui-ci voyageait avec Adriana. Le Tsigane ne s'était résolu à sauter le pas qu'après la mort de ses père et mère.

Les quatre se séparèrent pour la nuit après que M. Métaz eut décidé qu'on ne prendrait aucune initiative avant sa rencontre avec Adriana.

A l'heure de la collation matinale, Axel fut informé par le majordome qu'il verrait sa demi-sœur dans la matinée.

— Toutefois, notre Bulebassa, qui est, comme vous savez, souffrant, tient d'abord à recevoir le docteur Vuippens, ajouta l'homme.

Louis jeta un regard interrogateur à Métaz et emboîta le pas au *butler*.

En sortant de cette consultation, le médecin rejoignit son ami dans sa chambre. Pâle et défait, il se laissa tomber sur le canapé et emplit un verre d'eau.

— Alors ! Tu l'as vue ! Comment est-elle ? demanda Axel, sans laisser à Louis le temps de boire.

— Telle que, cette nuit, me l'a décrite Zélia. Elle porte un masque de cuir fin, couleur chair, qui imite à la perfection le grain de la peau. La bouche est dessinée mais close. On dirait une tête de poupée…

— Mais, sous le masque, elle t'a montré son visage ?

— Elle n'a plus de face, Axel. L'horrible chancre a disparu et, comme un enduit transparent, une sorte de peau luisante s'est reformée. Imagine une moire glacée, tendue sur une tête de squelette. Toute chair s'est dissoute, les traits n'existent plus. Seuls les yeux ont été épargnés et vivent intensément. Son regard vairon — ton regard — prend parfois une intensité insupportable. De la bouche sans lèvres sortent des phrases tout a fait audibles.

— C'est effrayant ! dit Axel, réprimant un frisson.

— Effrayant ! On ne peut même pas parler de laideur, car cette face n'a rien de comparable, rien d'humain. C'est en tout cas une guérison incroyable. J'aimerais connaître la thérapie utilisée par ces sorciers tsiganes pour enrayer le chancre, conclut Vuippens.

La conversation fut interrompue par l'arrivée de l'étrange majordome qui, la veille, avait accueilli les visiteurs.

— Notre Bulebassa vous attend, monsieur, dit l'homme, cérémonieux, s'adressant à Axel seul.

Comme le Veveysan allait passer la porte sur les talons du *butler*, Vuippens le retint.

— C'est ton tour. Après le médecin, le diplomate. A toi de jouer, car Adriana m'a dit ne vouloir évoquer le sort de Zélia qu'avec toi. Conduis-toi avec naturel, Axel. Accepte son masque comme un visage. D'ailleurs, elle n'en a pas d'autre. Et ne cherche pas à voir plus qu'elle ne montre, recommanda Louis.

Sous prétexte de demander à son maître s'il voudrait, après sa visite, faire une promenade en traîneau, Lazlo s'approcha.

— Zélia a placé un pistolet dans le canapé. Un du général, que j'ai pris dans la cache de la berline. Je garde l'autre, jeta-t-il à voix basse.

Axel remercia d'un clin d'œil et, précédé du Tsigane en habit bleu de nuit, s'en fut au rendez-vous de sa demi-sœur. Il parcourut de longs couloirs sans fenêtre, éclairés par des torchères, monta deux étages d'un large escalier, avant d'aboutir devant une porte masquée par un rideau de cuir souple. L'homme tira un cordon et la portière coulissa, dévoilant un panneau d'acajou sans loquet ni bouton.

Le Tsigane s'effaça et fit signe à Axel d'avancer. La porte pivota silencieusement et le Vaudois se trouva dans une antichambre, où deux hommes, portant l'uniforme bleu des gardes de Koriska, le palpèrent en silence et adroitement, des épaules aux mollets.

— Rassurez-vous, je n'ai pas d'arme, dit-il.

Mais les gardes ne comprenaient sans doute pas la langue du visiteur. Satisfaits de leur examen, ils invitèrent Axel à franchir une autre porte, monumentale celle-là, dont les vantaux s'ouvrirent seuls, mus sans doute par un mécanisme secret.

Débouchant en pleine lumière, dans une vaste rotonde d'inspiration byzantine, Axel Métaz, ébloui, vit aussitôt, sur une estrade à deux marches, assise, comme enchâssée dans un siège gothique à haut dossier, sorte de cathèdre, telle une Vierge en majesté, rigide, hiératique, sa demi-sœur, que rien ne lui permettait de reconnaître formellement. Le faux visage, figé et lisse, lui rappela le *maschino* de laque blanche dont Adrienne avait usé autrefois à Venise au temps de Carnaval. Il se dit que, sous couvert de ce masque, n'importe quelle femme pouvait usurper l'identité d'Adriana. Les Zigeuner l'avaient habitué à tant de rouerie, de tromperies habiles, de travestissements, qu'il n'eût pas été autrement étonné, sans le témoignage de Vuippens, d'être, une fois de plus, dupé par sa demi-sœur.

— Bonjour, Axou. Tu as vieilli avec élégance. Pas de bedaine bourgeoise, robustesse conservée et tes cheveux n'ont même pas blanchi, dit la momie.

— Heureux de te voir, ressuscitée et rendue à ton peuple et à ton luxe, dit-il, parcourant la pièce du regard.

Tout concourait en effet, dans cette vaste rotonde coiffée d'une coupole de jaspe rubané sang et noir, nervée d'arcs d'or jaillissant d'une clé pendante de cristal de roche, à impressionner le visiteur. Les appliques à triple bras et les torchères dispensaient une lumière dorée, qui faisait chatoyer les mosaïques polychromes. Des vitraux, éclairés de l'extérieur, illustraient des scènes de chasse et de révoltes et livraient, en médaillon, des portraits de mâles moustachus dont le regard de verre fulgurait.

En pénétrant dans ce naos de style composite, dont la déesse statufiée eût été l'infirme, Axel eut le sentiment de se trouver dans l'antre somptueux et maléfique de Circé. Adrienne, vêtue d'une ample tunique blanche aux manches larges et festonnées de dentelle d'or, lui fit signe de prendre place sur un canapé jonché de coussins de damas et placé à distance de ce qu'il nomma mentalement le trône du Bulebassa.

A demi allongé dans une posture volontairement désinvolte, afin de montrer à l'étrange aventurière qu'il avait un temps aimée passionnément que ni le cérémonial ni le décor ne l'impressionnaient, Axel résuma, d'une phrase, le temps passé depuis leur dernière entrevue parisienne, vingt ans plus tôt. Tout en parlant, il glissa la main entre deux coussins formant siège et rencontra la crosse dure d'un pistolet. Ce contact le rassura autant qu'il le gêna. Oserait-il se servir d'une arme contre Adriana ? Il eût préféré aborder d'un ton moins persifleur et avec plus d'abandon ces étranges retrouvailles.

— Ainsi, tu as survécu à la pendaison et triomphé d'une affreuse maladie, dit-il, contenant son émotion.

— Oui, j'ai survécu à beaucoup de dangers mortels. Seul, mon visage a disparu, rongé par le chancre dont nos sorciers, comme dit Vuippens, qui savent beaucoup de choses ignorées des médecins, sont parvenus à arrêter l'évolution. Tu es étonné par ma résistance à la douleur et à la mort, Axou ?

— De toi et des tiens, rien ne peut plus m'étonner, Adry. Même pas tes apparitions fantomatiques sur les routes vaudoises, alors que je croyais, avec le général, notre père, t'avoir mise au tombeau des Fontsalte.

— Je souhaite qu'il ignore à jamais que j'ai survécu.

— Il ne l'ignore pas. Il a eu connaissance de ta résurrection par le geôlier qui envoya Miska au supplice à ta place et qui est venu lui réclamer de l'argent pour t'avoir sauvée.

Un cri de fureur répondit à cette révélation.

— Cet homme avait été payé et j'avais donné l'ordre aux *gypsies* de Londres de le faire disparaître sitôt mon départ, hurla Adrienne.

— Apparemment, ils ne t'ont pas obéi, constata Axel, ironique.

— Mes gens le retrouveront ! lança la femme masquée.

— Mais comment donc t'en sors-tu toujours ? demanda Métaz, admiratif et agacé.

— Dans notre famille, nous savons tenir tête à la mort. Nous tenons cela de Ginka, le plus bel homme qu'on eût jamais vu de mémoire de femme, dans les Carpates Blanches. Sa force herculéenne, sa virilité infatigable, alliées à sa beauté, lui avaient donné une telle assurance qu'il ne pouvait approcher une fille sans la posséder. Je vois ta moue méprisante, Axou. Bien sûr, c'était un barbare. Mais, en ce temps-là, tous les habitants de nos contrées étaient des barbares assez forts et courageux pour se battre à mains nues avec les grands ours de nos montagnes.

Si l'élocution d'Adriana était nette, quoique plus lente qu'autrefois, la voix, étouffée par le masque de cuir, avait un ton sépulcral. Sans le regard vairon, ardent et lumineux, qui fixait le Vaudois à travers les fentes du masque bordées de cils drus — des cils de loup avait dit Zélia — Axel se serait cru en présence d'un automate parleur.

Il savait d'expérience qu'avant d'en venir aux choses sérieuses, il fallait laisser la Tsigane bavarder à sa guise, raconter une histoire comme on le fait entre gens qui se sont quittés la veille. Peut-être était-ce une manière d'abolir le temps de la séparation.

— Ce vaillant Jenisch avait-il, lui aussi, échappé au bourreau de Sa Majesté britannique ? demanda-t-il, pour entrer dans le jeu.

— Il a fait mieux encore, Axou. Lors d'un voyage en Bosnie, il devint amoureux fou d'une belle fille, nommée Haïkouna, qu'il entreprit aussitôt de courtiser à sa manière, laquelle manquait sans doute de civilité. La belle, pour différer un assaut auquel elle n'eût pu résister, lui fixa rendez-vous la nuit suivante. Quand il arriva au lieu de la rencontre, il se trouva en présence des sicaires du potentat local, un certain Békis, père de la demoiselle. Ginka fut battu, humilié, jeté en prison et condamné à mort pour avoir manqué de respect à la fille d'un prince bosniaque. Il fit alors mine de se pendre, avala une potion connue des nôtres, qui rend les battements du cœur indécelables, et se fit passer pour mort. Mais Békis, qui tenait les Tsiganes pour des sorciers, voulut s'assurer que son prisonnier avait bien cessé de vivre avant de le faire jeter dans le lac voisin. Il fit poser sur la poitrine du mort une pelletée de charbons ardents. Le brave Ginka n'eut pas un frémissement. Békis fit ensuite apporter un serpent dont la piqûre est mortelle. Le reptile s'enroula autour du cou du Tsigane, parcourut ses épaules et son torse puis se détendit et mordit le chambellan qui trépassa dans l'instant.

— Et l'hercule ne broncha pas, commenta Axel en riant.

— Pas un instant, Axou. Békis, cette fois convaincu que son prisonnier lui avait échappé en se donnant volontairement la mort, allait faire enlever le corps quand son épouse proposa une dernière expérience. Elle fit venir les plus belles danseuses du palais, dont sa fille Haïkouna, et leur demanda de faire, autour du mort, la ronde la plus lascive qu'elles puissent inventer en se dénudant peu à peu.

— Et cette fois, lança Axel, le don Juan des Carpates ne put contrôler son…

— Il ouvrit les yeux en effet, décidé à jouir de l'ultime spectacle de ces belles filles dévêtues. Aussitôt, dans sa fureur, Békis ordonna qu'on étrangle le simulateur et qu'on le noie. Haïkouna, émue et déjà séduite, jeta son voile sur le visage du condamné qui, dûment garrotté, fut jeté au lac.

— Mais son cou de taureau résista au garrot, risqua Axel.

— Exactement, et le voile empêcha l'eau d'entrer dans ses narines. Il se libéra de ses liens, regagna le rivage, trouva une hache, se rendit au palais et trancha la tête de Békis et de sa femme. Puis il enleva Haïkouna et rentra chez lui. Il épousa la Bosniaque et en fit la grand-mère de mon arrière-grand-mère, conclut fièrement Adrienne.

— Si l'histoire de Ginka n'est pas une de ces fables auxquelles tu m'as habitué, une telle ascendance explique beaucoup de choses ! consentit Axel avec un sourire.

— Tu es bien resté vaudois ! Tu n'a jamais cru à ce qui sort de l'ordinaire de la vie. Je pensais t'avoir prouvé, autrefois, que le merveilleux existe, non !

— Surtout quand on le fabrique avec génie, comme tu sais le faire ! A ce propos, le culte de saint Pertinent *defensor* a-t-il toujours autant de succès ? demanda-t-il.

Du masque sortit le petite rire cuivré et canaille qu'Axel n'avait pas oublié.

— J'ai bon espoir que le pape Pie IX autorise son inscription au calendrier des saints officiels. Nous faisons ce qu'il faut pour ça. Nos avocats ont présenté à la congrégation des Rites un dossier irréprochable avec miracles, témoignages, biographie et tout. Et je ne désespère pas de voir un jour des cardinaux romains venir à Koriska en pèlerinage, ajouta Adriana, avec un gloussement qui en disait assez sur la saveur qu'elle trouvait à cette grandiose plaisanterie.

— Après tout, concéda Axel, si le pape affecte de croire que deux petits paysans français de l'Isère, Mélanie et Maximin, ont entretenu, il y a quelques années [1], des conversations avec la mère du Christ, pourquoi ne croirait-il pas à l'existence de ce brave Pertinent ?

— Mais j'imagine que ce n'est pas pour me parler de notre saint patron que tu as fait un si long voyage, Axou.

— Tu sais pourquoi je suis venu, même si tu n'as pas donné à Vuippens l'occasion de te le dire. Nous sommes venus chercher Zélia, que tu séquestres depuis plus de quatre ans, dit sèchement Axel.

— Zélia m'a juré, autrefois, qu'elle m'accompagnerait jusqu'à la mort, Axou. Elle tiendra sa promesse et ne suivra pas Vuippens, qui est un piètre parti pour une *szlachcianka*, une fille de noble, si tu préfères.

— Le mieux serait de la consulter devant Vuippens et moi, proposa Axel.

— Je connais ses sentiments à mon égard. Elle me suivra jusqu'en…

— Jusqu'en enfer, je connais la formule ! Elle est poétique et creuse ! ironisa le Vaudois, dont l'œil clair s'assombrissait.

— Ici, je suis la seule à décider de tout. Et j'ai les moyens, tu le sais, de faire respecter mes décisions, même aux *gadjos* [2], rugit Adriana.

Axel tira discrètement l'arme de sa cachette, la dissimula sous sa redingote et jaillit du canapé. En trois enjambées, il atteignit l'estrade qu'il gravit sans hésitation. Instinctivement, Adrienne se recroquevilla comme un félin sur la défensive. Le regard vairon de son demi-frère montrait une telle détermination qu'elle en parut effrayée. Elle tendit la main pour atteindre le cordon qui commandait la cloche du poste de garde, mais Axel lui saisit le poignet sans douceur et lui mit le pistolet sur la poitrine.

— Halte-là ! ma chère. Je ne suis pas de ceux que tu peux faire jeter dehors par tes sbires. Tu vas sonner, en effet, mais quand les

1. Le 19 septembre 1846 Maximin Giraud, douze ans, et Mélanie Calvat, quatorze ans, domestiques d'un fermier du hameau des Ablandins, près de La Salette, département de l'Isère, déclarèrent avoir vu la Vierge, qui leur fit en pleurant des révélations portant sur les dangers de la déchristianisation de la France. Une basilique néo-romane consacrée à Notre-Dame a été construite (1861-1879) sur les lieux de l'apparition.

2. Tous ceux qui ne sont pas tsiganes.

gardes viendront, tu donneras l'ordre d'aller chercher Zélia, le docteur Vuippens et aussi Lazlo et mon second cocher, Armand Bonjour. Si tu tentes une de tes diversions coutumières, je t'expédie en enfer, où tu dois être attendue. Compris !

— Tu n'oserais tout de même pas me tuer, après ce que nous avons été l'un pour l'autre, rappelle-toi, Axou, gémit-elle.

Le regard amusé du masque révélait l'insincérité à peine dissimulée de la plainte. Adrienne, comme toujours, s'amusait.

— Cesse tes simagrées. Je te tuerai sans hésiter en ayant le sentiment d'accomplir un acte de justice. Le masque que tu portes aujourd'hui est le plus innocent de tous ceux dont tu as usé au cours de ta vie. Ainsi finit la comédie, Adry.

Le ton glacial d'Axel prouvait une détermination sans faiblesse.

— Que puis-je faire pour te montrer que, moi, je t'ai sincèrement aimé, Axou ? Tu vois dans quel état je suis. L'existence, tu t'en doutes, n'a plus d'attraits pour moi. Je me force à survivre, mais je suis une vieille recluse sans visage.

Axel, pris soudain de compassion devant la femme qu'il avait aimée, avec sincérité lui aussi, se tut. Subjugué par la voix chaude, qui avait chuchoté pour lui tant de mots tendres et fous, puis proféré tant de mensonges, il dut faire effort pour ne pas trahir son sentiment.

— Alors, je te le répète, que puis-je faire ?

— Une seule chose : m'obéir. Libérer Zélia et nous laisser partir sans susciter d'entraves à notre départ ni d'embuscades sur notre route, exigea Axel, dont la méfiance ne se relâchait pas.

Adriana consentit à tirer le cordon.

— Attention à ce que tu vas dire ! fit-il.

Quand la porte s'ouvrit pour livrer passage à un garde, Axel dissimula son pistolet.

Il reconnut dans la consigne donnée en dialecte les noms de Vuippens et de Bonjour, ce qui ne le rassura qu'à demi car Adriana pouvait aussi bien avoir ordonné, dans une langue qu'il ne comprenait pas, qu'on jetât ses compagnons dans un cul-de-basse-fosse ou pire encore.

Mais quand la porte s'ouvrit à nouveau, dix minutes plus tard, au cours desquelles elle avait encore tenté d'apitoyer son demi-frère et ancien amant, évoquant, en se tordant les mains, l'affreuse solitude dans laquelle la plongerait le départ définitif de Zélia, les

Vaudois apparurent libres, avec la Tsigane qui donnait la main au médecin.

Aussitôt, le Bulebassa, véhément, interpella sa suivante.

— Ainsi, tu veux t'en aller avec cet homme, ce *gadjo*. Tu veux m'abandonner, me laisser, toi qui m'as vue belle et qui connais l'affreux visage que je ne puis montrer à d'autres. Tu renierais ta promesse ! fulmina Adriana en se dressant sur l'estrade.

La scène prit soudain une grandeur antique. La coupole byzantine amplifiait la voix rauque de la femme au visage de statue. La lumière des torches tirait des broderies d'or de sa tunique de soie, des diamants ou émeraudes de ses bracelets et colliers, des fulgurances d'escarboucle. Son regard vairon s'affola pour la première fois.

— Parle, Zélia ! Veux-tu me quitter ? Veux-tu me laisser affronter la mort seule ?

— Je veux partager la vie de l'homme que j'aime et qui m'aime. Je veux vivre ailleurs que dans cette forteresse, dans cette prison. Dehors il y a les gens, les villes, les campagnes, les saisons, le prévisible et l'impromptu, l'invariable et l'aléatoire, les joies et les peines. Il y a tout ce que vous m'avez fait connaître et aimer pendant nos années de vagabondage et dont, soudain, vous m'avez égoïstement privée. Je veux retourner à la vie pendant qu'il est encore temps, conclut Zélia, avant de s'effondrer sur l'épaule de Vuippens.

Adriana, lentement, regagna sa cathèdre. La trompeuse impassibilité du masque laissait ignorer aux témoins les sentiments qui devaient agiter cette femme.

Axel, le premier, rompit le silence.

— Es-tu convaincue maintenant ? Crois-tu pouvoir retenir Zélia contre son gré ? demanda-t-il calmement.

Adrienne releva la tête, redressa le buste, fit effort pour rendre sa décision d'un ton ferme.

— Allez tous et soyez heureux, si vous le pouvez. Je vais donner des ordres. Vous partirez quand vous voudrez. Maintenant, laissez-moi, dit-elle la gorge serrée, s'adossant avec un geste las.

Axel s'approcha du trône. Ses amis le virent tirer un mouchoir de sa poche et, comme s'il manquait une touche pathétique à cette capitulation, essuyer la larme qui, entre les cils de loup, roulait sur le masque de laque.

— Adieu, Axou, dit-elle, lui abandonnant une main qu'il baisa.

Un court instant leurs regards vairons, exact reflet l'un de l'autre, se joignirent en un ultime échange.

— Je souhaite que tu meures rachetée et en paix, dit-il en quittant l'estrade.

Ils sortirent de Koriska à la fin de la matinée et prirent la route de Vienne. Dans la berline, Axel céda sa place à Zélia et, assis face à ces vieux amoureux, s'abandonna à la tristesse qui le tenaillait depuis qu'avait disparu de sa vue le donjon de Koriska. Adriana, vaincue et condamnée à l'isolement au milieu de son luxe et de ses sujets, Adriana qu'hier il avait détestée, lui inspirait maintenant pitié et tendresse. Ainsi se manifestait l'étrange dualité de sentiments propre à ceux qui ont le regard, le cœur et l'esprit vairons. Les passions meurent, mais les cicatrices des passions mortes restent à jamais sensibles au toucher des souvenirs.

Il se sentit soudain aussi solitaire que la châtelaine des Carpates.

# 2.

Malgré son grand âge, le pasteur Albert Duloy tint à bénir lui-même, le premier jour du printemps 1851, date choisie par Zélia, l'union du docteur Vuippens et de la Tsigane. La cérémonie fut célébrée au temple Saint-Martin, et le seul fait que le ministre le plus estimé et le plus écouté de Vevey présidât au mariage d'un enfant du pays et d'une Jenisch coupa court aux commentaires.

Dès son retour de Koriska, Axel Métaz s'était empressé de faire savoir, à deux ou trois personnes bavardes, que Zélia était sœur de Lazlo. Le majordome de Rive-Reine n'étant plus considéré comme heimatlos, la fiancée de Louis Vuippens avait bénéficié, sinon d'un préjugé favorable, du moins d'une indifférence polie.

Avant de bénir le mariage, le pasteur Duloy, qui connaissait la méfiance de ses ouailles, crut bon de cautionner publiquement la foi de Zélia et sa solide instruction.

— M^lle^ Isnakis est une bonne chrétienne et une savante herboriste. Sa famille, retirée dans les Carpates Blanches, s'honore d'avoir hébergé un saint homme, un certain Pertinent, dont le docteur Vuippens, mon ancien élève, m'a offert une médaille en argent, commenta M. Duloy.

Axel jeta un regard de biais à Vuippens, qui lui répondit d'un clin d'œil malicieux. Métaz estima que son ami aurait pu se dispenser d'aller aussi loin dans les références de Zélia. La bénédiction donnée, il se garda de détromper le ministre, qui dit voir dans la tête de mort, une rose entre les dents, l'association édifiante de deux fugacités : la vie de l'homme et celle de la fleur.

La supercherie ne nuisait à quiconque et les protestants n'ayant pas coutume, comme les catholiques, de solliciter l'intercession des saints ni de vénérer reliques et effigies, la fable de saint Pertinent *defensor* fut évoquée sans conséquences sous les ogives gothiques de Saint-Martin, qui, depuis le XVe siècle, avaient fait écho à bien d'autres !

Pour clore la cérémonie, Alexandra, venue de Genève, se mit au vieil orgue de 1776, d'où elle tira avec mérite, étant donné la qualité de l'instrument, la marche nuptiale du *Songe d'une nuit d'été,* de Mendelssohn.

La présence du général Fontsalte, qu'accompagnait son épouse, celle de plusieurs notables et de quelques exilés connus, comme le colonel-comte Golewski, incitèrent les dames de la bonne société veveysanne, amies d'Elise Métaz, à féliciter sans réticence les nouveaux époux.

Sitôt la cérémonie terminée, M. et Mme Louis Vuippens se rendirent rue des Deux-Temples [1], chez le photographe Alain-Louis Burelot, récemment installé à Vevey, afin qu'il restât une image de cette journée. Burelot était maintenant aussi coté que le célèbre photographe lausannois Samuel Heer-Tschudi, qui avait appris la photographie à Paris, et les bonnes familles veveysannes sollicitaient fréquemment ses services.

Le repas de noce se fit à Rive-Reine. Louis Vuippens rayonnait de bonheur, ce qui réjouit fort Axel. Les hommes vinrent à tour de rôle complimenter la mariée, d'une beauté sévère. Habillée à Genève par Alexandra, heureuse de retrouver cette intime compagne de sa jeunesse, la Tsigane portait une longue jupe à volants gris perle, sous un paletot de cachemire ardoise. Chapeautée et gantée avec goût, Zélia, dont la distinction naturelle et les manières élégantes furent remarquées, aurait aisément passé pour une dame de la meilleure société vaudoise. Elle étonna un peu et fit pincer les lèvres à plusieurs dames, en demandant à l'heure du café et de la lie à tirer une bouffée au cigare de son mari. Alexandra sollicita aussitôt la même faveur de son père adoptif, ce qui limita la réprobation contenue des invités.

— Es-tu heureuse ? lui demanda Axel en ouvrant le bal avec la nouvelle mariée.

— Je crois encore rêver ! Et c'est à vous que je le dois. Si vous

1. Aujourd'hui rue Sainte-Claire, qui va de la rue du Clos à la rue du Collège.

ne m'aviez pas tirée de Koriska, je serais morte ou je serais devenue criminelle. Je ne sais comment dire ma reconnaissance, ajouta-t-elle, émue.

— Tout simplement en rendant Louis heureux, dit Axel.

— Cela aussi fait partie de mon bonheur. Je vais l'aider à soigner les malades. Enfin, je servirai à quelque chose, acheva-t-elle, rayonnante.

— Comme ils ont l'air heureux, remarqua, un moment plus tard, Alexandra, au cours d'un aparté avec son parrain.

Il y avait dans le ton de la jeune femme autant de satisfaction que de mélancolie. Ce bonheur établi lui rendait encore plus sensible l'impossibilité d'en connaître un semblable. Axel, devinant ses pensées, enleva sa filleule pour une valse et leurs pas accordés en firent un couple parmi d'autres.

— J'ai eu l'impression, tout à l'heure, que ce n'était pas la première fois que tu fumais, remarqua Métaz.

— Autrefois, Zélia m'a appris à fumer des cigarettes, en cachette de Péa et de Manaïs. Comme à Koriska, elle fume, même la pipe, quand elle est seule. Et Louis ne s'en offusque pas. Les hommes fument, pourquoi les femmes devraient-elles se priver de ce plaisir ? répliqua Alexandra.

Axel mit cette attitude sur les doctrines féministes des saint-simoniens, des fouriéristes, de Flora Tristan et de Pauline Roland, que sa filleule avait en partie épousées. Après tout, la première banquière genevoise avait les mêmes responsabilités qu'un homme et s'en vantait. Depuis peu, pour affirmer une égalité de plus en plus souvent revendiquée par les femmes de sa génération, elle délaissait dans la journée la robe à multiples volants, maintenant à la mode, et les chapeaux trop ornés. Pour se rendre à la banque et aux rendez-vous professionnels, elle portait une jupe à plis, sous un mantelet-pèlerine de taffetas rouge et noir, formant faux gilet, et posait sur ses bandeaux bruns une capote stricte dépourvue de ruban, confectionnée par sa modiste dans le même taffetas bicolore que son vêtement. Pierre-Antoine Laviron trouvait cette sobriété vestimentaire parfaitement adaptée aux fonctions et aux activités de sa fille adoptive. Alliée à la raideur naturelle d'Alexandra, à l'économie de sa parole, à la rareté de ses sourires, cet ajustement d'amazone persuadait ses interlocuteurs qu'ils avaient affaire à un banquier plus qu'à une femme.

Ainsi, elle avait été enchantée d'apprendre que les commis de la banque l'appelaient entre eux mademoiselle Alex. Ce diminutif masculin de son prénom lui plaisait infiniment. N'était-il pas l'anagramme d'Axel ?

Au cours des jours qui suivirent le mariage de Vuippens, Elise, qui n'avait jamais eu grande sympathie pour Zélia, se montra amicale avec l'épouse du médecin. Cette union de la Tsigane, qu'elle avait autrefois chassée de Rive-Reine, avec le meilleur ami de son mari, praticien le plus estimé du pays, faisait de Zélia une femme fréquentable. Quant à Vincent et Bertrand, qui avaient assisté pour la première fois à un mariage, ils firent fête à M^me^ Vuippens comme à la sœur de leur ami Lazlo. L'aîné la pressa de raconter l'histoire, évoquée par un élève polonais de l'Institut Sillig, d'un certain châtelain des Carpates, excommunié pour ses méfaits et condamné, depuis deux siècles, à sortir la nuit de son tombeau pour sucer le sang des vivants endormis !

— Lazlo nous en a déjà parlé, mais sûr qu'il ne nous a pas tout dit, de peur de nous donner des cauchemars ! observa Bertrand, hochant la tête.

— C'est une légende. Ne croyez pas ces choses, intervint promptement Elise. Les morts sont inoffensifs et les vampires n'existent pas plus que les servants auxquels croient nos paysans superstitieux.

— Votre mère a raison et ce seigneur Dracula, dont vous avez entendu parler, n'était qu'un inoffensif vieux fou, conclut Zélia.

Vevey, depuis des semaines, préparait la fête des Vignerons. A l'approche de la première représentation, prévue le 7 août, toute la ville entrait en effervescence. Il ne restait que deux mois aux couturières et aux tailleurs, pédalant sur leur machine à coudre, pour achever les costumes des mille cinq cents figurants. Dans les familles, on coupait et cousait des douzaines de bannières et d'oriflammes, aux armes de Vaud et des autres cantons, qui flotteraient aux mâts déjà dressés place du Marché et décoreraient façades et balcons.

De l'Ognonaz à la Veveyse, des cantonniers suppléants nettoyaient les rues, comblaient les ornières, curaient les caniveaux. Des volontaires brossaient la margelle des fontaines, grattaient les colonnes de la Grenette dont on avait redoré le cadran, comme les fleurons du portail de la Cour au chantre et les pointes lancéolées des grilles de Rive-Reine.

Un peintre, plus appliqué qu'inspiré, avait rendu à la statue polychrome de saint Martin, juchée depuis 1678 sur la fontaine de la rue des Deux-Marchés, sa fraîcheur originelle. Le casque au cimier flamboyant, la cuirasse modelée, la courte tunique à lambrequins et la ceinture de fer du légionnaire romain offraient maintenant au regard l'aspect clinquant du neuf. Certains Veveysans trouvaient que la moustache en crocs du saint charitable ressemblait plus à l'ornement calamistré d'un dandy qu'au viril attribut d'un guerrier.

Comme tous les participants aux cortèges, les fils Métaz allaient de répétition en exercice. M. François Grast, de Genève, à qui la Confrérie des Vignerons avait confié le soin de composer les musiques de la fête, faisait répéter deux cents musiciens et cinq cents chanteurs. Le maître de ballet, M. Archinard, réglait les évolutions des jardiniers, des vignerons, des bergers et de leurs moutons, des laboureurs, des armaillis et de leurs bœufs, figurants plus ou moins lestes et disciplinés. La préparation des chars décorés, de Palès, de Cérès et de Bacchus-Dionysos, occupait menuisiers et peintres loin des regards indiscrets.

Vincent Métaz de Fontsalte eût aimé tenir le rôle du dieu du vin, mais on lui avait préféré un jeune Anglais de la pension Sillig, gras et rougeaud, dont le physique ressemblait plus que le sien à celui qu'on attribue, depuis l'Antiquité, au fils adultérin de Jupiter. L'aîné des Métaz devait se satisfaire du rôle de Pan. Lazlo avait taillé et blanchi la peau de chèvre destinée à vêtir le garçon. Marie-Blanche assurait qu'ainsi attifé Vincent ferait un dieu Pan irrésistible. Marchant en tête du cortège de Bacchus, Vincent ne pourrait manquer d'être remarqué, renchérissait le Tsigane, qui avait initié le garçon à la flûte aux sept tuyaux.

Bien qu'Axel eût répété à son fils que Pan est toujours représenté fort laid, cheveux et barbe négligés, jambes de bouc, Vincent avait décidé, avec l'accord du maître de ballet, que le Pan de la fête des Vignerons serait un athlète séduisant. « Etant donné que Pan n'a jamais existé, qu'il est capable, comme tous les dieux de la mythologie, de mille transformations, pourquoi ne serait-il pas beau et propre ? » soutenait Bertrand.

Le benjamin des Métaz, dont on connaissait le sérieux, s'était vu confier le chasse-mouches de plumes à long manche destiné à éloigner de Bacchus les insectes importuns. Seul personnage à porter la courte tunique à frise grecque, l'émoucheur serait cependant couronné de lierre, comme tous les satyres, nymphes, bergers et bacchantes de la suite du roi des buveurs. Bertrand ne tirait aucune fierté particulière d'un rôle qu'il répétait avec la même application qu'il mettait à faire ses devoirs et apprendre ses leçons.

« Je devrai faire attention à ne pas donner de la plume dans le visage de Bacchus et, comme je marcherai à côté du char, j'aurai à prendre garde qu'une roue ne me passe sur le pied. A part cela, rien de bien difficile, je vous assure », disait-il à sa mère, un peu inquiète de voir le moins hardi de ses fils dans le cortège qui se devait d'être le plus joyeux, le plus bruyant et le plus agité de la fête.

L'aîné des Métaz, déjà passablement fier de sa stature, de ses muscles développés par le sport imposé à l'Institut Sillig, de sa toison bouclée et de son regard vairon, entendait de surcroît ne pas offrir au regard des spectatrices, au jour de la fête, la peau blanche d'un étudiant. Aussi passait-il des heures à ramer en plein soleil sur le lac, afin d'acquérir le hâle qui, selon lui, devait être la carnation naturelle de Pan, dieu agreste ! Il avait obtenu du droguiste de la poudre d'or, pour badigeonner les cornes de faune dont serait pourvue la terreur des nymphes et des fauves, premier mérite du grand Pan, aux yeux de l'adolescent.

— Mon Dieu, qu'il est beau ! disait Pernette en le voyant ajuster sur son torse nu sa peau de chèvre et sauter au rythme d'un air de flûte dans la cuisine devenue salle de répétition.

Dès l'annonce de la fête, deux ans plus tôt, les autorités avaient fait accélérer les embellissements de Vevey. Depuis que la ville débordait les limites des remparts médiévaux qui l'avaient protégée, en d'autres temps, des incursions bourguignonnes ou savoyardes, les constructions nouvelles se multipliaient. Le nivellement de la place du Marché, la restauration de la Grenette, la jonction de la terrasse Saint-Martin avec la promenade de Rouvenaz, l'élargissement de plusieurs rues, les nouvelles fontaines du jardin Carrard, du Casino et de la rue du Clos, la prolongation de la promenade du Rivage, l'aménagement des berges du Léman, la plantation de nouveaux arbres et la création de massifs de fleurs, rendaient le séjour agréable dans cette ville, où l'on accédait aisément par la nouvelle route des bords du lac.

La réglementation stricte de la circulation urbaine des chars et voitures, l'interdiction « de suspendre aux fenêtres donnant sur la voie publique des linges, matelas ou paillasses », l'obligation faite à chaque particulier « de balayer la voie publique devant sa maison les mercredi et samedi », la prohibition de toute mendicité et la défense « à toute personne au-dessus de l'âge de dix ans de se baigner sans caleçon », assuraient aux six mille habitants du premier centre commercial vaudois, propreté, ordre et tranquillité.

De la promenade de l'Aile, de la terrasse Saint-Martin, des balcons de l'hôtel des Trois-Couronnes, le panorama du lac et des montagnes de Savoie paraissait aux flâneurs un spectacle suffisant, dont jamais ils ne se lassaient. Sous le soleil, le Léman aux tons changeants, turquoise à l'aube, bleu de Prusse à midi, indigo le soir, sillonné par les cochères à voiles latines et les yachts de plaisance depuis que des sociétés nautiques organisaient des régates, conférait à la cité une tonalité méditerranéenne.

Aussi, les étrangers étaient-ils de plus en plus nombreux à s'arrêter à Vevey, parfois pour de longs séjours. On s'attendait à ce que la fête des Vignerons attirât certes des confédérés, ainsi qu'on nommait les Suisses des autres cantons, mais aussi des Anglais, des Français, des Allemands, des Italiens et, même, des Russes. La plupart des hôtels, du prestigieux palace des Trois-Couronnes jusqu'à la plus modeste pension de famille, affichaient déjà complet pour la première décade d'août.

Axel, dont les premiers regards d'enfant s'étaient posés sur le décor lacustre, ne s'en rassasiait pas, la cinquantaine venue. Bambin joueur, il avait arpenté, avec des airs de matamore, la terrasse-jardin de Rive-Reine, coiffé d'un bicorne en papier, serrant un tube de carton en guise de longue vue, se voyant à la proue d'une des barques familiales qui cinglaient vers les montagnes de Savoie, contrée mystérieuse.

Dans leur prime enfance, ses fils, maintenant familiers du Léman, avaient converti la gloriette de Rive-Reine en passerelle de vapeur. Plus d'une fois, il les avait surpris avec émotion, Vincent en capitaine autoritaire, Bertrand en timonier docile, muni d'un couvercle de casserole en guise de gouvernail, mimant un accostage délicat. Quand l'*Helvétie* ou l'*Aigle,* dont l'apparition était immédiatement intégrée au jeu, longeait la rive jusqu'au débarcadère de la place du Marché, les enfants hélaient les passagers et les marins. Si le commandant, appréciant leur salut, y répondait par quelques coups de trompe cuivrés, les enfants étaient comblés. Vincent tirait un son aigrelet d'un sifflet de sureau et Bertrand, oubliant le gouvernail, frappait son couvercle quitte à se faire houspiller par son frère pour un abandon de poste condamnable au moment où le *Rive-Reine*, vaisseau immobile, était frôlé par un vapeur dont les roues à aubes précipitaient contre le parapet de la terrasse des vagues nerveuses.

Le Léman, tant de fois parcouru et par tous les temps, appartenait aux Métaz autant que leurs vignes, estimait-on à Rive-Reine.

Le carillon grinçant de la Grenette sonnait onze heures quand Axel Métaz déboucha, ce matin de mai 1851, de la rue du Lac sur la place du Marché, devenue un vaste chantier.

Côté lac, les charpentiers avaient déjà dressé trois arcs de triomphe, dessinés par le peintre vaudois François Bocion. Par ces portes monumentales entreraient dans l'arène où se produiraient les spectacles, les cortèges de Palès, de Cérès et de Bacchus.

Entre ces passages, abondamment ornés de verdure et de drapeaux, s'élevaient les gradins, où plus de huit mille spectateurs pourraient prendre place. Les citadins, ne voulant rien manquer du spectacle qui se déroulerait aussi dans les rues, sollicitaient déjà l'invitation d'amis privilégiés dont balcons et fenêtres donnaient sur les voies qui seraient empruntées chaque jour par les cortèges.

Axel traversa la place du Marché jusqu'à la colonnade de la Grenette, afin de jouir du coup d'œil sur l'amphithéâtre qui, par un effet de perspective, paraissait adossé aux lointaines montagnes de Savoie. Comme d'autres Veveysans, M. Métaz eût préféré des gradins construits face au lac plutôt que face au mont Pèlerin. Louvoyant à travers les charrois chargés de poutres et de planches, il revint sur ses pas jusqu'au bas de la place et se rendit au chantier des barques, pour son inspection quotidienne.

On discutait ferme, dans les foyers vaudois, de l'impôt progressif que le gouvernement voulait prélever, quand, fin mai, Blaise de Fontsalte reçut à Beauregard un émissaire de la présidence de la République française. Le jeune capitaine, délégué auprès du général, n'avait pas été désigné à la légère. Il s'agissait du petit-fils d'un ancien compagnon d'armes, ce qui rendit l'accueil de Fontsalte chaleureux. L'officier, attaché au cabinet du prince-président Louis Napoléon, était chargé de transmettre au général une invitation à se rendre, le 1er juin, en Bourgogne, pour assister, avec son épouse, à l'inauguration de la ligne de chemin de fer Paris-Dijon.

Comme Blaise montrait quelque étonnement, l'officier expliqua qu'il s'agissait, surtout, de fournir au président de la République l'occasion de rencontrer, d'une manière informelle, l'un des plus fidèles officiers de son oncle. Louis Napoléon devait aussi se souvenir que les généraux Fontsalte et Ribeyre avaient, en 1836, participé à la tentative avortée de Strasbourg.

— Le président m'a aussi chargé de vous annoncer confidentiellement que vous figurerez dans une prochaine promotion de la Légion d'honneur. Vous serez élevé à la dignité de grand officier, en même temps que le général suisse Guillaume Henri Dufour[1], qui dirigea l'école militaire de Thoune, où le prince fit ses études. Puis-je me permettre de vous rappeler, mon général, que le neveu de l'empereur Napoléon Ier a suscité la loi organique du 15 mai 1850, qui régit désormais l'ordre de la Légion d'honneur, compléta le capitaine.

La promotion annoncée dans l'Ordre dont Blaise avait reçu les insignes de chevalier, d'officier, puis de commandeur, de la main de Napoléon Ier, était flatteuse. Il ne l'eût cependant pas acceptée, comme certains de ses anciens compagnons d'armes, du roi Louis-Philippe, qui avait dénaturé l'insigne pendant en remplaçant l'effigie de Napoléon par celle d'Henri IV. Le Vert-galant avait d'ailleurs été à son tour évincé, en 1848, par le gouvernement de la IIe République, qui avait choisi le profil de Bonaparte, Premier consul, jugé à juste titre plus républicain que l'empereur Napoléon[2] !

Après s'être assuré que Charlotte l'accompagnerait à Dijon, Blaise rendit à l'officier une réponse favorable.

— Vous recevrez bientôt, mon général, les invitations officielles. Ma démarche n'avait pour but que d'assurer le président de la République qu'il n'essuierait pas un refus de votre part.

Quelques jours après cette visite protocolaire, les Fontsalte apprirent que Pierre-Antoine Laviron et Alexandra se rendraient, eux aussi, en Bourgogne, à l'occasion de l'inauguration du chemin de fer de Paris à Dijon.

La banque Laviron Cornaz et Cie avait placé assez d'actions des vingt-sept compagnies de chemin de fer existant en France, pour être considérée, par les financiers français engagés dans ces affaires, comme un partenaire de choix. Pierre-Antoine et sa fille adoptive entretenaient des relations cordiales avec les hommes

1. Promotion de janvier 1852.
2. Pour les modifications des insignes de la Légion d'honneur, on consultera avec profit l'ouvrage d'André Damien, *le Grand Livre des Ordres de chevalerie et des décorations*, éditions Solar, Paris, 1991.

d'affaires saint-simoniens, engagés depuis longtemps dans la construction des chemins de fer en France. Les banquiers Emile et Isaac Pereira, dits Pereire, qui tiraient l'origine de leur fortune du chemin de fer de Paris à Saint-Germain, et l'industriel Paulin Talabot considéraient le comte de Saint-Simon, disparu en 1825, comme l'apôtre des chemins de fer, « nouvelle route offerte par Dieu à l'humanité ». Ils étaient soutenus dans leurs entreprises par Barthélemy Enfantin, dit le Père Enfantin, économiste, continuateur de l'œuvre de Saint-Simon et, comme lui, partisan d'une réorganisation radicale de la société. Le fait que le défunt comte, pieux socialiste, et son disciple soient des ennemis déclarés de la propriété privée, qu'ils contestent l'héritage des biens et voient dans tout employeur un exploiteur de l'ouvrier, ne gênait pas les hommes d'affaires entreprenants. Ils approuvaient ces principes généreux et utopistes, dont personne n'envisageait l'application, spéculaient et augmentaient leur fortune. Souvent associés aux Rothschild, qui occupaient depuis 1848 des postes d'administrateurs dans les huit plus importantes compagnies de chemin de fer et investissaient dans toutes les affaires profitables, les Pereire et Talabot s'étaient trouvés en compétition pour la construction et l'exploitation de la ligne Paris-Lyon et son prolongement annoncé vers Marseille, avec un autre groupe financier. Il s'agissait de banquiers protestants conduits par le Genevois Jean-François Bartholoni, chez qui les Laviron étaient reçus à la Perle du Lac, la somptueuse villa que l'ancien employé de banque, devenu richissime, avait fait construire dans le goût italien, à Sécheron. Bartholoni, principal administrateur de la ligne Paris-Orléans, dont il avait été le promoteur avant d'en devenir concessionnaire, avait, lui aussi, des vues sur la ligne Paris-Lyon-Marseille. Possédant la voie ferrée de Paris à Orléans et celle de Saint-Etienne à Lyon, Bartholoni avait fait étudier un tracé reliant Paris à Lyon par Orléans et le Bourbonnais, via Roanne-Andrézieux et Saint-Etienne. Ses concurrents, épaulés par les Rothschild, tenaient pour une ligne passant par la vallée de l'Yonne et la Bourgogne. Après bien des entretiens confidentiels avec des politiques, la mise en œuvre de procédés discrets, propres à rendre compréhensifs ceux dont dépendaient choix et décision, toutes tractations ignorées des petits actionnaires, le groupe Pereire-Talabot-Rothschild l'avait emporté.

L'arrivée en gare de Dijon de trois premiers trains, celui conduisant de Paris le président de la République et ses ministres, les autres transportant journalistes et invités, consacrerait sa victoire sur le groupe Bartholoni et lui assurerait sans doute la concession espérée de la ligne Lyon-Avignon-Marseille.

Pendant la lutte entre les deux puissances financières, toujours prêtes à s'entendre quand leurs profits respectifs étaient en jeu, Pierre-Antoine Laviron et Alexandra étaient tombés d'accord pour maintenir des relations courtoises et intéressées avec les rivaux, sans prendre parti pour l'un ou l'autre. La banque Laviron Cornaz et Cie détenait d'ailleurs des actions de toutes les compagnies contrôlées par les deux groupes. Pierre-Antoine et sa fille adoptive se partageaient les dossiers et les contacts. Alexandra assurait la liaison avec les Pereire-Talabot-Rothschild et Pierre-Antoine avec son ami Bartholoni et les banquiers protestants.

La veille de quitter Genève pour Dijon, M. Laviron eut une longue conversation avec Alexandra. Tous deux, chacun de son côté, s'étaient efforcés, depuis des mois, de convaincre les élus, les banquiers, les gens de la Fabrique, les hôteliers et les commerçants genevois de la nécessité de créer une ligne de chemin de fer Lyon-Genève. Or, si l'idée était maintenant admise à Genève, si Bartholoni l'approuvait, si Edward Blount, banquier anglais ami de Talabot, lié à la banque Keith, correspondante londonienne de Laviron Cornaz et Cie, promettait son appui, on ne pouvait prévoir lequel des deux groupes rivaux obtiendrait la concession. Il conviendrait donc, à Dijon, de parler peu, d'écouter beaucoup et de sonder avec adresse les intentions des représentants français, politiques, investisseurs et ingénieurs.

— Ma chère petite, quittez votre tenue de banquière, mettez une jolie robe, usez de tout votre charme auprès des ministres. Je me chargerai des financiers, dit Pierre-Antoine.

— Jusqu'où puis-je aller ? demanda Alexandra en riant.

— Jusqu'au souper inclus, mais pas au-delà, répliqua le banquier en prenant, complice, la main de sa fille adoptive.

Un mois plus tard, les Fontsalte, dans leur grande berline conduite par Jean Trévotte, enchanté d'aller « faire un tour au pays », quittèrent Lausanne pour Genève, où ils retrouvèrent Laviron et Alexandra.

— Nous serons peut-être un peu serrés, mais plus on est de fous plus on rit, lança Pierre-Antoine en s'installant dans la voiture.

Alexandra, intrépide comme toujours, passa le plus clair des deux jours de trajet sur le siège du cocher, à côté du vieux Titus, enchanté de cette compagnie féminine.

Dans Dijon, pavoisé de tricolore et aux couleurs du duché de Bourgogne, les voyageurs, arrivant l'avant-veille de l'inauguration de la gare, allèrent prendre leurs quartiers à l'hôtel de la Cloche[1], rue de la Liberté[2]. La ville grouillait déjà de visiteurs, de gendarmes et de militaires chargés du service d'ordre. Ayant une journée à consacrer à la visite de la cité, les amis commencèrent par la place d'Armes, admirèrent le palais ducal, firent le tour, dans la salle des Gardes, des tombeaux ouvragés de Philippe le Hardi et de Jean sans Peur et son épouse, Marguerite de Bavière. Charlotte, bonne catholique helvète, voulut se recueillir sous les voûtes de la cathédrale vouée à saint Bénigne et fit attendre son mari et ses amis devant l'église Notre-Dame, pour voir et entendre Jacquemart frapper les douze coups de midi sur une énorme cloche suspendue. Elle s'en fut aussi caresser de la main gauche la chouette sculptée dans le contrefort ouest de l'église.

— D'après les Dijonnais, dont les doigts ont, au cours des siècles, poli le rapace cher à Athéna : « Qui flatte la chouette voit son vœu exaucé », expliqua Charlotte.

— Superstition papiste ! dit Laviron.

— Superstition païenne seulement ! rectifia Alexandra, qui se déganta pour toucher l'oiseau.

Emerveillée par le nombre de beaux hôtels particuliers que l'on voyait au long de rues étroites, Mme de Fontsalte, toujours curieuse des fastes du passé, entrait dans les cours pour admirer les façades, questionnait les concierges pour savoir qui avait habité là et qui, aujourd'hui, occupait ces demeures historiques, parfois un peu délabrées.

Après un riche repas arrosé de meursault et de chambertin, Pierre-Antoine, fatigué, et Charlotte, somnolente, regagnèrent l'hô-

1. Cet hôtel, que l'historien dijonnais Eugène Fyot (1866-1937) situe au numéro 9 de l'actuelle rue de la Liberté, était fréquenté depuis le XVIIe siècle. Il disparut quand, à l'occasion de la création de la place Darcy, en 1880, son exploitant, M. Edmond Goisset, décida de faire construire, sur l'avenue aujourd'hui nommée de la Première-Armée, un nouvel hôtel de la Cloche, plus spacieux, qui fut inauguré à Pâques 1884.

2. Anciennement rue Porte-Guillaume, puis Guillaume.

tel avec Alexandra, tandis que Fontsalte et Trévotte se rendaient à Fixin, à trois lieues de Dijon.

Titus tenait à montrer au général une statue de « Napoléon s'éveillant à l'immortalité », qui avait été commandée au sculpteur dijonnais François Rude, un temps exilé pour bonapartisme, par un Bourguignon, le capitaine Claude Noisot. Inauguré le 19 juillet 1847, le monument était aussitôt devenu un but de pèlerinage pour les grognards et les nostalgiques de l'Empire.

Le capitaine Noisot vouait à l'empereur une véritable vénération. Il avait accompagné Napoléon à l'île d'Elbe et ne l'avait quitté qu'au lendemain de Waterloo. Ce vétéran accueillit avec empressement le général et Titus, à qui il serra chaleureusement la main quand il apprit que l'adjudant avait perdu une jambe à Marengo. L'hôte se montra intarissable sur les espoirs et les désillusions des Cent-Jours, dernier sursaut impérial, la seule période qu'il eût vécue.

L'ancien soldat de Napoléon, ainsi qu'il se nommait lui-même, invita bientôt les visiteurs à gravir, au flanc d'une colline boisée, d'où le regard portait sur les fameux vignobles de Gevrey-Chambertin, de Chambolle-Musigny et, au loin, sur le château du Clos de Vougeot, les cent marches symboliques qui, taillées à même le roc, conduisaient au monument.

Le général et Trévotte se découvrirent spontanément devant la statue de l'empereur. A demi allongé sur le côté droit, Napoléon, en uniforme de chasseur, émerge d'un linceul de bronze et porte sur l'horizon le regard conquérant de Bonaparte. Blaise constata que le sculpteur avait préféré reproduire les traits fermes et fins du Premier consul plutôt que le visage empâté de l'exilé de Sainte-Hélène.

— C'est bien ainsi qu'il était quand nous franchîmes les Alpes avec lui, en mai 1800 ! commenta Blaise.

— Oh oui ! C'est bien lui ! confirma Titus, ému.

Le capitaine Noisot respecta l'instant de recueillement des deux anciens, puis, désignant dans le bas de la sculpture l'aigle expirant, aile brisée, bec entrouvert, qui tente de se dégager du suaire, il confia à Blaise que Louis Napoléon, venu en visite l'année précédente, n'avait pas approuvé ce rappel de la défaite. M. Rude, auteur de *la Marseillaise* de l'Arc de triomphe, place de l'Etoile, à Paris, ignorait que toute vérité n'est pas bonne à couler dans le bronze de l'histoire !

Le général félicita le capitaine Noisot de maintenir ainsi vivant, avec foi et de ses deniers, le souvenir de celui qu'ils avaient l'un et l'autre servi. Il rappela au vieux soldat que l'empereur avait dit à son premier valet de chambre, Louis Marchand, à Sainte-Hélène : « Lorsque je ne serai plus, achète un coin de terre en Bourgogne, c'est la patrie des braves. J'y suis aimé ; on t'y aimera à cause de moi. »

— Marchand, comme vous, a suivi ce conseil. Il s'est installé à Perrigny, près d'Auxerre, conclut le général.

Comme les visiteurs prenaient congé, Noisot leur révéla qu'il souhaitait être enterré debout, face à la statue de l'empereur [1].

Le dimanche 1er juin 1851, sous un soleil complice, l'inauguration de la ligne de chemin de fer de Paris à Dijon et de son aboutissement provisoire, la belle gare construite dans la capitale des ducs de Bourgogne, fut perçue par tous les assistants comme une célébration exemplaire de la puissance industrielle en marche. La vapeur, qui, dans les ateliers, suppléait aux muscles des ouvriers, faisait mouvoir les bateaux sur les mers et les lacs, enfonçait à mille pieds sous terre et remontait au jour les mineurs, animait les métiers à tisser et les laminoirs, transportait maintenant en toute sécurité les voyageurs de Paris à Dijon, soit trois cent quinze kilomètres, en sept ou huit heures.

— Les trente mille habitants de Dijon, plus des milliers de gens venus de la campagne, convergent vers la gare. Faites attention aux pickpockets, messieurs et dames, prévint l'hôtelier en voyant ses clients suisses quitter l'hôtel.

Près de la porte Guillaume, ancienne entrée principale de la ville dédiée à Guillaume de Volpiano, réformateur, au xe siècle, de l'abbaye bénédictine de Saint-Bénigne, les flonflons d'un orchestre faisaient patienter les curieux. Soulevée par les voitures et des milliers de piétons endimanchés, une poussière ocre, grasse et suffocante s'élevait des chaussées. Charlotte et Alexandra, protégeant lèvres et narines derrière leur mouchoir, furent bien aise, après une marche forcée dans la foule, de prendre place, avec Blaise et Pierre-Antoine Laviron, dans la tribune des invités. Celle-

1. Bien que le capitaine Noisot ait légué sa propriété et le monument à la commune de Fixin, sa dernière volonté ne fut pas exaucée. Le roc est, paraît-il, trop dur pour que l'on puisse y creuser un caveau. Le tombeau du capitaine, surmonté de son buste en bronze, a donc été placé à peu de distance du monument dédié à l'Empereur, sur lequel le vieux soldat semble veiller pour l'éternité.

ci flanquait une sorte de kiosque à toit pointu construit sur l'embarcadère du chemin de fer. Pourvu d'un escalier monumental, l'édifice, qui n'était pas sans rappeler la tente somptueuse d'un prince du désert, abritait un autel sous baldaquin. Le décorateur municipal, M. Poinsot, avait drapé l'ensemble de tentures d'argent, bordées de franges d'or, et suspendu des faisceaux de drapeaux tricolores émergeant d'écus frappés des lettres R et F entrelacées, blason simplet d'une république sans passé.

Sous le dais, tout en haut des marches, l'évêque de Dijon, Mgr François-Victor Rivet, coiffé de la mitre et crosse en main, se préparait à accueillir, avec le maire de la ville, M. Louis André, et les autorités locales, le prince Louis Napoléon, président de la République.

— Que vient faire un évêque dans cette cérémonie ? demanda Laviron, dont la susceptibilité calviniste s'effarouchait au spectacle des pompes romaines.

— La France, mon cher ami, est fille aînée de l'Eglise et...

La fin de la phrase de Charlotte fut couverte par des coups de canon et les carillons de tous les clochers de la ville. Le convoi présidentiel, tiré par deux locomotives, entrait en gare avec seulement une heure et demie de retard.

Dès que le président, en uniforme bleu de général de la Garde nationale, le buste barré par le grand cordon de la Légion d'honneur, eut mis pied à terre, il s'avança vers le pavillon où l'attendait l'évêque, assisté de son clergé.

Le discours du prélat fut chaleureux. Après avoir dit sa satisfaction de voir l'Eglise associée à l'hommage rendu au génie industriel français, l'évêque ajouta : « La France se grandit encore par les rapports qu'elle entretient avec le divin maître de la Terre et des Eaux. Oh ! vous avez bien compris ce sentiment si honorable pour l'homme, vous, Prince, qui ce matin avez voulu abaisser devant Dieu cette suprême magistrature à laquelle le suffrage de six millions de Français vous a élevé. »

Le président s'inclina et Mgr Rivet bénit d'un geste ample toutes les locomotives alignées comme pour la parade. Décorées de drapeaux et de feuillage, les machines haletaient, tels des monstres impatients. De leurs maigres cheminées jaillissaient, dans l'air immobile, des fumées charbonneuses, à l'odeur âcre. Des escarbilles retombaient sur les ombrelles et les capelines, pendant qu'une chorale interprétait le *Veni Creator*.

Blaise de Fontsalte reconnut, dans la suite présidentielle, le général de Castellane, le général Paulin et le colonel Vaudrey, qui commandait, en 1836, le 4e régiment d'artillerie de Strasbourg.

— Le colonel Vaudrey est le chef de la Maison militaire du président, souffla le jeune officier chargé de piloter le général Fontsalte.

— Le prince lui devait bien ça, dit Blaise, se souvenant du complot raté.

La cérémonie terminée, Louis Napoléon se mit en selle pour se rendre à la préfecture, accompagné de son état-major, escorté par des dragons, des cuirassiers et des gendarmes. Le cortège, acclamé par une foule dense et chaleureuse tout au long du parcours, emprunta la rue de la Liberté jusqu'à la place d'Armes, les rues Rameau et Lamonnoye, la place des Ducs et la place Notre-Dame pour atteindre l'hôtel de la Préfecture.

— On estime que plus de soixante mille personnes sont venues assister à cette fête, qui coûtera, dit-on, vingt-cinq mille francs à la municipalité, révéla l'ordonnance au service temporaire du général Fontsalte.

Blaise et Charlotte, qui avaient pris place dans une voiture louée par le protocole, furent conduits à la préfecture par des rues détournées. Les corps constitués et les personnalités devaient être en place avant l'arrivée du chef de l'Etat.

Pierre-Antoine Laviron et sa fille adoptive, invités des administrateurs de la compagnie de chemin de fer, furent, eux aussi, accueillis par le préfet et son épouse. A peine sortie du salon réservé aux dames pour parfaire leur toilette, Alexandra sut habilement manœuvrer pour être présentée, en tant qu'étrangère, au ministre des Finances, M. Achille Fould, puis à M. Léon Faucher, depuis peu ministre de l'Intérieur, au comte Jacques César Randon, ministre de la Guerre, ainsi qu'à M. Pierre Magne, ministre des Travaux publics. Mais ce fut sur un membre du cabinet de ce dernier que la banquière genevoise jeta son dévolu. L'aimable fonctionnaire avait eu l'imprudence de lui confier qu'il préparait pour son ministre les dossiers relatifs aux concessions de chemin de fer.

Pierre-Antoine Laviron, occupé avec les banquiers, vit avec satisfaction Alexandra en conversation avec ce membre de la suite présidentielle.

Avant de recevoir, comme annoncé, les personnalités civiles et militaires, le prince-président tint à honorer les bâtisseurs de chemin de fer. Il remit plusieurs décorations dont la cravate de commandeur de la Légion d'honneur à M. Jullien, ingénieur en chef de la ligne Paris-Lyon.

La réception touchait à sa fin quand Alexandra vint présenter à son père adoptif le jeune fonctionnaire qui lui avait, jusque-là, tenu compagnie. Jouant les parfaites demoiselles de la rue des Granges, elle demanda la permission d'accepter l'invitation à dîner, selon le vocabulaire parisien, que venait de formuler le membre du cabinet ministériel. Cet homme élégant se proposait aussi de la conduire au bal, donné plus tard pour les invités de marque dans les salons de l'hôtel de ville.

— C'est avec plaisir, monsieur, que je vous confie ma fille, car je ferais moi-même un piètre cavalier, dit le banquier.

Puis, se tournant vers Alexandra, il ajouta :

— Ne rentre pas trop tard. Nous devons, tôt demain, prendre la route de Genève.

Tandis que le général Fontsalte, invité, après d'autres, à s'entretenir avec le président de la République, disparaissait dans un salon, M. Laviron apprit de la bouche d'un des administrateurs de la ligne que le gouvernement français se préparait à regrouper en six grandes sociétés fermières toutes les compagnies existantes. Ces groupes, plus puissants, pourraient développer le réseau destiné à joindre Paris à toutes les grandes villes de province et, bien sûr, à Bruxelles et à Genève. Son informateur laissa entendre que les Pereire-Talabot-Rothschild, assurés d'obtenir la concession de la ligne Lyon-Marseille, n'entreraient pas en compétition avec le groupe Bartholoni si celui-ci se portait candidat à la construction de la ligne Lyon-Genève.

Au soir de cette journée historique, Pierre-Antoine, réjoui par ce qu'il avait appris dans l'après-midi, retrouva les Fontsalte au banquet officiel de deux cent cinquante couverts, servi dans la salle de la Société philharmonique de Dijon. La qualité des mets servis fut à la hauteur de la réputation gastronomique de la Bourgogne et les vins firent les délices du banquier, fin connaisseur. Le romanée 1842 lui parut le plus suave, encore que le corton eût mérité tous les éloges d'un Genevois dont le palais, habitué à la dole, découvrait soudain aux crus français une rondeur, un arôme et une ampleur inimitables.

— Savez-vous qu'ils savent vendre leurs vins, les Bourguignons ! Une bouteille de romanée vaut huit francs cinquante et le corton six francs cinquante ! commenta le banquier admiratif.

Le maire de Dijon, s'étant levé pour prononcer un toast, coupa court aux considérations œnologiques du Genevois. Après les compliments d'usage, le magistrat en vint a des considérations plus politiques. S'adressant à Louis Napoléon il dit : « Vous êtes non seulement, Prince, l'héritier du nom qui porta le plus haut la gloire de la France, mais encore, avec une fermeté et une abnégation qui n'appartiennent qu'aux grands cœurs et aux grands courages, vous avez arrêté dans leur déchaînement les passions prêtes à déchirer le sein de la patrie. »

Quand le prince-président prit la parole pour remercier son hôte, tous les assistants s'attendaient à un discours de pure courtoisie. Ils eurent droit à une harangue politique.

« Si mon gouvernement n'a pas pu réaliser toutes les améliorations qu'il avait en vue, il faut s'en prendre aux manœuvres des factions, qui paralysent la bonne volonté des assemblées comme celle des gouvernements les plus dévoués au bien public », attaqua d'emblée le prince. Puis il reprit, devant un auditoire de plus en plus attentif : « Je profite de ce banquet comme d'une tribune pour ouvrir à mes concitoyens le fond de mon cœur. Une nouvelle phase de notre politique commence. D'un bout de la France à l'autre des pétitions sont signées pour demander la révision de la Constitution. J'attends avec confiance les manifestations du pays et les décisions de l'Assemblée qui ne seront inspirées que par la seule pensée du bien public. » Puis le président, ferme et clair, conclut : « Si la France reconnaît qu'on n'a pas le droit de disposer d'elle sans elle, la France n'a qu'à le dire : mon courage et mon énergie ne lui manqueront pas. »

— Eh bien ! dit Blaise, voilà un discours qui va remuer la fourmilière politicienne !

Charlotte, fatiguée, renonça à se rendre au bal qui ne devait commencer qu'à dix heures. Sitôt les discours prononcés, les Suisses regagnèrent donc l'hôtel de la Cloche. Chemin faisant, Pierre-Antoine voulut connaître la teneur de l'entretien que le général avait eu à la préfecture avec le président de la République.

— Il m'a complimenté pour mes services passés auprès de l'empereur, m'a annoncé qu'il allait faire d'Exelmans le nouveau grand chancelier de la Légion d'honneur après l'avoir promu, le 11 mars dernier, maréchal de France.

— Diantre ! Maréchal de France ! s'exclama le banquier.

— Cher ami, le bâton de maréchal n'est plus, de nos jours, l'insigne du commandement. C'est un bâton de vieillesse, assorti d'un bon viatique. Exelmans a soixante-seize ans. Ce fut, sinon un grand stratège, du moins un bon et fidèle soldat qui servit, sans une défaillance, l'empereur. Colonel à Austerlitz, général à Eylau, il fut capturé par les Anglais en Espagne, en 1808, s'évada en 1811 et reprit aussitôt du service. N'oublions pas que la France doit à ses dragons notre dernière victoire sur les Prussiens, à Rocquencourt, le 1er juillet 1815. Proscrit par Louis XVIII, Exelmans ne revint en France qu'en 1819. L'honneur qui lui échoit est donc largement mérité. Cela plaira à tous les anciens de l'Empire, conclut Blaise.

— Mais n'avez-vous pas parlé de politique et... de chemin de fer ? insista Pierre-Antoine que les exploits militaires intéressaient moins que les affaires.

— Cet après-midi, on a entendu, au passage du cortège présidentiel, les cris de « Vive Napoléon ! », « Vive l'empereur ! », « Vive le neveu de l'empereur ! », qui ont été immédiatement étouffés par des « Vive la République ! ». Les premières acclamations ont fortement agacé les hommes de parti et, au cours du banquet, j'ai perçu les propos de certains, qui donnent le ton de ces factions auxquelles le prince a fait allusion. L'opposition, qu'elle soit légitimiste ou socialiste, est exacerbée depuis que la pétition lancée pour demander la prolongation du mandat de quatre ans du président a réuni, dit-on, plus d'un million de signatures.

— Je me suis laissé dire que c'est une campagne orchestrée par M. de Morny, le demi-frère du prince, et avec l'accord de celui-ci, objecta Laviron.

— Mon cher, toute les pétitions sont orchestrées, ce n'est pas à un citoyen de Genève que je vais l'apprendre ! Je pense que Louis Napoléon, dont la police est bien faite, s'attend, après le discours de ce soir, véritable déclaration de guerre aux partis, à des réactions désagréables de la politicaille. Depuis un demi-siècle, ces faisans ont servi, exploité, flatté et trahi, cinq ou six gouvernements. Avides de places, ils savent dans quel mépris les tiennent les vieux bonapartistes et les vrais patriotes. Ils savent aussi qu'ils n'obtiendront rien du régime en place et moins encore de celui qui se prépare. Car, vous l'avez entendu comme moi de la bouche du prince-président, « une nouvelle phase politique commence ». Et tout le monde a compris qu'il ne se laissera pas impressionner par les braillards et suivra son chemin.

— J'ai bien entendu. Mais qu'est-ce que ça veut dire ? demanda M. Laviron.

— Ça veut dire, cher ami, que Louis Napoléon n'a voulu retenir aujourd'hui que les cris de « Vive l'empereur ! » et qu'il s'est déjà remis à conspirer, cette fois contre la République !

— Vous a-t-il parlé chemin de fer ? C'était bien le jour, non ? insista le banquier.

— Il m'a répété ce qu'il a déjà dit l'an dernier à Epernay, en inaugurant la ligne de Paris à Strasbourg : « Si l'empereur Napoléon eût connu la vapeur, jamais nous n'aurions vu les étrangers envahir la capitale de la France. »

— Croyez-vous franchement que le chemin de fer eût changé le cours de l'histoire ? demanda Charlotte.

— Non, je ne le pense pas. Car si nous avions eu la vapeur et le chemin de fer, les Prussiens en eussent aussi disposé. Une locomotive, jamais, n'abolira le destin, conclut Blaise.

Le lendemain, quand, au moment du départ, le groupe se reconstitua devant la berline des Fontsalte, Alexandra confessa qu'elle avait dansé jusqu'à trois heures de la nuit.

— Mon cavalier s'est conduit en parfait gentilhomme. Un peu complimenteur, comme tous les Français, mais d'une irréprochable correction. Seule déclaration intéressante de sa part : son ministre est tout à fait favorable à la création de la ligne Lyon-Genève. Il pense que des conversations devraient bientôt s'engager avec le gouvernement de M. Fazy. J'ai cru comprendre que le général Dufour, qui est au mieux avec Louis Napoléon, pourrait aider à la réalisation du projet, dit Alexandra.

— Je vois, ma chère fille, que tu n'as pas perdu ton temps. Avec ce que nous savons maintenant, dès que nous serons rentrés, je fais rafler, à Paris, Londres et Amsterdam, toutes les actions disponibles des compagnies de Bartholoni, dit le banquier, se frottant les mains.

Le retour fut plus rapide que l'aller, malgré de fréquentes averses qui détrempaient les routes. La pluie obligea le plus souvent Alexandra à déserter la banquette du cocher où Titus, enveloppé dans une houppelande de toile cirée, pestait contre le temps humide qui réveillait ses rhumatismes. Quant à Pierre-Antoine Laviron, fatigué par le voyage, le séjour dijonnais et l'excitation affairiste, il n'émergea du sommeil qu'à l'heure des repas.

— Ces somnolences ne sont-elles pas anormales ? M. Laviron n'est-il pas malade ? demanda Charlotte à Alexandra quand, au cours d'une halte, les deux femmes se trouvèrent un moment seules.

La jeune banquière, qui, toujours, maîtrisait ses sentiments, ne tenta pas de dissimuler son inquiétude devant la mère d'Axel, de qui elle appréciait la complicité.

— Vous avez vu que Péa se déplace de plus en plus difficilement. Il souffre de troubles respiratoires. Louis Vuippens, venu dîner rue des Granges il y a quelques jours avec Zélia, m'a dit qu'il peut, d'un moment à l'autre, avoir une attaque, qui le paralyserait ou le tuerait d'un coup, par suite de l'éclatement d'une artère. La vie sédentaire qu'il a toujours menée, sans autre exercice qu'aller de la rue des Granges à la Corraterie et de la Corraterie à la rue des Granges, le fait, aussi, qu'il ait, sa vie durant, absorbé trop de nourriture grasse, expliquerait, dit le médecin, que sa circulation sanguine se ralentisse par moments. D'où ces somnolences et ces lenteurs dans le geste, expliqua Alexandra.

— Il devrait se ménager, ne plus traiter autant d'affaires. Vous laisser les guides, observa Charlotte.

— On ne peut lui faire entendre raison. Vuippens dit que l'inaction serait pour lui un remède pire que le mal. Alors, avec Manaïs, nous guettons et nous prions, conclut Alexandra avec un triste sourire.

Quand, après le col de la Faucille, la berline amorça la descente vers Sécheron et que le lac bleu apparut aux regards des voyageurs, M. Laviron parut retrouver aisance et vigueur.

— Qu'il est beau, notre Léman ! Je ne conçois pas qu'on puisse vivre et mourir loin de ce rivage béni des dieux, dit le banquier.

Alexandra échangea un regard avec Charlotte. Les deux femmes étaient bien aise, elles aussi, de voir se profiler, au loin, la flèche de Saint-Pierre.

Le banquier et sa fille adoptive avaient repris leurs habitudes rue des Granges et leurs travaux à la Corraterie quand Axel Métaz s'annonça. Capitaine de la milice vaudoise, il accompagnait à Genève, à l'occasion du tir fédéral organisé au cours de la deuxième semaine de juillet, les carabiniers veveysans, car parmi les meilleurs tireurs figuraient Paulin Tabourot, le bacouni de Rive-

Reine, et Armand Bonjour, le contremaître des vignes. Une fois qu'il eut installé les carabiniers dans leur cantonnement, Axel se rendit chez les Laviron.

Alexandra raconta à son parrain l'expédition dijonnaise, avant d'évoquer les profits que la banque allait tirer des informations recueillies. Pierre-Antoine, pour qui cet épisode appartenait au passé, ne cacha pas qu'une autre affaire le préoccupait. Les Genevois venaient d'apprendre que James Fazy, à qui le Grand Conseil avait fait donation, un an plus tôt[1], en reconnaissance de son dévouement à la patrie genevoise, d'une parcelle de deux cents toises, à prendre sur les terrains libérés par la destruction des fortifications, venait avec aplomb de choisir le meilleur emplacement disponible.

— Alexandra convoitait cette parcelle pour faire construire un immeuble de rapport, le nouveau quartier de la rive droite — conquis sur les anciens bastions de Chantepoulet, du Cendrier, de Cornavin et sur les fossés en voie de comblement — étant promis à un bel avenir commercial et résidentiel, d'autant plus qu'on projette la construction d'un grand pont, entre les Pâquis et le nouveau Jardin anglais, expliqua le banquier.

En s'attribuant une part des terrains libérés après la démolition du bastion de Chantepoulet, à l'angle de la future rue du Mont-Blanc, qui relierait la rive du lac à la porte de Cornavin, et du rivage des Pâquis, aménagé en quai-promenade, le président du Conseil d'Etat s'offrait de quoi construire un hôtel ou un immeuble magnifiquement situé.

— Il aura une aussi belle vue sur le Léman et le mont Blanc que l'hôtel des Bergues ! fulmina Pierre-Antoine.

— L'ingénieur cantonal Jules Beaumont a prévu de réaliser là ce qu'on nomme déjà le square du Mont-Blanc. Ce sera, dit-on, entre Chantepoulet et le Cendrier, la plus prestigieuse opération immobilière que Genève ait jamais connue. Sur ce quadrilatère, on va pouvoir construire vingt immeubles, dont celui de Fazy, et des commerces autour d'un jardin planté d'arbres. On accédera au square par quatre passages ménagés sous les maisons avec plafonds à caissons et statues dans le goût grec, précisa Alexandra.

— Je vois là une manifestation de la folie des grandeurs fazyste ! jeta Pierre-Antoine.

1. Délibération du 22 juin 1850.

Attaché à l'ambiance de la vieille ville, aux rues pavées, pentues, étroites et ombreuses, aux dômes, aux hôtels particuliers du XVIII^e siècle tel celui qu'il habitait, le banquier ne pouvait imaginer que des gens aisés acceptent de louer, à prix d'or, des appartements, si bien placés et si bien aménagés fussent-ils.

— Les familles se superposeront, tels des bocaux sur des rayons d'épicerie ! Les uns marcheront sur la tête des autres, comme dans les vieilles masures de Saint-Gervais ! ajouta le banquier.

— En tout cas, les premières constructions vont bientôt sortir de terre et nous sommes déjà, nous aussi, propriétaires d'une parcelle d'angle qui donne sur le futur quai. Il n'est pas impensable que nous puissions y bâtir un hôtel, plus petit mais plus confortable et plus luxueux que les Bergues, risqua Alexandra.

— Ah ! ma petite, il nous faudra composer avec les radicaux ! Les plans de Beaumont sont critiqués par mon ami l'architecte Christian Wolfsberger, dont nous savons tous qu'il est un collaborateur du plus sensé des Genevois, notre cher général Dufour. Guillaume Henri est bien le seul à qui j'aurais fait confiance en matière d'urbanisme, si Fazy ne l'avait écarté, après lui avoir offert une parcelle de terrain attenante à sa propriété des Contamines et, il y a deux ans, un sabre d'honneur ! fulmina le banquier.

— En tout cas, le nouveau quartier de la rive droite, où l'on a prévu d'attribuer des terrains à sept lieux des cultes de toutes religions, à des écoles, à des salles de réunion, à un bâtiment pour les postes fédérales, à des commerces de luxe et Dieu sait quoi encore, sera certainement animé et, dans quelques années, très couru, dit Alexandra.

— Je ne verrai pas l'aboutissement de tout ça, dit, mélancolique, Pierre-Antoine, au moment de passer à la salle à manger où, quelle que soit son humeur, il faisait toujours honneur aux mets servis.

En cet été brûlant, les affaires se traitant plutôt le matin à la fraîche, Alexandra proposa à son parrain d'aller, l'après-midi, prendre un bain dans l'Arve. Depuis 1820, un établissement fréquenté par les bonnes familles fonctionnait à proximité de la Jonction, confluent romantique de l'Arve et du Rhône.

Après le bain, pris séparément comme l'exigeait la bienséance imposée par le règlement intérieur de l'établissement, Alexandra, à peine installée dans son cabriolet, proposa une promenade jusqu'à la Jonction. Ils abandonnèrent la voiture sous un arbre, devant le pont en fil de fer qui reliait le bastion de Hollande à la Coulouvrenière. Passé le pont, ils s'avancèrent sur le sentier des Saules, chemin ombragé, jusqu'au terre-plein effilé au bout duquel le Rhône, pressé, rapide, dominateur, s'empare de l'Arve. En ce lieu isolé, le fleuve, hussard à l'armure de turquoise fluide, lancé au galop, enlève, brutal et passionné, la rivière, fille à robe boueuse descendue de la montagne. Leur étreinte se perdait alors en remous nerveux dans un méandre, entre les falaises de Saint-Jean et les bois de la Bâtie. Axel et Alexandra observèrent un instant ces noces liquides puis la jeune femme, sans lever les yeux de la confluence, rompit le silence.

— Qui nous verrait nous prendrait pour des amoureux ! dit-elle.

Axel perçut dans le ton autant d'ironie que d'aigreur. Il entoura de son bras les épaules de sa filleule.

— Ne sommes-nous pas des amoureux… à notre façon, dit-il posément.

— Des amoureux malheureux, qui n'osent pas les gestes de l'amour ! répliqua-t-elle, brusque et amère, en se dégageant.

Il retira son bras mais obligea la femme à lui faire face.

— Alexandra ! Il faut que tu saches que le désir est en moi comme en toi. Mais le satisfaire m'apporterait plus de honte que de plaisir. Comprends cela et cesse de me torturer !

— Tu es étrange, Axel ! Ton intelligence si fine, si lucide, si sensible, ne te dit-elle pas qu'il est à la fois stupide, hypocrite, et même contre nature, de lier la notion de péché au seul acte sexuel et non au désir qui le réclame. Je me demande si le péché n'est pas plutôt dans la résistance au désir ! conclut-elle railleuse.

— C'est presque un blasphème, Alexandra !

— As-tu manifesté autant de scrupules avec les autres ? As-tu résisté aux avances de cette Anglaise, de qui tu m'as parlé, autrefois ? Et aux charmes pervers, d'après ce que je sais, de ta folle demi-sœur des Carpates, geôlière de Zélia ?

— J'étais très jeune, Alexandra.

— Avec la belle rousse de Lausanne, hein, tu l'étais moins, et marié de surcroît !

— Tais-toi ! Tu es une sotte ! Tu ne veux pas comprendre !

Alexandra s'éloigna du parapet, se raidit, le regard dur.

Il n'avait jamais vu sa filleule en colère et ne savait que dire ni que faire. Devait-il l'embrasser ou la gifler ?

— Oh si, je comprends ! Je comprends que je suis laide et sèche, vieille fille à la peau terne ! On m'a déjà traitée de sainte

Agathe. D'ailleurs, tous les hommes me respectent... infiniment. Même les Français ! Je comprends que tu n'aies pas envie de me mettre dans ton lit, toi, qui connus de si belles femmes. Voilà ce que je comprends ! Ça ne fait qu'une hypocrisie de plus à ton actif, parrain, acheva-t-elle, rageuse, avant de s'éloigner à grands pas sous les saules.

Désemparé, Axel la suivit à distance. Avant qu'il l'ait rejointe, elle avait passé le pont en fil de fer, sauté dans son cabriolet et lancé son cheval en direction de la ville.

Un peintre, qui tentait avec application de reproduire le fougueux embrassement du Rhône et de l'Arve, leva les yeux de son chevalet et salua au passage, d'un sourire narquois, cet homme aux tempes grisonnantes que sa maîtresse venait de planter là.

« Si ce barbouilleur savait ce qu'il en est, il se moquerait encore plus franchement du vieil imbécile que je suis ! » se dit Axel Métaz, courroucé et contraint de rentrer en ville à pied.

Il se rendit directement à la caserne de Chantepoulet, où il retrouva les carabiniers veveysans, et vida avec eux quelques verres de vin des coteaux de Dardagny, en croquant des malakoffs.

M. Métaz s'endormit la conscience en repos. Ce caprice d'Alexandra était dépit de femme qui ne se sent pas désirée. Et cependant, sa filleule n'était ni laide ni sèche et, Dieu merci, pouvait offrir mieux que le corsage plat d'une sainte Agathe !

A l'aube naissante du dimanche 6 juillet, les clairons et les cloches rompirent le sommeil de centaines de tireurs. Une fois harnachés pour le défilé, tous se mirent en route derrière leurs bannières pour accueillir les confédérés qui arrivaient par le lac à bord de deux bateaux à vapeur escortés d'une centaine d'embarcations sous grand pavois. Puis, derrière trois musiques militaires, les délégations des cantons, regroupées et en bon ordre, se dirigèrent vers les installations du tir fédéral, au pré Vincy, dans le quartier Cornavin.

Au pied de la tour des prix, M. James Fazy prononça l'allocution de bienvenue, le landammann d'Aarau, où avait été organisé le précédent tir fédéral, lui répondit, et les chœurs interprétèrent le *Chant du drapeau*. Aussitôt après cette cérémonie, les épreuves commencèrent. Elles se prolongèrent jusqu'au dimanche suivant.

Chaque nuit, la fête animait Genève, pavoisée d'oriflammes, de pavillons, de banderoles, de guirlandes. La ville était illuminée par des lampions et les flammes trémulantes du gaz, que dispensaient des rangées de becs, sur cinq croix fédérales dressées à l'île Rousseau, aux façades de l'hôtel des Bergues et de plusieurs banques. Les tireurs, héros du moment, se mêlaient à la foule joyeuse et bruyante, sur les quais et dans les rues décorées d'arcs de feuillage.

Axel Métaz goûtait peu les manifestations populaires, mais il se retint de monter rue des Granges et demeura au côté des tireurs de Vevey. A plusieurs reprises, au cours de ces journées, il rencontra Pierre-Antoine Laviron. Le banquier participait, avec une douzaine de patriciens, anciens grenadiers, à l'accueil des personnalités et à la remise des prix et trophées. Engoncé dans son déguisement patriotique, habit bleu, culotte et buffleterie blanches, guêtres de laine, suant et soufflant sous le bonnet à poil, le Genevois se dépensait comme si le succès de la manifestation eût dépendu de son activité.

— Rendez-vous demain soir au banquet, lança-t-il, le dernier jour du tir, alors qu'il croisait Axel entre deux cibles.

M. Métaz s'abstint de paraître au souper officiel mais se rendit à celui de la Société de Zofingen, car il comptait des amis parmi ses membres. Après avoir porté son toast et avant que les anciens étudiants ne s'abandonnent, entre deux chansons, aux beuveries inévitables, il regagna son cantonnement.

Il dormait profondément et une aube pluvieuse grisaillait aux fenêtres quand un planton vint le réveiller.

— Nous avons à l'aubette une dame, qui veut vous voir d'urgence, capitaine. Elle dit être votre filleule. Je ne voulais pas vous déranger, mais elle insiste pour vous parler d'urgence.

Rapidement vêtu, Axel retrouva Alexandra au poste de garde. Sous une capuche dégoulinante de pluie, le visage de la jeune femme était blême. Avant même qu'il eût parlé, elle l'informa :

— Péa n'est pas rentré rue des Granges. Nous sommes très inquiètes. Je suis allée tirer les sonnettes d'un ancien grenadier, qui était avec lui au banquet. Il se souvient seulement que leur camarade était très gai et qu'il porta des toasts aux chemins de fer ! Il faut le trouver, Axel. J'ai là mon cabriolet. Il faut faire le chemin qu'il a dû suivre, de la tente du banquet à la rue des Granges.

— Il a pu s'enivrer et un ami a pu l'héberger, dit Axel, pour rassurer Alexandra.

— Je pressens un malheur, Axel. Chaque soir, depuis le commencement du tir, il est rentré exténué et excité comme un collégien. Viens, parcourons la ville. Et si nous ne le trouvons pas, nous irons demander l'aide des gendarmes.

Axel Métaz prit les rênes en silence. Dans la ville déserte commença une quête dont l'un et l'autre redoutaient déjà l'issue. Ils errèrent au pas jusqu'au moment où, au pied de la tour de l'Ile, un petit attroupement retint leur attention. Des ouvriers de la Fabrique, se rendant aux ateliers, s'écartèrent devant la voiture.

— Qu'est-ce qu'il doit tenir le grenadier, m'sieurs dames, pour rester à dormir sous la pluie ! lança l'un d'eux.

— On sait pas si c'est un grenadier ou un ramoneur, il est barbouillé de noir, comme un qui descend d'une cheminée !

Et tout le groupe de s'esclaffer en s'éloignant.

Axel sauta sur la chaussée et reconnut aussitôt Pierre-Antoine, allongé contre le parapet du pont. Son bonnet à poil avait glissé et découvrait son front maculé. Sous l'ondée, les cheveux teints avaient rendu leur couleur. Des coulis bruns tatouaient ses joues, glissaient jusqu'au menton, grotesque maquillage.

— Mon Dieu, dans quel état est-il ! Comment peut-on dormir là ? s'écria Alexandra en rejoignant Axel, agenouillé près du corps inerte.

— Il ne dort pas, Alexandra. Pierre-Antoine est mort.

La jeune femme se mit à trembler de tous ses membres. Des larmes jaillirent de ses yeux.

— Mon Dieu, Axel, qu'allons-nous faire ?

— D'abord, le porter rue des Granges, dit le Vaudois sans perdre son sang-froid. Laisse ton cabriolet. Va devant, préparer Anaïs à la nouvelle. Je m'occupe de lui, ajouta-t-il.

Alexandra, ressaisie, tira sa pochette de son sac et tenta d'essuyer le visage du mort. Elle ne fit que le barbouiller davantage.

— Va, répéta Axel.

Quand elle se fut éloignée, il arrêta deux cabinotiers et leur demanda de l'aider à charger le banquier dans la voiture, ce qu'ils acceptèrent sans mot dire.

Puis, tirant le cheval par la bride, sous la pluie battante, alors que se levait un jour sans soleil, il emprunta la Corraterie, puis la montée de la Treille.

L'honorable banquier Pierre-Antoine Laviron, mort dans la rue comme un croquant, rentrait chez lui.

3.

Le jeudi 7 août 1851 les Veveysans furent tirés du sommeil, à quatre heures et demie du matin, par des salves d'artillerie. Cette canonnade attendue, et même désirée, fit s'ouvrir en un instant fenêtres et volets. Elle annonçait le commencement de la fête des Vignerons, à laquelle tous les citoyens, du plus riche au plus modeste, se préparaient depuis un an. Les citadins n'eussent pas été plus prompts à sauter du lit si le canon avait annoncé une invasion étrangère.

A Rive-Reine, on s'agitait déjà depuis une heure. Vincent Métaz de Fontsalte, pressé d'entrer dans le rôle de Pan, n'avait pas fermé l'œil de la nuit. Après avoir fignolé sa toilette et sa coiffure, il dévala l'escalier à la première détonation et fit irruption dans la cuisine. Avec l'aide de Lazlo et de Marie-Blanche, il fixa sur son front, hâlé à souhait, ses cornes dorées de faune d'opérette, revêtit sa peau de chèvre, et faisait honneur à un petit déjeuner roboratif, préparé par Pernette, quand son père apparut.

— Je viens de réveiller ton frère : il n'avait même pas entendu le canon, dit Axel.

— Nous allons être en retard. Quel bobet ! commenta Vincent en vidant son bol de chocolat.

Le cadet des Métaz finit par apparaître, hâtivement travesti, les yeux bouffis, englué de sommeil et sans entrain.

— Tu as mis ta jupe à l'envers, constata Vincent. Et ton chasse-mouches, qu'en as-tu fait ? Remue-toi, avale ton lait, dépêche-toi !

Nous devons être dans dix minutes au rassemblement, devant la tour Saint-Jean.

Bertrand, résolument silencieux, fit de son mieux pour satisfaire aux exigences de l'horaire. De sa fenêtre, Elise vit bientôt son plus jeune fils, une couronne de laurier posée de guingois sur ses cheveux rebelles, encombré d'un chasse-mouches qu'il brandissait comme une lance, au risque d'éborgner les passants, s'en aller, trottinant derrière son frère.

Mlle Héloïse Chatard, qui venait de succéder à sa mère, la vieille Félicie, décédée depuis peu, dans le rôle de commère guetteuse du quartier, suivit d'un regard désapprobateur les « garnements Métaz » et ferma ostensiblement sa fenêtre. Avec quelques rares bigotes, la vieille fille dénonçait la fête des Vignerons comme bacchanale inconvenante, sabbat licencieux, conjonction impure de garçons et de filles à demi nus, incités, par chants et danses en commun, à commettre le péché de la chair.

Devant de tels propos, le pasteur Duloy haussait les épaules. Lui, approuvait la fête, hommage à la nature donc au Créateur, bien qu'il eût constaté, comme d'autres ministres ou curés, qu'un certain nombre de jeunes paroissiens et paroissiennes, aujourd'hui âgés d'un peu plus de dix-sept ans, avaient été baptisés neuf mois après la fête des Vignerons de 1833 !

Déjà, au long des rues, se pressaient visiteurs et touristes, soucieux d'occuper les meilleures places. On avait vu des femmes dormir appuyées aux barrières de l'enceinte de la place du Marché, et toutes les routes conduisant à Vevey étaient couvertes d'une file ininterrompue de piétons, de cavaliers, de chars à bancs, de cabriolets, de berlines.

A six heures et demie, les troupes étant en place aux divers lieux de rassemblement, la division d'honneur, convoquée devant l'hôtel de ville, se mit en marche et, entraînant le cortège par les rues du Simplon et de Lausanne, s'en fut prendre position devant la Grenette, sous les acclamations des Veveysans et d'innombrables étrangers, venus, à bord des vapeurs réguliers et supplémentaires, de toutes les villes côtières, de Genève à Villeneuve, et même de Savoie.

A sept heures, les gradins étaient déjà remplis d'une foule bigarrée et impatiente, quand un nouveau coup de canon fit apparaître, sur l'esplanade, par la porte de Bacchus, le corps des Anciens Suisses marchant au pas cadencé derrière la bannière fédérale. Tous barbus, portant bas rouges, culottes et pourpoints à crevés rouge et blanc, fraise tuyautée, grand béret à plumet et hallebarde sur l'épaule, ces soldats d'un autre âge, formation patriotique vénérée par les confédérés, déchaînèrent l'enthousiasme. Postés cette année-là à la place d'honneur, se déployèrent aussitôt les membres des Conseils et les vignerons distingués. La commission qui, depuis 1850, travaillait à l'organisation avait en effet décrété que les vignerons devaient « dominer la fête plus qu'ils ne l'ont fait en 1819 et 1833 ».

Installés aux meilleures places de la tribune officielle, les membres du cercle Fontsalte se préparèrent à suivre, avec plus de dix mille personnes, disait-on, et sous un soleil glorieux, la parade qui, depuis le 26 juin 1651, quatre ou cinq fois par siècle, illustrait la sainte devise *Ora et Labora*.

— Depuis la dernière fête, que nous avons vue ensemble en 1833, nos rangs se sont bien éclaircis, constata tristement Charlotte.

On énuméra les proches disparus : Ribeyre de Béran et Flora, Martin Chantenoz, Pierre Valeyres et le dernier mort en date, Pierre-Antoine Laviron.

Anaïs Laviron, en grand deuil, ne pouvait paraître à la fête, mais elle avait tenu à ce qu'Alexandra répondît à l'invitation de son parrain. Le pasteur Delariaz, légèrement souffrant, avait renoncé au dernier moment à quitter Berne pour Vevey. Aricie, veuve de Martin Chantenoz, qui vivait depuis le décès de son mari chez les diaconesses, à Echallens, avait fait le voyage, plus pour tenter de trouver un emploi à Basil Coxon, son majordome, que pour se distraire.

— Maintenant que j'ai vendu notre maison de Lausanne et que je réside en permanence à Echallens, je ne puis plus l'employer. Je compte sur vous, mes amis, pour lui dénicher une bonne place. A cinquante-neuf ans, il est toujours alerte et actif. Dévoué à l'extrême et stylé, cet homme sait tout faire, y compris le repassage.

— Je puis l'employer, s'il veut bien venir à Genève, proposa aussitôt Alexandra.

Après le décès de Pierre-Antoine Laviron, le vieux maître d'hôtel, qui officiait rue des Granges depuis plus de quarante ans, avait décidé de se retirer dans sa famille. Cet homme, tout dévoué au banquier, n'avait jamais accepté qu'Alexandra prît la place de Juliane Laviron. De la même façon, il restait d'une politesse obséquieuse et glacée avec Axel Métaz. Il lui reprochait de n'avoir pas épousé Juliane, de qui il connaissait les sentiments. « Si M. Métaz s'était déclaré à temps, notre pauvre Liane ne serait pas allée mourir du choléra à Paris. Car on ne me sortira pas de l'idée qu'elle quitta Genève pour n'avoir pas su inspirer d'amour à ce vigneron ! » avait-il confié à la cuisinière, qui s'était empressée de rapporter ce propos à Alexandra.

— Basil serait certainement heureux de servir rue des Granges. Je lui soumettrai votre proposition, dit M^me^ Chantenoz.

La veuve du professeur conservait, à quarante-cinq ans, la même beauté austère et la blondeur naturelle que lui enviaient beaucoup de ses contemporaines, contraintes à teindre leurs cheveux blancs.

Tandis que les musiques annonçaient l'arrivée du long cortège des saisons, Charlotte se pencha vers Vuippens.

— Aricie ne change pas. Elle n'a pas pris une ride depuis la mort de Martin, il y a de cela neuf ans, et elle ne souffre pas de rhumatismes, murmura-t-elle, envieuse.

— Cela tient à sa nature et à son caractère. Aricie n'a jamais fait un geste plus vif que l'autre, n'a manqué de rien, ne s'est pas usée dans les tâches domestiques. Elle n'a pas mis d'enfant au monde et mène une vie réglée. En outre, je ne la crois pas tourmentée par des inquiétudes métaphysiques, ma chère, acheva le médecin, moqueur.

— Elle a surtout, entre les yeux, au-dessus du nez, une ride en forme de croix. Celles qui portent ce signe avancent en âge sans connaître la déchéance de la vieillesse, dit, à voix basse, Zélia.

— Ma sorcière a parlé ! lança Vuippens en riant.

Le cortège du printemps, saison vouée à Palès, protectrice des bergers, pénétrant dans l'arène, suspendit les conversations.

On acclama la déesse, juchée sur un char tiré par deux bœufs blancs, escorté par trente-deux bergers et bergères qui portaient des houlettes. Suivait un char de foin, sur lequel se tenaient une faneuse et deux enfants, puis deux cors des Alpes, dont les puissantes basses s'en allèrent forcer les persiennes de M^lle^ Chatard, enfin des bouviers avec leurs vaches, une douzaine d'armaillis avec leurs attributs.

Puis vint la troupe de Cérès, déesse de l'été, personnifiée par une blonde plantureuse. Assise en majesté sur un char tiré par deux bœufs à robe rouge, couronnée d'épis de blé, le teint coloré, la protectrice des moissons fut élue, par les Fontsalte, première beauté du cortège.

— Elle est assurée de trouver un mari avant la fin de la fête, commenta Charlotte.

— Dire que lors de la fête de 1747, Cérès était représentée par un garçon boucher ! En ces temps de puritanisme outrancier, tous les acteurs et figurants étaient du sexe mâle, expliqua Axel.

Moissonneurs porteurs de faucille, glaneurs, glaneuses, vanneurs, batteurs de blé avec leur fléau, meunier avec son âne, cultivateurs poussant leur charrue, porteurs de hotte, escortaient la fille de Saturne.

Mais Axel et Elise attendaient surtout le cortège de Bacchus. Derrière le grand prêtre et les musiciens arrivèrent des faunes, porteurs de thyrses, conduisant des boucs. Puis, enfin, apparut Pan, athlétique, viril, sûr de lui. Tirant de sa flûte un air joyeux, qui rythmait des entrechats cent fois répétés, Vincent Métaz suscita parmi le public féminin une houle de chuchotements.

— C'est notre fils aîné, dit fièrement Elise à Aricie.

— Il est beau comme un dieu. Et quelle élégance ! Il va tourner la tête de bien des filles, pronostiqua Mme Chantenoz.

— C'est bien ce que nous espérons ! lança Vuippens.

Bacchus, un jeune Anglais gras et rose, vautré sur son char tiré par quatre chevaux blancs, portant chabraque en peau de tigre, ne reçut pas plus d'acclamations que Vincent-Pan. Quant à Bertrand, il amusa les spectateurs, tant il agitait son chasse-mouches avec sérieux et application devant la face hilare du protecteur des ivrognes. Six Indiens conduisant des chevaux, des faunes abrités sous des parasols, des satyres armés de massues, et des bacchantes, dont les voiles ne dissimulaient rien des formes juvéniles, agitant leurs longs cheveux et frappant sur des tambourins, précédaient un Silène débonnaire, juché sur un âne rétif, dont deux Indiens avaient du mal à limiter les écarts. Tout le monde retint le refrain qui marqua son passage :

*A ma gloire,*
*Dit l'histoire,*
*Moi je fus*
*De Bacchus*
*La nourrice*
*Qui, propice,*
*Lui donna ce jus.*

Apparut enfin le cortège d'automne, conduit par le président de la Louable Confrérie des Vignerons, M. François Dejoux, négociant en vins réputé. Porteurs de ceps, de racloirs, de fossoirs se succédèrent, suivis par trente-cinq musiciens. Puis vinrent les effeuilleuses, avec leur chapeau de paille à toton, les vignerons-laboureurs, les gardes champêtres, d'autres vignerons portant des brancards surchargés de fruits, des vendangeurs, des vendangeuses, munis de brantes ou de seilles, une bossette tirée par deux chevaux. Les chars, supportant pressoir et cuves, entourés de tonneliers armés de maillets et d'herminettes, fermaient la cohorte, toujours la plus applaudie, parce que la plus représentative d'un canton voué depuis des siècles à la vigne et au vin.

La tradition exigeait que le dernier cortège, celui dit de l'hiver, fût consacré à la noce villageoise. Musiciens et paysans entraînaient, cette année-là, un marié vaudois et son épouse argovienne, suivis de parents, amis et invités arborant les costumes traditionnels pour accompagner le char du trousseau. Des chasseurs de chamois et des bûcherons, tirant une luge chargée de bois, constituaient l'arrière-garde de la parade.

Dès lors, ne restait qu'à couronner les vignerons primés par les experts de l'Abbaye. Les récipiendaires gravirent les escaliers qui conduisaient à la tribune du couronnement surmontée d'une statue de la liberté. Nommés par le président, félicités par les autorités, acclamés par la foule, les vignerons récompensés, timides pour la plupart, furent bien aises d'entendre les musiques mettre fin à la cérémonie.

Tous les membres du cercle Fontsalte tombèrent d'accord pour reconnaître que la fête était pleinement réussie, de l'invocation à la patrie helvétique, chantée par les chœurs, jusqu'au *Ranz des vaches,* interprété avec une émotion communicative par un puissant ténor, en passant par le geste de Bacchus qui faisait porter par le grand prêtre la coupe de la Confrérie, pleine de vin, aux vignerons couronnés.

— Après une telle manifestation, vous devez vous sentir, tous, encore plus fiers d'être vaudois, dit Blaise de Fontsalte à ses amis. Car, ajouta-t-il, le seul fait qu'un peuple trouve en lui-même une telle force d'évocation, alliée à une telle imagination dans l'expression poétique, pour célébrer sa terre, ses travaux, sa foi en Dieu et son amour de la patrie, démontre que nous avons affaire à une race noble.

— Pour la première fois, le baron et la baronne qui, depuis deux siècles, conduisaient la noce villageoise, sont absents, remarqua Charlotte.

— L'esprit démocratique, prôné par M. Druey, dont les tendances absolutistes semblent s'affirmer, impose, comme tout socialisme, une hypocrite égalité. L'aristocratie terrienne n'a plus sa place chez nous, ma chère ! dit Vuippens.

— Et, cependant, le guide vaudois Henri Druey a été, si j'ose dire, aristocratisé par François Bocion, dans une caricature fort amusante publiée par *la Guêpe*[1]. On y voit Druey face à un miroir, qui lui renvoie le portrait de Louis-Philippe en monarque, rappela Blaise.

Vincent et Bertrand, que l'on eût aimé féliciter, ne parurent pas à Rive-Reine à l'heure du dîner. Ils étaient conviés, comme tous les figurants, au banquet de mille couverts servi sous les marronniers de l'Aile.

Les invités d'Axel se préparaient à prendre des rafraîchissements sur la terrasse quand un commis de la poste apporta une dépêche, destinée à Mme Métaz. Expédié de Berne, le message apportait une nouvelle inquiétante, dont Elise fit aussitôt part à son mari. L'état du pasteur Delariaz, son père, s'était brusquement aggravé. Le ministre réclamait sa fille à son chevet. « Ne tardez pas », ajoutait Mme Delariaz à l'intention d'Elise. Celle-ci comprit à cette injonction que le pasteur était au seuil de la mort.

— Pourvu que j'arrive à temps pour le revoir, soupira Mme Métaz.

— Allez vous préparer. Vous n'allez pas attendre la diligence de demain, qui mettra quatorze ou quinze heures pour atteindre Berne. Lazlo va vous conduire avec la berline, décida, sur-le-champ, Axel.

Elise partie, le cercle se disloqua tristement. Les Fontsalte rentrèrent à Lausanne, Aricie retourna à Echallens, Vuippens, mobilisé pour la nuit à l'ambulance de la fête, s'éloigna avec Zélia. Alexandra, à qui Elise avait demandé de rester à Rive-Reine pour s'occuper des garçons, aida la vieille Pernette et Marie-Blanche à remettre de l'ordre dans la maison. L'épouse de Lazlo, privée de bal du fait du départ précipité de son mari pour Berne, se consola

1. Numéro 13 du journal satirique, 26 juin 1851.

cependant quand une pluie diluvienne s'abattit sur la ville et noya lampions et girandoles.

Vincent et son frère, chassés par l'ondée, firent une brève apparition à Rive-Reine, pour demander la permission de participer, avec d'autres figurants, à un bal privé organisé aux Trois-Couronnes, où étaient descendus de nombreux invités de marque, dont le jeune sir Robert Peel, chargé d'affaires de Grande-Bretagne à Berne. Le fils aîné de sir Robert Peel, l'ancien Premier ministre de Victoria, qui avait rendu leur dignité aux catholiques et aux Juifs et aboli les *corn laws*[1], devait bientôt quitter ses fonctions en Suisse pour succéder à son père, mort fin juin des suites d'une chute de cheval, comme représentant conservateur du bourg de Tamworth.

Axel, ayant autorisé ses fils « à s'amuser un brin », se retrouva seul tête à tête avec sa filleule, pour la première fois depuis la fâcheuse promenade à la Jonction. La mort tragique de Pierre-Antoine, puis les funérailles du banquier, accompagné jusqu'au cimetière des Rois par le Tout-Genève, avaient occulté le souvenir de leur querelle. Maintenant, tous deux, regardant la pluie battre les vitres du salon, ressentaient la même gêne. L'un et l'autre estimaient ne pouvoir agir et parler comme si rien ne s'était passé un mois plus tôt.

Alexandra, pour différer l'explication qu'elle devinait nécessaire, se dirigea vers le piano d'Elise et découvrit le clavier.

— Veux-tu que je te joue une pièce des *Années de pèlerinage,* de Franz Liszt ? *Vallée d'Oberman* me paraît convenir à l'ambiance du moment, proposa-t-elle.

— Si c'est ta manière de demander pardon, dit Axel, se forçant à l'indifférence.

Alexandra traversa vivement le salon, se pencha sur son parrain et l'enveloppa de ses bras.

— Dis que tu pardonnes. J'ai été méchante, je le reconnais. Mais oublie. Je t'aime, Axel. Je n'y puis rien et, parfois, cela me rend mauvaise. Dis que tu pardonnes !

Il força sa filleule à se redresser et lui prit les mains.

— Tout est pardonné et j'oublierai cet épisode, à condition que tu me considères, désormais, comme un parrain qui ne peut être un amant. Retiens que je t'aime aussi et… qu'il m'arrive d'en souffrir, comme toi, ajouta-t-il, après une courte hésitation.

1. Lois concernant les droits de douane sur les blés, abolies en 1846.

Alexandra effleura les lèvres d'Axel d'un baiser et se lova à ses pieds. Elle se retint de ronronner comme une chatte en sentant la main de l'homme lui caresser les cheveux tandis qu'il l'invitait à se mettre au piano.

Un crépuscule précoce — dû aux nuées orageuses qui obscurcissaient le ciel, voilaient les montagnes de Savoie et teintaient le Léman de reflets plombifères — pouvait faire apparaître, d'un instant à l'autre, Pernette ou Marie-Blanche pour allumer les lampes.

Ils communièrent sous les espèces immatérielles de la musique. La désespérance romantique d'*Oberman*, si subtilement exprimée par Liszt, qui connaissait la gorge du Valais où Senancour avait failli se noyer en passant un torrent, devint, sous le doigté d'Alexandra, plainte douloureuse d'amour insatisfait. Les lentes modulations, chargées de nostalgies secrètes, les dissonances brèves d'une exaltation vite découragée, la répétition d'un motif mélodique serein exprimant l'opiniâtre aspiration au bonheur de ceux qui espèrent sans croire, se muaient en une sensation poétique intense, intraduisible en mots. La musique consommait le rêve d'une alliance idéale entre l'homme et la femme isolés dans la pénombre du salon. Alexandra jouait, l'âme au bout des doigts et la tête en feu. Axel partageait cet émoi confus du cœur et des sens.

Le dernier accord plaqué, ils demeurèrent un instant silencieux. Alexandra émergea lentement de la musique, comme qui revient à la réalité après un évanouissement ou une extase.

— Tu n'as jamais mieux joué que ce soir, dit-il en allant à elle.

Quand il l'embrassa, ses lèvres aspirèrent une larme.

— Ne crois-tu pas qu'il est temps que nous demandions de la lumière ? demanda-t-elle un peu brusquement, redoutant l'apparition d'une domestique.

Axel appela Pernette et ce fut Marie-Blanche qui se présenta.

— Pernette est allée se coucher. Elle était fatiguée car la journée a, pour elle, été longue. J'ai entendu le piano et je voulais pas déranger, dit l'épouse de Lazlo en allumant les lampes.

Puis elle proposa une collation qu'ils refusèrent.

— Allez dormir, Marie-Blanche. Pour vous aussi, la journée fut longue, et les garçons rentreront tard cette nuit, dit Axel.

Dès que la servante eut disparu, Alexandra entreprit son parrain.

— Si tu m'as vraiment pardonnée, accorde-moi une faveur. Montons un moment à Belle-Ombre. Ce doit être beau, de là-haut, le lac sous l'orage. Et puis, nous ne serons pas dérangés.

Il accepta sans un mot et sortit pour atteler le cabriolet, car tout le personnel de Rive-Reine participait à la fête nocturne. Ils évitèrent le centre de la ville et la place du Marché où, malgré la pluie persistante, Vaudois et touristes allaient et venaient, visitaient les carnotsets et les caveaux où les vignerons offraient leurs vins à déguster. Certains quittaient le Casino, où le bal s'était replié avec les musiques des cortèges, pour aller sous la Grenette se réconforter au buffet municipal.

Dans la nuit, tandis que la voiture gravissait le chemin en lacet vers Belle-Ombre, Alexandra, frileuse, se blottit contre son parrain. La pluie tambourinait sur la capote de cuir et tissait, devant les lanternes de la voiture, un rideau de perles argentées. Tous deux savaient, elle l'espérant, lui n'osant le vouloir, qu'au refuge des vignes pourrait se refermer sur eux le piège d'un irrépressible désir, longtemps éludé. Pendant le trajet, aucun ne rompit l'étrange silence qui, parfois, dans un couple, rend perceptible à chacun les pensées de l'autre.

Aussi éprouvèrent-ils la même surprise, mêlée de contrariété, quand, descendant de voiture sur le terre-plein, derrière la maison, ils virent une charrette anglaise et un cheval attaché sous l'auvent. Axel fit le tour de la voiture vide et caressa le chanfrein de l'animal. Il ne connaissait ni l'un ni l'autre.

— Il semble que nous ayons de la visite ! dit-il à Alexandra visiblement dépitée.

— Des voleurs, peut-être. Avec tous ces étrangers qui courent dans le pays ! dit-elle.

— Il n'y a rien à voler ici, que du vin. Ces gens sont peut-être venus se mettre à l'abri dans le hangar au pressoir, dit-il.

Axel décrocha une lanterne de sa voiture pour avancer vers l'appentis. Il trouva celui-ci désert, comme toutes les dépendances de sa maison.

— Nous allons toujours entrer, viens, dit-il en tendant la main à sa filleule.

Ils pénétrèrent sous la tonnelle, elle aussi déserte. Axel mit la main dans le creux du pilier où, depuis trois générations, les Rudmeyer, puis les Métaz rangeaient la clef de Belle-Ombre. La cachette, elle aussi, était vide.

— Ah ! nous avons affaire à quelqu'un qui connaît les lieux ! constata Axel, intrigué.

— Qui que ce soit, ce visiteur ne manque pas d'audace ! s'indigna Alexandra.

— Nous allons bien voir. Attends un instant ! ordonna-t-il en se dirigeant vers la porte.

Le grincement des gonds fit taire des rires mêlés, qui venaient de la chambre du fond, dont la porte ouverte livrait une faible lumière.

— Qui va là ? lança une voix plus inquiète que ferme.

— Ton père, répliqua Axel, reconnaissant la voix de Vincent.

Il avança résolument, sa lanterne à la main, et, dans le grand lit, nef secrète de tant d'amours illicites, il découvrit son fils aîné. Promptement, le garçon remonta le drap pour dissimuler sa nudité en même temps qu'il recouvrait une forme, allongée près de lui.

— Dites-moi, Pan, qui se cache là-dessous ? demanda M. Métaz, plus amusé que fâché.

— Cérès, père, répondit Vincent, sans se démonter.

A la lumière du candélabre, posé sur la commode, les regards vairons du père et du fils brillèrent du même reflet malicieux.

Une ravissante tête blonde émergea soudain de la toile fripée.

— Excusez-moi, monsieur, mais j'étouffe, là-dessous, dit la jeune fille.

Axel se retint de rire car la demoiselle, ébouriffée et cramoisie, drapait avec application un buste insolent. Comme Axel s'interrogeait pour expliquer son intrusion, Alexandra, entrée sur ses talons, intervint.

— Nous savons que les amis, et peut-être les parents, de cette jeune fille s'inquiètent de son absence, inventa-t-elle.

Puis elle ajouta avec autorité :

— Habillez-vous, je vais ramener mademoiselle à Vevey, avant que l'on s'inquiète davantage. Toi, tu rentreras avec ton père, conclut-elle à l'adresse de Vincent.

Axel et sa filleule quittèrent la chambre et sortirent sur la terrasse pour laisser aux jeunes gens le temps de se vêtir.

— Vraiment, mon pauvre Axel, nous n'avons pas de chance, dit Alexandra, amère, révélant ainsi ce qu'elle avait espéré de Belle-Ombre.

— Peut-être avons-nous, au contraire, de la chance, Alexandra, le ciel n'a pas voulu que nous…

— Ah ! tais-toi ! Le ciel, comme tu dis, se moque bien de ce que nous pouvons dire ou faire. Ton fils, lui, ne se demande pas ce que le ciel pense. Il jouit de la vie et il a raison. Homme de force et de courage, tu es devenu trop timoré pour accepter le plaisir et les risques d'une passion, dit-elle, s'apaisant.

— Timoré, sans doute, et las des dissimulations, reconnut-il.

— Désormais, parrain, rassure-toi, je ne prétendrai plus être pour toi autre chose qu'une filleule aimante et respectueuse, conclut-elle, avec une tendresse teintée de regrets.

Il reconnut l'accent de la pitié.

— Et ce sera mieux ainsi, Alexandra. Ce soir, j'ai failli me dépouiller de ce qui me reste de raison et le sort en a décidé autrement. Je ne t'en aime pas moins, crois-moi.

Vincent et sa cavalière apparurent enfin. Il la présenta par son seul prénom : Sophie.

— J'ai refait le lit, monsieur, dit la jeune fille, avec une gentillesse désarmante, en regardant le couple formé par Axel et Alexandra.

— Merci, mais je n'ai jamais eu l'intention de passer la nuit ici, dit vivement Axel.

— Nous sommes seulement venus vous chercher avant qu'on ne s'inquiète en ville, renchérit Alexandra.

— Sûr que c'est ma sœur qui a mouchardé, ou une femme de chambre de l'hôtel, dit la fille, irritée, en se tournant vers Vincent.

Très à l'aise, le garçon prit Alexandra par le bras.

— J'ai d'abord cru que papa était en bonne fortune, mais quand j'ai vu que c'était toi qui l'accompagnais, j'ai compris que c'était pas du tout ça ! dit-il.

Ces mots, d'une indéniable sincérité, humilièrent, au-delà de toute expression, la femme de trente ans dont un gaillard de dix-sept ans pensait qu'elle était incapable d'inspirer amour et désir.

— Allons ! dit-elle en invitant la blonde Cérès à monter dans l'équipage emprunté, tandis qu'Axel et son fils regagnaient Rive-Reine dans l'autre voiture.

La pluie avait cessé et, dans le ciel purifié de nuages par une brise venue du nord, une lune bien ronde traçait sur le lac frémissant de grands sillons dorés.

— Vous ne m'en voulez pas de cette escapade ? demanda Vincent, tandis qu'Axel, silencieux, guidait vers Vevey.

— Comment t'en voudrais-je d'avoir enlevé la plus belle fille de la fête, mon garçon ? Bien sûr, tu n'étais peut-être pas obligé de te mettre au lit avec elle. Vous êtes bien jeunes, tous les deux. Enfin !

— Elle est très délurée, savez-vous. Très bien faite, très mignotante, mais un peu niaise. Elle m'a tout de suite dit que j'étais pas le premier. D'ailleurs, père, si elle avait été vierge, je l'aurais pas déflorée. C'est trop grave ça !

Axel apprécia ce scrupule.

— Puisque nous sommes entre hommes, laisse-moi te dire que j'envie ta jeunesse et ton imprudence, dit Axel en frappant affectueusement le genou de son fils.

— Merci, père, de le prendre ainsi. Peut-être vaudrait-il mieux que mère n'en sache rien. Faudrait pas qu'Alexandra lui raconte. Les vieilles filles, ça comprend rien à ces choses, ajouta-t-il, inquiet.

— Alexandra, qui n'est pas une si vieille fille que ça, est discrète. Elle ne dira rien.

Comme le cabriolet des Métaz traversait Vevey, où flânaient encore dans les rues des couples d'amoureux, Vincent, un peu étonné par la mansuétude paternelle, chercha une excuse à sa conduite.

— On a toujours dit, paraît-il, que pendant la fête des Vignerons les garçons et les filles ont le droit de se mignoter tant et plus.

— On le dit en effet, reconnut Axel Métaz, rentrant à Rive-Reine, à la fois soulagé et déçu de n'avoir pu offrir, enfin, à Alexandra l'étreinte qu'elle escomptait.

Au troisième jour de la fête, tandis que se déroulait la dernière représentation entre deux ondées, une dépêche de M^me^ Métaz annonça la mort du pasteur Henri Delariaz. Les obsèques étant prévues à Berne, quarante-huit heures plus tard, Axel retint des places dans la diligence et se rendit à Berne avec ses deux fils.

— C'est pour moi un vrai réconfort que vous soyez venu avec les garçons, dit Elise.

Elle avait eu la triste satisfaction d'assister aux derniers moments de son père. Le pasteur, dont la réputation de théologien avait depuis longtemps franchi les frontières de la Suisse, eut des funérailles solennelles. Des personnalités politiques résidant dans la capitale confédérale et de nombreux ministres de la religion réformée assistèrent au service funèbre, qu'Elise eût préféré moins mondain. Mais la riche veuve du pasteur, qui, en trois jours, avait fait construire un caveau pour accueillir le défunt, souhaitait ces honneurs. Elise n'avait qu'une sympathie de commande pour sa marâtre, bien qu'elle reconnût à la riche Bernoise le mérite d'avoir su rendre son père heureux en le débarrassant de tout souci matériel. Quand elle avait émis l'idée de conduire le corps de son père à Clarens, afin qu'il reposât au côté de sa première épouse, Mme Delariaz, qui s'attendait sans doute à cette prétention, avait exhibé les volontés écrites du défunt. M. Delariaz entendait reposer à Berne, près de sa seconde femme, dans un caveau construit à cet effet. Mme Métaz n'avait eu qu'à s'incliner, tout en regrettant que son père et sa mère ne dorment pas côte à côte pour l'éternité.

De retour à Vevey, les Métaz reprirent leurs occupations, Axel inspectant chaque jour le vignoble. Comme tous les vignerons de Lavaux et de la Côte, il redoutait les conséquences possibles d'un été pluvieux. Un peu de pluie en août fait gonfler la graine, trop d'humidité la fait pourrir.

Sorti de l'irrésolution qui l'avait longtemps tourmenté quant à la conduite à tenir avec Alexandra, il n'aspirait plus qu'à la sérénité que procure une vie réglée, exempte de fraudes et de feintes. Satisfaire aux obligations professionnelles, faire de ses fils des hommes forts, instruits et armés pour la vie, suffiraient au bonheur d'un homme de cinquante ans.

Comme souvent dans ses moments de spleen, il avait cherché dans Senancour une justification à la résignation, fallacieux palliatif aux désillusions. Un paragraphe de la première lettre d'*Oberman*, datée de Genève, lui fournit un thème de méditation : « Dès que l'homme réfléchit, dès qu'il n'est plus entraîné par le premier désir et par les lois inaperçues de l'instinct, toute équité, toute moralité devient en un sens une affaire de calcul, et sa prudence est dans l'estimation du plus ou du moins. » Calculateur comme tous les Vaudois de sa génération et de sa position, Axel Métaz pensait avoir estimé juste en choisissant de refréner ses désirs. « On peut très bien vivre sans amour », lui avait dit un jour Martin Chantenoz. Il acceptait maintenant cette perspective, même si Alexandra ne semblait pas disposée à l'admettre aussi facilement.

En le quittant, au moment où il s'en allait à Berne pour enterrer son beau-père, tandis qu'elle-même retournait à Genève, la jeune femme avait tenu un propos sibyllin, qui suscitait, depuis, bien des interrogations. Elle avait dit : « Nous vivrons, puisque le ciel et toi semblez d'accord pour l'imposer, un amour platonique, car tu es le seul homme que j'aie jamais aimé, que j'aime et que j'aimerai jamais. Seulement, je suis aussi faite de chair et de sang. Je veux bien mourir vieille fille, mais je ne veux pas mourir ignorante ! Alors… »

Que signifiait cet « alors » sans suite ? Alexandra allait-elle se jeter dans le lit du premier venu, pour découvrir le plaisir qu'il s'était refusé à lui procurer ? Ou allait-elle se résoudre à épouser ce banquier anglais, l'obstiné John Keith, qui, chaque année, au jour de l'anniversaire de la Genevoise, lui envoyait des roses en renouvelant sa demande ?

D'autres soucis l'assaillirent bientôt et M. Métaz remit à plus tard l'entretien confidentiel qu'il souhaitait avoir sur le sujet avec son ami Louis Vuippens, dont l'épouse, Zélia, confidente privilégiée d'Alexandra, séjournait souvent à Genève, rue des Granges.

Un matin de septembre, Elise Métaz révéla à son mari, à l'heure de la collation, qu'elle était persuadée que Vincent découchait. Bertrand, interrogé, reconnut, non sans réticence, que son frère s'absentait parfois la nuit pour rejoindre un ami américain de la pension Sillig, qui disposait d'une superbe lunette astronomique envoyée par son père.

— Ils observent la lune et les étoiles, dit le benjamin des Métaz.

Lazlo, dont la complicité avec Vincent était depuis toujours manifeste, se montra plus évasif. Il affirma n'avoir rien remarqué d'anormal, sinon que monsieur Vincent s'endormait dans la barque quand ils allaient ensemble à la pêche, assez tôt le matin.

— Votre fils a beaucoup étudié, Monsieur, il doit être un peu fatigué, dit le Tsigane, avec un sourire.

Axel répugnait à organiser une surveillance, mais il allait s'y décider, à la demande d'Elise, quand on apprit, à Rive-Reine, ce qui se passait aux Trois-Couronnes et dont Héloïse Chatard faisait grand cas.

Elise envoya Pernette aux nouvelles. Ayant rencontré la demoiselle Chatard chez le boulanger, la cuisinière fit parler sa voisine, ce qui était facile, et rapporta une information ahurissante : un fantôme hantait les Trois-Couronnes.

— Une femme de chambre affirme avoir vu un spectre, vêtu de velours noir, raconta Pernette. D'après les vieilles gens, ce serait celui d'Antoine des Belles-Truches, noble de Chambéry, qui reçut, en dot de son épouse, Catherine de Blonay, en 1413, le Vieux-Mazel, devenu château des Belles-Truches.

— C'est, en effet, sur l'emplacement de cette noble demeure en ruine qu'on a construit l'hôtel des Trois-Couronnes, confirma Axel.

— Justement, cet esprit malheureux viendrait rôder, la nuit, sur les lieux où il a vécu avec sa dame. Et, comme il n'en reconnaît rien, il gémit, prenant le lac à témoin de sa peine. Des clients de l'hôtel disent qu'ils ont entendu des pas sur le gravier de la terrasse. Ils ont ouvert leur fenêtre et vu une ombre qui filait vers le lac. D'autres disent qu'ils ont entendu des plaintes et des gémissements, conclut Pernette, émue.

Les histoires de fantômes, d'apparitions fabuleuses ou cauchemardesques, les manifestations d'esprits, bons ou mauvais, relevaient des superstitions héritées du passé vaudois. On voyait autrefois, du côté de Bulle, un bœuf géant, avec des yeux énormes et flamboyants ! Il se trouvait encore des Veveysans pour soutenir qu'à minuit, derrière Saint-Martin, des défunts oubliés de tous, sortis des tombes voisines, se réunissaient pour danser la coquille, sorte de picoulet macabre. La mort intégrait tous les vivants qui passaient à portée de la ronde infernale. Certaines femmes, dont Pernette, affirmaient encore qu'on voyait, la nuit, des flammes bleues folâtrer sur les toits des médecins. « Ce sont les âmes des gens qu'ils ont tués », expliquait la vieille servante, ce qui agaçait Louis Vuippens.

Mme Métaz suggéra que le fantôme des Trois-Couronnes devait être, tout simplement, l'amoureux d'une soubrette, qui fuyait avant le jour pour ne pas être reconnu. Mais Axel se demanda, sans en faire part à son épouse, si le fantôme ne serait pas Vincent, dont la précocité était avérée depuis l'incident de Belle-Ombre. L'hôtel des Trois-Couronnes hébergeait des dames étrangères, accompagnées de gouvernantes et de caméristes, dont certaines, au dire de Marie-Blanche, semblaient n'avoir pas froid aux yeux !

Axel se souvenait que, lui-même, en 1816, à l'ancienne auberge des Trois-Couronnes, alors rue du Simplon, avait connu, jeune encore, la volupté dans les bras d'Elizabeth Moore ! Aussi décida-t-il d'interroger son fils aîné hors de la présence d'Elise.

Vincent, assuré de la compréhension de son père depuis l'épisode de la fête des Vignerons, avoua qu'il rendait en effet visite à une femme, certaines nuits, à l'hôtel des Trois-Couronnes. Loin de le gêner, le fait qu'on l'eût pris pour un revenant l'amusa.

— Qui est l'heureuse élue ? La belle Cérès serait-elle encore dans nos murs ? demanda Axel.

— Non, père, Sophie est rentrée avec ses parents à Neuchâtel. Je ne sais quand elle reviendra.

— Il est vrai que l'hôtel est plein d'Anglaises esseulées, et que certaines de leurs femmes de chambre ont déjà fait jaser, insinua Axel.

— Non, père, ce n'est ni une demoiselle anglaise, ni une servante, à qui je rends visite. C'est une dame russe, une suivante de la grande-duchesse Anna Feodorovna, révéla, avec une certaine fierté, le jeune homme.

— Une Russe ! C'est original, estima le père, indulgent.

— C'est une femme superbe et pas une pouine[1]. Nous ne faisons rien de mal. Enfin, je veux dire, de mal à quiconque. Veuve d'un officier qui l'avait rendue très malheureuse, elle s'est remariée avec un autre, qui l'a rendue plus malheureuse encore, avant de l'abandonner. Elle ne veut plus aimer de Russe. Elle dit que ce sont des rustauds et des ivrognes, qu'ils traitent toutes les femmes comme des filles de moujik. Elle trouve, au contraire, les Vaudois doux, gais et bien élevés.

— Alors, tu la consoles, hein !

— Ben oui ! admit Vincent.

— Sais-tu que ta mère s'est aperçue que tu découches ?

— Ah ! Mais elle sait pas où je vais ? Je suis sûr que Bertrand n'a rien dit. Mon frère, c'est pas un redzipet[2].

— Il a dit, heureuse trouvaille dans la circonstance, que tu t'absentes pour aller contempler la lune ! expliqua M. Métaz avec un sourire.

Bien conscient que son devoir de père exigeait qu'il mît son fils en garde contre ce genre d'aventure, Axel Métaz développa des arguments qui ressemblaient plus à des conseils qu'à des reproches.

— Tu es un peu jeune pour avoir un attachement sérieux avec une jeune fille, mais ne prolonge pas non plus l'aventure avec une passante plus âgée que toi et qui a vécu. Tu as jeté ta gourme, n'en

1. Mijaurée.
2. Rapporteur.

parlons plus. Mais cesse tes escapades avant qu'elles ne fassent scandale en ville, dit-il.

— Oh ! je crois que ça va bientôt finir. Malicia — c'est comme ça qu'elle s'appelle — quitte Vevey la semaine prochaine pour rejoindre la grande-duchesse, qui a loué une maison à Genève, dit Vincent, soudain mélancolique.

L'affaire n'eut pas de suite et le fantôme des Trois-Couronnes se fit désormais plus discret.

Le ressat des vendanges passé, l'aîné des Métaz fut envoyé à Genève, pour être initié par Alexandra au métier de banquier. Si l'expérience se révélait concluante et si le garçon décidait d'en faire sa profession, il suivrait des cours de droit civil et de comptabilité, tout en travaillant rue de la Corraterie. Bien qu'il eût préféré habiter seul une chambre en ville, Elise et Alexandra décidèrent qu'il logerait rue des Granges, où M^me^ Laviron l'accueillit avec une sollicitude de grand-mère. Basil Coxon, l'ancien serviteur des Chantenoz, récemment engagé, assurerait, en plus de ses fonctions de majordome, l'entretien du garçon, qui prendrait ses repas avec la veuve du banquier et sa fille adoptive.

Sachant que la troublante et hospitalière Slave, que Vincent avait connue à Vevey, et que lui-même s'était arrangé pour entrevoir, habitait maintenant Genève, Axel imagina sans peine que son fils ne serait pas sans distraction.

# 4.

Après ce qu'il avait vu et entendu lors de l'inauguration du chemin de fer de Paris à Dijon, Blaise de Fontsalte ne fut pas surpris par l'annonce du coup d'Etat qui eut lieu, le 2 décembre 1851, à Paris. La *Gazette de Lausanne* du 4 décembre résumait ainsi la situation, constatée au premier jour de l'événement : « Un coup d'Etat vient d'être opéré par le pouvoir exécutif. L'Assemblée législative est dissoute. Une Constituante sera immédiatement convoquée sous le régime du suffrage universel. Quatorze représentants, au nombre desquels sont les généraux Changarnier, Cavaignac et Bedeau, ont été arrêtés dans la nuit et conduits prisonniers au château de Vincennes. Paris a été déclaré en état de siège. La troupe de ligne occupe, depuis la pointe du jour, toutes les positions stratégiques de la capitale et de la banlieue. La circulation entre les deux rives de la Seine, ainsi que le long des quais, est interceptée.

» On dit que ce coup d'Etat est, de la part du pouvoir exécutif, un acte de défensive. Un complot aurait été tramé, ces derniers jours, contre le président de la République, par une coalition parlementaire. On devait, dit-on, forcer cette nuit même le palais de l'Elysée, s'emparer de la personne de Louis Napoléon, et l'enfermer à Vincennes pour le mettre, plus tard, en jugement, conjointement avec des membres de son cabinet.

» On ne parle, jusqu'à ce moment, d'aucune collision, ni d'aucun fait ressemblant à une émeute. Le sentiment général est une stupeur muette. Beaucoup d'ateliers et de magasins sont fermés. »

— Le prince a choisi de franchir le Rubicon le jour anniversaire de la victoire d'Austerlitz et il semble avoir réussi son coup, dit Fontsalte au colonel Stanislas Golewski, venu à Beauregard commenter les événements parisiens.

Au cours des jours suivants, les journaux durent convenir que les choses ne s'étaient pas passées aussi paisiblement que le laissaient entendre les premières dépêches. On sut bientôt que le nombre des personnes mises en arrestation, représentants du peuple et autres, s'élevait, dès le 3 décembre, à plus de cinquante. Qu'il se trouvait dans ce nombre les députés monarchistes, auteurs d'une motion exigeant la déchéance de Louis Napoléon, les Montagnards les plus rouges et des régentistes, notamment MM. Thiers et Duvergier de Hauranne.

Très attentif à l'évolution de la situation parisienne, le général Fontsalte se faisait apporter toutes les gazettes en attendant de recevoir des informations par des voies moins publiques. Il apprit ainsi que la troupe avait essuyé des manifestations très hostiles de la part d'ouvriers. Que Ledru-Rollin, Caussidière et vingt-deux députés ultra-républicains avaient signé une adresse de Victor Hugo, qui proclamait : « Louis Napoléon est un traître. » Qu'ils avaient reçu le renfort de Giuseppe Mazzini, présent à Paris. Soixante-dix barricades, élevées entre les boulevards et le faubourg Saint-Antoine, avaient été détruites par l'armée, résolument fidèle au pouvoir. Une charge violente, conduite par la troupe, du boulevard de Bonne-Nouvelle au boulevard des Italiens, avait couché sur le pavé des dizaines de morts innocents, badauds imprudents ou passants indifférents.

On annonçait la suspension de sept journaux et l'occupation, par les militaires, des bureaux et des imprimeries de ces feuilles. M. de Morny, le demi-frère de Louis Napoléon, contresignataire des décrets présidentiels qui proclamaient le coup d'Etat et en exposaient les motifs, avait été nommé ministre de l'Intérieur et conduisait, sans faiblesse, la répression.

Quand le cercle Fontsalte se réunit à Beauregard, pour le traditionnel repas de fin d'année, on connaissait depuis peu le triomphe chiffré de Louis Napoléon. La réponse des Français au plébiscite des 21 et 22 décembre était sans ambiguïté. A la proposition : « Le peuple français veut le maintien de l'autorité de Louis Napoléon Bonaparte, et lui délègue les pouvoirs nécessaires pour faire une Constitution sur les bases proposées dans sa proclamation du

2 décembre», 7 439 216 avaient répondu oui, 646 737 avaient répondu non. A Paris, où s'était manifestée la plus vive opposition, on comptait 133 238 oui, contre 79 768 non.

D'après Blaise de Fontsalte et d'autres observateurs, ce succès de popularité du prince-président annonçait, à moyen terme, le retour à l'Empire.

Les émeutes des 3, 4 et 5 décembre, fomentées par des meneurs révolutionnaires trop connus pour être spontanément suivis par les gens du peuple, avaient fait cent quatre-vingt-onze morts, dont Victor Baudin, député de l'Ain, qui, du haut d'une barricade, avait fait tirer sur la troupe. Un brave domestique vaudois, natif d'Oulens, était tombé, victime d'une balle perdue, en sortant de chez son patron. Le colonel du 32e régiment de ligne et trente-sept de ses hommes avaient été tués par des émeutiers. Plus de deux cents militaires étaient soignés dans les hôpitaux et le fort de Bicêtre hébergeait six cent cinquante-trois insurgés, pris les armes à la main.

La veille de Noël, alors que le résultat du plébiscite organisé les 21 et 22 décembre n'étaient pas encore connus, le correspondant de la *Gazette de Lausanne* à Paris s'était déjà réjoui de l'issue du coup d'Etat en ces termes : « La défaite du parti socialiste et le rétablissement, presque miraculeux, de la sécurité publique, sont parfaitement appréciés ici par la masse ouvrière. Plusieurs corps de métiers, dont les dispositions avaient été jusqu'à ce jour équivoques, ou même peu rassurantes, ont fait parvenir à l'autorité des actes chaleureux d'adhésion, qui se traduiront, ces jours-ci, en votes affirmatifs. » Les résultats de la consultation populaire lui avaient donné raison.

— L'étape la plus importante est accomplie pour Louis Napoléon. S'il manœuvre avec intelligence, ce dont il est capable, le peuple français lui offrira, avant un an, sur un coussin frappé de l'aigle impériale, la couronne de son oncle, dit Fontsalte.

— Ce qui nous vaudra de voir arriver ici de nouveaux réfugiés politiques, ajouta Golewski.

— En tout cas, la France va enfin connaître un peu de paix et de tranquillité, observa Charlotte.

— Et même, peut-être, plus de prospérité. La rente française n'a jamais baissé. Elle est même montée, dès le 3 décembre, à 91,80 ! Une belle hausse pour saluer le coup d'Etat. Elle était hier à 96 et je la vois à 100 avant un mois, diagnostiqua Alexandra.

— Si le peuple et la Bourse suivent Louis Napoléon, la Corraterie va pavoiser et MM. Druey et Fazy pourront mettre un crêpe à leur chapeau. Nos radicaux n'apprécient le suffrage universel que lorsqu'il leur est favorable ! ironisa Louis Vuippens.

Ainsi que le comte Golewski l'avait prédit, les agissements des réfugiés politiques français en Suisse suscitèrent, dès le mois de janvier 1852, de sérieuses dissensions entre le gouvernement du prince-président et le Conseil fédéral.

Depuis le coup d'Etat du 2 décembre, les premiers opposants à Louis Napoléon, arrivés en Suisse entre 1848 et 1849, recevaient, chaque semaine, le renfort de nouveaux contestataires virulents. Ceux que le gouvernement français expulsait sans ménagement rejoignaient les premiers exilés volontaires.

Les Montagnards du comité démocratique, les socialistes excités par Ledru-Rollin et Mazzini, les frustrés d'une société égalitaire, Ernst Dronke, fondateur de la Ligue des communistes, les écrivains Ivan Golovine et Sazonov, le furieux Bakounine, les utopistes lyonnais, qui rêvaient de partager la France en cantons, comme la Suisse, s'inspiraient plus souvent des idées extrémistes que des purs élans républicains. Protégés de James Fazy, qui avait autrefois rencontré certains d'entre eux dans le salon libéral de la comtesse d'Agoult, à Paris, ils se réunissaient, à Genève, au café des Etats-Unis, et se voyaient généralement bien accueillis à la Société du Grütli. Tous ces gens reprochaient, non sans raison, au neveu de Napoléon Ier de vouloir liquider les institutions de la IIe République, pour mieux préparer la renaissance de l'Empire.

Le 5 décembre, à Lausanne, aussitôt connu le coup d'Etat, des proscrits de 1848 avaient fait imprimer, chez Genton, Luquiens et Cie, par les soins de Stanislas Bonamici, et expédier en France, une véritable déclaration de guerre à Louis Napoléon.

« Appel au peuple français !

» Après deux ans de conspiration et de complicité entre tous les ennemis du peuple, le plus audacieux d'entr'eux vient de consommer contre la République un attentat brutal et perfide.

» Tu as compris les desseins criminels qu'un traître veut cacher sous les noms de République, de Souveraineté et de Suffrage.

» Tu es debout pour te venger ! L'Europe aussi se lèvera.

» Tous les rebelles sont hors la loi, et il ne reste plus rien des illusions du passé.

» Accomplis donc enfin la grande révolution qui réalisera, pour tous les peuples, la liberté, l'égalité, la fraternité.

» Nous sommes prêts à faire notre devoir, comme tu vas faire le tien !

» Aux armes ! Vive la République démocratique et sociale. »

Six anciens représentants des départements de Saône-et-Loire, Seine, Isère, Bas-Rhin et Haut-Rhin, MM. Auguste Rolland, Jean-Baptiste Boichot, Louis Avril, Eugène Beyer, Emile Kopp, Charles Pflieger, tous agitateurs bien connus au pays de Vaud, auxquels s'était joint Théophile Thoré, rédacteur en chef de *Vraie République*, avaient signé ce brûlot.

Ainsi que le publia, le mardi 6 janvier, *le Nouvelliste vaudois*, organe des radicaux, « aucun exemplaire de ce texte ne devait voir le jour à Lausanne ; il ne devait en être fait usage qu'en France, et le plus grand secret devait être observé. Néanmoins, le même jour, un exemplaire de la pièce était envoyé, de Lausanne, au ministre de France à Berne, et un autre à la police de Jougne ; le lendemain, un exemplaire était affiché au café Rodieux, un autre au café Widmer et un troisième était aux mains d'une personne de Lausanne. Le beau secret ! » concluait avec amertume le journaliste.

Blaise de Fontsalte avait eu connaissance de l'appel dès sa sortie des presses. L'encre n'était pas encore sèche qu'un ancien soldat de l'Empire, employé à l'imprimerie Genton, le lui avait apporté à Beauregard.

Les Vaudois les mieux disposés à l'égard des réfugiés avaient été scandalisés en prenant connaissance d'un libelle qui devait motiver des représentations de l'ambassadeur de France à Berne et provoquer une réaction ferme et immédiate du gouvernement fédéral.

Le 10 janvier, estimant « que les signataires de cet appel ont cherché à provoquer une insurrection armée du peuple français et à compromettre la Suisse par cet acte », le Conseil fédéral ordonna l'expulsion immédiate des coupables… dont certains étaient censés avoir quitté le territoire helvétique depuis qu'un arrêté, en date du 24 mars 1851, les y avait contraints !

Depuis 1848, les autorités radicales des cantons de Vaud et de Genève se souciaient peu d'obtempérer aux réquisitions fédérales, et les agitateurs de toute nationalité et de toute obédience coulaient des jours paisibles au bord du Léman, d'où ils continuaient, sans risque, à préparer la révolution universelle.

En constatant que, partout en Europe continentale, monarques, princes, aristocrates, soutenus par les forces réactionnaires, avaient repris le pouvoir, les citoyens suisses se flattaient de posséder le dernier gouvernement démocratique. Cette situation incitait donc les radicaux les plus avancés et les plus fanfarons à se croire investis de la noble et universelle mission de ranimer, dans les nations voisines, la flamme révolutionnaire qui, par l'insurrection des peuples, assurerait, partout, l'avènement de républiques sociales.

Accueillir, héberger, soutenir moralement et matériellement les rebelles constituait, depuis plusieurs années, de la part de la Suisse, aux yeux des puissances étrangères, une complicité de fait avec les ennemis déclarés des régimes en place. Seul le cabinet britannique, pratiquant comme toujours une diplomatie hypocrite, affectait une indifférence souriante, une impartialité artificieuse. D'ailleurs, les rares révolutionnaires étrangers expulsés de Suisse avaient trouvé à Londres accueil favorable, compréhension et soutien, pour organiser la subversion chez les alliés de l'Angleterre !

Depuis deux ans, les notes diplomatiques envoyées au Conseil fédéral par le gouvernement français avaient pris un ton aigre, qui irritait fort les Suisses et compliquait singulièrement la tâche des autorités fédérales.

La position du radical vaudois Henri Druey, qui venait de reprendre le département fédéral de Justice et Police, après un intermède aux Finances, n'avait, de ce fait, rien de confortable. Ecartelé entre ses amis radicaux, qui rejetaient avec hauteur les injonctions étrangères et soutenaient ouvertement l'action des réfugiés, et les ministres de Louis Napoléon, dont l'irritation grandissait, Druey devait naviguer avec habileté et circonspection. Pour le comte de Salignac-Fénelon, ministre plénipotentiaire de France à Berne, le gouvernement fédéral avait partie liée avec les révolutionnaires, dont certains — comme Félix Pyat, qu'on avait vu autrefois à Vevey accompagné de son égérie, une certaine Milady — prônaient ouvertement « une action tyrannicide », c'est-à-dire la mise à mort du président de la République française !

Malgré le coup d'Etat destiné à prolonger un mandat non renouvelable, le neveu de Napoléon Ier, usant avec astuce du suffrage universel, ne pouvait encore être qualifié de tyran, ni même d'autocrate. A Genève, M. James Fazy, grand donneur de leçons républicaines, était, plus justement que le prince-président, à qui il avait d'ailleurs rendu visite, qualifié de dictateur par une majorité de Genevois.

En exigeant que l'on mît hors d'état de nuire les agitateurs les plus violents, en les internant ou en les assignant à résidence dans les cantons alémaniques, le gouvernement de Louis Napoléon ne se privait pas de faire observer que la neutralité, si chère aux Suisses, commandait aux radicaux exaltés de s'abstenir de toutes menées révolutionnaires contre leur voisin, par réfugiés interposés.

Réaliste, Druey savait que des mesures trop coercitives contre les proscrits seraient refusées par ses amis radicaux, mais il savait aussi qu'en cas d'affrontement avec la France l'armée fédérale ne pèserait pas lourd, surtout si l'Autriche et la Prusse se mettaient de la partie. C'est pourquoi, dès 1849, en tant que premier titulaire du département fédéral de Justice et Police, Henri Druey avait obtenu de ses pairs l'obligation, pour les réfugiés français, de résider à plus de huit lieues de la frontière. Cette décision fédérale avait contrarié James Fazy, président du Conseil d'Etat genevois. Un tel éloignement interdisait aux révolutionnaires le canton de Genève, d'où ils expédiaient aisément en France leur littérature subversive. L'injonction fédérale n'ayant pas été suivie de plus d'effet qu'une intervention personnelle de Druey auprès du chef radical genevois, le Conseil fédéral avait d'abord chargé le colonel Siegfried, commissaire fédéral à Genève, de prendre les mesures qui s'imposaient, sans tenir compte des sympathies de M. Fazy. Celui-ci avait fait preuve de plus de docilité dès que des troupes françaises s'étaient rassemblées sur la frontière. Il ne s'était cependant plus opposé au retour des agitateurs, sitôt le danger passé. Un commissaire envoyé de Berne, le colonel Sidler, avait alors déniché et fait expulser quelques réfractaires.

Ces manifestations d'autorité fédérale n'avaient pas convaincu le gouvernement français, qui savait parfaitement, depuis 1848, grâce à des espions, dont l'habileté se révélait parfois discutable, à quoi s'en tenir sur les allées et venues des révolutionnaires et les concours que ceux-ci recevaient en Suisse. François-Joseph Schnepp avait été l'un de ces balourds, que les gouvernements devraient se garder d'utiliser.

Schnepp, ancien coiffeur, puis commis voyageur en montres, proche des socialistes, avait été recruté par le préfet de police de Paris et envoyé en Suisse, avec mission de s'immiscer dans le milieu des antibonapartistes. Dès son arrivée à Berne, en novembre

1850, Schnepp avait rencontré Eugène Beyer, ancien représentant du peuple du département du Haut-Rhin et peintre à ses heures, puis il s'était rendu à Lausanne, au café Morand, lieu de réunion habituel des réfugiés français. Il avait conversé avec les plus durs adversaires de Louis Napoléon, Félix Pyat, Napoléon Chancel, Jean-Baptiste Boichot, Ernest Cœurderoy, Louis Avril, qui, tous, avaient signé ou approuvé un premier appel aux armes, lancé par Ledru-Rollin, le 13 juin 1849. Cet appel à détruire une République légalement instaurée, fort étonnant de la part d'élus, avait motivé la mise en accusation de tous les Montagnards et leur fuite vers l'Angleterre, la Belgique ou la Suisse. Démasqué comme agent de la police française par ceux qu'il était chargé d'espionner, Schnepp, dénoncé aux radicaux, avait été arrêté à son arrivée à Genève. Procédure peu habituelle, James Fazy, qui voyait en Schnepp un agent provocateur, en relation avec des conservateurs genevois soupçonnés sans preuve de comploter contre sa personne, avait tenu à interroger lui-même le prévenu, en dehors de la présence du juge d'instruction.

Le Procureur général William Turrettini, magistrat intègre et juriste scrupuleux, ayant reproché au juge d'avoir autorisé cette entrevue, s'était vu désavouer par le Conseil d'Etat. M. Turrettini avait démissionné le 20 janvier 1851, quelques jours après que Schnepp, dont les aveux, vrais ou faux, gênaient tout le monde, avait été libéré à la demande… de sa petite sœur !

Mais l'espion amateur n'avait pas dit son dernier mot. Peu après son retour en France, il avait publié, chez Ledoyen, libraire à Paris, sous le titre *Mes aventures politiques en Suisse,* une brochure dans laquelle il affirmait avoir assisté, à Vevey, le lundi 25 novembre 1850, à une réunion placée sous les auspices de Druey et des radicaux vaudois.

Cette réunion rassemblait, en plus de Félix Pyat et des habitués du café Morand, de Lausanne, Mazzini, le colonel Frapoli, le chef communiste Galeer et James Fazy, venu de Genève.

Rapportant les propos d'un assistant sur Fazy, Schnepp écrivait : « Il est le seul fonctionnaire *[sic]* de la Suisse qui marche franchement, le seul qui soit pour des mesures révolutionnaires ; à cause de sa position il est obligé de se tenir sur la réserve avec les tièdes, qui sont en assez grand nombre à Genève, mais le socialisme fait de grands progrès dans le canton, grâce au docteur Galeer, rédacteur en chef du journal *le Citoyen.* D'ailleurs, aux prochaines élections, Fazy avouera son alliance avec les socialistes. Il devrait y avoir un tiers de socialistes au Grand Conseil. »

Bien que les autorités suisses aient assuré au chargé d'affaires français de l'époque, le comte Charles Reinhard, que « la nouvelle ne reposait sur aucun fait réel », l'affaire avait eu pour résultat de durcir l'attitude du Conseil fédéral, soucieux de donner enfin des preuves de bonne foi au gouvernement français. S'appuyant sur l'article 57[1] de la Constitution de 1848, qui enlevait aux cantons la gestion du sort des réfugiés politiques, en dépit des protestations des radicaux les plus avancés et des récriminations des réfugiés, Henri Druey avait obtenu du Conseil fédéral, le 24 mars 1851, l'expulsion immédiate de dix-sept Français. Parmi eux figurait Félix Pyat, dont les violentes diatribes contre les autorités suisses irritaient les citoyens les mieux disposés à l'égard de celui qui revendiquait le droit d'asile comme un droit naturel, pour tous les républicains, d'où qu'ils vinssent.

Malgré ces mesures, prises un an plus tôt, la plupart des expulsés résidaient toujours à Genève ou dans le canton de Vaud, et une centaine de proscrits étaient entrés en Suisse, dès le lendemain du coup d'Etat du 2 décembre.

Le 24 janvier 1852, l'ambassadeur de France, le comte de Salignac-Fénelon, parfaitement informé, avait remis aux autorités fédérales une nouvelle note, comminatoire celle-là, du gouvernement français. Ce dernier exigeait du Conseil fédéral qu'il accordât toutes les expulsions que réclamerait son représentant, et cela quelle que fût la catégorie des réfugiés. Car, précisait le texte : « la légation de France est seule en position de connaître quels sont, parmi ces individus, ceux dont les antécédents et les relations rendent leur séjour impossible dans toute l'étendue de la Confédération. » Cette note était assortie d'une menace à peine voilée. Tout refus de la part du Conseil fédéral « imposerait au gouvernement de la République le devoir d'aviser à des mesures que son plus vif désir serait de ne pas employer, mais auxquelles il aurait recours bien malgré lui ». Comme il fallait s'y attendre, cet ultimatum reçut, de la part des autorités suisses, une réplique que tous les membres du cercle Fontsalte approuvèrent.

Après avoir admis que le Conseil fédéral devait se mettre d'ac-

1. « La Confédération a le droit de renvoyer de son territoire les étrangers qui compromettent la sûreté intérieure ou extérieure de la Suisse. »

cord avec le gouvernement français pour l'application du droit d'asile et que la Suisse reconnaissait les obligations qu'elle avait envers ses voisins, Berne rejetait les exigences françaises, sous prétexte qu'en obtempérant à une telle demande le Conseil fédéral « violerait de la manière la plus grave la Constitution fédérale, ainsi que ses devoirs sacrés envers le pays qui lui a confié le pouvoir directorial et exécutif supérieur ; car il voit dans cette demande une atteinte profonde portée à l'indépendance, à la dignité et à la liberté de la Confédération puisqu'il devrait se désister du droit appartenant à tout Etat indépendant d'accorder ou de refuser de son chef et sous sa responsabilité le séjour des étrangers ».

— Les exigences de Louis Napoléon sont irréalistes, car elles supposent une intervention dans les affaires intérieures de la Suisse, dit Blaise de Fontsalte en prenant connaissance des notes échangées par les deux gouvernements que publiaient, avec des commentaires sévères pour la France, les journaux romands.

Axel, de passage à Lausanne, s'était arrêté à Beauregard pour le repas de midi. Il émit l'idée qu'il conviendrait néanmoins de rappeler aux réfugiés français qu'étant accueillis en Suisse il leur fallait s'y conduire avec la réserve que doit observer tout invité bien élevé.

— Qu'attendre de gens qui ne pensent qu'à se mettre à l'abri en Suisse, pour fomenter des révoltes dans leur pays, où ils ne peuvent obtenir la majorité politique par la voie démocratique ? observa Charlotte.

Puis elle s'empressa de rappeler que le gouvernement fédéral avait demandé au gouvernement français, non seulement d'expulser Siegwart-Muller, le chef du Sonderbund réfugié en Alsace, mais aussi l'internement de M$^{gr}$ Marilley qui, de Divonne, continuait à gérer, par l'intermédiaire d'un grand vicaire, son diocèse de Genève, Lausanne et Fribourg.

— Je suis de votre avis, mon amie, mais reconnaissez que la Suisse ne peut pas plus se voir ordonner des expulsions par le gouvernement français, que la France ne peut se voir imposer l'internement d'un évêque. Si, demain, mes propos déplaisent à Louis Napoléon, il pourrait aussi bien demander mon expulsion ! D'ailleurs, ajouta le général, un homme qui a brillamment servi dans l'armée impériale et que Louis Napoléon vient de faire grand officier de la Légion d'honneur, le général Guillaume Henri Dufour, a écrit le 13 février dernier à son ancien élève de l'école militaire de Thoune, pour lui dire qu'il trouve injuste qu'on demande à la Suisse de s'engager à renvoyer tous les Français qui lui seront désignés, « sans avoir à examiner s'il entre un motif pour cela et s'ils y ont donné lieu par leur conduite sur le territoire suisse[1] ».

Les proscrits du 2 décembre, ainsi qu'ils se nommaient eux-mêmes, furent donc invités à se tenir tranquilles. Au cours de l'été 1852, les signataires de l'appel aux armes du 5 décembre allaient être expulsés par les autorités fédérales. Mais, comme le constatèrent de nombreux citoyens vaudois, pour un réfugié renvoyé, trois ou quatre entraient en Suisse !

Les gens de bonne foi se plaisaient à remarquer que tous les réfugiés politiques n'étaient pas des comploteurs impénitents ou des furieux, appliqués à tirer vengeance du gouvernement qui les avait contraints à l'exil. A Genève, on citait en exemple, rue des Granges, un avocat fameux qui, bien qu'ardent républicain, se gardait de toute activité de nature à nuire à l'accueillante Confédération. M. Bureau des Etivaux, c'était son nom, était arrivé avec ses filles, dont la plus jeune venait d'avoir dix ans[2]. Il ne pensait qu'à discrètement assurer la subsistance de sa famille en monnayant ses connaissances juridiques auprès de confrères genevois.

D'autres exilés, bien que pacifiques, ne passaient pas inaperçus et suscitaient autant de curiosité que de crainte. Parmi ces derniers, le plus connu des politiciens proscrits par Louis Napoléon choisit Vevey pour résidence. Le 21 juin 1852, les Veveysans virent arriver, à l'hôtel des Trois-Couronnes, dans une berline tirée par quatre chevaux, M. Adolphe Thiers.

— M. Thiers porte beau et ne ressemble en rien aux pauvres réfugiés auxquels nous prêtons souvent assistance, dit Pernette, avant le dîner à Rive-Reine.

Elise, qui s'intéressait peu à la politique française, avait elle aussi entendu parler du nouvel hôte prestigieux de l'hôtel des Trois-Couronnes.

— Mais enfin, ce M. Thiers est-il un personnage tellement important ? demanda-t-elle à son mari.

— Ma chère, en 1840, M. Thiers aurait volontiers brigué la pré-

1. Lettre aimablement communiquée à l'auteur par M. Olivier Reverdin.
2. Il s'agit de la future mère de l'écrivain Valery Larbaud. Des souvenirs du séjour de sa mère à Genève, Larbaud tira sa nouvelle, *Rachel Frutiger*, qui figure dans le recueil *Enfantines*.

sidence de la République, comme Cavaignac, Lamartine, Ledru-Rollin, Raspail et Louis Napoléon, mais il a alors renoncé, estimant qu'il valait mieux attendre. Il calculait que la situation du deuxième président d'une république naissante serait plus confortable que celle du premier, qui allait essuyer les plâtres démocratiques. En attendant, il avait trouvé un sixième candidat selon son cœur : Jérôme, ex-roi de Westphalie, le plus jeune frère de l'empereur. Puisqu'un Bonaparte de la deuxième génération semblait plaire, pourquoi ne pas proposer aux électeurs un de la première ?

» Le roi Jérôme ayant refusé de se présenter, M. Thiers, dépité, lança au frère de Napoléon : "Que ce refus ne soit pas pour faciliter l'élection de votre crétin de neveu !" Les bonnes langues s'empressèrent de répandre ce propos dans les salons parisiens. Quelques jours plus tard, sachant par ses informateurs que le prince Louis Napoléon avait de vraies chances de l'emporter, M. Thiers effectua une prudente retraite, sans pour autant se rallier. Ménager la chèvre et le chou : telle était la philosophie politique de M. Thiers. "Sans affirmer que la nomination de M. Louis Napoléon — ce n'est déjà plus le crétin ! — soit le bien, elle paraît à nous tous, hommes modérés, un moindre mal", déclara-t-il, cette fois pour être entendu.

— Il avait donc eu raison de se montrer circonspect, puisque, le 10 décembre 1848, le peuple français porta Louis Napoléon à la présidence de la République, constata Bertrand.

— Les vrais politiciens savent changer d'avis. Revenu à de meilleurs sentiments vis-à-vis du « crétin de neveu », M. Thiers conseilla au président de s'installer à l'Elysée, pensant peut-être qu'il lui chaufferait la place dans ce palais confortable, et se déclara prêt à servir loyalement le gouvernement. On le vit à l'Assemblée législative défendre des projets de loi en faveur des classes laborieuses, promouvoir l'enseignement catholique pour faire pièce à celui de trente-sept mille instituteurs considérés comme les propagateurs des idées socialistes. Les relations entre le prince et le politicien commencèrent à se détériorer quand Thiers se vit évincé du *Constitutionnel,* journal dont il était alors copropriétaire et qui devenait l'organe de ceux qu'on nomme napoléonides. Le coup d'Etat bonapartiste consomma la rupture, Thiers ayant compris et proclamé, dès janvier 1851, que « l'Empire était déjà fait ».

— Une vraie fâcherie, en somme, enchaîna Elise.

— Certes, puisqu'au matin du 2 décembre 1851 Louis Napoléon fit arrêter Adolphe Thiers, chez lui, 1, place Saint-Georges. Mais, dès le 8 décembre, le coup d'Etat étant consommé, le tribun fut élargi en recevant l'ordre de quitter la France. Thiers fit aussitôt ses bagages. Le 9 décembre, ayant passé la frontière du Wurtemberg, il fit étape à Kelh. De là, il gagna Bruxelles, où se rassemblaient déjà de nombreux proscrits. Se sachant embarrassant pour le roi et pour le gouvernement belges, contraints de souscrire aux exigences de Paris, Thiers ne s'attarda pas et traversa la Manche. Gladsdone, lord Brougham et la gentry lui firent bon accueil à Londres. Un peu plus tard, il s'embarqua pour la Belgique, qu'il n'avait fait que traverser, afin de se rendre en Allemagne et en Italie, avant de prendre ses quartiers en Suisse.

Elise parut satisfaite de ces éclaircissements.

Bientôt, celles que les Veveysans nommèrent, avec des sourires pleins de sous-entendus, « les dames de M. Thiers », rejoignirent le proscrit, et le quatuor prit ses aises dans le plus confortable palace des bords du Léman. M. Thiers tenait là une sorte de cour, se promenait en calèche, dégustait les spécialités locales dans les meilleures auberges et semblait apprécier les vins blancs de Lavaux, tout en regrettant que l'absence d'oliviers au milieu des vignes privât la table vaudoise de l'huile indispensable au Provençal qu'il restait.

Quand il n'écrivait pas, ou ne recevait pas de visites, M. Thiers louait une barque et un bacouni pour flâner ou pêcher la féra sur le lac. Ces navigations inspirèrent au peintre François Bocion une caricature, que publia, au cours de l'été, le journal charivarique vaudois *la Guêpe*. On voyait l'homme d'Etat français en redingote et cravate blanche, ses petites lunettes de fer sur la pointe du nez, occupé à tremper un fil dans l'eau, avec toute l'application que requiert pareille activité. Sous le dessin, qui occupait une pleine page du journal, la légende humoristique faisait allusion aux craintes exprimées par les radicaux vaudois : « Les occupations de M. Thiers, à Vevey, étant de nature à compromettre sérieusement l'existence des poissons du lac Léman, le Conseil fédéral arrête : "Article unique (dans son genre) : M. Thiers sera interné sur la dent de Jaman. Monsieur le Préfet de Vevey est chargé de l'exécution du présent arrêté. Il est prié d'y mettre des formes." »

Car le séjour de l'homme d'Etat provoquait, en ce paisible été vaudois, des discussions politiques. L'équipage somptueux de

Thiers, ses trois femmes — sa légitime épouse, sa belle-mère, M^me^ Dosne, qui avait été et restait, disait-on, sa maîtresse, sa belle-sœur, dont certains domestiques indiscrets de l'hôtel assuraient qu'elle était également honorée par le vieil homme aux allures de chanoine —, les postillons et chasseurs en livrée suscitaient l'indignation de certains radicaux contempteurs de toute opulence. Henri Druey n'était pas le moins agacé par ce proscrit aux allures de nabab en vacances, qui ne frayait guère avec les exilés moins fortunés.

Druey, qui ne manquait jamais de condamner le coup d'Etat du 2 décembre et vilipendait à chaque occasion le prince-président, aurait dû, au contraire, se montrer satisfait d'héberger au pays de Vaud un opposant à Louis Napoléon aussi prestigieux. Mais le chef radical, issu d'un milieu modeste, dont l'électorat et la carrière étaient fondés sur la défense des plus démunis, se voulait proche des travailleurs, adversaire des riches et des aristocrates. Il ne supportait pas le luxe, qualifié d'ostentatoire, de l'homme d'Etat français.

En tant que chef du département fédéral de Justice et Police, il émit bientôt la prétention d'obliger Thiers et « ses femmes » à quitter la Suisse. Pour cela, il mit en avant le fait que M. Thiers, en s'installant à Vevey, avait contrevenu à l'arrêté du Conseil fédéral du 15 février 1851, qui interdisait aux réfugiés français « les cantons limitrophes et voisins de la France : Genève, Vaud, Neuchâtel, Jura bernois, Bâle-Campagne et Bâle-Ville, Soleure, Argovie, Fribourg et Valais ». M. Druey, faisant aussi référence à la présence aux bains de Baden, en Argovie, de la duchesse d'Orléans, « mère tutrice d'un des prétendants à la couronne de France », semblait craindre que la rencontre en territoire helvétique de ces deux personnalités, diversement opposées à Louis Napoléon, ne fût compromettante.

Au commencement du mois de juillet, Druey, usant de ses prérogatives, alerta le Conseil fédéral en avançant que M. Thiers était un homme politique encore plus dangereux que Mazzini et Ledru-Rollin, que son influence dépassait, de beaucoup, celle de tous les réfugiés renvoyés depuis 1849. Et il ajoutait, révélant involontairement les vraies raisons de son animosité envers l'homme politique français : « M. Thiers, étant un homme éminent, empanaché, doit supporter les conséquences de sa position élevée et du rôle qu'il a joué dans le monde. Il ne peut aspirer à l'oubli d'un homme insignifiant et obscur. Ce serait même lui faire injure[1]. »

Malgré l'abstention de six conseillers fédéraux, Henri Druey donna aussitôt l'ordre au préfet de Vevey, M. Bachelard, d'exécuter la décision du département fédéral de Justice et Police, et demanda au Conseil d'Etat vaudois de veiller à l'expulsion de l'intéressé. Pour justifier cette rigueur, Druey expliqua qu'une mesure d'internement lui paraissait insuffisante parce qu'il jugeait Thiers « un trop gros personnage politique et d'un caractère trop compromettant pour que l'internement suffise ou ne soit pas trop peu de chose[2] ».

Ces décisions ennuyèrent beaucoup le préfet de Vevey. Ce fonctionnaire entretenait avec le proscrit et ses dames, que les commerçants veveysans trouvaient aimables et dépensières, les meilleures relations mondaines. D'ailleurs, dès qu'elles furent connues, les déclarations de Druey soulevèrent l'indignation, dans la presse et dans l'opinion, y compris en France. Les radicaux vaudois, un peu gênés par l'attitude de leur chef, connu comme protecteur des proscrits de tout poil, tentèrent d'expliquer que Druey avait voulu démontrer à l'opposition libérale que l'arrêté fédéral de 1851 s'appliquait à tous les réfugiés, quel que fût leur niveau social, leur fortune ou leur notoriété.

On répliqua que M. Druey se montrait beaucoup moins intransigeant vis-à-vis des agitateurs italiens qui circulaient impunément à Genève, où Fazy continuait à ignorer avec insolence les décisions fédérales, et aussi à Lausanne, où Abram-David Meystre et Jules Eytel, élus radicaux et conseillers nationaux vaudois, hébergeaient souvent Giuseppe Mazzini et ses amis.

Adolphe Thiers était absent des Trois-Couronnes quand le préfet se présenta pour notifier la décision d'expulsion. Le fonctionnaire, confus, débita son compliment à Mme Dosne, qui le reçut plus que fraîchement et exigea une notification écrite du Conseil fédéral. Dès son retour de promenade, informé de la mesure qui le frappait, Thiers stigmatisa publiquement l'ingratitude de la Confédération, rappelant qu'il était un des rares hommes politiques français qui avaient défendu la Suisse, y compris contre Guizot, lors des

1. H. Bessler, *la France et la Suisse de 1848 à 1852*, éditions Victor Attinger, Paris, 1930.
2. *Idem.*

affrontements du Sonderbund, alors que toutes les puissances européennes se liguaient contre elle. Quant à ses rapports avec la duchesse d'Orléans, il affirma avoir été informé de sa présence à Baden par les journaux. Il déclara ensuite, solennellement, devant témoins, qu'il quitterait le territoire helvétique si le Conseil fédéral maintenait sa décision, mais qu'il proclamerait à la face du monde entier : « La Suisse libre est le seul pays de l'Europe où l'on m'ait inquiété dans mon asile. »

Le gouvernement français, informé de l'incident par son ambassadeur, fit savoir à Berne et Lausanne que le tribun n'était l'objet que d'un « éloignement temporaire » et que le prince-président jugerait « inopportune et inutile toute mesure prise contre M. Thiers ». Henri Druey dut aussitôt faire marche arrière. Le 10 juillet, le Conseil fédéral annonça au comte de Salignac-Fénelon et aux autorités vaudoises qu'il ne s'opposait en rien au séjour de M. Thiers à Vevey !

La paix retrouvée dura jusqu'au 8 août, date à laquelle Adolphe Thiers, réconcilié avec le prince-président, fut autorisé, par un décret de Louis Napoléon, à rentrer en France, ainsi que sept autres proscrits, dont M. Duvergier de Hauranne et le général Laydet.

Le 20 août, l'exilé quitta l'hôtel des Trois-Couronnes où, reconnut-il, il avait passé des jours heureux. Entre deux parties de pêche, ce grand travailleur avait rédigé quelques chapitres de son *Histoire du Consulat et de l'Empire*.

Le seul qui eut à pâtir de ces événements fut le préfet de Vevey, M. Bachelard, dont le gouvernement vaudois exigea la démission. On ne lui pardonna pas la coupable lenteur qu'il avait mise à signifier à M. Thiers la décision du département fédéral de Justice et Police, ce qui avait donné le temps au gouvernement français de faire savoir à Berne que Louis Napoléon souhaitait qu'on laissât M. Adolphe Thiers pêcher et écrire en paix à Vevey !

A Rive-Reine, on avait déjà oublié M. Thiers et ses femmes, quand, quelques jours avant les vendanges, une lettre de Blandine, datée de Boston, apprit à Axel le décès de Guillaume Métaz :

« Mon cher frère,

» Notre père — car ne fut-il pas aussi le tien pendant les dix-huit premières années de ta vie ? — a quitté ce monde le 10 août dernier. Il est parti paisiblement, entouré de l'affection de tous les siens. Fanny, son épouse, qui fut pour moi une seconde mère, ses filles Johanna Caroline et Lorena Margaret, ses gendres et ses six petits-enfants, reçurent sa dernière bénédiction. Tu ne fus pas oublié, non plus que mon mari, le commandant Lewis Calver, bien que j'en sois séparée depuis plus d'un an.

» En mars, sous prétexte d'assister au mariage de la fille du colonel Johann-August Sutter, qui a épousé un Suisse de Saint-Gall, M. Georg David Engler, secrétaire du colonel et professeur de piano de son plus jeune fils, père voulut entreprendre le dur voyage de la Californie, pour voir comment allaient ses affaires dans l'Ouest.

» M. Sutter est, tu le sais, ce Bâlois qui fonda la Nouvelle-Helvétie et chez qui on découvrit, il y a quatre ans, la première pépite d'or. Au fil des années, cet homme, à l'origine un courageux aventurier, est devenu une sorte de bienfaiteur de la Californie, où il fait prospérer la culture des fruits et des légumes. Il s'estimait redevable à notre père qui, l'un des tout premiers, lui fit confiance, et tenait à ce qu'il fût présent au mariage de sa fille unique. Celle-ci avait été reçue avec sa mère, plusieurs fois, à Boston, dans notre famille. Eliza, sans être une beauté, ne manque pas de charme. Elle a surtout hérité de la pugnacité paternelle.

» Du fait de mon récent divorce, étant libre de mes mouvements, puisque ma fille unique Emily est en pension à Boston, où je réside maintenant, je convainquis mon père de me laisser l'accompagner. Au cours de ce voyage, qui nous conduisit dans tous les comptoirs d'O'Brien & Métaz General Merchants, de San Francisco à Sacramento, de Sutterville à Fort Ross, où, le 24 mars, eut lieu le mariage d'Eliza, j'admirai la résistance et l'allant de père. Bien qu'âgé de quatre-vingts ans, il m'imposait des fatigues que je l'aurais cru incapable de supporter.

» Je ne me doutais pas, alors, qu'il jetait ses dernières forces dans cette expédition. Il retira une grande satisfaction du fait qu'il pût personnellement constater que le matériel et les marchandises que vous lui envoyez d'Europe, les Laviron et toi, arrivent à bon port et se vendent au mieux de vos intérêts réunis.

» Le mariage d'Eliza et de Georg, auquel s'était longtemps opposé le colonel Sutter, qui trouvait le parti suisse honorable mais nullement au diapason de sa fortune et de sa célébrité, fut une grande fête. Plus de deux cents invités débarquèrent d'un vapeur, avec des douzaines de caisses de champagne. La cérémonie fut célébrée dans une chapelle, offerte par Sutter aux Indiens

Comanche, qui dansèrent et chantèrent jusqu'à l'aube. Les hommes burent beaucoup, fumèrent quantité de cigares de La Havane et, bien que père ait toujours été sobre, je crois que le peu d'excès qu'il fit à cette occasion l'éprouva.

» Lors du voyage de retour, il eut plusieurs malaises, qui m'inquiétèrent fort. Il parut se remettre en retrouvant son intérieur et sa femme, à Boston, mais, à partir de juillet, on le vit décliner doucement. Les médecins — l'un de ses gendres, le mari de Lorena Margaret, est chirurgien comme tu sais — donnèrent tous le même diagnostic : cœur usé allant s'affaiblissant.

» Il s'éteignit en pleine conscience, attendant la mort en priant avec nous, sans un mouvement de révolte. La veille de son trépas, il voulut me parler seul à seul et me dit : "Quand je serai parti, tu écriras à Axel, pour lui dire que je regrette de ne pas l'avoir revu, mais qu'il est toujours resté mon fils selon mon cœur. Tu écriras aussi à Charlotte, ta mère, pour lui dire que je lui pardonne sa trahison d'autrefois." C'était la première fois, depuis que nous sommes arrivés en Amérique, en 1820, qu'il prononçait le nom de maman.

» Père a été inhumé au cimetière principal de Boston. Le gouverneur du Massachusetts, plusieurs sénateurs de l'Etat et le maire de Boston assistèrent au culte, ainsi que des représentants de la Société pour l'abolition de l'esclavage, dont père était un membre très actif. Plusieurs discours furent prononcés sur sa tombe.

» Je crois qu'il serait courtois que tu adresses une lettre de condoléances à Mme Métaz-O'Brien, car même si elle ne t'a jamais vu, elle a souvent entendu parler de toi, avec affection, par père. Elle a su le rendre heureux et lui a donné une famille qui, aujourd'hui, est aussi la mienne.

» Ta sœur qui t'aime et t'embrasse.

Blandine. »

Avant de faire part à Elise de ce deuil, Axel se retira dans son cabinet de travail. Un long moment seul, face au Léman que couvrait la brume nacrée des beaux jours d'automne, il laissa le chagrin l'envahir. Un chagrin sincère, mais tout de réflexion et de nostalgie.

La mort de l'homme qui, comme l'écrivait très justement Blandine, avait été le seul père qu'il connût jusqu'à l'âge de dix-huit ans, lui rappelait soudain la douloureuse scène de la fête des Vignerons de 1819 qui avait conduit Guillaume Métaz, aussi réaliste que scrupuleux, à lui céder la direction de ses affaires en s'exilant aux Etats-Unis. Elle lui rappelait aussi l'étrange pulsion qui l'avait décidé à partir pour Venise, avec le désir inavoué de connaître Adriana.

Aujourd'hui, cet homme venait de quitter la vie sans qu'il l'eût jamais revu. Chassant un vague remords pour n'avoir pas répondu aux invitations réitérées de l'Américain, Axel estima avoir agi sagement. Ainsi, leur passé commun n'avait pas eu à subir les inévitables retouches des évocations dialoguées. Au contraire de ces tableaux, dont on croit rendre la sincérité première par restauration et vernissage, les réminiscences des années heureuses, vécues par Guillaume et Axel dans l'ignorance d'une vérité scandaleuse, demeuraient intactes, stérilisées, incorruptibles.

En raison de son âge, Axel acceptait maintenant l'assertion de Jean-Paul[1], souvent citée autrefois par Martin Chantenoz : «Le souvenir est un paradis dont nous ne pouvons être chassés.»

Après avoir prévenu Elise du décès de M. Métaz, il se rendit chez le pasteur Duloy et lui demanda d'organiser un culte à la mémoire du Veveysan défunt.

— Ne crains-tu pas que cela ne ranime beaucoup de souvenirs, pas tous agréables pour ta mère, pour le général Fontsalte et même pour toi ? Les gens vont parler, observa la pasteur.

— Cela est sans importance. Guillaume Métaz était ici connu et estimé de tous. Même si les commères ne veulent rappeler que ses malheurs conjugaux, je dois cette célébration à sa mémoire, car lui n'a jamais démérité, dit Axel.

Le pasteur approuva et l'on fixa une date.

Le même jour, Axel se rendit à Lausanne pour une visite à sa mère. A Beauregard, il trouva Fontsalte ennuyé et inquiet.

— Votre mère a reçu, hier, une lettre de votre sœur lui apprenant la mort de son premier mari. Je ne m'attendais pas à ce que la nouvelle lui causât une si forte émotion. Elle a eu une syncope, ce qui ne lui était pas arrivé depuis longtemps. Elle se remet heureusement bien. Allez la voir.

Axel trouva sa mère blottie dans une bergère de sa chambre, les

1. Johann Paul Friedrich Richter, dit Jean-Paul (1763-1825), écrivain allemand. L'un des romantiques allemands les plus originaux.

yeux rouges et le teint pâle. Elle lui tendit les bras sans un mot et l'étreignit.

— Tu sais, bien sûr, dit-elle, quand il l'eut embrassé.

— Oui, j'ai, moi aussi, reçu une lettre de Blandine.

— C'est un peu stupide de me mettre dans un tel état. Nous n'étions plus rien l'un pour l'autre, n'est-ce pas. Des étrangers, depuis plus de trente ans, même plus. Et pourtant, ça m'a fait quelque chose d'apprendre sa mort et surtout, qu'après tant d'années, il pense à m'envoyer son pardon, reconnut-elle en triturant son mouchoir.

— Mère, ce pardon qu'il a demandé à Blandine de vous transmettre, je le crois sincère, certes, mais je crois aussi qu'il a voulu se mettre en règle avec sa foi protestante. La charité chrétienne impose le pardon des offenses. Il s'en est souvenu ! Il se voulait chrétiennement irréprochable pour affronter la mort, dit Axel, plus agacé qu'ému par les larmes de sa mère.

— Mais ! Tu veux dire que c'est un pardon… de commande, égoïste en quelque sorte ? fit-elle, étonnée, presque scandalisée.

— En vous pardonnant, il s'est pardonné de ne l'avoir pas fait plus tôt, ajouta Axel avec un sourire.

— Enfin, que Dieu ait son âme ! Je vais maintenant devoir me refaire une tête, nous avons ce soir un dîner à l'hôtel Gibbon, dit-elle, rassérénée, en quittant son fauteuil.

Son fils la retint par la manche de son déshabillé.

— J'ai demandé au pasteur Duloy un culte des morts à Saint-Martin. J'y assisterai seul avec Elise, précisa-t-il.

— Ce ne serait pas ma place, bien sûr. Mais si ce culte est annoncé, tout Vevey va bruire du rappel de mon inconduite passée, lança-t-elle, un peu amère, en marchant vers son cabinet de toilette.

— Ce ne sont pas nos souvenirs qui nous gênent, mais ceux des autres, conclut Axel.

— Pfft, Pfft, siffla M$^{me}$ de Fontsalte en quittant la chambre dans un frou-frou nerveux.

Axel descendit au salon pour rassurer le général : son épouse, remise de son malaise, se préparait pour le dîner.

— Nous aurions pu annuler cette soirée, mais si elle se sent assez gaillarde, je ne veux pas l'en priver. Vous la connaissez bien, Axel. Votre mère est si contente d'étrenner une nouvelle toilette. N'empêche que ces pertes de connaissance soudaines me bouleversent toujours. Comme elles sont plus espacées qu'autrefois, je me prends à espérer qu'il n'en surviendra plus. Et nous essayons ici de lui éviter toute émotion, toute contrariété, toute fatigue. Car Vuippens ne m'a pas caché que votre mère peut fort bien passer dans un de ces moments d'absence. C'est une véritable épée de Damoclès, dit Blaise, gravement.

Les deux hommes évoquèrent ensuite les derniers développements des affaires françaises.

— L'Empire sera rétabli avant la fin de l'année, pronostiqua le général.

— J'ai lu les comptes rendus des voyages de Louis Napoléon à travers la France, de Saint-Etienne à Toulouse, en passant par Grenoble, Valence et Toulon. Il semble être très populaire, constata Axel.

— Partout, il se trouve des citoyens de plus en plus nombreux pour crier « Vive l'empereur ! », ou même : « Vive Napoléon III ! », car le prince s'est déjà décidé pour ce nom, précisa Fontsalte, bien informé.

— Pourquoi trois et pas deux ? demanda Axel.

— Parce que le duc de Reichstadt, ce malheureux roi de Rome, aurait dû régner sous le nom de Napoléon II, et les bonapartistes de stricte obédience n'auraient pas admis que Louis Napoléon ravît cette appellation au défunt fils de l'empereur.

— Les journalistes écrivent souvent que le président ne cache plus ses intentions. Mais est-ce exact ? La plupart de nos feuilles romandes, contrôlées par les radicaux et influencées par les réfugiés politiques, sont hostiles à Louis Napoléon et ne veulent voir en lui qu'un futur tyran, dit Axel.

— Non seulement le prince ne cache plus ses intentions, mais il les annonce, Axel. Ainsi, à Bordeaux, deux phrases lui ont suffi pour tout dire : « Pour faire le bien du pays, il n'est pas besoin d'appliquer de nouveaux systèmes, mais de donner avant tout confiance dans le présent, sécurité dans l'avenir. Voilà pourquoi la France semble vouloir revenir à l'Empire. » Et il a ajouté : « Par esprit de défiance, certaines personnes me disent : "L'Empire c'est la guerre !" Moi je dis : "L'Empire c'est la paix !" » C'est assez clair, non ! Et d'ailleurs, les Français ne s'y sont pas trompés. Ils ont applaudi quand Louis Napoléon s'est déplacé pour rendre lui-même la liberté à Abd el-Kader, interné depuis 1842 au château d'Amboise. Maintenant, toute la France clame à chaque occasion :

« L'Empire c'est la paix ! » Heureuse formule ! acheva Blaise de Fontsalte, persifleur.

— Trévotte m'a dit que vous devez faire un voyage à Paris pour recevoir le grand cordon de la Légion d'honneur. Le prince-président doit souhaiter vous le remettre lui-même… à moins qu'il n'attende d'être empereur, s'il doit l'être un jour, dit Axel.

— Mon cher garçon, j'ai devancé toute proposition de ce genre. J'ai écrit au grand chancelier de la Légion d'honneur, le maréchal Exelmans, pour lui demander de me remettre lui-même le cordon, au cours d'une cérémonie qui ne rassemblerait que nos anciens compagnons d'armes. Et j'ai bon espoir qu'il accepte, expliqua le général.

— En somme, une cérémonie premier Empire ! risqua Axel, souriant.

— Le seul qui puisse compter à mes yeux. Celui de Napoléon Ier, celui que j'ai vécu, celui qui prévaudra dans l'histoire de France, même si Napoléon III en fonde un second, j'en suis certain, confirma Blaise.

Raccompagnant son fils jusqu'à son cabriolet, le général lui prit le bras, autant pour s'assurer un appui en descendant l'escalier du perron que dans un geste familier.

— La mort de M. Métaz a dû vous rappeler, comme à moi, des moments difficiles. Notre regard vairon, accusateur public, si j'ose dire.

— A ce propos, je n'ai jamais oublié ce que vous m'avez dit lors de notre première conversation, à Belle-Ombre, au lendemain du drame. J'étais alors disposé à vous détester et je n'ai jamais pu m'y résoudre.

— Merci beaucoup, fit le général sèchement.

Axel ne releva ni les mots ni le ton.

— Vous m'avez dit : « Nous n'avons pas que le regard vairon mais aussi l'esprit et le cœur vairon. » Comme vous disiez juste, alors. Souvent, depuis cet épisode, j'ai vérifié la réalité de votre assertion, qui n'a cependant rien de scientifique. L'âge venant, je crois bien posséder, comme vous, l'étrange faculté, liée semble-t-il à notre regard bicolore, de voir simultanément et sous deux aspects différents, les gens et les situations. Cette perception particulière des choses de la vie a fait de moi, comme vous m'en aviez prévenu, un étranger au milieu, à la société, au monde dans lequel nous vivons. Mais, cela, sans que j'en sois indépendant pour autant. En dépit de mon affection profonde pour mes fils, pour Elise, ma mère et vous-même, malgré mon attachement à mes amis, à mes vignes, à mon pays de Vaud, je me sens toujours une sorte d'heimatlos, un étranger de passage.

— Nous sommes tous des étrangers de passage, mais les gens à l'œil vairon le sont un peu plus que les autres ! dit Blaise, radouci.

— C'est pourquoi la mort de Guillaume Métaz ne m'atteint pas au cœur, mais à la mémoire. Celle de mon enfance et de mon adolescence. Un chapitre écrit dans une langue morte, un chapitre clos. M. Métaz, notable américain, brasseur d'affaires âpre au gain, était un inconnu pour moi. Car je suis devenu orphelin en 1819, orphelin d'un vivant qui, cependant, n'existait plus. Ne prenez pas cela comme défiance ou ingratitude, je vous en prie, ajouta Axel, craignant de blesser le vieil homme.

— Je le prends comme vous essayez de l'exprimer, avec toute l'affection qui nous lie. La façon particulière de voir et de sentir les choses, dévolue à ceux que la nature a dotés d'un regard vairon, est difficilement explicable avec des mots. Les autres ne peuvent comprendre notre étrange nature duale, principe même de la contradiction, mais qui veut aussi qu'aucune partie de ce que nous sommes, voyons, pensons, ressentons, ne peut exister sans l'autre partie. De la juxtaposition du négatif et du positif saisis d'un seul regard double, d'une seule pensée géminée, naissent en nous-mêmes des assurances que nous prenons pour vérités. Il n'est pas toujours aisé d'assumer une telle nature, mais il est toujours vain de vouloir être compris des autres. Aussi sommes-nous portés, dans nos rapports avec nos semblables, à rester à la surface des choses, où se meuvent les êtres et esprits ordinaires. Seul l'amour peut nous tirer de là, nous conférer l'unité absolue, conclut Blaise.

Parvenus devant le cabriolet d'Axel, les deux hommes se donnèrent l'accolade.

— Nous ne pouvons dire que : « C'est ainsi », ajouta Fontsalte.

— C'est ainsi, en effet. Il faut nous en satisfaire, dit Axel en montant dans sa voiture.

En roulant vers Vevey, heureux d'avoir eu cette conversation confiante avec le général, Axel Métaz se répéta une phrase qu'il n'avait pas osé prononcer devant Blaise : « Et si les étrangers étaient les autres, tous les autres ? »

Lors du ressat des vendanges, qui furent médiocres cette année-là, Alexandra, venue de Genève avec Anaïs Laviron, invitée à séjourner à Beauregard par Charlotte, confirma que Vincent prenait un réel intérêt au métier de banquier.

— Ce garçon est à la fois fantasque et sérieux. Hors du travail et des études, où il manifeste assiduité et application, il est capable des pires fantaisies. Il s'est fait de Basil Coxon un complice dévoué, prêt à couvrir toutes ses incartades. L'Anglais est béat devant ton fils, comme devant un Apollon.

— Etant donné les goûts que je suppose à Basil le dodu, ça ne m'étonne guère, dit Axel, avec un clin d'œil.

— En tout cas, ton fils sait magnifiquement jouer de son regard vairon pour embobiner filles et garçons. Toutefois, jusqu'à présent, avec une totale exclusivité pour le sexe féminin, si cela peut te rassurer ! précisa la jeune femme.

— Il a déjà fait ses preuves dans ce domaine. Tu te souviens de Belle-Ombre, au soir de la fête des Vignerons ? demanda Métaz, mal inspiré.

— J'ai une raison plus personnelle encore de me rappeler cette soirée, dit Alexandra, acerbe.

Devant le silence gêné d'Axel, elle reprit la conversation.

— Je me suis aperçue que Vincent rentre parfois très tard, pour ne pas dire au petit matin, rue des Granges. Je l'ai interrogé et il m'a très facilement avoué qu'il a une maîtresse russe, une dame d'honneur de la grande-duchesse qui réside à Genève. Et devine ce qu'il m'a dit, sans se démonter.

Axel eut un geste de la main pour éluder la devinette.

— Il m'a dit : « Si je pouvais la recevoir, la nuit, rue des Granges, ça me faciliterait la vie ! » Quelle audace !

— Il a, aussi, semble-t-il, le sens du confort. Ma chère, de nos jours, un garçon de dix-huit ans est un homme et les dames qui succombent au charme de son regard vairon sont majeures, donc, laissons-lui la bride sur le cou, quitte à intervenir s'il dérogeait scandaleusement, dit Axel.

— Je te trouve bien indulgent. Complicité des regards vairons, sans doute. Il est vrai que Vincent, s'il aime le jupon, est, à la maison comme à la banque, d'une gentillesse et d'une prévenance exemplaires. Il accompagne, chaque semaine, Manaïs au cimetière, quand elle va fleurir ses tombes. Quand elle démêle un écheveau de laine pour sa tapisserie, il lui offre ses bras et il réussit même à la faire rire. Il l'a conquise et peut lui demander n'importe quoi ! Je soupçonne même la cuisinière de composer les menus en fonction des goûts de ton fils. Quant aux jeunes femmes de chambre, il m'est arrivé d'entendre, dans l'escalier, ces petits rires de filles chatouillées, qui en disent long sur la façon d'être de Vincent avec le personnel féminin, acheva Alexandra.

— L'important, c'est qu'il t'obéisse et soit aimable avec toi.

— Il l'est. Il m'a même emmenée danser au bal de la Banque, aux Bergues.

— Non ? Vincent t'a emmenée au bal ! Toi !

— Oui, moi, Axel ! Quand il me l'a proposé, je lui ai dit : « Tu ne vas pas arriver aux Bergues avec, au bras, une vieille fille ! » Sais-tu ce qu'il m'a répondu ? « Tante Alexandra » — je ne sais pourquoi il m'appelle ainsi —, il a donc dit : « Tante Alexandra, vous avez la grâce d'une liane et la taille la plus fine qui se puisse trouver dans la banque genevoise. » Et il a ajouté : « Sûr que je ferai des envieux ! » Ah ! il sait autrement parler aux femmes que son père, ce garçon ! lança-t-elle en riant.

— Et vous êtes allés danser ? demanda Axel, incrédule.

— Jusqu'à une heure de la nuit ! Nous avons ri et bu du champagne. Mais, de temps en temps, je l'ai abandonné à de plus jeunes cavalières, de bonne famille, tandis que m'invitait quelque banquier de ma connaissance. En tout cas, Vincent est un parfait cavalier, élégant, empressé, sachant les manières. Je crois que nous en ferons un banquier fort séduisant, conclut Alexandra. En attendant, il m'a retenue comme cavalière pour le bal des Etrangers, prévu le 14 décembre, à l'hôtel de l'Ecu, dit Alexandra, amusée.

Découvrant cet aspect de la personnalité de son fils aîné, Axel Métaz se tut. Lui vint la mauvaise pensée qu'Alexandra pourrait se mettre en tête d'obtenir du fils ce que lui refusait, depuis longtemps, le père.

Comme si elle avait lu dans ses pensées, la jeune femme lui prit le bras.

— Si j'avais dix ans de moins, je me gaverais de pâtes et de pudding pour prendre les rondeurs qui m'ont toujours fait défaut et je me lancerais à la conquête de Vincent, pour te rendre jaloux ! dit-elle, tendre et le regard malicieux.

L'heure étant venue de passer à table, le tête-à-tête du parrain et de sa filleule fut interrompu.

Comme chaque année, suivant la tradition, le maître de Rive-

Reine présidait la table d'honneur. Entre Axel et Elise se trouvaient réunis la plus jolie vendangeuse, élue par ses camarades mâles, invitée d'honneur du vigneron et accompagnée du doyen des vendangeurs, les Fontsalte, le colonel Golewski, Mme Laviron et Alexandra, les Vuippens, le pasteur Duloy, le contremaître des vignes, Armand Bonjour, ainsi que Régis Valeyres.

Tandis que les hommes échangeaient des considérations sur la vendange, le vieux pasteur Albert Duloy, placé à la droite de la maîtresse de maison, se pencha vers Elise Métaz.

— Votre fils Bertrand, dont je croyais qu'il allait commencer l'an prochain des études de théologie pour envisager le pastorat, comme votre défunt père, m'a fait part, hier, de son désir de devenir médecin. Après tout, pour un garçon d'une piété aussi exemplaire, soigner les corps est bien souvent un moyen d'approcher les âmes. Mais, je dois dire, chère Elise, que j'ai été un peu déçu. Bertrand est si assidu au culte, d'une telle piété, et manifeste, à travers nos œuvres, un tel sens du dévouement au prochain, que je l'imaginais déjà ministre de l'Eglise vaudoise. Dois-je voir dans ce choix l'influence de son parrain, mon ancien élève Louis Vuippens, agnostique au grand cœur ?

— Nullement, monsieur le Pasteur. Bertrand a toujours été ému par ce qu'il voit, lit et entend dire sur la misère et la souffrance des gens. Il m'a, il y a plusieurs mois, annoncé son intention de se faire médecin, ce qui va nous contraindre à l'envoyer soit en France soit en Allemagne, pour de longues études. Louis Vuippens, son parrain, n'est certes pas étranger à cette vocation, car Bertrand l'interroge souvent sur les cas que traite notre ami, sur les épidémies et les accidents. La médecine est aussi un sacerdoce, monsieur le Pasteur, acheva Elise.

L'Académie de Lausanne, pas plus que celle de Genève, ne disposait encore d'une faculté de Médecine. Les deux chaires de médecine et de chirurgie, créées en 1806, n'avaient jamais été occupées et les membres de la Société vaudoise des sciences médicales conseillaient aux jeunes gens qui manifestaient une vocation de médecin d'aller étudier soit à Paris ou Montpellier, les facultés françaises les plus cotées, soit à Heidelberg, où le Veveysan Jacques-Auguste Chavannes avait obtenu son diplôme de docteur en Médecine avant de voyager dans les deux Amériques. Ce fils de Daniel-Alexandre Chavannes, pasteur de Vevey, savant naturaliste de réputation internationale, président à deux reprises de la Société helvétique des sciences naturelles, avait succédé à son père à la chaire de zoologie de l'Académie de Lausanne.

— Avec un fils banquier et un fils médecin, vous voilà des parents comblés, dit le vieux pasteur.

— Il nous manquera cependant un vigneron, dit tristement Elise.

M. Duloy connaissait la cause de cette absence d'un troisième enfant au foyer des Métaz. Il posa une main affectueuse sur le bras de son hôtesse.

— Dieu comblera cette absence, chère Elise, faites-lui confiance.

# 5.

— Vous ne verrez pas Alexandra avant ce soir. Elle assiste à la signature de la Convention pour la construction du chemin de fer de Lyon à Genève, dit Mme Laviron en accueillant Axel Métaz rue des Granges, le 8 janvier 1853.

— Enfin ! Ils se sont tout de même décidés, dit le Veveysan.

— Comme mon pauvre mari eût été heureux, aujourd'hui ! Lui qui se démenait depuis tant d'années, avec notre Alexandra, pour faire aboutir le projet de François Bartholoni. Hélas, il est parti avant de voir un train arriver à Genève, ajouta Mme Laviron, essuyant une larme sur sa joue couperosée.

La banque Laviron Cornaz et Cie étant partie prenante dans la Compagnie franco-suisse, chargée de la construction de la voie ferrée de Lyon à Genève, Alexandra se devait d'être présente à la signature de l'accord entre le canton et la société. Elle s'était fait accompagner par Vincent Métaz, promu secrétaire pour la circonstance. La banquière tenait à ce que l'apprenti banquier assistât au déroulement d'un événement financier et industriel qui ferait date dans les annales genevoises.

L'affaire avait nécessité de longs débats, car le Conseil d'Etat devait choisir entre deux projets. Le premier, défendu par le général Guillaume Henri Dufour, prévoyait que la ligne emprunterait, à partir de Bellegarde-sur-Valserine, dans le département français de l'Ain, la rive gauche du Rhône pour aboutir à la Coulouvrenière, où serait édifiée une gare. Le second, présenté par M. Bartholoni, depuis le premier jour soutenu par Pierre-Antoine Laviron, fixait l'aboutissement de la ligne à Cornavin. Le pré Vinci, site du tir fédéral de 1851, accueillerait la future gare. Ce dernier projet l'avait emporté, pour des raisons techniques disait-on, mais la politique avait sans doute pesé dans la décision. Bien que grand admirateur du général Dufour, Pierre-Antoine avait trouvé plus profitable pour sa banque que la construction et l'exploitation de la ligne soient confiées à Bartholoni. En affaires, admiration ne vaut pas bénéfice.

Mademoiselle Alex, ainsi nommée par les familiers de la Corraterie, présidait maintenant, en tant qu'associée-gérante principale, aux destinées de la banque privée la plus prisée des vieilles familles genevoises, des amateurs de placements sûrs et soucieux de discrétion. En héritant la fortune de Pierre-Antoine Laviron et la part de capital social du défunt, elle avait acquis la prépondérance dans la vieille maison de banque et, dans le milieu bancaire, un supplément d'autorité morale, une puissance financière accrue.

Un nouveau venu tessinois, Marco Lingordo, qui avait repris quelques années plus tôt une banque de commerce au seuil de la déconfiture, et dont il avait rétabli le crédit grâce à d'audacieuses spéculations, s'était imaginé, au lendemain de la mort de Laviron, qu'il lui serait possible de s'emparer de la banque la mieux achalandée de Genève. Bel homme au regard velouté, habile en affaires, volontiers hâbleur, affichant un luxe ostentatoire et une arrogance qui allaient à l'encontre des mœurs de la banque genevoise, ce parvenu rêvait de pénétrer les salons de la haute ville où l'on feignait d'ignorer son existence. Connu pour sa propension à soutenir les établissements financiers en difficulté, afin de les absorber plus aisément en réclamant soudain le remboursement intégral des prêts consentis, il ne supportait pas de voir une femme traiter, d'égal à égal, avec des banquiers suisses ou étrangers.

Les fleurs n'étaient pas encore fanées sur la tombe de Pierre-Antoine que Lingordo avait offert au collège des associés de Laviron Cornaz et C^ie^ une importante commandite, afin d'entrer dans la banque. Alexandra, froide comme une lame, l'avait éconduit avec autorité. « Nous n'avons pas besoin de vos capitaux. En revanche, si vous traversez une passe difficile, notamment pour avoir trop misé sur la colonie de Sétif, la banque Laviron Cornaz et C^ie^ peut vous consentir un prêt, au même taux que vous pratiquez avec vos confrères en difficulté ! » avait-elle lancé, persifleuse. Le Tessinois s'était retiré, outragé. On voyait, en effet, rentrer chaque semaine, dans le Valais notamment, ceux que la presse nommait avec commisération « les malheureux colons d'Afrique », à qui le gouvernement français allouait, de Marseille à la frontière suisse, une indemnité de voyage de quinze centimes par personne et par jour.

Sur le ton de la confidence, Alexandra s'était empressée de rapporter à quelques personnes la démarche du présomptueux, afin qu'elle fût divulguée dans le petit monde clos de la banque genevoise. Ainsi, toute la Corraterie avait compris que mademoiselle Alex, digne et intransigeante héritière de M. Laviron, ne se laisserait pas duper par des accapareurs madrés.

Quelques semaines après cet incident, l'évincé avait tenté de convaincre banquiers et agents de change que, M. Laviron étant décédé, aucun représentant en nom de sa famille ne figurait plus dans le conseil de la banque, comme la loi l'impose. Le patronyme de Laviron devait donc disparaître de la raison sociale. L'homme avait même attiré l'attention d'un éminent magistrat du Parquet sur ce qu'il estimait être une anomalie préjudiciable à la réputation de la banque genevoise. Le magistrat, s'étant informé, avait répondu à Lingordo que M^lle^ Alexandra Cornaz, légalement adoptée par les époux Laviron, portait légalement le nom de son père adoptif et assurait ainsi la pérennité du patronyme dans la raison sociale d'un établissement financier en nom collectif. « D'ailleurs, avait ajouté le magistrat, nous connaissons, à Genève, d'autres cas semblables, et non des moindres, qui n'ont jamais suscité une telle désobligeante curiosité ! » Econduit par la justice, comme il l'avait été par la banquière, le financier avait renoncé à ses prétentions.

Humiliée par cette attaque perfide, Alexandra, dont l'identité légale se trouvait confirmée avec honneur et compliments, s'était juré de prendre, un jour ou l'autre, sa revanche.

Un ancien associé, cousin de M^me^ Laviron, Louis Cottier, le plus intime ami de Pierre-Antoine, tira sereinement la leçon de l'incident, qualifié par lui de ruse d'affairiste sans éducation.

— Que voulez-vous, mon enfant, il fut un temps où la banque genevoise appartenait tout entière à nos vieilles familles, les Pictet, Hentsch, Lombard Odier, Candolle, Darier, Mallet, Cottier, Chaponnière, Turrettini, Laviron, et quelques autres, très estimables, dont j'omets les noms. Nos grands-pères et nos pères, successeurs et héritiers moraux des banquiers patriciens du XVIII^e^ siècle, travaillaient avec leur propre argent et se seraient passé la corde au cou s'ils avaient fait tort d'un batz à quiconque. Mais, depuis la Révolution de 1846, est apparue une nouvelle génération de banquiers, issus de la basse ville, des milieux conservateurs libéraux, de la petite bourgeoisie du commerce. Leurs comptoirs d'investissements, caisses de crédit, officines d'affaires immobilières ou de prêts hypothécaires, et cette Banque de Genève, fondée par M. Fazy et ses amis, procurent, dit-on, de bons revenus à leurs commanditaires. On y accueille qui possède des espèces, sans se préoccuper de l'origine des capitaux. Pierre-Antoine, mon tant regretté cousin, vous a enseigné qu'un banquier ne doit pas accepter l'argent de n'importe qui.

— Oh oui ! Comme il était méfiant, Péa ! D'ailleurs, chez nous, chaque nouveau client doit être parrainé par un ancien, vous le savez, rappela Alexandra.

— C'est bien bonne habitude, reprit le vieil homme, car ce sont l'honnêteté, la moralité, la fidélité et la notoriété de ses clients qui font la réputation de la banque privée genevoise. Les affairistes, les cupides, les aventureux, les amateurs de gains rapides préfèrent les jeux risqués de la Bourse, les combinaisons des agioteurs, les spéculations sur les terrains à bâtir, qui vont bon train depuis la malencontreuse destruction de nos fortifications. Vous êtes une femme, certes, mais vous êtes un excellent banquier, dans la meilleure tradition genevoise, ajouta le cousin Cottier.

— J'ai encore beaucoup à apprendre, et la responsabilité que m'a léguée Péa me paraît, parfois, bien au-dessus de mes capacités. Et puis, comme vous le dites, je suis une femme et de surcroît célibaire, rétorqua modestement Alexandra.

— Femme, mon enfant, vous le resterez, célibataire peut-être pas. Quoi qu'il advienne, Pierre-Antoine, qui vous a donné son nom en même temps que son amour paternel et sa banque, comptait sur vous pour maintenir vivant, tenace, intransigeant, ce qu'il nommait l'esprit de la Corraterie. Je sais que vous serez fidèle à sa mémoire et à ses principes.

Alexandra embrassa le doyen sur les deux joues en le remerciant de ses propos et de sa confiance.

Depuis que M. Jean Eloi Lombard, le banquier le plus écouté de Genève, avait obtenu qu'on adoptât le franc de France comme étalon de calcul, adoption confirmée par la loi fédérale de 1850, les transactions avaient été simplifiées.

Laviron Cornaz et Cie traitait maintenant de nombreuses actions des chemins de fer français, mais aussi celles des compagnies européennes et américaines, comme les chemins de fer Lombards-Vénitiens, les lignes Turin-Alessandria et Turin-Coni, projetées par M. Cavour, Premier ministre de Victor-Emmanuel II, roi de Piémont-Sardaigne, l'Ohio-Mississippi, l'Ohio-Pennsylvanie, les chemins de fer Autrichiens, auxquels s'ajoutaient, depuis peu, les actions du futur Lausanne-Fribourg-Berne. La banque gérait aussi les obligations émises par des gouvernements ou des villes. Les titres de l'Etat de New York, pour la construction et l'exploitation d'un canal reliant le lac Erié à la rivière Hudson, ceux de l'Etat du Michigan, pour la construction d'universités et de prisons, et encore, de l'Etat de Louisiane pour l'assainissement de La Nouvelle-Orléans. Des emprunts, émis en Prusse, en Bavière, en Hollande ou ailleurs, figuraient dans les portefeuilles des clients de Laviron Cornaz et Cie, ainsi que des actions des compagnies du Gaz de Genève, de Dijon, de Milan, de Stuttgart, de Munich, des titres des compagnies d'assurances comme l'Union-Incendie de Paris, des Mines de zinc de Silésie, des Charbonnages de la Loire ou d'Aix-la-Chapelle, des Glaceries de Saint-Gobain, de la Société immobilière genevoise récemment créée.

Souvent, Alexandra déléguait Vincent à la Bourse, avec le fondé de pouvoir qui s'y rendait chaque jour. La Bourse de Genève traitait régulièrement trente-quatre valeurs suisses et étrangères. Le jeune Métaz, prenant goût au jeu, aurait fait montre de plus d'audace que de prudence si son mentor, un vieil employé aussi rusé que circonspect, formé par M. Laviron, n'eût mis en évidence les risques de tel achat ou de tel arbitrage.

Alexandra semblait très satisfaite de son élève et le dit avec chaleur à son parrain quand, à la fin de l'après-midi, elle reparut avec Vincent rue des Granges.

— Au printemps, nous l'enverrons à Londres, dit-elle, quand le garçon eut quitté le salon, après avoir salué son père.

— J'aimerais que Coxon l'accompagne. Car, seul à Londres, un garçon de cet âge sera soumis à beaucoup de tentations, observa Axel.

— Il l'accompagnera. C'est décidé. Basil sera enchanté de revoir son pays et ce sera, pour ton fils, un maître Jacques de toute confiance. John Keith est prêt à accueillir Vincent. Là-bas, il améliorera son anglais, car ce qu'il a retenu de l'enseignement de Sillig n'est pas brillant et son accent est détestable, compléta Alexandra.

— Elise et moi nous serons bientôt comme deux vieux champignons au creux d'un tronc. Bertrand à Heidelberg, à l'école de Médecine, Vincent à Londres : Rive-Reine va se vider, remarqua Axel, désabusé.

— Moi, je te reste aimante et fidèle, père abandonné ! dit Alexandra d'un ton enjoué, dissimulant son émotion.

Depuis deux ans, les rapports entre Axel et sa filleule avaient pris un tour différent. Si la jeune femme se montrait toujours affectueuse, et parfois tendre, avec son parrain, elle ne se risquait plus, quand ils étaient seuls, aux élans amoureux d'autrefois. Ils vivaient, plus résignés que pacifiés, ce que Martin Chantenoz appelait amouritié, relation qui, dans son expression sensuelle, entre un homme et une femme, outrepasse l'amitié sans aller jusqu'aux abandons de l'amour.

Zélia, confidente et souvent compagne de promenade et de voyage d'Alexandra, apportait dans l'existence laborieuse de la banquière d'heureuses diversions. Les deux femmes partageaient le même goût pour les excursions au Salève, quand M^me^ Vuippens séjournait à Genève, dans le Valais où les deux amies allaient parfois prendre les eaux de Louèche. La musique de Richard Wagner aussi les rapprochait. Le musicien proscrit, installé à Zurich, avait trouvé là un mécène, Otto Wesendonk, richissime négociant en soieries, d'origine rhénane, récemment arrivé des Etats-Unis, et une égérie selon son cœur, la belle Mathilde, épouse d'Otto. L'année précédente, Zélia et son amie s'étaient rendues à Zurich, pour assister à quatre représentations du *Vaisseau fantôme*. Elles se préparaient à y retourner, du 16 au 19 février, pour entendre, à l'hôtel Baur-au-Lac, M. Wagner lire, devant un cercle d'initiés, qui, tous, « pouvaient amener des amis », le livret de *l'Anneau du Nibelung*. Elles prévoyaient déjà un autre séjour, au printemps, pour assister à une fête musicale wagnérienne, au cours de laquelle seraient interprétés, en présence du maître, par des chanteurs, des cantatrices de renom international et cent dix choristes, des extraits des opéras du maître : *Rienzi, le Vaisseau fantôme*, *Lohengrin* et cette ouverture de *Tannhäuser*, dont Alexandra jouait admirablement une transcription pour piano que l'on disait de la main de son ancien professeur du conservatoire de Genève, M. Franz Liszt. Richard Wagner donnerait, à cette occasion, une lecture publique d'un de ses essais, *Trois Poèmes d'opéra.* Cette fois, les mélomanes seraient accompagnées d'Elise Métaz, qui appréciait l'art vocal et devait, de temps à autre, une visite à la veuve de son père.

— Pourquoi ne viendrais-tu pas avec nous ? proposa Alexandra. Si ses malades lui laissent quelque répit, Louis se joindra à l'expédition. Plus on est de fous plus on rit, ajouta-t-elle, un peu troublée par l'humeur sombre de son parrain.

— Je ne goûte pas beaucoup les musiques désordonnées de ton Allemand. Et puis, en mai j'aurai beaucoup à faire dans les vignes… et je n'ai plus guère envie de voir des gens, de tenir des conversations, de faire des mondanités ni même de voyager. Je me sens devenir ours, si tu veux le savoir. Et, comme l'ours, je préfère rester dans ma tanière.

Le geste d'Alexandra pour se jeter, consolatrice, au cou de son parrain, fut interrompu par le retour, en coup de vent, de Vincent Métaz. Basil, veste blanche, cravate noire et gants de filoselle, suivait le jeune homme en poussant une table à thé largement pourvue en bricelets saupoudrés de sucre, en cakes aux fruits et aux amandes, en confitures et toasts.

— Ces gens des chemins de fer, pas plus que ceux du Conseil d'Etat, ne savent vivre, père. Ils nous ont offert un verre de vin blanc acide et une demi-douzaine de bouchées au fromage, sans doute cuites avant l'invention de la machine à vapeur ! Je meurs de faim, lança le jeune homme en s'attablant, tandis qu'Alexandra versait le chine odorant dans les porcelaines de Minton.

Axel observait son fils avec tendresse, tandis que le garçon se délectait du copieux goûter. La morosité ombrageuse qu'Alexandra lisait, quelques instants plus tôt, dans le regard vairon de son parrain, s'était soudain diluée en un sourire. Le spectacle de Vincent, aux gestes aisés, sa gourmandise, sa complicité de bon aloi avec Alexandra, sa façon d'avancer une chaise pour M^me^ Laviron, qui venait de rejoindre le groupe, de tendre le sucrier à la vieille dame, de lui servir une demi-tranche de son cake préféré, avant même qu'elle l'eût demandée, mettait Axel au comble du contentement. Vincent, qui se déplaçait toujours comme un ouragan, dont on devinait l'instinct jouisseur, la certitude qu'il affichait de connaître son chemin, sa manière de jouer de son regard vairon pour captiver les femmes et capter l'attention des hommes, manifestait aussi un intérêt affectueux et sincère à ceux du cercle Fontsalte. En revanche, et Alexandra l'avait révélé à Axel, il ignorait résolument les autres, ceux qu'il nommait les gens. Vincent semblait avoir fait sien un propos prêté à la reine Victoria : « Il y a les gens que je connais et les Esquimaux. » « Et, pour ton fils, il y a beaucoup d'Esquimaux ! Un vrai Fontsalte, celui-là ! » avait-elle glissé à Axel.

Ce n'était pas pour déplaire à M. Métaz qui, à cinquante-deux ans, estimait avoir consacré trop de soins, de temps et d'argent à des relations superficielles. En revanche, il craignait que Bertrand qui, au contraire de son frère, se dévouait aux autres sans se poser de questions, sans faire de discrimination sociale, à l'exemple du bon pasteur Duloy que le cadet des Métaz vénérait, ne connût des déceptions. La reconnaissance, bien qu'un homme serviable et charitable se défende d'en attendre, est cependant la seule preuve qu'il puisse espérer de l'efficacité de son action.

Ces pensées rappelèrent opportunément à Axel qu'il s'était promis de demander à sa filleule des renseignements sur un certain Jean-Henry Dunant, de qui Bertrand s'était entiché et à qui il rendait parfois visite, à Genève.

— C'est un fils de Jean-Jacques Dunant, membre de la chambre des Tutelles et Curatelles, et d'Anne-Antoinette Colladon, la sœur de notre grand physicien. Un gentil garçon, qui doit avoir dans les vingt-cinq ans, employé de la banque Lullin et Sautter. Les Dunant comptent dans leur parentèle le syndic Dunant, qui, en 1782, sauva Genève d'une guerre civile, allumée comme d'habitude à Saint-Gervais ! dit Alexandra.

— Une bonne famille de l'aristocratie genevoise, en somme, commenta Axel.

— C'est une famille qui a tout de suite adhéré au mouvement du Réveil. Elle est, de ce fait, assez mal vue de la vénérable Compagnie des pasteurs, d'autant plus qu'un Dunant aurait dit : « Je ne sais rien de plus absurde qu'une Eglise nationale. » Mais, comme tous les Dunant pratiquent la charité avec générosité et enthousiasme, personne n'ose faire de commentaire sur leur façon de vivre la religion réformée. M. et M$^{me}$ Dunant accueillent souvent des orphelines dans leur campagne familiale de La Monnaie, proche de Cornavin, et Henry, celui qui intéresse Bertrand, est secrétaire de la Société d'aumône de Genève. Ce sont des gens qui visitent les infirmes, les indigents et même les prisonniers, expliqua Alexandra.

— C'est aussi ce que fait Bertrand, à Vevey, sous l'égide de notre vieil ami le pasteur Duloy.

— On m'a même dit que les Dunant sont allés, il y a quelques années, en famille, visiter le bagne de Toulon, et que le jeune Henry en est revenu bouleversé. Voilà, ce que je sais. Mais pourquoi cette enquête, parrain ?

— Parce que Bertrand m'a vaguement parlé d'une société nouvelle de bienfaisance, créée par ce M. Dunant. Ce serait une sorte de club de jeunes hommes, qui veulent, à la fois, développer leurs connaissances théologiques et se dévouer aux malheureux. Il fonctionnerait déjà à Genève, et Bertrand voudrait en créer un semblable à Vevey. As-tu entendu parler de ça ? demanda encore Axel.

— Bien sûr. Il s'agit de l'association qu'a créée Henry Dunant et qui fonctionne depuis novembre 52. Cette société a succédé au groupe l'Oratoire, une ancienne œuvre de bienfaisance genevoise. Elle s'appelle maintenant Union Chrétienne des Jeune Gens et paraît directement inspirée de la Young Men's Christian Association, fondée à Londres en 1844, par sir George Williams. Cette association protestante a, en effet, pour but la protection morale, le développement spirituel de ses membres et la pratique de l'aide aux malades et aux nécessiteux. Elle existe aussi, depuis 1851, aux Etats-Unis. Je sais tout cela parce que notre ami John Keith, de Londres, m'a vivement encouragée à soutenir des deniers de notre banque la société genevoise, comme sa banque soutient l'œuvre anglaise, précisa Alexandra.

— En somme, rien que de très honorable, dit Axel, rassuré.

— Certes. D'ailleurs, l'Union rassemble des fils d'aristocrates, comme Henri Lullin, Théodore Cramer, Gustave Pictet et les frères Perrot. Leur salle de réunion se trouve 115, rue des Chanoines. Pour le moment, l'activité principale de ce club consiste à fournir de la lecture à ses membres, car l'association achète des livres et des journaux. C'est un groupe assez fermé, où l'on entre par cooptation. La cotisation est de 20 francs par an, ce qui interdit l'accès aux bourses modestes. La véritable activité missionnaire que Dunant s'est fixée vient seulement de commencer. J'ai acheté une carte d'amie du mouvement. Il paraît que deux cent cinquante ont déjà été vendues à Genève. L'Union voudrait créer des écoles du dimanche, organiser des séances éducatives pour des groupes d'ouvriers et, surtout, nouer des contacts internationaux. Le jeune Dunant, qui s'est d'ailleurs promu secrétaire international, paraît infatigable, rien ne le rebute, il semble avoir l'audace des conquistadores quand il s'agit de faire avancer ses idées.

— Bertrand le dit assez séduisant.

— C'est un beau brun, front haut, moustaches épointées et légèrement tombantes, plutôt mince, avec des épaules étroites. Pour ceux qui le connaissent, c'est une sorte de prophète social, un peu exalté. Il veut qu'il y ait partout dans le monde des Unions Chrétiennes des Jeunes Gens. Il en existe déjà à Nîmes et à Paris. Donc, pourquoi pas à Vevey ? acheva Alexandra.

— Ce Dunant n'est donc pas une mauvaise fréquentation pour Bertrand. En attendant de nous quitter pour aller à Heidelberg en automne, quand il aura terminé son gymnase, il peut donc adhérer à l'Union, conclut M. Métaz.

— Je crois d'ailleurs que Dunant va bientôt quitter Genève. La banque Lullin et Sautter l'a désigné pour remplacer provisoirement le baron de Gingins-La Sarraz à la direction de la colonie suisse de Sétif, qui n'est guère florissante. Depuis que le gouvernement de Napoléon III exige que les colons déposent, avant leur départ, trois mille francs à la Compagnie des colonies suisses de Sétif, pour obtenir une concession de vingt hectares à Aïn-Arnat, le recrutement devient difficile. Beaucoup de postulants sont dans l'incapacité de réunir cette somme, dont les deux tiers leur seront restitués quand ils auront achevé la construction de leur maison et mis les terres en valeur. Et puis, les premiers colons partis de Vaud ou de Genève n'ont pas tous, semble-t-il, les aptitudes requises, et leur moralité laisse parfois à désirer. C'est pourquoi les banquiers ont décidé de se montrer plus sévères en ce qui concerne le choix des postulants. Henry Dunant est, en somme, chargé d'une inspection de la colonie, conclut Alexandra, qui avait toujours refusé d'investir en Algérie.

Aussitôt après la collation, Axel quitta la rue des Granges pour rentrer à Vevey. Vincent tint à accompagner son père jusqu'au bateau et, chemin faisant, lui fit confidence de la fin de sa liaison avec la suivante de la grande-duchesse de Russie.

— Elle commençait à prendre trop de place dans ma vie, dit le garçon. Elle aurait voulu que nous habitions ensemble. Vous voyez ça, une sorte de vie néo-conjugale... à mon âge ! Cette femme, adorable sous bien des rapports, est faite pour le mariage. Moi, pas encore, bien sûr. J'ai tant de choses à apprendre et à faire. Je veux être libre. Aussi ai-je espacé nos rencontres et, quand elle est partie pour Florence avec sa duchesse, qui déteste l'hiver de Genève, j'ai dit que c'était fini, voilà !

Axel, qui marchait au côté de son fils, lequel le dépassait déjà en taille de quelques centimètres, marqua un temps d'arrêt.

— Tu lui a annoncé ça aussi brutalement ! T'es-tu demandé un instant si cette dame, que je ne connais pas, mais qui a peut-être pour toi plus que de l'attirance physique, n'a pas été choquée et malheureuse ? fit-il remarquer.

— Elle a pleuré, ah ça, oui ! Elle a pleuré. Elle a même dit qu'elle allait se jeter dans le lac. A ce moment-là, nous étions dans l'île Rousseau. Elle s'est approchée de la barrière. Je me suis dit : « Si tu as l'air de croire à sa menace, c'est perdu. » Aussi, je n'ai pas fait un geste pour la retenir. Je lui ai même dit : « L'eau est glacée, vous allez attraper du mal », car je la sais bonne nageuse, vu qu'on s'est souvent baignés ensemble.

— Et alors, elle a sauté ? demanda Axel, impatient.

— Eh non ! Mais elle était furieuse. Elle est venue vers moi et m'a craché à la figure en criant des choses en russe que j'ai pas comprises. Une vraie scène ! Même que le gardien est sorti de sa cabane pour voir ce qui se passait. Et puis elle s'est calmée et m'a dit que j'étais un garçon sans cœur et des mots, comme ça, de femme en colère. Elle a dit aussi qu'elle aurait fait de moi un boyard, qu'elle m'aurait fait donner des terres par le tsar et, peut-être même, un régiment, et je ne sais quoi encore. Et puis elle a tendu vers moi sa main gauche, l'index et l'auriculaire pointés comme des cornes, et elle a encore marmonné des mots en russe. Cette fois, je l'ai attrapée pour lui demander ce que ça voulait dire. « C'est un sort que je te jette, ingrat. Tu ne pourras plus jamais contenter une autre femme que moi et, si tu veux revenir, je te ferai rosser par mes gens ! Adieu ! » m'a-t-elle répondu.

Hésitant entre le rire et la réprimande, Axel opta pour la complicité.

— Te voilà bien loti ! Voué à l'impuissance par une sorcière moscovite. C'est bien ennuyeux et je te plains si…

— J'ai pas cru une minute à ces balivernes, père, rassurez-vous. D'ailleurs, j'ai essayé, le soir même, avec une gentille fille qui vend des beignets à la Corraterie. Ça fonctionne tout pareil qu'avant ! conclut Vincent, hilare.

— Tes façons sont d'un rustre, mon garçon. Les femmes, quel que soit leur rang social, doivent être traitées avec déférence et respect. Surtout celles avec qui on a couché. Il y a des manières plus douces et plus courtoises de clore une liaison, Vincent, dit le père.

— Mon grand-père, le général, m'a toujours dit que lorsqu'on a une chose désagréable à dire à quelqu'un, il est peu loyal de tourner autour du pot. « Même en amour, m'a-t-il dit, il faut énoncer les choses clairement. Ménager les gens et enrober ce qu'on doit dire dans des formules mielleuses, c'est faire preuve de lâcheté et faire souffrir l'autre plus longtemps. » Voilà ce que m'a dit le général.

Sur le vapeur qui le portait à Vevey, alors qu'une brume grise étirait devant le vignoble de la Côte, blanchi par la dernière neige, un voile opaque, Axel Métaz se reprocha d'avoir traité à la légère l'aventure de Vincent et de la dame russe. Il regretta plus encore de n'avoir formulé aucune critique de la conduite de son fils aîné, dont on avait fêté les dix-huit ans un mois plus tôt, et qui se comportait comme un coureur de cotillon aguerri. Lui, au moins, ne s'embarrassait pas de précautions dilatoires, de faux-semblants, de prétextes charitables pour rompre avec une maîtresse en ménageant, sinon ses sentiments, du moins son amour-propre. Il tranchait sans émotion, sans se soucier de la blessure qu'il infligeait ni de l'affliction que son geste chirurgical pouvait déclencher chez une femme. Louis Vuippens lui aurait donné raison et, après tout, était-ce peut-être la manière la plus honnête de rompre une relation de ce genre.

Au débarcadère de Vevey, M. Métaz repéra tout de suite, parmi les gens venus accueillir parents ou amis, Elise, emmitouflée dans un châle, et flanquée de Jean Trévotte. La présence insolite de l'ordonnance du général l'intrigua.

— Vous n'auriez pas dû sortir par un tel brouillard, dit-il à sa femme, avant de serrer la main de Titus, en lui demandant la raison de sa visite.

L'adjudant n'était pas homme à tergiverser.

— Le général m'envoie vous prévenir que M^me^ Rosine a disparu, depuis hier soir, de chez elle. Nous l'avons cherchée toute la nuit, d'Ouchy à Montbenon, et nous ne l'avons pas trouvée. Personne l'a vue. Le général et votre mère sont très inquiets. On se demande ce qui a pu lui passer par la tête. J'ai attendu le bateau, pour le cas où vous voudriez venir à Beauregard tout de suite. J'ai la voiture là, débita Trévotte en désignant, d'un geste, la place du Marché.

— Je viens avec vous, bien sûr ! Le temps de poser mon bagage à Rive-Reine et de prendre un paletot plus chaud et des bottes. Si nous devons parcourir la campagne, mieux vaut être équipé.

Dix minutes plus tard, Axel et Trévotte roulaient vers Lausanne. Chemin faisant, le Vaudois s'enquit des circonstances de la disparition de Tignasse, dont il savait que la déraison s'était aggravée depuis la mort de sa sœur Flora.

Titus, qui, souvent, avait mission de promener la douce démente, connaissait toutes ses manies.

— Par moment, elle s'attife et veut aller au bal. Passé un temps, elle courait à l'hôtel de ville pour se marier. Ensuite elle voulait aller voir le pape, pour lui parler de l'avancement de son défunt mari, le garde pontifical. La semaine dernière, la générale et moi, nous l'avons récupérée dans une épicerie de la Palud. La pauvre dame se croyait dans son commerce d'autrefois à La Tour-de-Peilz et servait les clientes en dépit du bon sens. On sait pas ce qu'elle peut inventer. Mais c'est la première fois qu'on la perd aussi longtemps et, surtout, que personne l'a vue. D'habitude, les gens qui la connaissent viennent à Beauregard nous dire où ils l'ont rencontrée. Mais, depuis hier, rien. Peut-être a-t-elle pris la diligence pour Rome ! acheva le vieux soldat, visiblement peiné.

A Beauregard, Axel trouva le général en conversation avec un officier de gendarmerie. La maréchaussée s'était renseignée auprès des voituriers : M$^{me}$ Mandoz n'avait pris place dans aucune des diligences à destination de Berne, de Villeneuve ou de Genève. Elle n'avait pas, non plus, loué de voiture de poste ni embarqué sur un vapeur. Elle n'était pas à l'hôpital ni à l'hospice des indigents.

— Cette dame a peut-être été recueillie par quelqu'un qui ne sait qu'en faire. Si elle ne se souvient ni de son nom ni de son adresse le mieux serait, mon général, de mettre une annonce dans la *Gazette*, ça se fait. Les gens qui perdent leur chien ou leur chapeau font souvent ça, dit le gendarme.

Le général sourit, remercia l'officier, qui s'engagea respectueusement à poursuivre les recherches dans le canton.

Charlotte s'était rendue au presbytère. Le curé connaissait Tignasse et la visitait régulièrement. Le colonel Golewski parcourait les berges du côté d'Ouchy, tandis que les servantes faisaient la tournée des épiceries et des marchandes de nouveautés de la ville.

— D'après sa gouvernante, notre pauvre Rosine ne peut avoir fait beaucoup de chemin. Elle se fatigue très vite, dit Blaise en déployant une carte du district de Lausanne.

Axel et son père étaient penchés sur le document, essayant d'imaginer l'itinéraire possible de la fugueuse, quand l'adjudant Trévotte apparut, le visage grave.

— On l'a retrouvée, mon général. Un pêcheur, qui suivait le Flon, a vu un corps dans les broussailles. Il est allé au café du Grand-Pont, où j'étais passé ce matin. On lui a dit de venir ici. Sûr que c'est bien elle. Elle a dû tomber du Grand-Pont. Faudrait aller là-bas tout suite, arriver avant les gendarmes, mon général. Paraît qu'elle est bien abîmée. Vous pensez, du Grand-Pont ! Ça fait bien au moins vingt ou trente mètres de chute, débita d'un trait Titus.

Conduits par Trévotte, Axel et le général descendirent dans le vallon du Flon qu'enjambait, depuis 1844, le Grand-Pont à deux rangées d'arches superposées.

Plusieurs personnes, dont le pêcheur qui avait donné l'alerte, entouraient un corps affreusement disloqué, qui gisait dans un buisson d'épineux. Jupe et jupon retroussés dévoilaient les jambes maigres et un pantalon festonné de dentelle. Trévotte, qui sur les champs de bataille de l'Empire avait maintes fois transporté des cadavres, s'était muni d'une couverture. Aidé du pêcheur, fort ému, il y plaça la frêle dépouille de Tignasse, dont les traits apparurent intacts, quand Axel eut écarté les cheveux plaqués sur le visage de la morte. L'épaisse toison, blanche et bouclée, qui avait autrefois valu à la brune Rosine Baldini son surnom de Tignasse, l'avait protégée de la griffe des ronces, denses sur la berge du Flon. Axel eut encore le courage de fermer les yeux de celle qui, trente-huit ans plus tôt, l'avait initié aux gestes de l'amour.

L'adjudant Trévotte s'étant chargé du corps inerte, Fontsalte, Axel Métaz et les curieux quittèrent le vallon. Dans le cabriolet de Beauregard, Tignasse fut ramenée chez elle. Un médecin, convoqué, ne put que constater le décès. Il accepta de rétablir, tant bien que mal, les membres de la morte dans une position acceptable. Les servantes procédèrent à la toilette mortuaire, puis Blaise envoya prévenir Charlotte.

— Cette dame n'a pu tomber du pont, vous en conviendrez, messieurs. C'est donc volontairement qu'elle a enjambé le fort parapet. C'est donc un suicide et pas le premier à cet endroit, conclut l'officier de gendarmerie, que Fontsalte avait fait quérir par Trévotte.

M^me^ de Fontsalte craignit un moment que le curé de la paroisse catholique ne refusât à une suicidée des funérailles religieuses. Le prêtre, compréhensif, sachant que la morte n'avait plus le sens commun, admit qu'elle n'avait pas dû être consciente d'accomplir un geste réprouvé par l'Eglise catholique, pour qui Dieu seul doit décider de la vie et de la mort d'un chrétien.

Rosine Baldini, veuve de Julien Mandoz, officier de la Garde pontificale, eut des funérailles édifiantes, que suivit toute la communauté catholique, dont sa sœur, Flora, avait été une bienfaitrice constante.

Après l'inhumation, le cercle Fontsalte se réunit à Beauregard.

— Nos rangs vont s'éclaircissant, mais, heureusement, la nouvelle génération arrive, dit le général en désignant ses deux petits-fils, Vincent et Bertrand, venus aux obsèques d'une femme qu'ils n'avaient connue que diminuée et indifférente.

L'enterrement de M^me^ Mandoz avait valu aux fils Métaz d'assister, pour la première fois, à une cérémonie mortuaire revêtue de la pompe romaine. Bertrand se déclara fort impressionné par la liturgie, la musique et les chants de la messe des morts.

— Le *Dies irae* est un chant d'une beauté tragique, une sorte de complainte de la fatalité, confia-t-il à sa grand-mère Charlotte.

— Ce que tu as surtout apprécié, c'est, en somme, le spectacle, mon petit, ce que vous critiquez, vous autres protestants, dit M^me^ de Fontsalte, avec un regard de biais à sa bru.

Elise saisit la provocation.

— Cette liturgie, que je qualifierai d'attractive, même si elle exalte la prière communautaire des fidèles, est aussi source de distractions profanes, chère mère. D'ailleurs qu'a retenu Bertrand de cette triste cérémonie ? Les chants, la musique, les lumières, les riches ornements des prêtres. Je voudrais qu'il sache que la foi catholique est aussi dépouillement, méditation, prière intérieure. Je pense à Nicolas de Flue, notre ermite patriote, à qui la Suisse doit en partie d'être ce qu'elle est. Vous devriez le lui faire connaître, mère.

— Ma chère Elise, j'ai justement prévu de faire, avant de mourir, un pèlerinage au Ranft. Si vous autorisez Bertrand à m'accompagner, nous irons ensemble visiter la maison natale de Nicolas, à Flüeli, puis la grotte où, depuis sa mort, en 1487, se succèdent des solitaires.

— Non seulement je l'y autorise, chère mère, mais je l'encourage à profiter de votre invitation. Nicolas fut un homme sage et un chrétien exemplaire. Son souvenir appartient aussi bien aux catholiques qu'aux protestants, dit Mme Métaz, conciliante.

Il fut aussitôt décidé qu'à la fin de l'été Charlotte emmènerait son petit-fils en Suisse primitive. Elle proposa d'ajouter à la visite de l'ermitage de Nicolas de Flue un arrêt à l'abbaye d'Einsiedeln, où les moines bénédictins chantaient admirablement.

— Alors, cette fois, pour qui aime le décorum romain, les fresques, les stucs, les ors, les statues de saintes maquillées et les choristes d'opéra, votre petit-fils sera comblé, persifla Vuippens avec un sourire.

— Taisez-vous, mécréant, lança Charlotte sans acrimonie. Nous savons tous ici que vous ne croyez pas à l'existence de Dieu !

— Au risque de vous décevoir, je ne crois même pas à l'absence de Dieu. Je ne crois rien. Je ne suis pas mécréant, je suis tout simplement humble, répliqua Vuippens.

Zélia, croyante à la manière des Tsiganes, ce qui, pour Elise la protestante et pour Charlotte la catholique, était une autre forme d'hérésie, intervint en prenant tendrement le bras de Louis.

— Malgré tout ce que mon mari vous dit là, je l'ai entendu, pas plus tard que la semaine dernière, alors qu'il venait de sauver de justesse la vie d'une femme infectée par un avortement, dire à la mère de la malade, qui le remerciait en lui baisant les mains : « Je la pansai, Dieu la guérit ! » Alors, n'est-ce pas reconnaître la puissance du Créateur ?

— J'ai emprunté cette phrase à Ambroise Paré, qui, comme moi, était humble devant la vie et la mort, dit le médecin, comme pour excuser une faiblesse.

Une semaine après la mise en terre de Tignasse, Axel Métaz fut convoqué par un notaire lausannois. Le tabellion procéda, en sa présence, à l'ouverture du testament des sœurs Flora et Rosine Baldini, veuves, l'une, du comte Claude Ribeyre de Béran, général d'Empire, l'autre, de Julien Mandoz, officier au service du pape.

Axel apprit avec étonnement qu'il devenait légataire universel, non seulement de Tignasse mais, par ricochet, de Flora. Les deux sœurs avaient rédigé, neuf ans plus tôt, un commun testament prévoyant que la survivante jouirait des biens et fortune de la défunte, mais qu'à la disparition de la dernière des sœurs, tous les biens des deux, meubles et immeubles, numéraire, actions, obligations et créances, reviendraient intégralement à M. Axel Métaz de Fontsalte, à charge pour lui d'exécuter les legs prévus par les testatrices.

— Mais ce testament est-il valable ? Vous savez que Mme Mandoz n'était plus, aux termes de la loi, depuis deux ans au moins, saine de corps et d'esprit, observa Axel.

— Elle l'était quand elle signa ce testament olographe, en septembre 1844, cher monsieur. Seules les modifications qu'elle eût apportées depuis deux ou trois ans, quand ses facultés ont baissé, eussent été contestables. Rassurez-vous, vous êtes un héritier tout à fait légitime. D'ailleurs, ces dames n'ont, ni l'une ni l'autre, de descendance ou de parents, si éloignés puissent-ils être, conclut le notaire en remettant à Axel un relevé des biens qui venaient de lui échoir.

Rentré à Vevey, Métaz évalua son héritage. Contre toute attente, celui-ci se révéla important. Lui revenaient un volumineux portefeuille d'actions et obligations variées, deux comptes en banque bien garnis, la maison de Lausanne où Flora et Rosine avaient vécu et qu'on nommait, dans le cercle Fontsalte, la grotte aux veuves, un immeuble à La Tour-de-Peilz, un autre à Vevey, une gentilhommière à Béran, en France, héritée de son mari par Flora, un cabriolet, une berline de voyage, des tableaux et objets d'art.

Les legs imposés au légataire tenaient en une phrase : « Remettre tous les papiers, souvenirs, armes et uniformes du général Ribeyre à son ami le général Fontsalte, et dans le cas où celui-ci serait décédé, au musée de Lausanne ; tous les papiers, armes, décorations, brevets et uniformes de Julien Mandoz, officier de la Garde pontificale, à l'évêque de Genève, Fribourg et Lausanne, à charge pour le prélat et ses successeurs d'en assurer conservation. »

Au mois de mai, quand la vigne fut taillée et émondé tout sarment inutile, alors qu'un printemps chaleureux illuminait le vignoble et bleuissait le Léman, Axel fit armer son yacht. L'*Ugo*, coque minutieusement calfatée et repeinte, voiles lavées, pont vernissé, ferait sa première sortie de l'année entre Vevey et Genève. M. Métaz voulait confier à la banque Laviron Cornaz et Cie le portefeuille d'actions dont il venait d'hériter, et solliciter un conseil d'Alexandra quant au placement de la somme rondelette léguée par les sœurs Baldini.

Dès qu'il eut vent du voyage, Bertrand demanda à accompagner son père. Il souhaitait, lui aussi, se rendre à Genève, pour rencontrer Henry Dunant avant qu'il ne quitte la Suisse pour l'Algérie. Le projet de création d'une section veveysanne de l'Union Chrétienne des Jeunes Gens prenait corps depuis que M. Laufer et l'organiste Dubourg avaient décidé de s'en occuper activement.

Au cours de cette navigation printanière, Paulin Tabourot, le bacouni, fin manœuvrier, relaya souvent M. Métaz à la barre et Axel eut de longs entretiens avec le cadet de ses fils. M. Métaz regrettait de ne pas ressentir avec Bertrand la même complicité qui le liait à Vincent. Il s'était souvent interrogé sur cette sorte de réserve, que le garçon marquait à l'égard d'un père qui ne traitait pas différemment ses deux fils. Etait-ce dû au plus jeune âge de Bertrand, à sa relative timidité, au fait qu'il n'avait pas, comme Vincent, son aîné de deux ans, le regard vairon, ou à la simple, mais évidente, différence de tempérament des deux frères ?

Le bateau doublait la pointe de Saint-Sulpice et le bacouni venait de disposer, sur le banc de pont recouvert d'une serviette blanche promue nappe, viande séchée des Grisons, fromage de la Gruyère et bricelets sucrés, quand Axel offrit à l'adolescent de déboucher la bouteille de dézaley, compagne indispensable pour un pique-nique vaudois. C'était la première fois qu'il déléguait à son fils ce privilège de chef de famille vigneron.

Bertrand n'eut qu'une brève hésitation, due à la surprise, puis s'exécuta adroitement.

— Parfait. Tu es un homme ! commenta Axel en tendant son verre, que le garçon emplit.

Le maître de Rive-Reine mira dans le soleil le vin doré de ses vignes, le huma et heurta le verre de Bertrand.

— Puisque tu viens de déboucher pour ton père ta première bouteille, porte un toast, mon garçon ! dit Métaz.

— Eh bien, père, que nous soyons, vous, mère, Vincent et moi, toujours unis, et que notre vie de famille ressemble à notre navigation d'aujourd'hui, paisible, ensoleillée, heureuse, énonça le garçon en levant son verre.

— C'est un beau vœu, que tu viens de formuler là. Que le ciel t'entende, mon garçon. Tant d'imprévus peuvent troubler la vie d'une famille ! dit Axel, soudain pensif.

— Je sais, dit Bertrand. Je sais par grand-mère Charlotte que vous avez été le premier à souffrir d'un énorme imprévu !

— Que t'a-t-elle raconté au juste ?

— Elle m'a dit qu'elle avait eu un premier mari, qui était parti pour l'Amérique, où il est mort il y a quelques mois.

— Et encore ?

— Rien de plus que ce que m'avait déjà dit Vincent. Que vous n'aviez connu votre père, c'est-à-dire grand-père général, qu'à l'âge de dix-huit ans. Que, jusque-là, vous aviez cru que c'était le premier époux de votre mère.

— C'est vrai, et cela fit un beau scandale, lors de la fête des Vignerons de 1819, où, comme toi il y a deux ans, je figurais dans le cortège de Bacchus, confirma Axel.

— Savez-vous qu'un jour Vincent a battu comme plâtre le fils de l'épicier, parce qu'il disait que les yeux vairons sont ceux des hommes qui détournent les femmes mariées de leur devoir ? commenta Bertrand.

— Ah ! cet imbécile d'épicier n'avait peut-être pas complètement tort, mon petit. Mais, pour que tu connaisses l'origine de cet énorme imprévu, comme tu dis, je vais te raconter les faits tels qu'ils se sont passés, il y a plus d'un demi-siècle.

L'*Ugo* arrivait en vue de Nyon, quand Axel Métaz de Fontsalte acheva son récit. Il omit toutefois d'évoquer autrement que fortuitement l'existence de sa demi-sœur, la Tsigane.

— Si l'on se place du point de vue moral, grand-mère Charlotte a été coupable d'infidélité conjugale, dit Bertrand, docte et un peu gêné.

— Nul doute là-dessus, approuva Axel.

— Mais le Christ a sauvé une femme adultère de la lapidation en disant que celui qui n'a jamais péché jette la première pierre. Et personne ne jeta de pierre, ce jour-là. Et puis, j'aime grand-mère Charlotte avec son péché, conclut Bertrand, avec un sourire révélateur de sa compassion.

Rue des Granges, les Métaz, père et fils, enchantés de leur voyage et bien conscients, l'un et l'autre, de s'être rapprochés, trouvèrent Alexandra fort en colère contre Vincent.

— Sais-tu qu'hier, 16 mai, ton fils est allé à l'Académie, avec une bande d'étudiants en théologie, manifester contre M. Karl Vogt[1], professeur de géologie et de zoologie ? lança-t-elle d'un ton aigre.

— Et pourquoi donc ? demanda Axel, plus étonné par l'irritation de sa filleule que par les faits eux-mêmes.

— Parce que beaucoup de Genevois reprochent à Vogt de professer un transformisme athée, comme son maître, M. Broussais, et d'enseigner les théories de M. Darwin. Vogt assure même que la pensée est au cerveau ce que la bile est au foie ! Même si l'on ne partage pas les idées de ce naturaliste révolutionnaire, et je ne les partage pas, on ne doit pas tolérer qu'on tente de l'empêcher, par intimidation, de les exprimer. Nos jeunes gens sont assez intelligents et bons chrétiens pour faire la part d'élucubration fantaisiste chez un savant, par ailleurs fort estimable, quand il s'intéresse, avec le grand Louis Agassiz, à la vie des poissons d'eau douce ou au glissement des glaciers, reprit Alexandra.

— Tu sembles donner beaucoup d'importance à un charivari d'étudiants. Il n'y a pas eu de blessés ? interrogea Axel.

— Il n'y a pas eu de blessés, simplement quelques vitres, de la salle de cours de M. Vogt, brisées par des jets de pierre. Mais Vincent, étudiant en droit, n'a pas à se mêler de ce genre de querelle, surtout qu'il est connu à l'Académie comme apprenti de la banque Laviron Cornaz et C^ie^. Tu comprendras aisément que ses gesticulations peuvent indisposer une clientèle, dont nous ignorons si elle est pour ou contre les théories de M. Vogt, ajouta Alexandra.

— A mon avis, elle est plutôt contre, risqua Bertrand, malicieux.

On savait, en effet, aussi bien à Genève qu'à Lausanne, que M. Karl Vogt, éminent professeur à l'université de Giessen, avait pris part à la Révolution de 1848, qui avait secoué la Hesse comme d'autres principautés allemandes, en publiant des articles virulents. Nommé colonel de la garde civique, il avait représenté Giessen, sa ville natale, au Parlement de Francfort, siégeant d'emblée à l'extrême gauche. Lors de la contre-révolution, il avait été destitué et s'était exilé à Genève parce qu'il connaissait James Fazy, ami de

1. 1817-1895. Naturaliste, considéré comme l'un des chefs du matérialisme scientifique allemand. Il fut l'un des principaux collaborateurs de Louis Agassiz. Naturalisé genevois en 1853, élu député, il eut une importante activité politique et siégea au Conseil des Etats.

tous les révolutionnaires. Vogt avait été accueilli assez fraîchement par la société scientifique genevoise, même par les amis de Louis Agassiz, dont il avait été autrefois, à Neuchâtel, le principal collaborateur.

Abraham Tourte, surintendant à l'Instruction publique, que Fazy avait chargé de recruter des personnalités étrangères pour redorer le blason de l'Académie genevoise, anéantie par la destitution des professeurs ne partageant pas les idées radicales, avait offert à Vogt la chaire de Pictet-De la Rive pour enseigner la botanique, la géologie, la zoologie et l'anatomie comparée. Ainsi, une victime des contre-révolutionnaires hessois avait remplacé une victime des révolutionnaires genevois !

L'arrivée de Vogt à l'Académie avait aussitôt soulevé des réticences. Ses premiers cours avaient été sifflés. Les étudiants de la Société de Zofingen, puissants et généralement issus de la bourgeoisie bien-pensante, le houspillaient à chaque occasion. Car M. Vogt, matérialiste convaincu et brillant orateur, usait de sa chaire de sciences naturelles pour répandre ses idées philosophiques, voire politiques. Il déniait notamment à la religion le droit d'intervenir dans la science. Or les calvinistes voulaient que la géologie et la zoologie fissent partie « du champ de l'examen exigé pour entrer en faculté de théologie, comme l'archéologie, la littérature moderne, l'histoire de la philosophie, l'anatomie comparée et la botanique ».

Le professeur Vogt, homme robuste et doté d'autant d'humour que de courage, ne se laissait pas impressionner pas les chahuts estudiantins. La manifestation du 16 mai, organisée par les étudiants en théologie, n'avait pas mis fin à son cours et c'est sereinement qu'il considérait ces excès.

Les conservateurs genevois avaient demandé, sans succès, aux autorités « qu'on débarrasse le pays de ce blasphémateur, qui ose dire, comme Darwin, que l'homme descend du singe ! », mais Vogt continuait à se rendre à l'Académie où, séduits par ses connaissances, sa façon d'enseigner, son humour caustique, des étudiants, négligeant sa philosophie, ne s'intéressaient qu'à sa science, ainsi que l'avait imaginé Alexandra.

L'entrée, comme toujours fracassante, de Vincent dans le salon relança la discussion. Axel, pour satisfaire sa filleule, réprimanda son fils, exigeant sa promesse de ne plus participer aux manifestations des adversaires de M. Vogt.

— Mais, père, si nous ne faisons pas entendre la voix de ceux qui combattent les athées militants et les radicaux arrogants, qui le fera ? Savez-vous que son athéisme conduit parfois M. Vogt à des réflexions de très mauvais goût. L'autre jour, commentant, du point de vue géologique, le tremblement de terre qui a détruit Lisbonne, en 1755, il a rappelé qu'il y avait eu de nombreuses victimes dans les églises effondrées. Puis il a ajouté avec un sourire narquois : « Voilà ce que c'est que d'aller à l'église ! » rapporta Vincent, indigné.

— Ne te mets pas en colère pour ça, intervint Bertrand. Je gage qu'à l'article de la mort, M. Vogt révisera sa philosophie ! C'est souvent à l'instant fatal que les esprits forts se tournent soudain vers Dieu. Et Dieu les accueille avec un sourire, peut-être narquois, acheva le cadet.

— En tout cas, si la bonne société genevoise conteste l'enseignement de ce géologue venu d'Allemagne, les ingénieurs chargés de la construction des voies ferrées le consultent fréquemment et avec profit, dit Alexandra.

Puis, se tournant vers Vincent, elle ajouta :

— Tu dois te dire, désormais, que, pour un banquier comme pour un ingénieur des chemins de fer, il n'y a ni athée ni croyant.

Tandis qu'Axel Métaz et sa filleule s'étaient retirés, pour discuter placements, dans le bureau que le défunt Pierre-Antoine avait fait aménager dans son hôtel particulier, Vincent entraîna son frère dans sa chambre.

— J'ai un cadeau pour toi, dit-il en lui tendant un livre à la couverture de carton marbré.

Bertrand lut le titre : *la Case de l'oncle Tom ou vie des nègres en Amérique*. L'ouvrage, édité à Paris, signé Harriet Beecher Stowe, venait d'être traduit en français par Léon Pilatte et préfacé par Mme George Sand.

— J'ai pensé que ça peut t'intéresser, parce que c'est l'histoire d'esclaves nègres, chez les planteurs de coton du sud de l'Amérique. J'ai vu dans le journal américain que tante Alexandra m'oblige à lire, chaque semaine, pour me familiariser avec les cours de Wall Street, qu'on a vendu, en un an, trois cent cinq mille exemplaires de ce livre. Le nègre rapporte gros à qui sait exploiter ses malheurs ! commenta Vincent, ironique.

Bertrand remercia, ouvrit le livre et considéra une gravure, illustrant une vente d'esclaves aux Etats-Unis.

— C'est là bien triste chose, commenta-t-il en montrant l'illustration à son frère, qui n'y jeta qu'un regard distrait.

— Cette M$^{me}$ Beecher Stowe milite pour l'abolition de l'esclavage, comme le faisait M. Guillaume Métaz, ce Veveysan devenu américain qui éleva notre père. Elle fait actuellement un tour d'Europe, et j'ai appris à la banque qu'elle arrivera à Genève au mois de juillet. On dit qu'à Londres la duchesse de Sutherland lui a offert un bracelet d'or comportant en réduction — dommage pour elle — dix maillons semblables à ceux des fers que l'on met aux pieds des nègres fugueurs, ajouta Vincent.

— On ne peut que condamner l'esclavage, Vincent. Les hommes à peau noire ou jaune sont des créatures de Dieu, comme nous autres, qui avons la peau blanche, dit Bertrand.

— Certes, mais Dieu a fait des nègres des sauvages qui vivent nus, se passent des anneaux dans le nez, mangent la cervelle de leurs ennemis, adorent des bouts de bois, sont extrêmement libidineux et encore plus paresseux. Alors, si les Américains leur apprennent la civilisation en les obligeant à travailler…

— Mais on les enlève en Afrique, on les porte sur un autre continent, on les vend comme des brouettes ou des pioches ! Drôle de façon d'enseigner la civilisation ! coupa Bertrand.

— Je reconnais bien là ton côté samaritain, ton bon cœur. Peut-être as-tu raison, comme ton ami Dunant, de te préoccuper du sort des nègres des Amériques. Moi, ils me laissent indifférent. Ecoute plutôt. Ce soir, on dansera au Cercle des Artistes. Il y aura des filles à mignoter, modèles de rapins, esclaves consentantes d'une nuit ! Viens avec moi, vertueux frérot, amuse-toi un peu, que diable, tu as l'âge ! lança Vincent, entourant d'un bras vigoureux l'épaule de son cadet.

Comme à regret, le garçon referma le livre de M$^{me}$ Beecher Stowe et répondit à l'enlacement viril de son aîné par une bourrade affectueuse.

— Soit, je t'accompagnerai, dit-il sans enthousiasme, mais ému et ravi.

C'était la première fois que son frère le conviait à partager ses amusements.

# 6.

Bertrand Métaz lut trois fois *la Case de l'oncle Tom* en retenant ses larmes.

Quand la *Gazette de Lausanne* annonça la représentation d'une pièce, tirée de l'ouvrage de Mme Beecher Stowe, il convainquit sa mère et le pasteur Albert Duloy, eux aussi bouleversés par le témoignage de l'Américaine sur la vie des esclaves, de l'accompagner au Théâtre de Lausanne. Bien que le journal eût précisé : « Ce drame, en vogue depuis trois mois, est joué dans une centaine de théâtres, à Paris, dans les départements français et à l'étranger, partout où il y a une troupe dramatique française », tous trois revinrent du spectacle assez déçus. La pièce ne restituait qu'en partie, et d'une manière un peu caricaturale, le contenu du livre.

Du jour au lendemain, séduit par la grandeur morale et le destin tragique de Tom, attendri par la fuite de la métisse Elisa qui traverse l'Ohio gelé, son enfant dans les bras, pour échapper aux chasseurs d'esclaves marrons[1], vaguement touché par la tardive générosité du planteur George Cruikshank, qui rachète ses ouvriers noirs pour les libérer, Bertrand se fit un ardent propagandiste de l'abolition de l'esclavage.

Soutenu par le pasteur Duloy, qui contestait aux planteurs du sud des Etats-Unis le droit de se dire chrétiens, il écrivit aux quakers de la Nouvelle-Angleterre, s'abonna à *the Liberator*, le journal du militant abolitionniste William Lloyd Garrison, que Guillaume

1. En fuite.

Métaz avait soutenu de ses deniers, obtint confirmation des faits rapportés par Mme Beecher Stowe, se fit communiquer des statistiques, se procura l'odieux Code noir qui, depuis 1724, régissait ce que les Sudistes nommaient par euphémisme « l'institution particulière ».

Bertrand invita ses camarades du gymnase à lire le livre révélateur et tint même des réunions, pour faire connaître le sort de la main-d'œuvre servile du Sud américain, dont les filateurs du Nord et de Grande-Bretagne tiraient indirectement profit en achetant et tissant le coton cueilli par les Noirs. Tandis que les philosophes anglais ratiocinaient contre l'esclavage, leurs compatriotes, hypocrites, toléraient la traite des Africains et ne dédaignaient pas de fournir, avec profit, aux riches planteurs esclavagistes, meubles, objets d'art et produits de luxe, payés en bons dollars encore humides de la sueur des Noirs.

A ceux qui soutenaient « que les nègres n'ont pas le cerveau fait comme celui des Blancs, que le soleil d'Afrique explique leur incapacité à apprendre et à réfléchir, que la preuve de leur infériorité mentale est démontrée par le fait que ces robustes sauvages se laissent embarquer comme bétail, et par centaines, sur des bateaux armés par une poignée de Blancs », Bertrand répondait en citant le savant Wilhelm von Humbolt, frère de l'illustre naturaliste prussien, qui avait étudié les races :

— « Pour différents que puissent être les hommes par leur taille, leur couleur, leur morphologie et leur physionomie, leurs qualités mentales restent les mêmes », voilà ce que dit un homme de savoir, clamait le jeune Métaz de Fontsalte.

Et il ajoutait, véhément :

— Seuls, ceux qui tirent profit du travail imposé aux Africains déportés en Amérique soutiennent le contraire. Oserons-nous dire, nous autres hommes libres, respectueux de nos frères, quelle que soit la couleur de leur peau, que nous n'avons pas à nous mêler de ce qui se passe aux Etats-Unis ? Que c'est une affaire à régler entre les Sudistes esclavagistes et les Nordistes qui ne le sont pas ? Non, mes amis, c'est notre devoir de chrétiens, protestants ou papistes, de tout faire pour que cesse une injustice d'un autre âge. L'esclavage est contraire à la Bible, comme à l'Evangile. Si les citoyens de toutes les nations s'unissent pour réclamer l'abolition de cet horrible système d'oppression, dans un pays qui se veut l'instigateur du progrès, les esclaves auront gain de cause. Et, peut-être, évitera-t-on ce que M^me^ Beecher Stowe semble redouter le plus : « un tremblement de terre du monde moral ».

Ainsi plaidait Bertrand, avec feu, ce qui ne manquait pas d'étonner tous ceux que le tenaient pour un garçon timide et mesuré.

Elise approuvait son fils, l'aidait à rédiger des articles qu'il essayait de placer, sans succès le plus souvent, dans les journaux du canton. Quand, en juillet, on sut que M^me^ Beecher Stowe séjournait à Genève, M^me^ Métaz décida d'accompagner Bertrand. Il souhaitait voir et entendre l'écrivain qui osait mettre le monde, dit civilisé, face à la plus flagrante de ses turpitudes.

Grâce à Alexandra, les Veveysans purent rencontrer l'Américaine chez M^me^ Adolphe Pictet de Rochemont, dont l'époux, savant linguiste, avait été l'un des rares Genevois de la bonne société à fréquenter Liszt et Marie d'Agoult, amants sulfureux pour les bien-pensants, lors de leur séjour à Genève, en 1835-36. Le fils d'Adolphe Pictet, Charles, avait pour parrain le général Dufour, qui, père de quatre filles, reportait sur ce garçon l'affection qu'il aurait eue pour un enfant mâle de son sang. C'est dire que la meilleure société genevoise accueillait avec sympathie l'anti-esclavagiste de Nouvelle-Angleterre.

M^me^ Beecher Stowe était accompagnée de son mari, le pasteur Calvin Stowe, un théologien distingué, et de l'un de ses frères, également pasteur, Charles Beecher, auteur d'un ouvrage de théologie très répandu aux Etats-Unis, *l'Incarnation, ou Tableaux de la Vierge et de son Fils*.

En attendant l'apparition de l'abolitionniste dans le salon des Pictet, où étaient rassemblés de nombreux lecteurs et lectrices de *la Case de l'oncle Tom*, les Métaz, le pasteur Duloy et Henry Dunant qui avait, lui aussi, été impressionné par le livre de M^me^ Stowe, en apprirent un peu plus sur Hariett Elizabeth Beecher. Née à Litchfield, Connecticut, le 14 juin 1811, elle était, comme Elise, fille d'un pasteur évangéliste, théologien fameux, le révérend Lyman Beecher, ardent zélateur de l'orthodoxie puritaine et disciple de Jonathan Edwards.

Hariett, très pieuse, avait été, dès l'enfance, passionnée par l'aventure des Pères Pèlerins, arrivés en 1620 à bord du *Mayflower*, pour fonder la première colonie anglaise d'Amérique. Adolescente, elle avait commencé à écrire des poèmes et des nouvelles sentimentales. En 1836, elle avait épousé un ministre protestant, ami de son père, le pasteur Calvin Stowe, à qui elle avait donné six enfants. Son mari enseignait alors au séminaire de Cincinnati et, comme son beau-père et sa femme, il était engagé dans le mouvement abolitionniste. Ce militantisme avait valu au couple injures et persécutions par ceux qui acceptaient l'esclavage en tant que système économique particulier au Sud. En 1850, les Stowe avaient dû quitter la ville pour s'installer dans le Maine, à Brunswick, où le Bowdoin College avait offert une chaire de littérature au pasteur.

C'est là qu'Harriet avait écrit, pour un journal abolitionniste de Washington, *the National Era*, une série d'esquisses destinées à stigmatiser la cruauté de l'esclavage. Ces textes, publiés en deux volumes sous le titre *Uncle Tom's Cabin,* en 1852, à Boston, avaient fait, à la fois, la gloire et la fortune du ménage Beecher Stowe. Le livre était maintenant traduit dans toutes les langues.

Cette petite femme de quarante-deux ans, mince et sèche, de visage serein et de peu de prestance, à la coiffure bizarre bien que dans le style de l'époque — ses cheveux bruns et plats, partagés par une raie médiane, retombaient en multiples et longues anglaises sur les joues et la nuque —, fit, dès son entrée, une forte impression sur les invités. Pressée de questions, elle répondit avec bonne grâce, expliquant la genèse de son livre et reconnaissant qu'elle n'était ni la première ni la seule à dénoncer les méfaits de l'esclavage. Elle cita Sarah et Angelina Grimké, dont le père, magistrat à Charleston, possédait des esclaves. Ces femmes avaient, très tôt, proclamé leurs idées antiesclavagistes, ce qui leur avait valu une menace d'emprisonnement. Les sœurs Grimké avaient quitté la Caroline du Sud, répudié leur famille et s'étaient établies dans le Nord. Collaboratrices occasionnelles de *the Liberator,* elles avaient publié un *Appel aux femmes chrétiennes du Sud*, qui avait eu un fort retentissement. Angelina avait épousé, en 1838, Theodore Weld, un abolitionniste, auteur, en 1836, d'un pamphlet, *Slavery as It Is*, ouvrage dont M^me^ Beecher Stowe reconnaissait volontiers s'être inspirée pour écrire son propre livre.

L'Américaine, dont on devinait qu'elle appréciait sans fausse modestie la notoriété acquise et les compliments, parfois dithyrambiques, que lui décernaient ses lecteurs, confirma que les épisodes qui composaient son récit étaient « de la plus sévère authenticité ». Elle tint aussi à préciser qu'il ne fallait pas voir tous les Sudistes comme des tortionnaires. La plupart se conduisaient humainement avec leurs esclaves. Elle espérait donc, dans son livre, « avoir rendu justice à la noblesse, à la générosité, à l'humanité qui caractérisent un si grand nombre d'habitants du Sud». «Leur exemple, conclut-elle, nous empêche de désespérer de la race humaine.»

Bertrand trouva que les propos mesurés de Mme Beecher Stowe étaient ceux d'une bonne chrétienne, mais le pasteur Duloy se montra sceptique quant à l'indulgence qu'on pouvait accorder aux planteurs qui «traitaient humainement leurs esclaves».

— On ne peut humaniser le fonctionnement d'un système qui ravale la personne humaine au niveau de la bête de somme. Il ne peut y avoir de bons esclavagistes, car le principe même de l'esclavage est inhumain. Il faut donc l'abolir, sans la moindre concession à une forme de paternalisme qui ne peut donner bonne conscience qu'aux hypocrites, observa-t-il en quittant le salon des Pictet.

— Mme Stowe condamne le système inhumain du travail servile, mais elle montre assez de charité pour inviter ceux qui le pratiquent à y renoncer au nom du Christ, avant que cela ne leur soit imposé par une révolte des Noirs, commenta Bertrand.

— C'est un vœu pieux, que je souhaite voir exaucé, reprit le pasteur, approuvé par Elise.

Rue des Granges, à l'heure du thé, Alexandra fut un peu moins aimable pour Mme Beecher Stowe que ne l'avaient été les invités de Mme Adolphe Pictet.

— Il semble que la passion apostolique et humanitaire de Mme Stowe soit communicative, dit la banquière, mais j'ai appris, par notre correspondant de Boston, de passage à Genève, qu'elle n'a probablement jamais mis le pied dans une plantation de coton du Sud et ne rapporte la vie des esclaves que par ouï-dire. Notre banquier américain a ajouté qu'elle s'est beaucoup inspirée des écrits d'autres abolitionnistes pour composer ce livre, d'où émane, il est vrai, une émotion qu'on ne trouverait pas dans les autres. Mme Stowe vient d'ailleurs de terminer un autre volume, qui aurait pour titre *A Key for Uncle's Tom Cabin*. Son premier ouvrage lui a rapporté à ce jour beaucoup d'argent. C'est donc normal qu'elle récidive. D'ailleurs, tout le monde sait que la société américaine est gouvernée par deux puissances alliées : la Bible et le dollar ! acheva Alexandra.

Elise pinça les lèvres sans répliquer, mais Bertrand s'y résolut.

— En serait-il ainsi, tante Alexandra, qu'il n'y aurait rien à redire. Mme Beecher Stowe n'a ni l'apparence, ni le comportement, ni le langage d'une femme d'affaires. Elle est portée par sa foi et son indignation. Son livre est le premier qui répande à travers le monde le cri des esclaves, que nous ne pouvons ou ne voulons pas entendre, dit le jeune homme.

Le pasteur Duloy posa le biscuit qu'il grignotait et prit le relais.

— Ah, ma brave petite Alexandra ! Ce livre, qui a partout pénétré, semble-t-il, trouble, bien sûr, nos consciences de civilisés, altère notre quiétude, titille nos égoïsmes. Maintenant, de Londres à Berlin, de Genève à Rome, de Vancouver à São Paulo, de Saint-Pétersbourg à Athènes, les gens instruits, ceux qui lisent et suivent la vie du monde, ceux qui ont de l'influence en somme, ne peuvent plus ignorer que des hommes, parce qu'ils ont la peau noire, sont, à l'âge du chemin de fer et du télégraphe électrique, vendus en place publique comme bœufs en foire, séparés de leur femme et de leurs enfants, contraints à travailler sous le fouet, pendus sans jugement pour la moindre broutille. Mme Beecher Stowe n'est que l'instrument de la lassitude divine. D'ailleurs, n'a-t-elle pas dit, tout à l'heure, qu'elle a écrit son livre « sous la dictée de Dieu » ? Alors, peu importe le reste, la gloire littéraire et l'argent, même mérités par un talent d'écrivain ! conclut, avec son sourire désarmant, le vieux sage.

De retour à Vevey, Bertrand s'empressa de rapporter à ses amis sa brève rencontre avec Mme Beecher Stowe et les propos édifiants que l'Américaine avait tenus dans un salon de Genève. Il en parlait encore quand, au mois d'août, fut officiellement fondée la section veveysanne de l'Union Chrétienne des Jeunes Gens.

Axel Métaz offrit un local aux garçons, dans une dépendance des entrepôts à grains, autrefois construits par Guillaume. A la demande d'Elise, il fit livrer, un matin, chaises et tables. Après s'être assuré, sur place, que tout était en ordre, il se rendit, comme souvent, au Cercle du Marché.

Le cercle le plus huppé de Vevey appartenait à ces anciennes institutions qui assurent, dans une cité, la pérennité d'un savoir-vivre plein d'urbanité entre citoyens responsables et constituent un lieu de rencontres où les arts, les lettres et les sciences, plus que la politique ou les affaires, sont à l'honneur. Créé en 1817, installé depuis 1818 dans son hôtel particulier, construit, d'après les plans de l'architecte veveysan Jean Gunthert, sur l'emplacement de l'ancien bâtiment des douanes et des péages, au bas de la place du Marché, le Cercle du Marché appartenait, en copropriété, à ses membres fondateurs.

Axel Métaz y passait, pour lire les journaux et revues, faire une partie de billard ou d'échecs et, surtout, échanger des idées avec d'autres cercleux, descendants des vieilles familles vaudoises ou des premiers huguenots accueillis dans le canton, après la révocation de l'édit de Nantes.

Au cours des conversations, on pouvait évoquer l'actualité, à condition que les échanges de vues ne dégénèrent pas en altercations, que les plaisanteries offensantes soient bannies, comme « tout propos inconvenant contre les magistrats, les mœurs et la religion », ainsi que l'exigeait l'acte constitutif du Cercle [1].

Quand M. Métaz pénétra dans le salon, la discussion portait sur l'impôt progressif que les autorités cantonales se proposaient de collecter. Un membre critiquait, avec véhémence, les partisans de ce nouveau prélèvement.

— Au lieu de faire appel à la raison et aux sentiments de justice de nos concitoyens, ils aiguillonnent l'antagonisme des classes de la société en présentant les riches comme insensibles aux conditions de vie des travailleurs, en excitant la jalousie des pauvres contre ceux que leur labeur, l'économie, la prévoyance de leurs parents et la Providence ont placés dans une position plus fortunée.

Invité à donner son avis, Axel Métaz rappela qu'il était dans la nature même du contribuable de se plaindre de l'impôt.

— Connaissez-vous le quatrain qu'Alexandre Dumas vient de dédier à Napoléon III, qui a, paraît-il, augmenté sensiblement les impôts des Français ? demanda-t-il.

Comme tous avouaient leur ignorance, il récita :

*— Dans leurs fastes impériales*
*L'oncle et le neveu sont égaux.*
*L'oncle prenait des capitales,*
*Le neveu prend nos capitaux* [2] *!*

La gaieté retombée, un membre évoqua un ouvrage en quatre volumes, d'Eugène Sue, *les Mystères du peuple ou Histoire d'une*

1. Cette institution exemplaire, chère aux Veveysans, fonctionne toujours suivant le même règlement et sous le même toit.

2. Cité par Jean de Lamaze dans *Alexandre Dumas,* Editions Pierre-Charron, Paris, 1972.

*famille de prolétaires,* publié à Lausanne par la Société éditrice l'Union.

Le fait que cette maison d'édition fût l'émanation de l'imprimerie lausannoise de Stanislas Bonamici, carbonaro notoire, devenue, après faillite, coopérative d'ouvriers typographes, agaçait fortement les conservateurs. Plusieurs rappelèrent que l'œuvre de M. Eugène Sue avait été saisie à Lyon, brûlée en place publique à Erfurt, interdite en Prusse, en Russie et en Autriche.

— J'ai appris que Bonamici est allé à Rome féliciter Mazzini, quand il devint, pour un temps, dictateur républicain, dit un membre, outré.

— Mais, quand les Français sont entrés dans Rome, Bonamici nous est revenu, avec M. Mazzini, dit-on. Savez-vous que Mazzini, indésirable en Italie, est allé faire visite à son ami Fazy, à Genève ? Maintenant, il remâche son échec romain dans un village proche de Vevey. Tout le monde le sait et M. Druey refuse d'expulser cet agitateur, ainsi que le demandent plusieurs gouvernements étrangers. On dit même qu'il vient de fonder, avec MM. Ledru-Rollin et Kossuth, un Comité révolutionnaire international, qui doit avoir toutes les sympathies de M. Eugène Sue, précisa un autre.

— En tout cas, l'imprimerie de M. Bonamici ne survit que grâce à l'argent vaudois. La Banque cantonale vaudoise a donné une garantie de vingt-cinq mille francs, ce qui permet à la Société éditrice de l'Union de continuer la publication de *l'Italia del popolo,* journal révolutionnaire italien, et de tous les libelles socialistes qui circulent chez nos voisins, crut bon de préciser un banquier veveysan.

Comme la discussion menaçait de prendre une tournure politique, car beaucoup reprochaient au gouvernement radical sa mansuétude à l'égard des réfugiés, le président, changeant de sujet, proposa d'envoyer un message de soutien au Comité vaudois récemment créé pour accélérer l'installation du télégraphe électrique, qui fonctionnait déjà entre Lausanne et Berne. L'approbation fut unanime et chacun s'en fut à ses occupations.

Quittant le Cercle en compagnie d'un membre avocat, Axel s'étonna de l'agressivité de certains de leurs collègues à l'égard de l'écrivain Eugène Sue, que l'on disait réfugié en Savoie depuis deux ans, mais que l'on voyait souvent à Genève, à l'hôtel des Bergues en compagnie de sa belle maîtresse, Mme de Solms. Cette femme d'une rare beauté, que l'on qualifiait, rue des Granges, de

« voluptueuse et même luxurieuse », résidait, elle aussi, en Savoie. Bien que petite-fille de Lucien Bonaparte, elle avait été contrainte à l'exil par le gouvernement français. Son inconduite notoire, autant que son opposition déclarée à son cousin Napoléon III, avaient justifié cette mesure. Mais Axel, négligeant cela, tenait au respect des idées et des écrits, même s'il n'approuvait ni les unes ni les autres.

— Il convient de faire la différence entre les pamphlets politiques et une œuvre littéraire. Or, on dit grand bien des *Mystères du peuple,* encore que cette histoire d'une famille ouvrière à travers les âges paraisse, à beaucoup, invraisemblable et caricaturale. Il semble, cependant, que ce soit un tableau assez émouvant de la misère qui règne dans une partie de la population française. Et mieux vaut savoir ce qu'il en est, dit-il.

— Mon cher, M. Sue ne connaît les miséreux que par ouï-dire. Il appartient à cette catégorie de gens dont la sincérité politique et sociale est des plus douteuses et qui, par opportunisme ou rancœur, trahissent un jour leur classe sans vergogne. Notre auteur, qui afficha longtemps, dans ses romans maritimes et exotiques, un profond dédain pour les classes populaires, s'est converti au socialisme après s'être ruiné ! Il a, dit-on, dilapidé les sept cent mille francs hérités de son père et se voit maintenant contraint de tirer ses ressources de sa plume. C'est ce qu'il a nommé, sans rire, sa « régénération politique et sociale ». Car ce défenseur zélé des prolétaires a longtemps mené, à Paris, une vie fastueuse de dandy, passant du monde au demi-monde, de la célèbre courtisane Olympe Pélissier à la duchesse de Rozan, du Jockey-Club au salon de Marie d'Agoult, la maîtresse de M. Liszt, des champs de courses aux coulisses des théâtres. Grâce aux comités révolutionnaires, il fut, en 1848, élu à l'Assemblée constituante et c'est un conclave républicain socialiste qui l'envoya à la Législative en 1850. Il siégeait au banc le plus élevé de la Montagne jusqu'au coup d'Etat de décembre 1851. C'est maintenant un exilé, comme nous en accueillons beaucoup. *Ecce homo,* conclut l'avocat.

— On se demande comment un homme qui eut pour marraine Joséphine de Beauharnais, dilettante fortuné, épris de raffinement byronien et ami de tant d'aristocrates, a pu rejoindre les rangs des coupeurs de tête, remarqua Axel.

— Mon cher, reprit le juriste, les nantis, aristocrates ou roturiers, font souvent les pires guillotineurs ! C'est ainsi qu'ils apaisent leur conscience de jouisseurs impénitents. Un prolétaire serait bien étonné de voir M. Sue et ses semblables dépenser, pour un souper fin entre amis, l'argent dont il dispose pour nourrir sa famille pendant une année ! Il ignore aussi, heureusement, qu'à Londres, le tailleur de la gentry détient un mannequin moulé sur le corps de M. Sue, qu'un bottier de Bond Street conserve une réplique de chacun de ses pieds et que son chapelier dispose d'une empreinte en bois de sa tête ! Un romancier à qui *le Constitutionnel* a payé cent mille francs le droit d'imprimer *le Juif errant,* ne peut être que révolutionnaire, pour se protéger de la curiosité des travailleurs modestes qui le croient des leurs ! conclut l'avocat, assurément bien informé.

Le soir même, lors du dîner à Rive-Reine, Axel ayant fait part de ce que l'on disait de M. Sue, la conversation familiale vint sur le sort des réfugiés politiques auxquels Bertrand s'intéressait.

— Je conçois que nous les recevions sans distinction de classe sociale ou d'opinion, dit Elise Métaz, mais le canton ne pourra pas, longtemps, subvenir aux besoins de ces gens et de leur famille. Ce M. Sue a de l'aisance, comme quelques autres, mais la Suisse ne peut devenir l'hospice des exilés politiques désargentés, conclut-elle.

— Croyez-vous, mère, qu'on accepte n'importe qui ? Les autorités font un tri, qui n'est pas fondé sur les opinions ou la naissance. Non. Bien qu'on le taise, ne sont accueillis que les gens assurés de trouver chez nous du travail ou qui ont assez d'argent pour subsister. Albert Richard [1], qui s'est fait l'avocat des réfugiés, l'a écrit dans son poème *Infamie* [2].

Avec une emphase inattendue, le jeune homme récita :

— *Notre hospitalité ressemble au chien d'auberge,*
*Qui caresse humblement ceux que son maître héberge,*
*Aime les beaux habits, hait les gueux, et toujours*
*Va mordant le haillon et léchant le velours.*

Ce soir-là, au crépuscule, M. Métaz décida d'aller dormir à Belle-Ombre, sous prétexte d'être dans le vignoble dès l'aurore, afin d'examiner le raisin mûrissant avant la forte chaleur. Axel res-

1. 1801-1881. Poète vaudois, considéré comme « un des bardes helvétiques ».
2. *Poésies*, éditions Vaney, Genève 1851.

sentait de plus en plus souvent un besoin de solitude, qui l'assaillait parfois au milieu d'une réunion de famille, d'une fête, d'une conversation d'affaires, à Genève ou dans sa carrière de Meillerie. Suivant le lieu, l'heure et le temps, il optait alors pour l'un de ses refuges familiers, sa maison des vignes ou l'*Ugo*. A bord de son voilier, malgré la présence du bacouni Paulin Tabourot, dont le naturel taciturne s'accommodait des longs silences du patron, Axel s'abandonnait à ses pensées. Depuis la mort de Tignasse, survenant après tant d'autres, il avait le sentiment d'avancer dans un cimetière. « Vieillir c'est survivre à beaucoup », disait autrefois Martin Chantenoz, citant Goethe. Et cette pensée, qu'il négligeait dans sa jeunesse, s'imposait comme une évidence que Louis Vuippens éludait d'un geste.

Depuis son mariage avec Zélia, le médecin avait trouvé stabilité et confort. Les fréquents séjours de la Tsigane chez Alexandra et les voyages des deux amies lui assuraient des périodes d'indépendance qu'il jugeait indispensables à son équilibre et à l'harmonie conjugale. Il entraînait alors Axel dans une ripaille de célibataires. Cela se terminait invariablement, après un dîner bien arrosé dans un restaurant réputé, par une tournée des tavernes lausannoises où d'accortes et peu farouches sommelières[1] accueillaient les messieurs en goguette. Le médecin reprochait souvent à son ami d'avoir le vin triste.

« Nous avons tous besoin, pour oublier fatigue, soucis et responsabilités, d'une bonne tune[2] de temps en temps. Profite de la vie, que diable ! Tu es comme ton père, bâti à chaux et à sable. Les Fontsalte sont taillés pour tenir un siècle », avait dit Vuippens, lors d'une récente sortie.

Mais, pour Axel, « tenir un siècle » ne constituait pas une perspective enviable. Certains jours, vivre ou mourir lui devenait indifférent. Il avait vu disparaître trop de femmes qu'il avait aimées ou cru aimer, et aucun témoin ne subsistait des voluptés partagées et des drames vécus.

Après la vendange, Bertrand s'en irait étudier la médecine à Heidelberg et Vincent quitterait Genève pour Londres, afin de se perfectionner, pendant un an, dans la banque, chez John Keith. Axel resterait seul avec Elise à Rive-Reine. Ce tête-à-tête permanent,

1. Au pays de Vaud : simples serveuses.
2. Bordée, bamboche, beuverie.

avec une épouse dont il ne partageait plus la couche depuis plus de quinze ans, le confinerait dans la quiétude domestique des vieux couples d'associés.

M^me^ Métaz de Fontsalte, ainsi que la nommaient, pour la flatter, les dames d'œuvres veveysannes, consacrait ses journées à l'Asile des jeunes filles, pour lequel elle devait rassembler, chaque année, les dons indispensables à son fonctionnement, à la Société de secours pour les ouvriers malades, à des visites aux indigents, aux répétitions de la chorale paroissiale et, depuis peu, à l'école du dimanche, ouverte par les pasteurs. Devenue l'une des plus influentes patronnesses de la ville, Elise, à qui un embonpoint tardif conférait une majesté victorienne, trouvait dans son dévouement quotidien aux autres une forme de bonheur. Elle eût été comblée si Bertrand, au lieu d'opter pour la médecine, avait choisi le pastorat.

Alors que sa femme s'engageait ainsi, de plus en plus généreusement, dans l'action sociale, Axel prenait ses distances avec toute activité publique. Invité par les libéraux à poser sa candidature au Conseil municipal, où il eût été élu sans difficulté, il s'était empressé de décliner l'offre, comme il avait refusé, au lendemain de la fête des Vignerons de 1851, de siéger au conseil de l'Abbaye. Souvent invité à donner son avis sur un vingtième projet de port, destiné à avorter comme tous les autres depuis 1701, sur l'agrandissement de la place du Marché ou la destruction des derniers remparts, au bord du lac, il répondait évasivement. Désigné pour faire partie de la Commission directrice de la bibliothèque publique, qui disposait maintenant de près de dix mille volumes, il s'était encore récusé. Il avait même abandonné le patronage des Carabiniers veveysans quelques semaines avant le tir cantonal, organisé à Vevey au mois de juillet. Cette dernière dérobade, motivée selon le démissionnaire par son âge et son désir de céder la place à un tireur plus jeune et encore actif, avait été perçue, à Vevey, comme un refus de participer, désormais, à l'activité sportive et patriotique la plus prisée des Vaudois.

Louis Vuippens condamnait aussi cet éloignement volontaire de la vie publique et sociale.

« Tu te fais plus vieux que tu n'es. Ta santé n'est pas en cause, pas plus que ton intégrité physique. C'est dans ta tête que tu vieillis, ce qui finira bien par dégrader le corps. Bon dieu, que j'en veux à cette dinde d'Alexandra de ne pas avoir su te mettre dans son lit !

On fait dire à Dieu dans la Genèse : “Il n’est pas bon que l’homme soit seul.” Et pour une fois, en tant que médecin, j’approuve Dieu ! » avait lancé Louis.

Dans ces cas-là, Axel souriait et se taisait.

Maintenant, il fumait sa pipe, plus affalé qu’assis dans un vieux fauteuil en rotin, sous la charmille de Belle-Ombre, face au Léman, les pieds reposant sur le garde-fou de la terrasse. Une étoile filante stria le ciel au-dessus des sommets savoyards. En d’autres temps, il eût fait un vœu pendant la trajectoire stellaire. Mais quel souhait formuler quand on ne désire plus rien que la paix, le silence, l’oubli de tout ? Au bas du vignoble, dans les hameaux, des lumières vacillantes ponctuaient la rive du Léman. Il imagina des hommes et des femmes cherchant le sommeil dans la tiédeur de la nuit d’août. S’aimaient-ils ? Avaient-ils des choses à se dire ? Etaient-ils heureux d’être ensemble ou simplement résignés, par habitude, au partage des insomnies silencieuses ?

Une chauve-souris lui frôla les cheveux, et la lune, émergeant d’un nuage, étira sur le lac noir un sillage doré. D’où lui venait, en cet instant, la bizarre sensation d’être un étranger de passage dans un monde familier ? Peut-être de ce que tout allait trop vite sous l’aiguillon du progrès, puissance occulte, à la fois généreuse et perverse, vénérée par les uns, dédaignée par les autres, anathématisée par Rodolphe Töpffer, mais à laquelle savants, ingénieurs, industriels, politiciens et journalistes faisaient quotidiennement référence.

On traversait l’océan, de Liverpool à Halifax, ou du Havre à New York, en treize ou quinze jours, sur des navires à vapeur encore pourvus de voiles — mais pour combien de temps ? —, véritables hôtels flottants transportant des douzaines de passagers et quelquefois dotés, comme l’*Atlantic*, de la compagnie Collins, du chauffage central ! En dix ans, plus de deux millions de personnes étaient passées d’Europe en Amérique, et le voyage allait devenir aussi banal qu’un parcours de Paris à Marseille en chemin de fer !

Alors que le télégraphe électrique rendait quasi instantanées les communications entre capitales européennes, on projetait, en Grande-Bretagne, d’immerger dans l’océan un câble, qui transmettrait les dépêches de Londres à Boston ! Dans le même temps, les architectes navals construisaient, à Millwall, sur la Tamise, pour le compte de la compagnie Cunard, un paquebot de deux cent onze mètres de long, cinq fois plus grand que le plus grand des navires existants ! Le *Great Eastern* compterait huit cents cabines et serait propulsé par la vapeur, grâce à une hélice de sept mètres et des roues à aubes de dix-huit mètres de diamètre ! A ceux qui, comme Axel, trouvaient ce gigantisme vaniteux et dangereuse sa démesure, un journaliste anglais répondait qu'il s'agissait « d'une exécution sage et obéissante des desseins de la Providence ». « Les hommes qui veulent justifier leurs ambitions tentent toujours de se persuader qu'ils servent la volonté divine », pensa Axel.

Le tabac s'étant consumé, il abandonna sa pipe après en avoir vidé le fourneau. En attendant que celui-ci refroidisse, il poursuivit sa réflexion.

Le progrès, toutes proportions gardées, influençait aussi la vie quotidienne des Romands. A Genève, la nouvelle machine hydraulique de l'ingénieur français Jean-Marie Cordier, construite en 1843 au milieu du Rhône, à vingt mètres en amont de l'île Rousseau, débitait trois mille deux cents litres par minute et l'on commençait à distribuer, « à la jauge », l'eau dans les maisons. Alexandra avait été l'une des premières à obtenir cet avantage. Une canalisation calibrée conduisait l'eau de la machine hydraulique, de façon continue, dans le réservoir de l'hôtel Laviron d'où, par pompage, des tuyauteries la répartissaient dans certaines pièces. Depuis peu, des ingénieurs étudiaient, à Vevey même, la possibilité de fournir l'eau aux particuliers. Certains proposaient de capter la Veveyse qui, malgré les machines à vapeur, assurait encore de l'énergie à de nombreux ateliers par le truchement de roues à aubes. D'autres conseillaient d'utiliser le cours de l'Ognonaz. Mais la Veveyse offrait un débit irrégulier, parfois torrentiel, et celui de l'Ognonaz paraissait insuffisant pour alimenter une ville de plus de six mille habitants. Aussi prévoyait-on de pomper l'eau du lac. Elevée jusqu'à un grand réservoir, à construire sous la terrasse Saint-Martin, l'eau serait ensuite envoyée dans les maisons, à raison de vingt-cinq litres, au moins, par personne et par jour, puisque telle semblait être la consommation moyenne d'une famille anglaise[1] !

A Lausanne comme à Genève, l'éclairage au gaz était en cours d'installation, et la promenade de l'Aile, à Vevey, serait, disait-on, la première à bénéficier de la lumière artificielle.

Seul le chemin de fer, la plus appréciable conquête de la vapeur

1. De nos jours, les spécialistes comptent une consommation moyenne de 150 litres par jour et par personne.

pour le commun des mortels, ne progressait guère en Suisse. Toutes les villes d'importance exigeaient d'être desservies par voie ferrée, comme en France et en Angleterre, mais les autorités cantonales, jalouses de leurs prérogatives et soumises aux pressions politiques et économiques locales, ne parvenaient pas à se mettre d'accord sur des tracés d'intérêt général. On irait bientôt de Genève à Paris en wagon confortable, mais quand irait-on, par le train, de Genève à Zurich et de Lausanne à Bâle ? Les journalistes commentaient, au jour le jour, les luttes d'influence entre cantons et même entre villes d'un même canton. Ainsi, le tracé de la ligne Lausanne-Berne agitait, depuis des mois, le Grand Conseil vaudois. Fallait-il faire passer le train par Fribourg, au risque de mécontenter les habitants de la Gruyère, qui voulaient voir desservir Bulle et Châtel-Saint-Denis ? Fallait-il construire une voie Lausanne-Yverdon-Morat-Berne, ou satisfaire les notables, tant radicaux que conservateurs, de la Sarine et de la Glâne qui, faisant taire leurs divergences idéologiques, s'étaient constitués en comité central pour imposer leurs vues ? Ces tergiversations intéressées décourageaient les financiers français, anglais et suisses, qui hésitaient à investir dans des réseaux en perpétuelle évolution. Les politiciens, entraînés dans ce que la presse vaudoise nommait « la guerre des bourgs », semblaient ne plus tenir aucun compte des tracés sûrs et rentables, établis par les ingénieurs dont ils avaient sollicité et payé les avis et les plans. Les élus tenaient à ménager les susceptibilités opposées des futurs usagers du train, tous électeurs d'aujourd'hui et de demain.

Il fallait aussi compter avec des opposants de principe, comme les entrepreneurs de transport par diligences et chars, les administrateurs et actionnaires des compagnies de bateaux à vapeur. Le train leur enlèverait voyageurs et fret.

Malgré ces difficultés, une compagnie Ouest-Suisse, animée par l'ingénieur Sulzberger, avait été constituée en 1852, mais le tracé Morges-Yverdon, proposé aux autorités, montrait l'énorme défaut d'ignorer Lausanne, capitale cantonale. Depuis plus d'un an, on s'efforçait, sans y parvenir, de trouver un accord. Dans *la Guêpe*, le peintre François Bocion avait caricaturé M. Sulzberger tirant, sur une rude pente, en direction de la cathédrale de Lausanne, une machine à vapeur rétive.

Peu après, la *Gazette de Lausanne* avait publié l'œuvrette d'un poète local, M. F. Oyex, qui résumait le conflit ferroviaire vaudois et sa conséquence prévisible : l'abandon du chemin de fer.

*Jacques plaide pour la Rasude*
*Et Guillaume pour Saint-Germain.*
*Tel ou tel propose une étude,*
*Voulant être sur le chemin !*
*Si la Côte s'émeut et gronde*
*A Lavaux c'est un bruit d'enfer !*
*L'Ouest arrange tout le monde :*
*Messieurs ! point de chemin de fer.*

Axel Métaz était de ceux qui déploraient des atermoiements préjudiciables à l'économie veveysanne et au commerce viticole en particulier. Le train acheminerait, beaucoup plus vite que les chars, les vins qu'il vendait aux négociants et aux aubergistes de Fribourg, d'Yverdon et de Genève. Et puis, Vevey produisait, en plus de ses vins, les dalles et monuments issus de la fameuse marbrerie Doret, des pièces fines d'horlogerie, des éléments de mécanique, d'énormes pièces de fonderie, du matériel métallurgique, des cigares et des cigarettes de renommée européenne. L'industrie du tabac employait, à Vevey, plus de cinq cents personnes. Louis Ormond, qui avait repris en 1852 la fabrique de cigares de M. Bernard Lacaze, comte d'Uzac, venait de lancer le vevey court, petit cigare odoriférant, tandis que l'un de ses concurrents, Ermatinger, Dupraz et Cie proposait, sous l'élégant symbole de la barque à voile latine, un cigare de quarante-quatre centimètres de long ! Blaise de Fontsalte, grand amateur, assurait qu'un tel cigare, qui tirait bien en dépit de sa taille, lui tenait compagnie de Lausanne à Genève, c'est-à-dire pendant près de quatre heures de navigation à bord d'un vapeur !

Cette évocation incita Axel à bourrer à nouveau sa pipe. Il l'alluma posément et tira quelques bouffées. Tout en considérant le rougeoiement du tabac incandescent, il admit qu'un autre élément contribuait à lui donner le sentiment qu'il était étranger à sa ville comme à son temps : les transformations de Vevey.

Depuis que les derniers remparts avaient été démantelés, la cité s'étendait, au préjudice de la végétation de la périphérie. Chaque année s'amenuisaient les communaux et le vignoble, qui séparaient, depuis des siècles, la cité lacustre de la colline Saint-Martin.

Les modestes vignerons de ce secteur arrachaient leurs ceps et vendaient leurs parcelles comme terrains à bâtir. On prévoyait déjà que la future voie ferrée de la compagnie de l'Ouest des chemins de fer suisses passerait au pied de l'église Saint-Martin et que la gare serait construite là où, cette année encore, on avait vendangé. Le débrouillard Lazlo, bien que propriétaire à part entière de la petite vigne autrefois offerte, sous Saint-Martin, par Axel Métaz, avait demandé à ce dernier l'autorisation de vendre ce bien à un bâtisseur. Avec le produit de la vente, le Tsigane, conseillé par le maître de Rive-Reine, avait pu acquérir trois parchets de vigne mieux exposés au flanc du mont Pèlerin.

« Bientôt, se dit Axel, l'énorme marronnier qui ombrage le carrefour des chemins conduisant, à travers vignes, des anciens bourgs du Marché, d'Oron, du Vieux-Mazel et de Blonay, vers l'église Saint-Martin, sera abattu. Tant d'amoureux se sont, au fil des ans, donné rendez-vous sous la ramure de cet arbre vénérable que sa disparition équivaudra, pour beaucoup, à une mutilation sentimentale de la ville. »

Lui revinrent en mémoire les dernières doléances rimées de Nanette Bonnaveau, l'épicière poète. Ces vers de mirliton, que répétait Pernette, traduisaient la mélancolie des Veveysans hostiles à l'abattage des arbres :

*Bosquet chéri dont la tendre verdure*
*Charmait nos sens par sa douce fraîcheur,*
*Toi, de Vevey la plus belle parure,*
*Tu vas tomber sous un fer destructeur.*
*D'un vœu sacré la pieuse influence*
*N'a pu sauver tes arbrisseaux ;*
*Le froid contact de l'opulence*
*En un instant a flétri leurs rameaux.*

Au développement urbain, inéluctable, affirmaient les édiles, s'ajoutait une activité qui créait dans la ville une élégante animation, fort profitable aux commerçants et hôteliers. Le tourisme, que d'aucuns qualifiaient déjà d'industrie, se développait sur toute la côte vaudoise, d'Ouchy à Villeneuve. Des gens avisés construisaient hôtels et pensions. Dès 1835, la famille Mury-Monney avait ouvert, à Clarens, la pension Verte-Rive, qui accueillait en toute saison de fervents lecteurs anglais de Jean-Jacques Rousseau, venus à la découverte du décor de *la Nouvelle Héloïse* et de la maison où Byron et Shelley, eux aussi pèlerins rousseauistes, avaient logé en 1816.

Le Grand-Hôtel et l'hôtel Masson, à Territet, l'hôtel Byron, à Villeneuve, comme l'hôtel du Cygne, à Montreux, faisaient le plein chaque été et l'on construisait, à Glion, à l'enseigne du Righi vaudois, un nouvel établissement de cinquante chambres, qui ouvrirait au printemps 1854.

A Vevey, la plus coquette cité lémanique, on voyait chaque année, à la belle saison, arriver de nouveaux estivants ou revenir les habitués. Cet été-là, de nombreux Américains et Anglais logèrent à l'hôtel des Trois-Couronnes, dont la réclame figurait maintenant dans tous les guides. Parmi ces étrangers se trouvait un écrivain dont Alexandra admirait plus les ouvrages que ceux de M^me^ Beecher Stowe.

William Makepeace Thackeray, au retour d'une tournée de conférences dans plusieurs villes des Etats-Unis, avait décidé de parcourir les rives du Léman évoquées par Ruskin et de séjourner à Vevey. C'était un homme corpulent, de nature peu amène, qui ne frayait avec quiconque et passait plus de temps à écrire dans sa chambre[1] qu'à se promener.

Axel se souvint qu'Alexandra, lors d'un récent séjour à Rive-Reine, avait invité Elise à prendre le thé aux Trois-Couronnes, pour voir de près le principal rédacteur du fameux journal anglais *Punch,* humoriste réputé qui stigmatisait avec finesse et talent les travers de ses contemporains. Non sans mal, la banquière avait obtenu que l'écrivain lui dédicaçât son fameux ouvrage *Vanity Fair*. Bien que satisfait d'entendre une jeune femme parler sa langue et de la voir lire ses œuvres dans le texte, l'Anglais avait bougonné : « Il y a chez vous trop d'Américains mal élevés qui gâchent le décor ! » Ces Américains étaient, dans bien des cas, venus rendre visite à leurs enfants, élèves de l'Institut Sillig, parmi lesquels on comptait John Pierpont Morgan[2], fils du banquier Junius Spencer Morgan,

1. Thackeray confessa plus tard qu'en 1853, à Vevey, il avait « gentiment avancé les *Newcomers* ».

2. 1837-1913. Il édifiera plus tard, à New York, le plus colossal empire financier des Etats-Unis, qui deviendra, en 1895, la banque J. P. Morgan.

un natif du Massachusetts qui dirigeait, à Londres, une des plus importantes banques de la City.

La présence à Vevey d'étrangers fortunés, et parfois de membres des familles régnantes européennes, conférait à la cité industrieuse une ambiance de station thermale et faisait monter les prix dans les boutiques où le luxe triomphait de la nécessité. Parmi les hôtes de marque, on comptait une grande-duchesse de Russie, le prince Frédéric de Prusse qui retrouvait, aux Trois-Couronnes, son ancienne gouvernante, Mme Godet, des souverains découronnés, comme le roi Jérôme et Louis de Bavière, malheureux amant de Lola Montes.

« Je ne reconnais plus notre bonne ville », disait Pernette. A soixante et onze ans elle ne s'occupait plus, par scrupule, que de menus travaux, les Métaz l'ayant assurée qu'elle finirait sa vie à Rive-Reine.

Dans ce monde en pleine mutation, Axel Métaz, plus sensible et subtil que beaucoup d'autres, se sentait désorienté. Les forces latentes du progrès, connues, exploitées, en voie de domestication comme le fluide électrique, ou simplement soupçonnées, fondaient, jour après jour, une civilisation nouvelle.

« Notre génération aura connu plus de changements dans la vie quotidienne que n'en vécurent les hommes nés entre le temps des pharaons et la Révolution française », disait Vuippens, raisonnant en scientifique.

Axel, lui, réagissait comme l'exilé, qui cherche refuge dans ses souvenirs. La solitude devenait expédient mental pour voyager dans le passé. Bien souvent s'imposait à lui l'image d'Adriana. Il s'appliquait avec une nostalgie quasi perverse à reconstituer son dernier voyage à Koriska. Il regrettait la brutalité, imposée par l'attitude de sa demi-sœur, dont il avait usé pour délivrer Zélia. La souveraine au regard vairon n'avait-elle pas su, tout de suite, qu'il ne presserait pas la détente du pistolet dont il la menaçait ? Plus il y réfléchissait et plus il se persuadait que, cette nuit-là, dans ce château isolé, s'était rétablie, entre eux, à leur insu, la ténébreuse connivence d'autrefois, qu'ils avaient interprété une scène mélodramatique convenue, pour les autres. Adriana, bien sûr, comme toujours, avait mené le jeu, lui-même tenant inconsciemment le rôle exigé par les circonstances. Quand, prenant congé, il lui avait baisé la main après avoir essuyé, sur le masque de peau, la larme que la Tsigane ne pouvait retenir, il avait eu la sensation de ranimer un charme assoupi.

La femme masquée, parée d'oripeaux précieux, dans l'étrange décor d'opéra tragique qu'elle avait édifié autour de sa personne, n'était-elle pas le seul être qu'il eût véritablement aimé, avec qui, en dépit des apparences, il avait été le plus en harmonie, depuis les folies vénitiennes ? Certaines nuits, Adriana, jeune, belle et fougueuse, hantait ses rêves et lui reprochait, avec l'ironie dont elle habillait sa tristesse, de l'avoir abandonnée au fond des Carpates Blanches. Au réveil, il se demandait si de tels rêves n'étaient pas manifestations d'un sort, jeté en guise d'appel, par la solitaire de Koriska.

M. Métaz s'interdisait d'évoquer le souvenir d'Adriana devant Zélia, et Louis avait confié à son ami que, jamais, sa femme ne faisait allusion à son passé de bohémienne. Axel avait seulement remarqué que Mme Vuippens ne quittait jamais le lourd sautoir aux trois ors, jaune, blanc et rose, qu'Adriana lui avait passé au cou le jour de son départ, après y avoir suspendu une énorme escarboucle, dont elle s'était dépouillée avec gravité.

Une seule fois Zélia avait confié à Axel, à voix basse, au cours d'une danse, que le Bulebassa vivait toujours et que sa santé, miraculeusement, se maintenait. Quand il avait demandé : « Comment et par qui sais-tu cela ? », Zélia avait simplement répondu : « Je le sais », décourageant ainsi toute curiosité. Et, pour qui connaissait la Tsigane, questionner encore eût été vain.

La nuit enveloppait le décor du lac et des montagnes de Savoie, les lumières, une à une, s'étaient éteintes dans les bourgs riverains, un souffle d'air frais courait sur le vignoble et faisait palpiter la charmille, quand Axel Métaz émergea de sa longue méditation. Il frappa le fourneau de sa pipe éteinte contre son talon et rentra dans la maison, pour se mettre au lit, fenêtre ouverte, afin d'être éveillé par les premiers rayons du soleil. Il s'endormit, espérant un rendez-vous avec ses rêves familiers.

# 7.

Au commencement du mois de septembre 1853, M^me^ de Fontsalte rappela à son petit-fils la visite projetée à l'ermitage de Nicolas de Flue, dans le canton d'Unterwald.

— Pendant que nous serons dans les cantons forestiers, j'aimerais te montrer les lieux où nos premiers confédérés firent serment de défendre l'indépendance de la Suisse, après que Guillaume Tell eut donné le signal de la révolte, ajouta Charlotte.

— Ainsi, notre pèlerinage sera patriotique et religieux, constata Bertrand, amusé.

Quelques jours suffirent pour organiser le voyage qui, visites comprises, éloignerait la grand-mère et son petit-fils des rives du Léman, pendant près de deux semaines, prévoyait-on. Le général avait, un moment, souhaité accompagner sa femme mais il se ravisa, devinant que Charlotte prendrait plus de plaisir au voyage initiatique de son petit-fils préféré si elle l'effectuait seule avec lui.

Clara, fille de Gertrude et Benjamin, anciens domestiques de Beauregard, et longtemps femme de chambre de M^me^ Ribeyre de Béran, entrée au service de Charlotte après la mort de Flora, serait une parfaite suivante pour la générale. Toujours coquette, la vieille dame annonça qu'elle emportait dans ses bagages « assez de toilettes pour faire honneur à son petit-fils en toute circonstance ».

A dix-sept ans Bertrand, sérieux et débrouillard, ferait un chevalier servant sûr et docile. Axel, qui, comme Blaise, savait sa mère sujette aux syncopes, demanda à Louis Vuippens d'expliquer à son fils ce qu'il conviendrait de faire en cas de malaise. Le médecin confia au garçon les médicaments à administrer d'urgence si M^me^ de Fontsalte perdait connaissance ou donnait des signes d'étouffement. Pour rassurer Fontsalte, qui proposa aussitôt sa confortable berline, M. Métaz décida que Lazlo conduirait la voiture et chargea le Tsigane de veiller au confort et à la sécurité des voyageurs.

C'est une femme allègre et confiante qui prit place dans la berline aux portières armoriées, à côté de son petit-fils, par un radieux matin de septembre.

— Soyez au moins de retour pour le ressat des vendanges ! lança Axel au moment où l'attelage s'ébranlait.

Lazlo avait reçu pour consigne de ne pas faire plus de six ou sept heures de route par jour et Bertrand s'était engagé à prolonger les haltes, dès que sa grand-mère paraîtrait fatiguée. Le premier soir, ayant déjà parcouru plus de douze lieues, les voyageurs couchèrent à l'hôtel de la Rose, à Fribourg. Bertrand se souvint qu'étant enfant il avait passé là sa première nuit d'hôtel, en janvier 1848, quand son père l'avait conduit en cette ville avec son frère aîné, pour assister à l'autodafé des instruments de torture organisé par les radicaux.

Au matin, Charlotte voulut entendre la messe à l'église des Cordeliers, afin, dit-elle, d'obtenir la protection du Christ et de la Sainte Vierge pendant le périple amorcé.

— Tu n'es pas obligé de m'accompagner, dit-elle à son petit-fils.

Elle ne voulait pas, en effet, que sa bru pût lui reprocher, au retour, un prosélytisme insidieux au profit de la religion catholique romaine. Mais le jeune homme, à qui le pasteur Duloy avait enseigné la tolérance religieuse comme vertu chrétienne, n'hésita pas une seconde à se rendre à la messe.

— Dieu est présent dans vos églises comme dans nos temples. Rites et décors sont des choix, que firent les fondateurs des religions au fil des siècles. Seuls comptent la foi et la prière en commun, dit-il.

Bertrand s'intéressa à l'architecture du sanctuaire, construit au XIII^e^ siècle, et admira le retable du Maître à l'Œillet, considéré comme un chef-d'œuvre de la peinture suisse du XV^e^ siècle. Les voix des franciscains et les sonorités éclatantes de l'orgue confirmèrent, pour le jeune protestant, le sentiment déjà éprouvé lors d'une cérémonie funéraire à la cathédrale de Lausanne : chanter les louanges du Créateur avec art et magnificence ne pouvait indisposer que les calvinistes sectaires.

Quittant l'église, Mme de Fontsalte et son petit-fils allèrent, devant la maison de ville, faire le tour du tilleul légendaire, cher aux Fribourgeois. Charlotte le trouva fort décrépit et pauvrement feuillu. Des étais soutenaient les branches basses, exténuées.

— Cet arbre, tu l'as peut-être entendu raconter, est le fruit d'un rameau de tilleul apporté, le 22 juin 1476, par le coureur qui venait annoncer aux Fribourgeois la défaite des Bourguignons de Charles le Téméraire, à Morat.

— Je sais. Et ce messager époumoné mourut ici même en criant victoire, dit Bertrand.

Alors qu'ils montaient en voiture avec Clara, Charlotte voulut compléter le destin du tilleul.

— Autrefois, au XVIe siècle, cet arbre abritait de son ombre un tribunal de plein vent. Nos magistrats ne faisaient qu'imiter Saint Louis qui rendait la justice sous un chêne. En 1798, les Français avaient paré le tilleul sacré des emblèmes révolutionnaires et c'est une chance que les radicaux du Sonderbund n'aient pas abattu ce témoin des temps aristocratiques, conclut Mme de Fontsalte en donnant, d'un geste, l'ordre à Lazlo de mettre l'attelage en route.

Ils contournèrent Berne et, par la vallée de l'Emme, atteignirent Langnau, chef-lieu de l'Emmental. L'auberge Hirsch, bien que de modeste apparence, se révéla douillette et pourvue d'une excellente table. L'aubergiste entendait et parlait le français, fait assez rare dans un canton où l'on s'exprimait traditionnellement en *Schwyzerdütsch*, dialecte alémanique que Mme de Fontsalte, Vaudoise railleuse, qualifiait « d'allemand châtré ». Flatté d'accueillir un si bel équipage et des gens prêts à dépenser, il s'empressa de proposer ses meilleures chambres et fit servir un souper tel que les voyageurs n'en eussent pas trouvé de meilleur dans la capitale fédérale. Des fromages d'Emmental à gros trous, accompagnés d'un vin blanc fruité, et une tarte aux pruneaux conclurent le repas. Après le dîner, l'hôte offrit un verre de liqueur du cru, qu'on ne pouvait refuser, et conseilla aux voyageurs de prendre le lendemain, pour atteindre Lucerne, la nouvelle route carrossable, tracée dans la vallée de l'Entiebuch. La fille de l'aubergiste, sensible au charme de Bertrand, comme beaucoup de demoiselles, voulut savoir quel métier envisageait de choisir « monsieur l'Etudiant ». Quand le garçon déclara qu'il voulait être médecin, l'aubergiste intervint.

— Savez-vous que notre ville peut s'enorgueillir d'avoir donné naissance à l'un des plus grands médecins d'Europe, Michel Schüppach[1], que les célébrités venaient consulter de fort loin.

— Et ce n'est pas le seul grand homme de chez nous. Il ne faut pas oublier Christian Schenk[2], mort il y aura vingt ans l'an prochain. C'est lui qui inventa la pompe à incendie, si utile, monsieur, dans un pays où les maisons de bois s'enflamment comme fétu de paille, ajouta la jeune fille.

— On apprend beaucoup en voyageant, constata Bertrand en souhaitant la bonne nuit à sa grand-mère.

Le lendemain, ils entrèrent à Lucerne au commencement de l'après-midi, après avoir traversé, sur une route sinueuse et accidentée, « mais bien roulante », comme disait Lazlo, de superbes paysages agrestes, de gras pâturages et franchi plusieurs cols à près de huit cents mètres d'altitude. Tandis qu'ils traversaient la Reuss, sur le seul pont carrossable, Charlotte désigna la masse imposante du mont Pilate, pyramide de plus de deux mille mètres.

— Il existe sur cette montagne un lac marécageux, abrité sous un surplomb rocheux, dont les eaux noires ne reflètent jamais le soleil. Le promeneur doit bien se garder d'y jeter une pierre ou une pièce, comme le font souvent les étrangers.

Conteuse consommée, elle marqua un silence pour attiser la curiosité de ses auditeurs, avant de poursuivre avec gravité.

— Cela pourrait réveiller le spectre de Ponce Pilate.

— Ponce Pilate en Suisse ? C'est inattendu ! s'exclama Bertrand.

— Ma tante Mathilde racontait qu'après la mort de Jésus, l'âme, à jamais maudite, du Romain a été exilée dans ce lac perdu, où elle demeurera enchaînée jusqu'au jugement dernier. Le fantôme de Pilate, vêtu en magistrat, sort du lac, dit-on, au soir du Vendredi saint. Et celui qui l'aperçoit est assuré de mourir dans l'année, compléta Charlotte.

— Brr, brr ! fit Bertrand, mimant la frayeur.

— Qui peut croire à pareille sornette, Madame ? Pas vous, certes ! risqua Clara, assise en face de la générale.

— Qu'importe ! Avec ou sans Pilate, ce lac est un lieu sinistre et d'accès dangereux, acheva Charlotte, reprenant péniblement son

1. 1707-1788.
2. 1781-1834.

souffle, mais avec le sourire satisfait d'une tragédienne qui a conquis son auditoire.

Depuis le départ, Bertrand avait remarqué que sa grand-mère respirait avec difficulté dès que la route s'élevait. Mais, enjouée comme une pensionnaire en vacances, Mme de Fontsalte ne se plaignait jamais et supportait allégrement un essoufflement dont elle connaissait la nature. Quand son petit-fils, attentif, lui demandait si elle se sentait bien, la septuagénaire répliquait que Dieu seul déciderait du moment et des circonstances de sa mort.

— Si je devais finir ma vie loin de mon mari, je te demande seulement de me ramener à Lausanne, coûte que coûte. Mais ne te soucie pas, mon petit. Je ne crains pas de rencontrer Pilate. Je ne me suis jamais sentie aussi bien. J'ai même la sensation de rajeunir en ta compagnie.

Et Bertrand était bien forcé de reconnaître que l'aïeule, si elle demandait à se coucher tôt, apparaissait toujours pimpante et pleine d'entrain le lendemain matin, au moment du départ.

Ancienne place commerciale de la Suisse primitive, Lucerne, vendue en 1291 par l'abbé de Murbach au roi Rodolphe Ier de Habsbourg, lequel en fut chassé après la bataille de Sempach, en 1386, passait, à juste titre, pour l'une des plus belles villes et des plus visitées de la Suisse centrale.

Le lac des Quatre-Cantons, au dessin capricieux — où sinue, invisible, la Reuss, descendue du Saint-Gothard, comme le Rhône parcourt le Léman —, semblait prendre ses aises, lové entre presqu'îles, baies, caps et détroits, nettes découpures ordonnées par les montagnes, dont les flancs, couverts de vertes forêts, plongeaient dans les eaux sombres. Il offrait au regard des Vaudois un aspect moins riant, mais plus grandiose, que son rival romand.

Les pèlerins descendirent à l'hôtel Schweizerhof, sur la promenade ombragée qui bordait le lac. Leurs chambres, avec vue sur le Pilate et, au loin, sur les sommets des Alpes suisses, dont le Tödi, l'Oberalpstock et le Bristen, qui à plus de trois mille mètres accueillaient déjà la première neige, parurent à Bertrand plus confortables que toutes celles occupées jusque-là. L'hôtel, un des plus beaux palaces d'Europe, avait été construit, dix ans plus tôt, par Josef von Segesser, descendant d'une famille patricienne de Lucerne.

Voyant Mme de Fontsalte apprécier, d'un seul regard, les belles proportions de l'établissement, le directeur, venu accueillir les voyageurs, lui glissa comme en confidence :

— Notre palais sera, dans un proche avenir, flanqué de deux ailes supplémentaires. Nous avons, actuellement, le privilège d'abriter la princesse Sophie, fille du roi Guillaume Ier de Wurtemberg, épouse du roi Guillaume III des Pays-Bas, prince d'Orange et Nassau, récita fièrement l'hôtelier, prouvant ainsi qu'il connaissait son Gotha.

Ebloui par les stucs moulurés des plafonds, les colonnes de faux marbre mauve, veiné de blanc, à chapiteaux corinthiens, le dallage aux mosaïques multicolores, les lustres et appliques de cristal, le mobilier ancien, massif et lustré, les nappes damassées, les cristaux et l'argenterie, Bertrand approchait, pour la première fois, la faune cosmopolite des touristes fortunés, anglais pour la plupart.

— Nous passerons ici plusieurs nuits, afin de nous reposer entre nos excursions, car, après la visite à l'ermitage de Nicolas de Flue, assez proche, mais situé dans une contrée dépourvue d'hôtels confortables, nous reviendrons coucher à Lucerne. De là, nous irons à l'abbaye d'Einsiedeln, haut lieu de la chrétienté. En revanche, je ne t'accompagnerai pas au Rütli, que nous autres, Romands, nommons Grütli, site qu'on atteint aujourd'hui aisément par bateau. J'y suis allée à pied, autrefois, quand on ne connaissait pas encore les vapeurs. J'avais quinze ans et j'étais vaillante à la marche. Mon père avait voulu faire ce pèlerinage aux sources de notre histoire. Nous avions laissé la voiture à Beckenried et, à partir de là, nous avions suivi, pendant des heures, les sentiers muletiers tracés au flanc de montagnes rudes et désertes. Et cela pour aboutir à une prairie, qui ne me parut guère différente de celles de la Gruyère. En arrivant, mon père tomba à genoux, pour prier à l'endroit supposé où, le jeudi avant la Saint-Martin 1307, Walter Fürst, Werner Stauffacher et Arnold de Mechtal, des cantons d'Uri, de Schwyz et d'Unterwald, renouvelèrent le pacte de 1291 et firent serment, en présence de trente compagnons, de se prêter secours mutuel pour la défense de leurs libertés. Sur le pré historique, comme mon père, je me suis agenouillée, mais je crus un moment ne pas trouver la force de me relever, tant j'étais fatiguée, raconta Charlotte, émue au souvenir de ce temps-là.

— J'irai donc au Grütli en bateau, ne serait-ce que pour voir un site dont je serai un jour un peu propriétaire, dit Bertrand avec sérieux.

— Propriétaire… toi !

— Oui, grand-mère. Je mets de côté, chaque mois, un franc de mon argent de poche, pour participer à la souscription que le gouvernement fédéral doit ouvrir, afin d'assurer à la Confédération la propriété à perpétuité du berceau de nos libertés[1], compléta Bertrand.

— En attendant, tu accompliras le pèlerinage que devrait s'imposer tout citoyen suisse, déclara, sentencieuse, Mme de Fontsalte.

Comme la générale trouvait la garde-robe de son petit-fils inadaptée au séjour, même bref, dans un palace, elle tint à lui offrir, sur-le-champ, chez le meilleur tailleur de la ville, un habit bleu de nuit pour dîner, des chemises de toile fine, deux cravates à la mode et des gants gris à baguette noire.

— Bien que tu aies la main, à la fois forte et fine, des Fontsalte, il est plus élégant, en ville surtout, quand on accompagne une dame, de porter des gants, précisa-t-elle.

— Est-il exact qu'il faut cinq siècles d'oisiveté dans une race pour acquérir de belles mains ? demanda Bertrand, gentiment ironique.

— Il n'y a jamais eu d'oisifs parmi tes ancêtres Fontsalte… C'est le maniement de l'épée qui leur a fait les mains belles et puissantes, rétorqua fièrement la Vaudoise.

Puisque son aïeule attachait tant d'importance aux manières, Bertrand, qui n'avait pas bénéficié, comme Vincent, des cours de savoir-vivre de l'Institut Sillig, posa une question :

— Grand-mère, quand nous marchons, je ne sais jamais quel bras je dois vous offrir, le droit ou le gauche ?

— Le gauche, bien évidemment. L'homme doit garder le bras droit libre pour, éventuellement, écarter la foule devant sa cavalière. « Un bras pour défendre sa dame », disait-on autrefois. Seuls les officiers, portant l'épée à gauche, sont contraints, quand ils sont armés, d'offrir le bras droit. Mais, dès qu'ils ont déposé leur lame, ils doivent présenter le bras gauche. Ton grand-père, emporté par une habitude de soldat, m'offre souvent le bras droit, même en tenue civile. Mais peut-on lui en vouloir ? dit-elle, avec un sourire plein de tendresse pour l'absent.

1. La prairie légendaire du Grütli ne fut acquise par le gouvernement fédéral qu'en 1859, pour la somme de 55 000 francs de Suisse. Somme largement couverte par la souscription nationale, qui permit de réunir 95 199,31 francs. Le seul canton de Vaud collecta 8 509 francs.

La garde-robe de M^me de Fontsalte occupait beaucoup Clara, car la générale faisait, chaque soir, effort de toilette. Si Charlotte refusait la crinoline — « cette invention parisienne, qui met une cage de fil de fer sous les jupons », disait-elle — l'épouse de Blaise ne dédaignait pas de suivre une mode plus sage. Cette année-là, les élégantes portaient, dans la journée, des soieries à carreaux, des chapeaux petits, garnis de fleurs et de rubans, des mantelets ornés d'un haut volant de dentelle ou d'une frange d'effilés. Pour dîner, Charlotte arborait, tantôt une ample jupe de soie mauve, avec corsage à basques en matière de veste, tantôt une jupe noire à multiples volants et un corsage à manches larges, taillé en veston d'homme, ouvert sur un gilet blanc montant, boutonné jusqu'au menton.

— A mon âge, mon petit, une femme ne montre ni ses bras ni son cou, même serré dans un collier de chien, expliquait-elle.

Quand elle faisait son entrée, au bras de son petit-fils, dans la salle à manger du palace, brillamment éclairée, Charlotte retrouvait son port de marquise de Fontsalte. Elle était heureuse de sentir les regards des dîneurs sur leur couple. Si les messieurs reconnaissaient de beaux restes à cette voyageuse, les dames portaient plutôt leur regard sur son jeune compagnon. Grand, mince, démarche souple, traits fins, regard franc, cheveux bruns aux ondulations légères, le benjamin des Métaz de Fontsalte avait tout pour plaire aux femmes. Les esseulées l'imaginaient en amant un peu vert mais délicat, les jeunes filles à marier, de bonne éducation, se prenaient à souhaiter un fiancé de même allure. Les mères, qui avaient peut-être vu, sur les portières de la berline, le blason et la couronne mêlée de six fleurons des marquis de Fontsalte, interrogeaient le maître d'hôtel pour connaître l'identité de « cette aristocrate accompagnée de son fils ».

Discrètement informée de cette curiosité, Charlotte, rajeunie d'une génération, ne démentait pas.

— Tu peux passer pour un enfant que j'aurais eu sur le tard ! disait-elle en riant, minaudante et épanouie.

Et Bertrand, heureux de voir sa grand-mère heureuse, s'efforçait de tenir avec distinction le rôle qu'elle lui assignait.

— Lors de mon premier voyage à Lucerne, en 1821, à l'occasion de l'inauguration du monument élevé à la mémoire des Suisses de la Garde de Louis XVI, massacrés par les révolutionnaires, nous étions plus modestement descendus, avec Blaise, Axel et mes amies tant regrettées, Rosine et Flora, à l'hôtel de la Croix-Blanche, dit-elle en dînant.

— Rosine, que tout le monde appelait Tignasse, je crois, dit Bertrand.

— Tu te souviens d'elle, bien sûr. Elle et son mari étaient venus de Rome. Julien Mandoz, officier de la Garde pontificale, un des rares rescapés du massacre des Tuileries, accompagnait, à ce titre, le commandant de la Garde de Pie VII, un Lucernois, le colonel Charles Pfyffer, qui avait eu l'idée du monument commémoratif que nous irons voir demain. Je crains que ce bon colonel Pfyffer n'ait, lui aussi, quitté ce monde, soupira Charlotte, soudain mélancolique.

Bertrand, nanti par son père d'une somme d'argent pour offrir, de temps en temps, un plaisir à sa grand-mère, avait, dès le commencement du repas, commandé du champagne, estimant que le lieu et l'ambiance se prêtaient à cet excès. Quand les coupes furent emplies, il porta un toast à la générale.

— Je vous remercie d'être une grand-mère aussi belle et généreuse, et de m'avoir invité à ce voyage, dit-il, affectueux et sincère.

— Et moi, mon petit, je te remercie de me donner ce plaisir d'un pèlerinage, que je m'étais promis d'accomplir, mais que je ne pouvais faire seule. Plus tard, quand tu vieilliras, tu sauras que le bonheur nous est distillé à petites doses, qu'il faut savoir déguster. Ce soir, je déguste ce moment, comme ce champagne, dit-elle, le regard mouillé de larmes.

Le lendemain, après qu'elle eut entendu la messe dans l'ancienne église des Jésuites, chassés de Lucerne en 1847, après la défaite du Sonderbund, M^me^ de Fontsalte tint à montrer à Bertrand une des curiosités de la ville : les ponts couverts, lancés sur la Reuss entre le XIV^e^ et le XV^e^ siècle. Celui de la Chapelle, le fameux Kapellbrücke, et celui des Moulins, le Spreuerbrücke, qui prolongeait les fortifications de la cité médiévale. Ils parcoururent le premier, bras dessus, bras dessous, et le nez en l'air, pour admirer, sous la poutraison, la succession de cent trente-quatre peintures triangulaires sur bois, de Hans Heinrich Wägmann, qui représentaient des scènes de la vie de saint Leodegar[1] et de saint Maurice, ainsi que l'histoire des confédérés. Le second pont, construit en 1408, leur offrit de quoi méditer sur la vanité des choses humaines, les peintures de

1. Saint Léger.

Kaspar Meglinger, elles aussi sous la poutraison, illustrant une quarantaine de scènes de la danse des morts.

> *— Tout ce qui rampe et ce qui vole,*
> *Tout ce qui vit et se désole,*
> *Fuit la Mort, qui va sous les cieux,*
> *Brandissant son sceptre en tous lieux,*

déclama Bertrand, traduisant le quatrain allemand inscrit sous un tableau.

— Se voir rappeler, avec tant de luxe ricanant, que nous sommes mortels, n'a rien de réjouissant, mon petit, commenta Charlotte en entraînant rapidement son petit-fils vers la voiture qui les attendait, sur le quai baigné d'un soleil tiède et rassurant.

Traversant la ville, ils se rendirent à l'hôtel de la famille Pfyffer, sur la route de Zurich, pour voir, dans le jardin, le monument du Lion, dont elle avait, la veille, évoqué l'existence.

— C'est le sculpteur danois Thorvaldsen qui modela ce haut-relief, mais il en confia l'exécution à Lucas Ahorn, de Constance, dit-elle.

Ils s'approchèrent du petit bassin destiné à tenir les visiteurs à distance du monument. Des barques minuscules étaient cependant à la disposition des visiteurs désireux de fleurir le cénotaphe. Il suffisait de s'adresser au gardien, Anton Büeler, célébrité lucernoise, car l'un des derniers rescapés encore vivants du massacre des Tuileries. Le vieillard, arborant l'uniforme des Gardes-Suisses au service des Bourbons, veillait sur le site en fumant sa pipe, prêt à faire, pour la millième fois, le récit de la fatale journée du 10 août 1792.

Charlotte refusa la barque, félicita le vétéran de sa bonne mine et invita Bertrand à lui remettre une obole.

— Ce noble fauve agonisant est dédié, comme vous pouvez le lire, à la mémoire de mes 786 camarades, dont 26 officiers, tués en défendant la famille royale de France, le 10 août 1792, devant les Tuileries, et à celle des 366 Suisses, dont 16 officiers, massacrés, les 2 et 3 septembre de la même année, par la plèbe parisienne, récita le vieil homme, son bonnet de police à la main.

Bertrand pensa qu'il convenait de se taire, tandis que Charlotte, appuyée à son bras, se recueillait devant l'énorme lion sculpté à même le rocher. Le flanc percé d'une lance, le fauve, qui expire en couvrant de son corps un bouclier aux armes de France, apparut, pour le jeune Vaudois, comme une puissante allégorie, dénonciatrice de la cruauté des guerres et des révolutions.

Malgré la distance, Charlotte lut quelques noms de martyrs gravés dans la pierre :

— Maillardoz, Bachmann, Reding, Erlach, Salis, Pfyffer, et tant d'autres, tous d'illustres familles qui ont marqué, depuis des siècles, l'histoire de la Suisse. J'aurais aimé voir aussi figurer Pierre Mandoz, mais il n'était pas officier, bien sûr, dit-elle avec regret.

Puis elle énonça encore, à voix haute, déclamant pour son petit-fils, la devise *Helvetiorum fidei ac virtute*.

— Rappelle-toi toujours, Bertrand, qu'être Suisse, c'est être loyal et fidèle, ajouta-t-elle.

Le jeune homme, un peu gêné par cette manifestation sentimentale, lui entoura les épaules de son bras et, suivi de Lazlo, qui les avait accompagnés, ils retournèrent à la voiture.

Chemin faisant, Charlotte rappela la cérémonie d'inauguration, soupirant un peu sur sa jeunesse enfuie.

— C'est devant ce monument que Flora et le général se sont réconciliés, pour ma plus grande joie. Car, je ne sais si on te l'a raconté, mais, en 1800, à Vevey, ton grand-père — qui n'était pas encore ton grand-père — alors capitaine dans l'armée de Bonaparte, avait dû faire arrêter Flora, qui espionnait l'armée française pour le compte des Autrichiens. Elle détestait tellement les révolutionnaires, meurtriers de son fiancé, qu'elle tenait tous les Français pour des assassins.

— Et, cependant, elle épousa, plus tard, l'ami de grand-père, le comte Claude Ribeyre de Béran, un général de Bonaparte, constata Bertrand.

— Eh oui, et elle fut heureuse, enfin. La vie est ainsi faite, mon petit. On ne doit jamais dire : « Fontaine je ne boirai pas de ton eau ! »

Après une deuxième nuit passée au Schweizerhof, ils prirent, vers le sud, la direction du petit lac de Sarnen.

Bertrand attendait avec impatience le moment de pénétrer dans le rude pays de Nicolas de Flue. La contemplation et la vie érémitique restaient, pour ce garçon actif, des choix inexplicables. Alors qu'il y avait tant à faire, dans le monde, pour secourir les malheureux, atténuer les souffrances, réduire les injustices, instruire les hommes, les femmes et les enfants, comment pouvait-on se retirer dans la montagne, pour prier Dieu, sans participer aux œuvres que le Seigneur attend d'un chrétien ? Trouverait-il réponse à cette question, à cinq lieues de Lucerne, dans le vallon sauvage du Ranft ? Aborder le sujet avec sa grand-mère eût ouvert une discussion qu'il préféra remettre à plus tard. D'abord visiter l'ermitage, où le solitaire inspiré avait vécu, sans prendre de nourriture, disait-on, pendant vingt ans, et s'imprégner de l'atmosphère d'un site qui attirait, chaque année, des milliers de pèlerins.

Charlotte tint d'abord à monter au hameau de Flüeli, sur le Sachslenberg, où naquit le 21 mars 1417 Nicolas Loewenbrugger, dit Nicolas de Flue, respecté comme patriote par les protestants, vénéré comme saint homme par les catholiques.

— Commençons par le commencement, dit-elle. Allons voir la maison natale de Bruder Klaus [1], comme les gens d'ici le nomment encore, et celle, toute voisine, qu'il habita avec sa famille.

Sous son toit peu incliné, fixé par des poutrelles extérieures, cette maison du père de Nicolas, paysan aisé, passait pour la plus ancienne construction en bois édifiée en Suisse.

Après une courte visite de cette demeure rustique, et sur les conseils d'un gardien rompu aux relations avec les touristes dispensateurs de bonnes-mains, les pèlerins se rendirent, à trois cents pas de là, dans la maison, toute semblable, où Nicolas avait vécu, avec Dorothée Wyss. Cette aimable personne, mariée à seize ans avec le futur ermite, âgé, lui, de trente ans, avait mis au monde dix enfants, dont l'aîné avait vingt ans et le plus jeune treize semaines quand son mari, quinquagénaire, l'avait quittée, après vingt années de vie conjugale.

La demeure de Nicolas, soldat, magistrat et membre du gouvernement cantonal, avait dû être considérée comme confortable, suivant le mode de vie des paysans du XVe siècle.

Restait à atteindre le but du voyage, la cabane où Nicolas s'était claquemuré pendant vingt ans. Appuyée au bras de Lazlo, suivie de Bertrand et Clara qui portaient parapluies et manteaux, Mme de Fontsalte descendit, à pas comptés, les lacets d'un mauvais sentier de chèvre, raide et malaisé, dans le vallon sauvage du Ranft, sorte de gorge inhospitalière, où coule la Melchaa. Emue mais rayonnante, elle désigna, au bas de la pente et sous les arbres, le mazot [2]

1. Frère Nicolas.
2. Petit chalet des bergers.

rustique construit par Nicolas de Flue en 1467 et la chapelle attenante, élevée, deux ans plus tard, par les fidèles pour leur ermite.

— Enfin, nous y voilà ! dit-elle.

— N'est-ce pas étonnant que Nicolas ait choisi, pour s'isoler, un refuge situé, seulement, à un quart d'heure de marche de la maison où vivaient la femme et les enfants qu'il avait abandonnés pour répondre à l'appel de Dieu ? risqua Bertrand.

— Abandonnés ! Ah ! ne va pas, comme les incrédules, dire que Nicolas a quitté sa famille pour trouver ici une tranquillité bucolique et égoïste ! s'indigna M^me^ de Fontsalte.

Comme Bertrand, respectueux, se taisait, elle ajouta :

— D'ailleurs, c'est avec le plein accord de Dorothée, épouse pieuse et fidèle, que Nicolas quitta les siens. Jean de Waldheim, qui rendit visite à l'ermite, le 26 mai 1474, et bavarda avec la femme de Nicolas, qu'il trouva jeune et avenante, confirme dans ses souvenirs l'accord des époux. Il dit aussi que, si, jamais, Nicolas ne repassa le seuil de son foyer, très proche il est vrai, sa femme et ses enfants venaient de temps en temps le voir, pour lui demander conseils et réconfort. Ils l'assistèrent même, au moment de sa mort. Je devine que cela te semble incompréhensible, mais cependant, cela fut, et les témoignages de la sincérité et de l'ascétisme de Nicolas ne manquent pas. Celui d'Albert de Bonstetten, doyen d'Einsiedeln, entre autres, qui visita le Ranft le 31 décembre 1478, acheva Charlotte, irritée qu'on doutât des vertus de l'ermite.

Pieusement introduit dans la cellule de Nicolas par l'abbé, desservant de la chapelle voisine, Bertrand vit sa grand-mère s'agenouiller péniblement devant la pierre polie qui servait autrefois d'oreiller à l'ermite, lequel dormait à même le plancher rugueux.

— Il fut parfois, la nuit, torturé par le Malin, mais toujours il en triompha, expliqua le guide.

Nul doute que l'abri, une pièce sur rez-de-chaussée débarras, que l'on traversait en trois enjambées, chichement éclairée par de minuscules fenêtres grillagées, exsudait une atmosphère particulière. Bertrand, formé au scepticisme, à la méfiance de l'improuvable, au refus du fétichisme religieux, par sa mère protestante, fut tout de même sensible à l'esprit du lieu. Les années de solitude, d'abstinence, de méditation et de prière de l'ermite se percevaient étrangement, comme l'effluve composite du souvenir d'une présence humaine. L'étrange icône, « devant laquelle Nicolas de Flue médita sa vie durant», assura le guide, ajoutait encore au charme occulte de l'ermitage. Sur le tableau étaient peints, à l'intérieur de cercles engagés, tels les anneaux d'une chaîne, et reliés par six rayons de lumière à un médaillon central, contenant un visage humain couronné, des scènes de la vie du Christ. Aux angles de l'icône, l'artiste inconnu avait ajouté les figures allégoriques des quatre évangélistes.

Contrairement à Mme de Fontsalte, que l'icône subjugua, car elle reconnut dans le visage central «l'Indivise Divinité» vénérée par l'ermite, Bertrand vit, dans cette conjonction de médaillons cerclés, une sorte de pentacle, un rappel des symboles de mystique ésotérique, plutôt qu'un clair inventaire chrétien.

L'aventure spirituelle, sans doute loyale mais un peu folle, vécue dans l'immobilité et le détachement par un homme dont le bon sens ne semblait être mis en doute par aucun de ses contemporains, restait édifiante pour les populations rustiques des cantons primitifs, à dominante catholique. Dans le silence, Nicolas avait acquis une sagesse reconnue. Quand, lors de la Diète de Stans, en 1481, les premiers confédérés, ne parvenant pas à se mettre d'accord sur le partage de l'énorme butin enlevé à Charles le Téméraire, à Morat, ni sur l'admission des cantons de Fribourg et de Soleure dans la Confédération primitive, étaient prêts à rompre leur alliance, il avait suffi d'une intervention de Nicolas, déjà écouté comme un oracle, pour que l'accord se fît et que la Confédération fût sauvée.

Devinant que son petit-fils, dont la probité, l'ouverture d'esprit et l'absence de préjugés ne faisaient pour elle aucun doute, se posait les questions suggérées à bon nombre de visiteurs par l'étrange destin de Nicolas de Flue, Mme de Fontsalte rompit le silence.

— Accusé de tricherie, Nicolas fut surveillé, des années durant, par des sceptiques. Personne ne voulait admettre qu'il ne se nourrissait que de baies, de poires sauvages et d'hosties en buvant l'eau de la Melchaa, jusqu'au jour où l'évêque Thomas, venu de Constance, mit l'ermite à l'épreuve en l'obligeant à manger un morceau de pain et à boire une gorgée de vin. Le prélat s'en repentit aussitôt en voyant Nicolas défaillir. Ce Thomas portait bien son nom ! conclut Charlotte.

En bavardant avec le gardien de l'ermitage, les pèlerins apprirent que, depuis la mort de Nicolas de Flue, le 21 mars 1487, jour exact de son soixante-dixième anniversaire, des ermites, imitant avec exaltation, mais avec plus ou moins de fidélité, l'exemple du sage, s'étaient succédé dans le vallon[1].

— En 1554, commença le religieux, un petit-fils de Nicolas de Flue, le frère Konrad Scheuber, s'isola dans le Ranft. Comme son grand-père, il construisit de ses mains une petite maison qui, jusqu'en 1620, servit de logement au chapelain d'ici. Plus tard, devant l'afflux de postulants, fut constituée une congrégation des ermites, dirigée par un maître, assisté d'une sorte de conseil. Il s'agissait, d'abord, de préparer à la vie érémitique ceux qui voulaient se retirer du monde, puis de s'assurer de la sincérité et de la pérennité de leur vocation en les visitant, en leur imposant des épreuves, en leur proposant des exercices spirituels.

» Au cours des siècles, on vit des hommes venir chez nous pour chercher Dieu dans nos solitudes. Certains étaient si pauvres que les paysans devaient leur offrir une culotte ou une robe et de quoi ne pas mourir d'inanition, car tous ne bénéficiaient pas de la grâce accordée à Bruder Klaus, qui semblait vivre de l'air du temps, expliqua le gardien.

Bertrand ayant admis, non sans réticence, que l'érémitisme était, pour certains, le moyen de vivre leur foi, persuadés que solitude — relative pour Nicolas, qui recevait beaucoup de visites —, abstinence, silence et macérations, étaient manière de prier pour ceux qui ne priaient pas et donc de servir l'humanité, voulut en savoir davantage.

— Et de nos jours, existe-t-il ici des ermites ? demanda-t-il.

— Actuellement, notre ermite est un artiste peintre de trente ans, Nicolas Huwiler, de Rickenbach, dans le canton de Lucerne. Il est ici depuis 1851. Avant lui, j'ai connu Xavier Jenni, d'Echolzmatt, arrivé en 1847, mais que les supérieurs de la congrégation ont rappelé en 1851. Il succédait à Nicolas-Antoine von Moos, admis au Ranft en 1827, à l'âge de quarante-huit ans. Cet homme fut, un temps, maître d'école à Flüeli. Je dois à la vérité de dire que sa piété devait être insuffisante, car il fut exclu pour immoralité. On m'a dit qu'il s'était repenti avant de mourir, en 1846. Il y eut aussi un nommé Marx, qui devint fou et que l'on dut expulser de

1. L'auteur doit les informations qui suivent à Catherine Santschi, archiviste d'Etat, à Genève, qui lui a aimablement communiqué son ouvrage, encore inédit en 1997, sur le recensement des ermites, reclus et béguines des cantons d'Uri, Schwyz, Unterwald, Lucerne, Zoug et Argovie.

l'ermitage de Nicolas où il s'était installé. Nos aînés, croyez-moi, madame, monsieur, virent passer au Ranft des hommes de tous âges et de toutes conditions, un noble rassasié du libertinage, un fabricant de cadrans solaires, un peigneur de soie, des érudits et des analphabètes. Mais les gens qui vont au désert pour oublier une déception ou un chagrin ne font pas de bons ermites. Les anachorètes authentiques, comme Nicolas de Flue, ceux qui choisissent de renoncer au monde pour se consacrer à Dieu, sans panache, sans gloire et sans retour, après avoir mûrement réfléchi, sont rares ! acheva le gardien.

Un peu plus tard, tandis que les Vaudois retournaient au monde des humains ordinaires, dans la berline, sur la route de Sachseln, la générale prit la main de Bertrand.

— Alors, dis-moi un peu, que retires-tu de cette visite, mon garçon ?

— Certes, un grand respect pour le sage Nicolas. Dans sa maisonnette, j'ai imaginé la griserie de la solitude, l'attrait du vide affectif, la paix que procure, sans doute, l'abandon vertigineux et sans scrupules à ce que l'on croit être la volonté de Dieu, dit-il, se gardant, par égard aux croyances de sa grand-mère, de révéler le fond de sa pensée.

Car le jeune homme refusait à un père de dix enfants le droit d'abandonner ses responsabilités pour répondre à une injonction divine qu'il avait été seul à entendre. « Un chef de famille peut, chaque jour, prier et méditer sans se dispenser de ses devoirs humains envers la femme qu'il a épousée et qui lui a donné des enfants », pensait-il.

— Cette visite, reprit-il, m'a confirmé dans ma vocation de médecin. Aller vers son prochain pour le soigner ou l'aider à supporter la souffrance, même au risque de se perdre soi-même, me paraît autant satisfaire la volonté de Dieu que s'éloigner des autres pour leur dédier, à l'abri des tentations, la protection abstraite de ses prières. Me comprenez-vous, grand-mère ?

— J'essaie de te comprendre, mon petit. Tu es fait pour le monde et non pour la vie contemplative. Comme moi, du reste. Mais ce n'est pas parce nous n'entendons pas l'appel qui enflamma Nicolas, qu'il faut nier l'existence d'une telle injonction divine. Il y a peu d'appelés et encore moins d'élus. Nicolas de Flue a été béatifié par le pape Innocent X en 1649, mais il est sûr que Rome en fera un jour un saint[1]. Pourquoi souris-tu ? demanda-t-elle au jeune homme.

— Parce que vous savez bien, grand-mère, que nous autres, réformés, ne donnons le nom de saints qu'aux seuls apôtres, dit Bertrand en matière d'excuse.

— A défaut d'être un saint, tu seras un bon médecin chrétien et à cela, Dieu, mon petit, trouvera son compte, dit M^me de Fontsalte, conciliante, en serrant tendrement la main de son petit-fils.

Ils firent une étape à Sachseln, où l'église Saint-Théodule, sanctuaire baroque, tire son originalité architecturale du contraste entre les murs blancs et les portants de marbre noir extraits des carrières du Mechtal. Un sacristain leur montra la châsse contenant les ossements de Nicolas et, dans une vitrine, la robe de bure grise, usée jusqu'à la trame, seul vêtement de l'ermite pendant des années.

De là, ils retournèrent à Lucerne, où ils arrivèrent à la nuit tombée.

Comme, à l'heure du dîner au Schweizerhof, Charlotte hésitait entre un faisan de Bohême, flanqué de cailles, et un filet de bœuf à la Richelieu, après le velouté duchesse, proposé par le maître d'hôtel, et avant la bombe glacée Prince Puckler, annoncée au menu, Bertrand, qui s'amusait fort des atermoiements gourmands de sa grand-mère, fit signe au sommelier d'emplir les verres du vin blanc de Neuchâtel qu'il venait de goûter.

— Voici, dit-il à l'aïeule, de la bonne eau de la Melchaa, que je vous suggère, pour être fidèle au régime du bienheureux Nicolas de Flue, d'accompagner d'une poignée de baies acides et d'une poire sauvage !

— Coquin ! Tu es sans pitié pour mes faiblesses, répliqua-t-elle en riant.

La pluie tombait, fine et obstinée, et des nuées blanchâtres enrobaient les montagnes quand, tôt le lendemain matin, les Vaudois prirent la direction d'Einsiedeln, dans le canton de Schwyz. Après avoir suivi, sur trois lieues, la route qui côtoie la rive septentrionale du lac des Quatre-Cantons, Lazlo engagea la berline sur une route de montagne, pentue et sinueuse, mais bien entretenue depuis que des dizaines de milliers de pèlerins, venus d'Allemagne,

1. L'ermite ne fut canonisé que le 15 mai 1947, par Pie XII.

d'Italie, de France et de tous les cantons suisses [1], l'empruntaient chaque année, pour aller prier la Vierge noire d'Einsiedeln.

M^me de Fontsalte étant nantie d'une lettre d'introduction du grand vicaire de Lausanne à l'intention de l'abbé du monastère, supérieur de la communauté bénédictine, les visiteurs furent accueillis avec égards et un moine érudit se chargea de les conduire jusqu'au sanctuaire.

— C'est au milieu du IX^e siècle que Meinrad, un moine bénédictin de l'île de Reichenau, sur le lac de Constance, décida de se faire ermite dans la sombre forêt qui, en ce temps-là, occupait ce plateau, perdu au milieu des montagnes, commença le religieux. Il construisit, de ses mains, une cabane et une chapelle pour abriter l'image [2] de la Vierge offerte par Hildegarde, la pieuse épouse de Charlemagne. Nous savons tous que Meinrad fut assassiné le 21 janvier 861, par deux voleurs, et comment, poursuivis par deux corbeaux apprivoisés, fidèles compagnons de l'ermite, les bandits, l'Alaman Richard et le Rhétien Peter, furent reconnus par les paysans, jugés et exécutés. Quelques années plus tard, le réformateur de Cluny en Bourgogne, l'abbé Eberhard, de Strasbourg, séduit par le décor naturel, fit défricher le plateau et fonda, autour du petit sanctuaire de feu Meinrad, une abbaye bénédictine qui allait, en dépit de mille vicissitudes, acquérir un renom universel. Devenue la plus riche communauté religieuse de la Suisse, grâce aux dotations des rois Othon I^er et Henri II, et aux dons des pèlerins venus de toute l'Europe, Notre-Dame-des-Ermites posséda, jusqu'à la fin du XVIII^e siècle, un trésor important que les soldats français, aidés des révolutionnaires du général Schauenbourg, pillèrent allégrement en 1798, acheva le moine.

— Ce fut un grand malheur, en ce temps-là, de voir des Suisses s'allier aux Français pour détruire nos églises et brutaliser les prêtres, constata Charlotte.

— Fort heureusement, reprit le moine, notre très précieuse Vierge noire, sculptée, dit-on, vers 1450, dans un bois gothique, qui avait remplacé celle chère à Meinrad, détruite par un incendie, avait été cachée en Souabe. Une copie sans valeur, parée de colliers clinquants, avait pris sa place et nos pilleurs français s'en emparèrent

1. Plus de 100 000 à partir de 1600 ; 13 000 en 1830, 160 000 en 1860, 198 000 en 1871. Actuellement plus de 200 000 chaque année.

2. Par image, il faut entendre ici statue.

après avoir détruit la chapelle. Fiers de ce rapt philosophique, ils s'empressèrent d'envoyer ce trophée à Paris, où le subterfuge fut découvert. Toutes leurs recherches pour retrouver la Vierge authentique furent vaines. Notre Vierge miraculeuse a aujourd'hui retrouvé sa place dans la chapelle, reconstruite depuis. Vous allez la voir dans toute sa beauté, en possession des bijoux précieux offerts, au cours des âges, par les fidèles de qui elle exauça les vœux.

Après cet exposé, le religieux invita ses hôtes à le suivre jusqu'à la Sainte-Chapelle, ainsi nommée par les moines.

Déjà impressionné par l'immense esplanade pavée, qui s'étendait devant l'église à façade bombée, flanquée de deux tours de cinquante-six mètres et, plus encore, par les longues façades rectilignes de l'abbaye, reconstruite dans le goût gréco-italien au commencement du XVIIIe siècle, Bertrand pénétra avec curiosité dans l'abbatiale.

Le parvis franchi, il prit aussitôt conscience, dans ce décor baroque flamboyant, de ce que sa mère, souvent narquoise, nommait « la vaine magnificence vaticane ». Les grandioses proportions de la nef — plus de cent mètres de long et quarante mètres de large —, la lanterne dorée de la coupole, qui culminait, tel un phare, à trente-sept mètres du sol, les volutes et les motifs de stuc qui couvraient voûtes et murs aux tons pastel, crème et rose, la profusion des dorures, les statues de bronze ou de marbre, stupéfièrent le jeune homme. Il fut déconcerté par les angelots joufflus, musiciens ou porteurs de cartouches à inscriptions latines, suspendus aux voûtes peintes à fresque ou postés sur les corniches, qui soutenaient l'abat-voix de la chaire, voletaient autour des autels dans les chapelles latérales, chevauchaient les tuyaux d'orgue, tout comme par leurs aînés, anges aux belles jambes, qui dévoilaient immodestement leurs formes hermaphrodites. Il observa longuement les colonnes aux chapiteaux chantournés, les tableaux, les grilles ouvragées du chœur, le blason d'Einsieden aux deux corbeaux noirs, qui voisinait avec celui du prince-abbé fondateur. Le scintillement de cent cierges, qui rivalisait avec la lumière du jour tombant des hautes fenêtres thermales, le fascina un moment.

Habitué au ravissement de ceux qui découvraient l'abbatiale, le moine désigna, église dans l'église, dressée au milieu de la nef octogonale, la chapelle de marbre noir de Notre-Dame-des-Ermites, reconstruite dans le style néo-classique en 1817, à l'endroit même où Meinrad avait bâti le premier oratoire et sa cellule.

Là, derrière une grille, la petite Vierge de bois noir, autrefois soustraite à la fureur des vandales, semblait rappeler les fidèles à plus d'humilité. Bertrand la trouva timide et incongrue, comme mal à l'aise, dans le majestueux décor palatin.

— C'est bien la plus élégante représentation de la mère du Christ que j'aie vue, dit-il, admirant l'œuvre de l'artiste anonyme.

Charlotte, qui s'était agenouillée pour prier devant la statue, se releva en jetant un regard de biais et plein de commisération à son petit-fils. Elle plaignait l'incrédulité du jeune protestant devant le culte virginal. Comme beaucoup de réformés, Bertrand refusait, en effet, de croire que, seule, « l'opération du Saint-Esprit » ait pu doter Marie d'un fils. Mais M^me^ de Fontsalte se gardait bien d'évoquer ce sujet, depuis le jour où sa bru avait déclaré que la virginité de Marie était une invention de l'Eglise catholique !

Après la visite détaillée de l'abbatiale, M^me^ de Fontsalte donnant des signes évidents de fatigue et les cloches bénédictines ayant sonné midi, les Vaudois se dirigèrent vers l'auberge du Paon, où Lazlo et Clara avaient retenu tables et chambres. Le Paon passait pour le meilleur des vingt hôtels proches de l'abbaye où les pèlerins pouvaient loger et se restaurer. Le repas achevé, Charlotte et son petit-fils retournèrent à l'abbaye, où leur guide du matin les attendait. S'ils ne purent pénétrer dans les bâtiments conventuels, ils furent conduits à la bibliothèque, elle aussi décorée de stucs dorés, comme l'église.

— Nous avons là plus de vingt-cinq mille volumes, des manuscrits précieux et des partitions musicales, révéla leur guide.

M^me^ de Fontsalte tenant absolument à entendre les Vêpres, chantées chaque jour à quatre heures par les bénédictins, les Vaudois regagnèrent l'abbatiale, pleine, à cette heure-là, d'une foule recueillie. Les Vêpres achevées, les moines en robe noire se formèrent en cortège pour la procession qui les conduisit jusqu'à la chapelle de la Vierge, où ils entonnèrent un *Salve Regina* polyphonique.

— Il en a été ainsi, chaque jour que Dieu a fait, depuis 1547. Et il en sera toujours ainsi. C'est la tradition d'Einsiedeln[1], dit Charlotte.

1. Il en était toujours ainsi, en 1997, pour perpétuer les volontés exprimées, au moment de sa mort, par Jean de Lenzingen, dernier abbé de Maulbronn, exilé à Einsiedeln. Le religieux légua au monastère ce qu'il possédait encore, en stipulant que, chaque soir, jusqu'à la fin des temps, devrait être chanté un *Salve Regina* dans la chapelle de Notre-Dame-des-Ermites.

Quittant l'église, quand les bénédictins eurent, toujours en cortège, regagné leur monastère, les visiteurs allèrent flâner sous les arcades, que l'on dit inspirées de la colonnade du Bernin, à Saint-Pierre de Rome. Bertrand s'étonna du nombre de boutiques et d'éventaires qui proposaient chapelets, rosaires, images pieuses, médailles, crucifix et autres objets de dévotion.

— Les marchands du temple doivent ici faire de bonnes affaires ! remarqua-t-il.

— Le moine m'a dit que ce commerce et l'industrie qu'il suppose font vivre, dans ce pauvre canton, plus de cinq cents ouvriers et qu'une douzaine de presses mécaniques suffisent tout juste à fabriquer les pièces que l'on vend ici, précisa Charlotte.

Pour sacrifier à l'usage, Bertrand offrit à sa grand-mère un médaillon à l'effigie de saint Meinrad, l'ermite assassiné, et acheta une image de la Vierge noire.

— Tu as choisi la Vierge noire, toi ! s'étonna Charlotte, après avoir remercié son petit-fils.

— C'est une très belle œuvre d'art médiévale, répondit-il avec un sourire.

Après cette journée bien remplie, les pèlerins regagnèrent l'hôtel du Paon, où, après un repas de spécialités schwyzoises, ils passèrent la nuit.

Un clair soleil d'automne teintait déjà de rouille les feuilles des arbres quand, le jour suivant, dans l'air froid du matin — l'abbaye se trouve à 910 mètres d'altitude —, les pèlerins prirent la direction de Küssnacht, jolie cité où règne, depuis toujours, Guillaume Tell.

Perché sur les fontaines, peint sur les enseignes des boutiques, suspendu aux façades des grands chalets fleuris, l'invincible archer était partout présent, arbalète sur l'épaule, souvent accompagné de son fils, le légendaire rescapé de l'épreuve du tir à la pomme. Tandis que Charlotte, qui ménageait ses forces, se rendait à l'église, avant de visiter les boutiques avec Clara, Bertrand et le Tsigane sortirent de la ville pour découvrir, dans la campagne, le fameux chemin creux qui relie le lac des Quatre-Cantons à celui de Zoug, site supposé historique, où Tell aurait abattu le tyran Gessler. Fervents patriotes, les Schwyzois avaient élevé à proximité, en 1638, une chapelle à la mémoire de Guillaume Tell, libérateur de la Suisse. Une restauration, intervenue en 1834, conférait à l'édifice un aspect pimpant et lui ôtait, en partie, son cachet médiéval. Seule, la fresque représentant l'exécution de Gessler par Guillaume retint l'attention des pèlerins. Bertrand imagina, sans peine, la scène de l'assassinat du bailli, dans l'étroit chemin grossièrement dallé, serré entre deux murs de pierres et rendu à demi obscur par l'épaisseur des frondaisons.

— On dirait que la liberté a, depuis toujours et en tous lieux, exigé le tribut du sang pour s'imposer, constata Bertrand.

— Du sang des tyrans mêlé à celui des révoltés, certes, compléta Lazlo.

Le Tsigane vouait une grande admiration à Guillaume Tell et n'admettait pas que l'on osât, comme cela devenait à la mode chez les intellectuels, douter de la réalité de l'existence du héros. Il évoqua les épisodes légendaires de la vie de Tell avec celui pour qui il avait fabriqué un premier arc-jouet d'enfant. Puis les deux hommes regagnèrent la ville, où les attendaient M^me^ de Fontsalte et sa suivante.

De retour à Lucerne, dans le confort du Schweizerhof, Charlotte, qui avait somnolé pendant le voyage de retour, déclara qu'elle se satisferait d'un potage, servi dans sa chambre. Bertrand tint à dîner près d'elle, après avoir commandé un repas plus substantiel.

— Demain, je monterai tôt sur le bateau pour le Grütli, avec Lazlo, pendant que vous prendrez ici une journée de repos, dit le jeune homme.

Lazlo, porté par atavisme tsigane au goût des légendes et bien que Suisse d'adoption, avait appris les circonstances qui, après la révolte de Tell et la mort de Gessler, avaient motivé l'alliance défensive, conclue en août 1291, dans la prairie isolée du Grütli, par les habitants des trois cantons primitifs Uri, Schwyz et Unterwald. Aussi quand, après trois heures de navigation, le petit vapeur à aubes toucha un appontement de bois, au pied d'une montagne sauvage couverte de forêts, le Tsigane prit sans hésiter le rude sentier, qui montait en serpentant jusqu'à la clairière où, cinq siècles et demi plus tôt, les premiers confédérés s'étaient réunis, ignorant sans doute qu'ils scellaient l'acte de naissance d'une nation à nulle autre semblable.

Un pré, quelques roches plates, qui avaient peut-être servi de bancs aux alliés de 1291, constituaient le décor bucolique auquel Bertrand ne trouva, au contraire de ce qu'il escomptait, aucun attrait insolite. En ce lieu, les réminiscences historiques devaient tenir lieu d'émotion. Le jeune Vaudois tenta d'imaginer les paysans barbus et rustauds s'engageant solennellement à s'aider les uns les autres en cas d'attaque, à ne reconnaître aucun juge étranger, à régler leurs disputes par l'arbitrage plutôt que par les armes, à punir les criminels, les incendiaires et les voleurs. Là où aurait dû sourdre, péremptoire et convaincant, l'effluve magnétique du passé, Bertrand ne connut que la banale satisfaction du citoyen accomplissant un acte rituel, patriotique et désuet, devant un paysage grandiose.

Lazlo, au contraire, ne cacha pas son émotion. Il se découvrit, célébra en termes lyriques la beauté du décor et proclama que la liberté des Helvètes avait, d'abord, foulé cette unique prairie, mystérieusement ménagée par les dieux au milieu des montagnes. Il tira son couteau, trancha une poignée d'herbe, qu'il lia d'une tige de graminée, et la plaça sous sa chemise, à même la peau.

— Ainsi, dit-il avec sérieux, je serai toujours protégé des tyrans.

Sur le bateau du retour, le Tsigane remercia chaleureusement Bertrand de lui avoir permis ce pèlerinage qui, de tous ceux auxquels il avait participé depuis une semaine, lui paraissait, de loin, le plus important et le plus significatif.

De retour au Schweizerhof, Bertrand trouva sa grand-mère plus lasse que la veille. Au cours du dîner, il lui raconta avec force détails sa traversée du lac et sa visite au Grütli. Au moment du coucher, alors qu'il la conduisait jusqu'à sa chambre, elle avoua sa fatigue.

— Demain nous prendrons la route du retour. J'ai été très heureuse, mon petit, pendant notre escapade, mais j'ai maintenant hâte de retrouver ma maison. Tu vois, je suis une vieille femme, et cette longue visite à Einsiedeln m'a éprouvée plus que je ne le pensais. Lazlo m'a promis de nous conduire plus vite qu'à l'aller, ajouta-t-elle avec un sourire mélancolique, qui inquiéta Bertrand.

Le lendemain, Mme de Fontsalte ne parut guère mieux que la veille. Clara confia à Bertrand que sa grand-mère avait passé une mauvaise nuit, connu des sommeils intermittents et aussi, parfois, une difficulté à respirer, qui l'avait obligée à reposer plus souvent assise que couchée.

Dans la berline, Charlotte se montra peu loquace et, quand Bertrand lui montrait un détail du paysage, elle n'accordait que peu d'attention au décor. A l'étape de midi, elle grignota du bout des lèvres et parut soulagée de reprendre place dans la voiture. Elle s'endormit bientôt, sous le plaid disposé par Clara.

Après une nouvelle nuit de repos à Langnau, elle apparut plus gaillarde, ayant repris des couleurs aux joues et retrouvé le goût de la conversation.

— Ce soir, nous dormirons à Fribourg et, demain soir, nous serons chez nous, dit-elle, ne cherchant pas à dissimuler son impatience de revoir Blaise.

L'étape effectuée sous la pluie, mais à vive allure, ils entrèrent au crépuscule dans la capitale fribourgeoise.

Après un souper à l'auberge du Cerf, les voyageurs gagnèrent leurs chambres à l'hôtel de la Rose. Mme de Fontsalte ayant fait montre de belle humeur et d'appétit, Bertrand s'endormit rassuré.

Au milieu de la nuit, Clara vint le tirer du sommeil.

— Madame ne va pas bien du tout, Monsieur. Je la trouve très oppressée et, par deux fois, j'ai cru qu'elle perdait connaissance. Je crois que vous devriez venir la voir. Elle me fait peur, dit la gouvernante.

Bertrand trouva sa grand-mère adossée à des oreillers, la respiration courte et malaisée. Néanmoins, elle sourit à son petit-fils quand il lui tendit, dans un verre, la potion ordonnée par Vuippens en cas de malaise sérieux.

— A quoi bon ? Je n'ai pas eu de syncope, dit-elle.

Mais elle avala le remède sans discuter.

— C'est à titre préventif, observa Bertrand, s'efforçant à la désinvolture.

— Clara est une sotte de t'avoir éveillé. J'accuse la fatigue et les excès de ces derniers jours, c'est tout. Mais cela va passer. Retourne dormir car, bien que les chevaux soient, eux aussi, fatigués, j'ai demandé à Lazlo que nous partions tôt demain matin.

Bertrand tira sa montre.

— Ce matin, voulez-vous dire, car il est près de trois heures.

A peine le jeune homme avait-il regagné sa chambre que Clara reparut.

— Cette fois, Monsieur, votre grand-mère défaille. Qu'allons-nous faire ? Elle dit qu'elle croit qu'elle va mourir et réclame son mari ! gémit la femme.

— Allez réveiller Lazlo, et dites-lui de me rejoindre devant la chambre de Madame, ordonna le jeune homme.

Sans être inconsciente, Mme de Fontsalte, pâle, les traits tirés, les yeux cernés de bistre, fit un effort pour regarder son petit-fils quand il se pencha sur elle.

— Ah ! mon pauvre petit, que de tourment je te donne. Nous avons passé de si bons moments ensemble, ces jours-ci. Et me voilà mal en point au moment de revoir Blaise. Je voudrais que nous partions tout de suite, mais je n'ai pas de force et je suis loin de chez moi, loin de mon mari bien-aimé. J'aimerais tant qu'il soit là, maintenant, acheva-t-elle d'une voix blanche, avant de clore les yeux.

Un coup discret frappé à la porte révéla la présence de Lazlo et de Clara. Bertrand, laissant la malade aux soins de la suivante, sortit sur le palier et s'adressa au cocher.

— Trouve un cheval et cours prévenir le général que Mme de Fontsalte est très souffrante et qu'elle le réclame. Dis-lui que j'aimerais qu'il vienne.

— Comptez que je ferai le plus vite possible, dit le Tsigane.

L'hôtelier, intrigué par le va-et-vient dans les couloirs, apparut, le chef couvert d'un bonnet de coton à pompon et la chemise de nuit à demi serrée dans son pantalon. Informé de ce qui se passait, il proposa d'aller quérir un médecin, ce que Bertrand accepta.

Le praticien, un jeune gaillard, récemment installé à Fribourg, pensa tout d'abord à une indigestion, car la vieille dame souffrait maintenant de nausées, mais, informé par Bertrand des antécédents de Mme de Fontsalte, il se montra plus circonspect.

— Le pouls furtif et la respiration sifflante de la malade me font craindre une faiblesse du cœur, peut-être compliquée d'un œdème du poumon. Il ne faut pas qu'elle tombe en syncope dans cet état, monsieur. Veillez à la maintenir consciente et faites-lui boire dix gouttes de ce remède, dit-il en tirant un flacon de sa trousse. Je reviendrai la voir après mes visites, car, bien sûr, cette dame ne peut voyager dans cet état, conclut-il.

Le carillon des Cordeliers venait de sonner deux heures après midi quand Blaise de Fontsalte, venu à bride abattue de Lausanne, trouva Bertrand guettant son arrivée sur le perron de l'hôtel.

— Je suis bien aise de vous voir. Grand-mère repose, mais la fièvre s'est emparée d'elle et le médecin doit revenir tout à l'heure.

Blaise de Fontsalte, d'un parfait sang-froid malgré la crainte qui le tenaillait, suivit son petit-fils dans l'hôtel.

— J'ai envoyé Lazlo chercher Vuippens. Ils devraient être là tous les deux à la fin de l'après-midi, dit le général, avant d'entrer seul dans la chambre de Charlotte.

Au cours d'une nouvelle visite, le médecin fribourgeois ne put que confirmer, devant le général, son diagnostic de la nuit.

Depuis que Blaise se tenait à son chevet, Charlotte semblait reprendre un peu de force.

— Maintenant que vous êtes là, rien ne peut m'empêcher de rentrer à Beauregard, n'est-ce pas ? demanda-t-elle.

— Nous verrons ce que conseillera Vuippens, dit Blaise.

L'ami médecin, accompagné de Lazlo, se présenta dans la soirée. Sa présence, jointe à celle de Blaise, parut rassurer Charlotte. Le médecin fit évacuer la chambre de la malade et resta un long moment seul avec elle.

Quand il rejoignit le général et Bertrand, au salon de l'hôtel, le visage du praticien était grave. Vuippens n'avait pas pour habitude de dissimuler l'état d'un malade aux proches de celui-ci. Certains redoutaient même sa franchise, car son diagnostic était sûr et ses pronostics se vérifiaient le plus souvent.

— Cette fois, mes amis, nous devons redouter le pire. Nous sommes à la merci d'un cœur très fatigué, peut-être en partie nécrosé. Je crains une déchirure soudaine, plutôt du ventricule gauche, due sans doute à une altération, depuis longtemps amorcée, des fibres musculaires, comme l'indiquaient les syncopes, comme le montrent, aujourd'hui, la pâleur du visage, l'extrême faiblesse et une augmentation de la matité précordiale, expliqua le médecin.

— Que pouvez-vous faire, Vuippens ? demanda le général, maître de lui.

— Ce que mon confrère fribourgeois a administré est ce qu'il y a de mieux. Mais je crois que vous devriez accéder au désir de votre épouse. Elle veut regagner sa maison, « pour mourir ou pour vivre encore un peu », m'a-t-elle dit, car elle est parfaitement lucide.

— Ne croyez-vous pas que le voyage jusqu'à Lausanne risque de…

— Ça ne peut rien changer. Elle ne courra pas plus de risque dans votre voiture que dans un lit, ici ou ailleurs, dit le médecin.

— Alors, il faut organiser notre départ pour demain matin, si l'état de la malade est stationnaire, commanda le général, se tournant vers Lazlo, debout au seuil de la pièce.

— Je vous suivrai, afin d'être là en cas de difficulté, dit le médecin.

Ce soir-là, après plusieurs visites à M^me^ de Fontsalte, auprès de qui le général passerait la nuit, Louis Vuippens emmena Bertrand souper à l'auberge du Cerf. Le jeune homme raconta son voyage et trouva chez le médecin une parfaite approbation lorsqu'il lui fit part de ses doutes quant au bien-fondé humain de la vie érémitique. Il lui révéla, aussi, son scepticisme quant au jeûne de vingt années de l'ermite du Ranft.

— Médicalement, c'est invraisemblable. Le corps humain est une machine. Comme une lampe a besoin d'huile pour éclairer, l'homme a besoin de nourriture pour subsister. Il peut, certes, tenir une, deux, peut-être trois semaines, en ne buvant que de l'eau. Il peut, sans doute, survivre quelques mois en mangeant, comme on le dit de Nicolas, des baies et des fruits sauvages. Mais l'hiver, il n'y a ni baies ni fruits et, même avec ce régime, très vite, des carences fatales apparaissent. Car notre corps relève, à la fois, de la mécanique et de la chimie. Alors, ne soyons pas dupe. Le brave Nicolas qui, pour un solitaire, recevait beaucoup de visites, devait tout de même manger, mon garçon. Tous les médecins te le diront et tu l'apprendras au cours de tes études.

— Quand on lui posait la question : « Que mangez-vous ? », il répondait : « Dieu le sait », rapporta Bertrand.

— Réponse commode, n'est-ce pas ! Dommage qu'on n'ait pas interrogé Dieu ! persifla Vuippens.

— En répondant ainsi, il ne faisait pas de mensonge, car Dieu a dû, bien sûr, savoir ce dont l'ermite se nourrissait. Quoi qu'il en soit, je respecte en lui l'homme qui a choisi la solitude, commenta le jeune homme.

— Plus tard, Bertrand, tu comprendras que le médecin est aussi solitaire, face à la maladie, que l'ermite face au mystère divin. Tu comprendras, aussi, que l'oraison n'est pas une panacée suffisante pour les maux humains. Pour soigner une indigestion, la meilleure prière ne vaut pas une cuillerée de bicarbonate de soude ! ricana Louis.

Le lendemain, dans la matinée, Charlotte ayant passé une nuit acceptable, le départ fut confirmé. Blaise paya deux fois son prix un matelas de l'hôtel, qu'on installa sur une planche dont les extrémités reposaient sur les banquettes en vis-à-vis dans la berline. M^me^ de Fontsalte, douillettement enveloppée dans des couvertures, quitta Fribourg allongée sur cette couche improvisée, qui amortissait les cahots. La satisfaction de rentrer à Beauregard parut la ragaillardir. Ayant près d'elle son mari et Clara, tandis que

Bertrand prenait place dans le cabriolet du docteur Vuippens, la malade eut même la force de sourire.

— Me voilà transportée comme une reine fainéante, dit-elle, tenant serrée dans sa main brûlante celle de l'homme qu'elle aimait et dont la force tranquille semblait capable de la défendre de la mort.

Le convoi mit près de huit heures à franchir les douze lieues qui séparaient Fribourg de Lausanne, où il arriva à la nuit tombée. Portée dans sa chambre, au premier étage de Beauregard, la malade poussa un soupir de soulagement. En l'embrassant avant d'aller dormir, Bertrand se dit fort ennuyé de la voir ainsi.

— Je crains que les fatigues répétées de notre périple ne soient responsables de l'aggravation de vos maux, dit-il.

— Ne crois pas cela. Dis-toi, au contraire, combien j'ai été heureuse de ce pèlerinage. Il y a longtemps que mon cœur fait des siennes, Vuippens le sait bien. Et puis je suis assez vieille pour faire une morte, mon petit. J'ai eu, grâce à mon mari, à mon fils Axel et à mes petits-fils, une belle et bonne vie. Qui peut en dire autant ?

— Et cette bonne vie doit continuer, grand-mère.

— Dieu décidera. Mais je lui suis reconnaissante de m'avoir permis de rentrer chez moi. J'ai bien cru, hier, ne pas pouvoir tenir jusque-là. Maintenant, tout est bien. Va te reposer et, demain, rentre à Vevey.

— Je reviendrai vous voir bientôt, avant de partir pour Heidelberg en tout cas, dit-il en quittant la chambre.

TROISIÈME ÉPOQUE

# Le Temps des héritiers

# 1.

Le 30 mars 1854, on apprit sans surprise, à Beauregard, l'entrée en guerre de la France et de l'Angleterre, contre la Russie. Depuis plus d'un an, le général Fontsalte et le colonel Golewski suivaient attentivement, sur la carte, le déroulement des nouveaux conflits allumés en Europe et, par leurs informateurs, les intrigues diplomatiques afférentes. Ils se congratulèrent comme deux pythonisses satisfaites de voir leurs prédictions confirmées.

— Le tsar a tout fait pour provoquer ce conflit. Il veut détruire l'Empire ottoman. Eh bien, on va le chasser de la mer Noire ! lança Golewski, pour qui Nicolas Ier restait le pire ennemi de la Pologne.

— Cette fois, l'Angleterre est l'alliée de la France. Nous ne sommes plus en 1812, et Nicolas n'est pas Alexandre, renchérit Blaise.

— Ah ! les voilà contents, nos oncles Tobie ! lança Louis Vuippens.

Le médecin nommait ainsi les vieux soldats, par référence au capitaine Tobie Shandy, héros de Laurence Sterne[1], qui, s'inspirant des nouvelles publiées par les journaux, simulait, avec l'aide du caporal Trim, les sièges et batailles auxquels l'âge et une mauvaise blessure l'empêchaient de prendre part.

Le général et son ami, comme oncle Tobie, ne réagirent, ce jour-là, qu'en tirant sur leur pipe, face à un auditoire prêt à entendre

1. *Vie et Opinions de Tristram Shandy*, ouvrage en 9 volumes, publié pour la première fois, à Londres, entre 1760 et 1767.

leurs considérations sur les causes et effets possibles d'une guerre, qu'ils disaient, l'un et l'autre, souhaitée aussi par Napoléon III.

Les deux stratèges étaient gâtés, le hasard ayant fait que la déclaration de guerre fût portée à la connaissance des Vaudois le jour où le cercle Fontsalte se trouvait réuni à Beauregard, pour célébrer la récente nomination, dans l'ordre de la Légion d'honneur, du comte Golewski, ancien colonel-major du 1er régiment de chevau-légers lanciers polonais de la Garde impériale. Le général Fontsalte avait demandé et obtenu cette décoration du ministre de la Guerre de Napoléon III en rappelant les services du noble polonais pendant les campagnes du premier Empire.

Charlotte, maintenant remise de ses malaises de l'automne, avait tenu à offrir la décoration que son mari épingla sur la poitrine du Polonais, en vertu des pouvoirs à lui conférés à cette occasion, en tant que grand officier de l'ordre. Comme Fontsalte, en tenue réglementaire de parade, le comte Golewski avait revêtu son bel uniforme de lancier, kourka blanche, pantalon cramoisi, habit à plastron et basques courtes, orné de la double épaulette d'or. La gorge nouée par l'émotion, le vieil homme, sec et droit, l'œil bleu embué de larmes, remercia Blaise, non seulement pour la seule récompense qu'il eût jamais désirée, l'étoile à cinq branches suspendue à un ruban rouge, mais aussi pour lui avoir offert, à la fin de sa vie, loin de la patrie polonaise toujours dans les chaînes, une famille et une patrie nouvelle. Félicitations, embrassades et cadeaux suivirent les discours et Trévotte, assisté de Lazlo, renfort des grandes occasions, fit sauter le bouchon des bouteilles de champagne. Les toasts portés et applaudis, on en vint bientôt à l'événement du jour : la guerre.

— En fait, tout a commencé en 1852, quand le prince Danilo à confirmé l'indépendance du Monténégro, ce que les Turcs ont, une fois de plus, contesté, les armes à la main, commença Blaise.

— Peut-être eussent-ils rétabli leur pouvoir sur ces intrépides montagnards si les interventions de Napoléon III n'avaient contraint le sultan à respecter l'indépendance des Monténégrins, compléta le colonel.

— L'évolution de la situation a, depuis, été des plus confuses, reprit Fontsalte. Quand la Russie — qui veut depuis toujours, s'emparer des Dardanelles et du Bosphore, c'est-à-dire disposer d'un autre débouché sur la mer Noire — proposa, l'an dernier, à l'Angleterre et à la France, le partage de la Turquie, ce que le sultan, on le conçoit, prit fort mal, les Anglais, comme les Français, refusèrent. C'est ce qui motiva l'envoi d'une flotte franco-anglaise aux Dardanelles, après l'occupation des provinces danubiennes par les Russes et la destruction de la flotte turque à Sinope, expliqua le général.

— Devant de tels agissements, il est vrai que la France et l'Angleterre ne pouvaient rester les bras croisés en attendant le dépeçage de l'Empire ottoman. D'où cette déclaration de guerre, en bonne et due forme, à la Russie, déduisit Axel Métaz.

— Peut-être, côté français, faut-il ajouter une autre raison, qui est d'amour-propre. Souvenez-vous que le tsar fut le plus réticent et le dernier à reconnaître le titre d'empereur à Napoléon III, alors que la Grande-Bretagne, la Prusse et l'Autriche avaient admis les prétentions dynastiques de Louis Napoléon dès décembre 1852. Et puis l'empereur des Français entend contrer les ingérences insolentes des orthodoxes grecs et de leurs popes dans les lieux saints de Bethléem et de Jérusalem, confiés, depuis Louis XIV, aux religieux catholiques romains. Bien que sujets du sultan, ces popes sont soutenus par le tsar, ajouta Blaise.

— Louis Napoléon répétait sans cesse : « L'Empire c'est la paix ! » Il ne tient donc pas parole, s'insurgea Charlotte.

Depuis son pèlerinage au Ranft de Nicolas de Flue, avec son petit-fils Bertrand, Mme de Fontsalte accusait plus souvent fatigue et atonie. Vuippens mettait cela au compte de son âge et, aussi, de sa faiblesse de cœur. L'épouse du général, que les considérations politico-militaires ennuyaient, fit dévier la conversation sur le couple que formaient, depuis un an, l'empereur et l'impératrice des Français.

— Et cependant, s'il avait pu mettre Eugénie de Montijo dans son lit sans passer par l'autel, il l'eût fait, observa Alexandra, récemment rentrée avec Zélia d'un séjour à Londres.

— On nous a dit, lors de notre passage à Paris, que Mme de Montijo, qui a eu pour amant l'écrivain Prosper Mérimée, à qui elle raconta la belle histoire de *Carmen*, la bohémienne, avait bien sermonné sa fille. Ne rien céder avant la bague au doigt et la couronne en tête : voilà ce qu'elle lui aurait ordonné. Et l'empereur, très épris, a succombé, ajouta Mme Vuippens.

— Le charme espagnol a opéré, en effet, et Eugénie, dont on dit qu'elle abandonna à sa sœur Paca le duc d'Albe de qui elle était éprise, n'a pas perdu au change, puisque la voilà impératrice! constata Alexandra.

— Depuis la proclamation de l'Empire, Louis Napoléon voulait se marier. Son ambition est de perpétuer la dynastie impériale. Avant que ne surgisse l'Espagnole, il avait fait demander la main de la princesse Adélaïde de Hohenlohe, une demoiselle de dix-sept ans, fille de la demi-sœur de la reine Victoria. C'est l'ambassadeur de France à Londres, votre compatriote… et le mien, Alexandre Walewski, fils naturel de Napoléon Ier, qui avait présenté cette demande, dit Blaise en se tournant vers son ami polonais.

— Et cela n'avait guère plu aux Anglais. Napoléon III avait aussi jeté son dévolu sur une princesse autrichienne, de la famille de Wasa. Mais l'archiduchesse Sophie, la mère de François-Joseph, refusa de donner cette jeune fille au neveu de Napoléon Ier, ajouta le colonel.

— On dit, à Londres, que sa maîtresse anglaise, miss Elizabeth-Ann Howard, s'est évanouie en apprenant, par les journaux, le mariage de son amant, reprit Alexandra.

— Sans perdre la tête toutefois, puisqu'elle exigea le remboursement des quatre ou cinq millions que lui avait empruntés Louis Napoléon pour monter les désastreux complots de sa jeunesse. Elle a même obtenu le titre de comtesse… de Beauregard, un domaine proche de La Celle-Saint-Cloud, précisa Blaise avec un sourire.

— Les Beauregard se suivent et ne ressemblent pas, dit vivement Charlotte.

Ces événements, qui suscitaient des commentaires animés dans le cercle Fontsalte, laissaient Axel Métaz impassible. Il dut faire effort, à plusieurs reprises, pour se mêler à la conversation, sa réserve risquant de paraître désobligeante. Cette guerre nouvelle entre Français — alliés aux Anglais et aux Turcs — et Russes, conflit où la Suisse, bien à l'abri de sa neutralité reconnue et garantie, n'aurait aucune part, ne l'intéressait pas plus que la *Manifest Destiny*, politique expansionniste conduite par le quatorzième président des Etats-Unis, M. Franklin Pierce, ou le retard apporté au lancement, en Angleterre, du *Great Eastern*, le plus grand navire du monde.

Depuis des mois, le Veveysan vivait dans une sorte d'indifférence au monde extérieur, ne s'occupait que de ses affaires et de ses vignes. Après le départ de ses fils, il avait acquis une étonnante capacité de silence, qu'Elise, fort absorbée par ses œuvres, mettait au compte de l'âge et de la fatigue. Il ne prenait plaisir qu'à la lecture des lettres que Bertrand envoyait très régulièrement, chaque semaine, de Heidelberg, et de celles, plus rares, que Vincent adressait de Londres. Le cadet donnait son emploi du temps, détaillait les charmes d'une ville historique, définissait ses études, brossait le portrait de ses maîtres avec humour. L'aîné ne commentait guère son travail à la banque, mais décrivait les événements mondains de la *season*, racontait ses sorties et ne tarissait pas d'éloges sur les peintres de l'école préraphaélite, parmi lesquels il s'était fait des amis.

Si Bertrand semblait se satisfaire de la somme que lui envoyait chaque mois son père, Vincent ne manquait jamais d'ajouter un post-scriptum à ses lettres, pour solliciter un supplément d'argent. Ces demandes répétées inquiétaient Elise, mais Axel y répondait favorablement.

— J'aime mieux lui envoyer de l'argent que savoir qu'il fait des dettes ou emprunte à des usuriers, disait-il.

C'est cependant des dettes et de la prodigalité de Vincent qu'Alexandra entretint son parrain, lors d'une rencontre à Genève, au commencement de l'été.

— Je sais, par John, que notre apprenti banquier, qui par ailleurs donne complète satisfaction aux Keith et à leurs associés, mène un train bohème bien au-dessus de ses moyens. A la banque, il abat, en trois heures et au mieux, le travail d'une journée de commis, mais, le soir venu, il court les théâtres, où son œil vairon fait merveille dans les coulisses auprès des actrices, dit la banquière.

— Je préfère qu'il jette sa gourme à Londres plutôt qu'à Vevey, répliqua Axel, indulgent.

— Je suis de ton avis, mais ce n'est pas tout. Vincent se dissipe, en compagnie d'artistes peintres et de leurs peu farouches modèles. Il passe ses nuits à festoyer, danser et aussi à jouer, ce qui est plus inquiétant. Bref, il emprunte des livres sterling sans discernement et John lui a déjà avancé trois mois de salaire. Je crois que tu devrais mettre le holà à ce comportement d'un garçon livré à lui-même dans la capitale mondiale du vice. Peut-être même serait-il sage d'avancer la date de son retour, conclut Alexandra.

— Comme je regrette que Basil Coxon n'ait finalement pas accepté d'accompagner Vincent. Je n'ai d'ailleurs pas compris pourquoi. Tu m'avais laissé entendre que ton factotum serait enchanté de revoir son pays. Peut-être eût-il contraint mon fils à une vie plus régulière, dit Axel.

— Basil s'est désisté au dernier moment. Il s'est dit trop vieux pour driver, suivant son expression anglo-française, un garçon comme Vincent. Il n'a pas voulu endosser une telle responsabilité. Et puis je crois que ton fils n'aurait pas longtemps supporté les attentions quasi féminines de Basil. La virilité éclatante de Vincent, que Basil admire, ne peut s'accommoder du service de quelqu'un qui en est aussi totalement dépourvu, expliqua Alexandra avec un sourire ambigu.

— Je comprends. Martin Chantenoz réagissait de la même façon, se rappela Axel.

Au lendemain de cette conversation, M. Métaz adressa à son fils aîné une lettre sévère, l'invitant à lui envoyer sans délai un état complet et sincère de ses finances, dettes comprises. Un mois s'écoula sans réponse de l'exilé et quand, en août, Bertrand rejoignit ses parents pour les vacances, Axel lui fit part de sa perplexité.

— Ma filleule va s'efforcer d'obtenir des nouvelles de ton frère par son ami John Keith, car son silence commence à inquiéter ta mère, dit Axel.

Quelques jours plus tard, Alexandra débarqua à Rive-Reine sans être annoncée. Elle tenait à révéler elle-même, avec ménagement, à son parrain la réponse des banquiers londoniens : Vincent était incarcéré à New Debtor's Prison, la prison des débiteurs insolvables, où l'avait envoyé un juge, sur plainte de deux créanciers !

— Il n'en sortira que lorsque les prêteurs auront été désintéressés, précisa la banquière.

— Donne l'ordre à Keith de payer et fait virer la somme nécessaire. J'ai tout de même assez d'argent à la banque Laviron Cornaz et C^ie^ pour éviter la prison à mon fils ! Non ? lança Métaz, mécontent que sa filleule n'ait pas, d'elle-même, pris l'initiative de ces remboursements.

— C'est facile à dire, bien sûr, mais d'après Keith, Vincent a d'autres dettes, auprès de gens qui ne sont pas en position de porter plainte et qui l'attendront, sans aménité, à sa sortie de prison. Ce sont sans doute des individus peu recommandables. John parle de tenanciers de boutiques d'enjeux, qu'il nomme *bookmakers*. Vincent joue aux courses de chevaux, aux combats de boxe, aux combats de chiens et, même, au plus sordide des jeux londoniens, aux combats de chiens contre rats. On parie sur le nombre de rats que tuera un chien dans un temps donné, rapporta Alexandra.

— Non ! Ce n'est pas possible ! s'indigna Axel.

— Hélas, si ! John écrit encore que Vincent a même acheté un bull-terrier pour s'adonner à ce jeu, auquel, il faut le dire, participent, coude à coude avec les pires représentants de la pègre, bon nombre de *gentlemen*, assena la banquière.

Axel, consterné par ces révélations, demeura silencieux.

— Je crois que le mieux serait de te rendre à Londres et de tirer tout ça au clair. John fournira l'argent nécessaire, mais encore faut-il qu'il sache à qui le faire parvenir, suggéra Alexandra, ennuyée.

M. Métaz prit aussitôt sa décision.

— C'est bien ! Je pars pour Genève avec toi. Demain, je prends la diligence pour Lyon ; de là, le train jusqu'à Paris et Calais, puis le bateau pour l'Angleterre, dit fermement Axel, au moment où Bertrand entrait dans le salon pour saluer Alexandra, de qui il venait d'apprendre l'arrivée.

— Vous partez pour l'Angleterre ? demanda l'étudiant, qui avait entendu la fin de la phrase de son père.

— Oui, pour Londres ! Je vais tirer ton olibrius de frère de prison, révéla sèchement M. Métaz.

— Mon Dieu, quel crime a-t-il commis ? s'écria l'étudiant en médecine, stupéfait.

— Dieu merci, il ne s'agit que de dettes ! s'empressa de préciser Alexandra.

— Si vous le souhaitez, je puis vous accompagner, proposa Bertrand.

Voyant son père fort contrarié, il subodorait que sa médiation pourrait être utile lors de la rencontre du vigneron avec son fils aîné.

— D'accord, viens avec moi. Va faire ton bagage. Je préviens ta mère de notre départ. Nous dormirons ce soir à Genève, dit Axel.

Le surlendemain, les deux Vaudois, embarqués à Dieppe, arrivaient, six heures plus tard, à Newhaven, d'où il gagnèrent Londres en train. Ils regrettèrent, pendant le trajet, que le chemin de fer ne fût pas encore établi entre Genève et Lyon, seule partie du voyage qu'ils avaient dû effectuer en diligence. Ils descendirent dans un confortable hôtel du Strand, que Bertrand trouva nettement moins agréable et moins raffiné que le Schweizerhof de Lucerne, son premier palace, dont il conservait un souvenir ébloui. Après un mauvais dîner et une bonne nuit, ils allèrent quérir John Keith à sa banque et se précipitèrent White Cross Street, au-delà de Paternoster Row, où se trouvait la nouvelle prison des débiteurs désargentés.

— Avant la construction de cet établissement, en 1813, les mauvais payeurs étaient emprisonnés à Newgate, avec les pires criminels et dans d'affreuses conditions. Maintenant, au moins, ils sont entre eux, dans un confort relatif, dit John, chemin faisant.

— Une chance pour Vincent, bougonna Axel.

John Keith était porteur d'une lettre de son père, lord Keith, pour le directeur de la prison. Le vieux banquier garantissait au fonctionnaire que la banque Keith and Glyner, l'une des plus renommées de Londres, paierait jusqu'au dernier penny les dettes de M. Vincent Métaz de Fontsalte, citoyen suisse.

C'est donc sans difficulté que les visiteurs furent autorisés à rencontrer le prisonnier, qu'un gardien débonnaire leur amena au parloir.

Si les Veveysans avaient craint de trouver un garçon accablé et mal à l'aise, ils furent rassurés. Vincent ne se montra pas même confus. Tout sourire, frais et rose, le regard vairon pétillant, élégamment vêtu d'un costume de cheviotte grise, qui n'avait rien de carcéral, il donna chaleureusement l'accolade à son père et à son frère, puis secoua la main de John Keith, sans la moindre gêne.

— C'est gentil d'être venu me tirer de là, dit-il.

Axel réserva pour plus tard la leçon de morale qui, dans l'ambiance du parloir, eût été déplacée.

S'il fut aisé de désintéresser, le jour même, les deux créanciers plaignants, et de faire élargir l'endetté, Axel et Bertrand durent s'employer à fond pour obtenir du garçon les noms et adresses de ceux qui, ne tenant pas à attirer l'attention de la justice, ne pouvaient se manifester par les voies légales.

— Ils me croient sans doute toujours à White Cross et, comme je n'ai jamais donné mon adresse et que vous souhaitez que je rentre à Genève avec vous, nous n'avons qu'à prendre le bateau et nous esbigner dès que vous aurez payé ma logeuse. Elle ne lâchera pas ma garde-robe et les œuvres d'art que j'ai achetées à Londres avant d'avoir touché les deux termes que je lui dois. C'est une brave femme, mais elle est près de ses sous, dit Vincent, sans se troubler.

Axel, stupéfait par tant de désinvolture, contint sa colère, mais son œil clair vira brusquement couleur acier, ce qui incita Bertrand à intervenir.

— Je suppose que père souhaite que tu ne laisses pas de dettes derrière toi, ne serait-ce qu'eu égard aux Keith, père et fils, qui se sont montrés très compréhensifs. Aussi, si tu le veux bien, père va me donner de l'argent et je vais t'accompagner chez tes autres créanciers, dit le cadet avec détermination.

— Mais je n'ai pas de scrupules à avoir vis-à-vis de ces gens, ce sont des voleurs qui m'ont pris dix fois plus d'argent que je ne leur en dois ! s'écria Vincent, indigné.

Cette fois, Axel intervint durement.

— Voleurs ou pas, ce n'est pas mon affaire. Si tu les as trouvés assez bons pour leur emprunter de l'argent, tu le leur rendras. Me suis-je bien fait comprendre ? Ton frère va t'accompagner chez eux et chez toi, pendant que je vais régler nos affaires à la banque Keith. Rendez-vous pour dîner à l'hôtel à sept heures. Et que tout soit en ordre, n'est-ce pas !

— Quand ces gens seront payés, je n'aurai plus à craindre leur brutalité. Aussi ne pourrions-nous pas rester encore deux ou trois jours ici, le temps que je montre à Bertrand cette ville remarquable, que je prenne congé de mes amis et que je récupère mon chien ? risqua Vincent, toujours aussi à l'aise.

— Ton chien ? s'étonna Bertrand.

— Oui, mon terrier gallois. Butcher, c'est son nom. Il a remporté le trophée au ratodrome de Jimmy Shaw, un collier en argent, pour avoir tué seize rats en huit minutes. Jimmy, que tout le monde appelle Captain, a gardé mon chien… et son collier, en gage. Je lui dois onze livres sur des paris perdus, confessa Vincent, soudain plus sérieux.

Axel Métaz découvrait là un aspect insoupçonné de la personnalité de son fils aîné. Malgré sa contrariété, il ne put s'empêcher d'apprécier la maîtrise de ce garçon de vingt ans. Vincent semblait capable de dominer toutes les situations. Il possédait la mâle assurance des Fontsalte et, aussi, cette originalité de caractère que l'on disait propre aux hommes au regard vairon.

Le séjour londonien des trois Métaz se prolongea pendant près d'une semaine, après qu'Axel eut envoyé des dépêches rassurantes à Elise et à Alexandra.

Au cours de la journée, les deux frères disparaissaient à travers l'immense ville. Vincent tenait à ce que Bertrand connût ses amis de la bohème artistique, visitât les musées, les jardins, les belles boutiques de New Bond Street, de Jermyn Street, de Burlington Arcade, les pubs de Soho et le club de Pall Mall, où le Veveysan avait son anneau de serviette à son chiffre, comme un vrai *clubman* britannique.

Pendant ce temps, Axel allait, mélancolique, à travers Londres, à la recherche d'un passé ignoré de ses fils. Les fantômes d'Elizabeth et Christopher Moore l'accompagnèrent, tandis qu'il arpentait le quartier de Mayfair et remontait Uxbridge Road, jusqu'à Pendle House, la demeure du couple pervers. A seize ans, il avait connu dans cet hôtel austère des nuits ardentes, dans les bras d'une femme étrange dont il n'avait pas alors, étant trop jeune, su comprendre la détresse morale. Devant la grille fraîchement repeinte, il s'effraya de la soustraction qu'il fit. Trente-sept années s'étaient écoulées depuis qu'il avait gravi, pour la première fois, ce perron, accompagné de Martin Chantenoz, son défunt précepteur, lequel avait vite deviné quelle sorte de rapports son élève entretenait avec leur hôtesse.

Un autre jour, le Veveysan eut le cran de retourner à Covent Garden, au Evans Music-Rooms où, en 1838, à l'époque du couronnement de la reine Victoria, il avait entendu Janet Moore, la fille ruinée du lord assassiné par sa femme, jouer du piano pour subsister. Mais seize années s'étaient écoulées et personne, dans l'établissement, ne se souvenait de la pianiste.

En l'absence de ses fils, qui ne le rejoignaient que le soir, il prenait le lunch avec John Keith, de qui il appréciait l'infatigable courtoisie et l'affection que cet homme portait à Vincent, dont il affirmait qu'il ferait un excellent banquier. Lors de leur dernière rencontre, John demanda à Axel de bien vouloir rappeler à M^lle^ Alexandra Cornaz-Laviron qu'il prétendait toujours à sa main.

— Votre filleule, monsieur, est la seule femme au monde dont je puis faire mon épouse. Et ma proposition sera valable jusqu'à ma mort, car je n'épouserai pas une autre femme. Dites-le-lui, je vous prie, conclut cet Anglais de quarante ans, rougissant et ému comme un adolescent amoureux.

— Sachez, cher ami, que j'aurais été, je serais encore, très heureux de voir Alexandra devenir M^me^ John Keith…

— Et, plus tard, lady Keith, rectifia avec fierté ce fils de baronet, dont le titre était héréditaire.

Ce même soir, pendant que Vincent s'était absenté après avoir obtenu de son père une permission de nuit pour, avait-il expliqué, faire ses adieux à l'aimable personne qui avait tendrement pris soin de lui pendant son séjour, Axel interrogea Bertrand.

— T'a-t-il présenté cette créature ? demanda le vigneron.

— Oui. C'est une fille charmante, très belle, très grande, très douce. Une sorte de Junon à crinière de feu, avec des yeux verts et une bouche immense. Le type de femme que semblent apprécier comme modèles les peintres de la P.R.B., les amis de Vincent.

— La P.R.B. ?

— *Pre-Raphaelite Brotherhood.* C'est la nouvelle école de peinture qui fut, jusqu'à l'an dernier, avant d'être reconnue par M. Ruskin, une sorte de société secrète d'artistes décidés à lutter contre l'industrialisation hideuse des villes par un retour à la nature. D'ailleurs, ils ne peignent qu'en plein air. Ce sont des bohèmes, parfois un peu exaltés, mais joyeux lurons et tout à fait fréquentables, comme dirait M^me^ Laviron !

— Les as-tu rencontrés ?

— Oui. Vincent m'a conduit dans un bel hôtel particulier de Regents Park, chez les Orme. M^me^ Orme est la sœur d'un poète connu ici, M. Coventry Patmore, grand admirateur des préraphaélites. Elle et son mari sont très accueillants pour ces artistes, dont ils disent avec humour qu'ils peuvent être à la fois anges et gredins.

— C'est-à-dire ? insista Axel.

— Eh bien, leur peinture est assez diverse. Ils entendent d'abord, m'a dit mon frère, illustrer la doctrine chrétienne du Moyen Age pour faire passer dans leurs œuvres un message moral fondé sur la foi. Ainsi, celui que Vincent admire le plus, Dante Gabriel Rossetti, a peint *l'Enfance de la Vierge,* où l'on voit la mère de Marie, celle que les papistes nomment sainte Anne, surveiller sa fille en train de broder. Un autre peintre du groupe, M. John Everett Millais, a peint le *Christ dans la maison de ses parents,* un tableau dont M. Dickens, le fameux écrivain, s'est moqué, à mon avis injustement, en écrivant dans un journal que le Christ était « un enfant roux, contorsionné, pleurnichard, et en chemise de nuit, qui semble avoir reçu un coup en jouant dans le ruisseau... [1] ». J'ai vu le tableau. Il est superbe et je parie bien que Jésus enfant ressemblait davantage au portrait qu'en fait M. Millais qu'au garçonnet, trop bien nourri et rose, que nous présentent souvent les catholiques.

— Bon ! C'est là, j'imagine, le côté ange de ces messieurs. Et, du côté gredin, qu'en est-il ? demanda M. Métaz, avec un sourire condescendant.

— Ah ! c'est quand ils peignent leurs modèles complètement dénudés, et dans leurs amours changeantes, et si j'ose dire, entrecroisées, qu'il faut peut-être voir une aimable gredinerie, père. Les femmes qui posent pour eux sont belles, accueillantes, sensuelles à coup sûr, et accordent facilement leurs faveurs à ces artistes, à la fois peintres et poètes, qui les éblouissent. Car ce sont, pour la plupart, d'humbles filles, des modistes comme M^lle^ Elizabeth Siddal, que tout le monde appelle miss Sid et qui vit maritalement avec M. Rossetti, ou des demoiselles de bonne naissance, mais sans autres ressources que leur beauté, comme miss Fanny Cornforth, dont Vincent dit qu'elle est aussi la maîtresse de Rossetti. Ou encore des cuisinières, des servantes, qui gagnent en une séance de pose un mois de gages et qui sont heureuses d'oublier leur condition, parfois misérable, en participant à la vie de ces hommes instruits, sensibles, pleins de vie et d'entrain, aimant boire et philosopher. Bien sûr, dans ce cercle assez restreint, les filles changent d'amant et les peintres de maîtresse. Cela ne tire pas à conséquence. On ne voit pas de grandes fâcheries entre artistes, encore moins de duels, comme dans la gentry. Ainsi, M. Millais a épousé, le 13 juillet dernier, Effie, la femme de M. Ruskin, de qui elle a divorcé pour non-consommation, ce qui est tout de même humiliant pour ce grand critique, qui aime tant notre pays de Vaud. Et puis l'insatiable M. Rossetti aurait ajouté, ces derniers temps, une certaine Annie Miller à sa collection de modèles, bien qu'elle soit fiancée à son ami le peintre William Holman Hunt. Ce dernier est d'ailleurs mon préféré et Vincent m'a promis une reproduction coloriée de son tableau *la Lumière du monde,* que j'ai vu exposé à la Royal Academy. Il représente le Christ, une lanterne à la main, frappant en pleine nuit à une porte anonyme, celle de n'importe lequel d'entre nous, dit Bertrand, sérieux.

1. Jacques de Langlade, *Dante Gabriel Rossetti*, Mazarine, Paris, 1985.

— Curieux artistes qui s'adonnent à la fois à la religiosité et à la luxure. Anges et gredins est bien jugé, mon garçon.

— Mais, père, ils peignent aussi des scènes imaginaires peu banales. Savez-vous qu'il y a deux ans, M. Millais a placé, pendant des heures, dans une baignoire, dont on renouvelait l'eau chaude, Mlle Siddal, vêtue d'une robe de style antique surbrodée d'argent, pour en faire une superbe Ophélie, que Shakespeare eût reconnue au premier regard ! Quant à M. Rossetti, il a présenté, il y a quelque temps, une toile étonnante, *le Premier Anniversaire de la mort de Béatrice,* où l'on voit Dante visité par des amis qui se souviennent de son deuil. N'est-ce pas une idée originale ? Je vous assure, père, ces nouveaux peintres, dont la vie privée ne nous regarde pas, ont du talent, peut-être même du génie, conclut l'étudiant, enthousiaste.

— Ne se mêlent-ils pas, aussi, de politique ? demanda encore M. Métaz.

— Ils respectent en tout cas les institutions. J'ai su par Vincent que le père du peintre Rossetti, mort au mois d'avril, avait été dans sa jeunesse un protégé du roi de Naples et chargé des fouilles de Pompéi. Devenu carbonaro par amour de la liberté, il avait dû fuir l'Italie et s'était installé à Londres, comme professeur d'italien. Chez les Rossetti, on recevait, bien sûr, les réfugiés politiques, les carbonari de passage, dont le fameux Mazzini. Le prince Louis Napoléon, ancien carbonaro et futur empereur des Français, fréquentait aussi le salon des parents Rossetti.

— Nous connaissons bien, en Suisse, ce genre d'exilés. Nous les laissons volontiers aux Anglais, commenta Axel, avant de constater que l'heure était venue d'aller dormir.

Le lendemain, jour du départ des Vaudois pour le continent, Vincent se présenta bagages prêts. D'un grand carton à dessin, qu'il ouvrit devant son père et son frère, il tira plusieurs reproductions et, aussi, des dessins originaux.

— Ce sont des cadeaux pour vous deux, dit-il.

Bertrand reçut la gravure coloriée qu'il espérait et Axel accepta avec curiosité un dessin original, à la plume et encre, de Rossetti. Découvrant que l'artiste avait représenté le docteur Johnson à la Mître, sa taverne favorite, assis entre deux dames coiffées d'immenses chapeaux, M. Métaz ressentit une douce émotion. Ainsi, Vincent s'était souvenu de l'engouement de son père pour le célèbre lexicographe anglais du XVIIIe siècle, dont les œuvres et la biographie par Boswell figuraient en bonne place dans la bibliothèque de Rive-Reine.

Du carton, Vincent tira encore une toile sans cadre, un portrait de femme, qu'il n'eut pas besoin de présenter à Bertrand.

— Hein, est-ce bien elle ? Est-ce bien Ellen ? demanda-t-il, ému, à son cadet.

— Je crois qu'elle est encore plus belle au naturel, dit l'étudiant, sachant que son frère ne quittait pas son amie sans un petit pincement au cœur.

Axel se pencha sur la toile et vit un beau visage de femme, un peu lourd mais à l'ovale parfait, des yeux largement fendus, un regard bleu clair divulguant une mélancolie intérieure. L'abondante chevelure rousse, la bouche aux lèvres charnues, entrouverte comme pour un aveu, la transparence voulue de la guimpe révélant un buste marmoréen, conféraient au portrait une sensualité sans apprêt.

Au bas du tableau, sous sa signature, le peintre avait recopié une citation de Boccace, que Bertrand lut à haute voix : « La bouche qui a été baisée ne perd pas sa fraîcheur mais elle se renouvelle elle-même, comme le fait la lune. »

— Heureusement. Une femme comme Ellen doit penser à l'avenir. Je n'ai été qu'un épisode dans sa vie, comme elle dans la mienne, confessa Vincent avec lucidité.

— Et ton chien, où est-il ? demanda Bertrand, que la perspective de voyager avec un bull-terrier tueur de rats ne réjouissait guère.

— Je l'ai vendu vingt livres à un amateur de chez Jimmy Shaw, qui avait vu Butcher à l'œuvre. Ça m'a permis d'offrir à Ellen le châle de cachemire dont elle rêvait. Je lui devais bien un cadeau à elle aussi, non ? dit le garçon, d'un ton badin, tirant sans émotion excessive un trait sur son aventure londonienne.

Au commencement de l'après-midi, alors que le vapeur quittait Douvres pour une traversée de la Manche qui promettait d'être calme, Axel rejoignit son fils, accoudé à la rambarde. Vincent regardait, rêveur, s'éloigner la côte anglaise.

— Alors, mon garçon, quelle leçon tires-tu de tes mésaventures londoniennes ?

— D'abord, la décision, je vous le jure, de ne jamais plus jouer ni parier. Je m'étais mis dans une situation des plus triviales. On ne m'y reprendra plus !

— J'enregistre ton serment et je te pardonne. Tu nous as causé du tourment, à ta mère et à moi, mais je veux oublier cela.

— Merci, père. Désormais, j'agirai de telle manière que vous soyez plutôt fier de moi. Car, si j'ai fait la fête, j'ai aussi beaucoup travaillé et appris avec John Keith, un homme admirable. Lord Keith et son associé, Mr. Glyner, m'ont d'ailleurs délivré un certificat des plus flatteurs et je rapporte à Alexandra des projets d'investissements dans l'industrie et les compagnies de navigation qui font le service d'Amérique. Elles se développent depuis que les Irlandais émigrent par milliers vers le Nouveau Monde. Les armateurs, comme les constructeurs, ont besoin de capitaux pour lancer des vapeurs rapides. C'est le moment d'acheter des actions, non seulement des compagnies et des chantiers, mais aussi des fabriques de tôles d'acier et des charbonnages, croyez-moi, expliqua Vincent.

— On parle beaucoup du *Great Eastern,* qui devrait prendre la mer dans deux ans, émit Axel.

— Il n'est pas près de naviguer. Trop grand, plus de deux cents mètres de long, trop lourd, plus de dix-huit mille tonnes ! Pensez que son architecte, Isambard Kingdom Brunel, a prévu d'embarquer trois mille tonnes de charbon pour alimenter les cent foyers de dix énormes chaudières ! Autant de risques de pannes et d'explosions, dit Vincent.

— Mais il conservera aussi des voiles, risqua Axel.

— Qu'on utilisera pendant le nettoyage des chaudières. Seulement cinq heures sont nécessaires à quatre-vingts gabiers pour les hisser ! De l'avis de John, ce navire ne rapportera jamais un penny à ses actionnaires, peut-être même les ruinera-t-il. Mieux vaut s'intéresser à d'autres navires plus petits, plus rapides et plus rentables, comme ceux de la Cunard. Les Américains l'ont bien compris, puisque leur gouvernement subventionne un certain M. Edward Collins, de qui un des bateaux a traversé l'Atlantique en moins de dix jours, développa le garçon.

Si Vincent et son père firent honneur au repas, Bertrand, lui, s'abstint de paraître à la salle à manger et ce n'est qu'à Dieppe, en posant le pied sur la terre ferme, qu'il reprit goût à la vie.

Un train confortable — car la ligne Paris-Dieppe, ouverte en 1848, était dite de luxe, parce que très fréquentée par les Anglais — les porta, via Rouen, jusqu'à la capitale française. Moins de vingt heures s'étaient écoulées depuis qu'ils avaient quitté Londres. Le lendemain, ils prirent le Paris-Lyon, et c'est toujours en pestant contre le gouvernement genevois, qui n'avait pas encore ordonné les travaux de la ligne entre la France et la Suisse, qu'ils montèrent dans la diligence Lyon-Genève. Cette dernière étape prit, en effet, plus de temps que le trajet de Paris à Lyon en chemin de fer !

Rue des Granges, Alexandra et M^me^ Laviron accueillirent chaleureusement les trois Métaz. Après un souper tardif, Vincent fut sommé de raconter par le détail son séjour anglais, y compris son passage en prison. Le récit d'une mésaventure dont il ressentait de moins en moins de honte prit, avec la distance et des retouches atténuantes, la tonalité quasi héroïque d'une expérience pleine d'enseignements et point dénuée de charme !

— Ma chambre, dont je pouvais sortir pour me promener dans la cour de la prison, ressemblait à une cellule de moine, mais elle était propre et j'y passais peu de temps. Comme nous avions le droit de commander nos repas chez un traiteur voisin et que je m'étais fait, en quelques jours, des relations, tout à fait honorables, avec des insolvables de mon espèce, je dois dire que la privation de liberté me parut une situation provisoirement acceptable, puisque imposée par mes erreurs et les circonstances, débita-t-il.

— Mais que faisiez-vous de vos journées, entre quatre murs, demanda, apitoyée, Anaïs Laviron.

— Nous jouions aux cartes, parfois avec les gardiens, confessa Vincent.

Seuls, Axel et Bertrand savaient à quoi s'en tenir, mais ils se gardèrent l'un et l'autre de réduire l'affaire à une réalité plus sordide que Vincent avait, ou faisait mine d'avoir, oubliée.

Le ressat des vendanges de 1854 fut, comme toujours, organisé par Axel et Elise sur la terrasse-jardin de Rive-Reine. Vendangeurs, vendangeuses, commis de cave, charretiers, servants du pressoir, employés festoyèrent, en compagnie des membres du cercle Fontsalte et des invités coutumiers, comme le pasteur Duloy, le pasteur de Saint-Martin, le curé de la paroisse catholique, le syndic et quelques Veveysans que les Métaz ne recevaient qu'à cette occasion. Cet année-là, l'automne n'avait pas encore fait oublier l'été et la célébration de la vendange eût été des plus réussies si un incident, aux conséquences imprévisibles, n'avait profondément troublé Axel.

Alors que les invités s'égaillaient entre les massifs, pour goûter la tiédeur exceptionnelle de cet après-midi d'octobre, Zélia vint dire au maître de maison que Louis Vuippens était ivre mort. Avec la permission d'Elise et l'assistance de Lazlo, elle l'avait conduit, discrètement, dans une chambre du premier étage, pour qu'il se repose.

— Je ne l'ai jamais vu dans cet état, dit la Tsigane.

— Etant à une table assez éloignée de la sienne, je n'ai pas apprécié ce qu'il buvait et je m'aperçois maintenant que je ne l'ai pas beaucoup entendu non plus, constata Axel.

— Il n'a pas desserré les dents. Il n'a fait que vider verre sur verre, compléta Zélia, visiblement contrariée.

— Laissons-le se remettre, j'irai le voir plus tard, répondit Axel.

Il se garda bien de dire à M^me^ Vuippens que, depuis quelques semaines, Louis, généralement expansif et porté à la plaisanterie caustique, lui paraissait morose, comme secrètement préoccupé. Le médecin observait toujours, en public, la réserve qu'imposait sa profession et le fait qu'il eût abusé de la boisson au cours d'un banquet, auquel participaient certains de ses patients, avait de quoi étonner.

Les derniers invités venaient de quitter la maison et ne restaient plus au salon que les parents et les intimes, quand M. Métaz se rendit dans la chambre où reposait son ami. Il trouva le médecin accoudé à la fenêtre et regardant le crépuscule descendre sur le lac et les montagnes de Savoie.

— C'est vraiment de chez toi qu'on a la vue la plus belle et la plus ample sur ce décor que les Genevois nous envient, dit-il en se retournant.

— Que t'est-il arrivé, Louis ?

— Je me suis soûlé, quoi ! Tu ne vas pas en faire une tragédie ! Ce n'est pas la première fois et ce ne sera pas la dernière. Et toi, ça ne t'arrive pas ? Ça nous est même arrivé ensemble, si j'ai bonne mémoire !

— Pas de cette façon-là, Louis.

— Il n'y a qu'une façon de se soûler, mon vieux, c'est de boire !

Axel, qui accusait la fatigue de la journée, s'assit au bord du lit. Vuippens demeura debout, dans l'embrasure de la fenêtre, dos au lac.

— Au lieu de faire cette tête de papiste outragé par le pécheur et ruminant une punition, tu ferais mieux de dire à Pernette de me préparer un café bien fort, pour diluer les dernières vapeurs éthyliques, dit le médecin.

Axel ne releva pas la demande.

— Je voudrais d'abord savoir, Louis, pourquoi, depuis quelques jours, tu parais mal à l'aise, renfrogné, irritable et parfois triste comme un bonnet de nuit. Et pourquoi tu as choisi de t'enivrer aujourd'hui, chez moi. Depuis l'enfance, nous sommes comme frères, nous n'avons jamais eu de secret l'un pour l'autre. Toutes les fois que je me suis trouvé dans des situations difficiles, que j'ai connu des tourments inavouables, c'est à toi que je me suis confié. Alors, dis-moi simplement ce qui ne va pas, car je m'inquiète.

Louis sourit, tristement touché par la sollicitude de son ami.

— C'est que, vois-tu, je ne suis pas seul en cause, dit-il, s'asseyant sur le lit, près d'Axel.

— Eh eh, il y aurait une femme là-dessous !

— Deux ! répliqua rageusement Louis.

— Non ! Tu crains le crêpage de chignons ?

— Certes pas. Elles s'entendent plutôt trop bien, fit le médecin d'une voix sourde, désabusée, ce qui excluait toute supposition vaudevillesque de la part d'Axel.

— Je ne comprends pas, Louis, sois plus clair. Je sais Zélia jalouse comme toutes les Tsiganes et je ne la vois pas s'entendre bien avec une maîtresse que tu pourrais avoir. Ce n'est pas son genre, dit Axel, perplexe.

— Zélia est jalouse, certes, mais je n'ai pas de maîtresse, Axel. Et puis la question n'est pas là !

— Je comprends de moins en moins… Est-ce une charade ? Donne-moi la réponse d'un mot, s'impatienta Métaz.

— Sapho, lança le médecin.

— Réponds-moi, bon sang, au lieu de te moquer, gronda Axel, agacé.

— Sapho, c'est la réponse !

— Qu'est-ce que ça veut dire ? Que vient faire la poétesse de Lesbos, dans cette affaire ?

— Ce qu'elle a toujours fait, tiens ! Demande à ton amie Zélia. Elle t'expliquera, avoua rageusement le médecin.

— Zélia ! Tu veux dire que Zélia ! Non, c'est idiot. Entendre ça ! Tu n'es pas complètement dessoûlé, Louis. Descendons. Pernette te fera un café.

Comme Axel se levait, Vuippens le retint par le bras. Il était pâle, maxillaires serrés, et des larmes embuaient son regard.

— Je suis dessoûlé, Axel. C'est idiot, certes. C'est même scandaleux et insupportable, mais cela est. Zélia est devenue lesbienne.

— Mais... c'est impossible. C'est ta femme ! Elle est mariée, dit bêtement Métaz, désemparé et refusant de croire au dire de son ami.

— Sapho aussi était mariée, mon vieux. Elle contentait le mâle et la femelle, comme Zélia.

— Tu es vraiment sûr de ce que tu avances, Louis ?

— Certain, hélas. Je l'ai surprise, avec sa partenaire, il y a peu, et dans une situation qui ne pouvait laisser aucun doute quant à leur occupation du moment. Mais elle ne m'a pas vu et ne sait pas que je sais.

Axel, abasourdi, observa un silence gêné.

— Hein, ça t'étonne. Tu comprends, maintenant, que je n'aie plus le cœur à rire, même pas un jour de ressat des vendanges. Pardonne-moi, mon petit vieux, reprit Vuippens, donnant une tape sur l'épaule de son ami.

— Et tu connais l'autre femme ?

— Oui, et toi aussi.

— Moi aussi ! Je ne connais aucune disciple de Sapho dans le canton !

— Et dans le canton de Genève, tu n'en connais pas non plus ? ajouta Louis, ironique.

— Pas dans mes relations en tout cas. Mais tu m'intrigues. Qui est donc la complice de Zélia ?

Le médecin se leva et s'en fut regarder, par la fenêtre, le lac, déjà pris par la nuit, et la nette découpe des sommets savoyards, plaquée sur le ciel par l'ultime clarté d'un soleil à demi enfoui du côté de Genève.

— Je vais te faire mal, dit-il en se retournant vers Axel.

— Mal ! Pourquoi ?

— Parce que la complice de Zélia est ta filleule, Alexandra !

Axel Métaz, frappé de stupeur, demeura un instant sans réaction, tant cette révélation, qu'il ne pouvait mettre en doute, le consternait.

Un coup discret frappé à la porte interrompit l'entretien.

— Si c'est Zélia, qu'elle ne soupçonne rien. Reprends-toi, Axel.

Je n'ai pas l'intention de faire un drame, souffla Louis, avant de donner la permission d'entrer.

Mme Vuippens venait aux nouvelles.

— Tu vois, je suis dessoûlé. Je te demande pardon pour ce soir, mais…

Zélia se jeta au cou de Louis, tendre et, comme toujours, exubérante.

— Tu n'as pas à demander pardon, mon tant aimé. J'ai vu que tu t'ennuyais ferme, parce que Axou ne t'avait pas placé à sa table comme d'habitude. Hein, est-ce que je me trompe ? demanda Zélia en caressant du bout de l'index les lèvres de son mari.

Par-dessus l'épaule de la Tsigane, Louis lança à son ami un regard qui signifiait : « Vois et essaye de comprendre les femmes ! »

Un moment plus tard, tous trois rejoignirent le cercle Fontsalte au salon. Personne ne fit allusion à l'absence temporaire du médecin, mais Axel ne put se défendre d'observer avec plus d'attention, et en tout cas d'un regard nouveau, le couple Alexandra-Zélia, tant lui paraissait encore incroyable la relation révélée par Louis.

Le médecin et sa femme se retirèrent assez tôt et, au moment de l'au revoir, Louis donna discrètement rendez-vous à Axel, le lendemain, à midi, à l'auberge du Raisin, où les deux amis prenaient souvent un repas tête à tête.

Axel Métaz ne s'endormit qu'au petit matin. Bouleversé par la stupéfiante confidence de Louis, il tenta de retrouver dans ses souvenirs des indices qui eussent pu, ou dû, éveiller ses soupçons, tant en ce qui concernait la conduite de Zélia que celle de sa filleule.

L'orpheline s'était prise, dès l'adolescence, d'une grande affection pour la Tsigane, qu'il lui avait donnée pour gouvernante quand elle avait quitté Rive-Reine pour Genève. Il se souvint de la tristesse d'Alexandra quand Zélia était retournée à Koriska et combien la banquière les avait encouragés, Vuippens et lui, à faire le voyage des Carpates pour délivrer celle qu'Adriana était censée retenir contre son gré. Certes, depuis le retour de Zélia et son mariage avec Louis, les deux femmes se voyaient très souvent. Mme Vuippens faisait de fréquents séjours rue des Granges et les deux amies ne manquaient pas une occasion de voyager ensemble. Un concert dirigé par M. Wagner à Zurich, un nouvel opéra donné à Lyon par une troupe de Paris, une exposition de peinture à Lucerne, une cure d'eau thermale à Lavey ou à Aix-les-Bains, pouvaient donc passer maintenant pour prétextes à escapades saphiques !

Axel se souvint aussi de sa dernière conversation avec sa filleule quand, au soir de la fête des Vignerons de 1851, ils étaient montés ensemble à Belle-Ombre, où la présence de Vincent et d'une Anglaise avait sans doute empêché que, de parrain, il ne devînt amant d'Alexandra.

Cette nuit-là, visiblement déçue et excédée, Alexandra lui avait jeté : « Nous vivrons, puisque le ciel et toi semblez d'accord pour l'imposer, un amour platonique, car tu es le seul homme que j'aie jamais aimé, que j'aime et que j'aimerai jamais. Seulement, je suis aussi faite de chair et de sang. Je veux bien mourir vieille fille, mais je ne veux pas mourir ignorante… Alors ! » Cet « Alors » dont, à l'époque, il n'avait pas compris le sens, prenait aujourd'hui une signification particulière.

Zélia, sybarite par atavisme tsigane, instruite de tous les caprices et dévergondages de la chair, initiée aux pratiques raffinées propres à attiser et à satisfaire tous les désirs et, de surcroît, indifférente, en ce domaine, aux formalismes des sociétés policées, avait-elle trouvé en Alexandra une proie consentante ou une disciple enthousiaste ? L'orpheline se satisfaisait-elle d'un succédané d'amour ou avait-elle trouvé une passion authentique ? Dans tous les cas, cela le décevait profondément.

En s'attablant, le lendemain, face à Louis, au restaurant du Raisin, Axel avait encore présentes à l'esprit toutes ses réflexions de la nuit. Dès le hors-d'œuvre, Vuippens, apparemment rasséréné, reprit avec calme la conversation de la veille.

— J'ai beaucoup réfléchi, tu t'en doutes, depuis la découverte que je t'ai révélée hier soir. J'ai décidé de ne rien changer à ma vie conjugale et je t'invite à fermer les yeux sur les relations particulières qu'entretiennent Zélia et mademoiselle Alex, qui n'a jamais si bien porté son sobriquet !

— J'ai, moi aussi, beaucoup pensé, cette nuit, à cette situation contre nature et je suis arrivé à la même conclusion. Je dois aussi me taire. Mais moi, je ne suis pas marié avec Alexandra ! ajouta Axel.

— Me croiras-tu si je te dis que Zélia est pour moi une parfaite épouse, doublée d'une maîtresse ardente ? En outre, elle me rend de grands services, non seulement en tenant ma maison mais en m'assistant avec compétence et dévouement auprès des malades. Sa science d'herboriste m'est précieuse et, plus d'une fois, ses potions de sorcière ont guéri des maux que les recettes de la pharmacopée ne parvenaient pas à soulager.

— Ne rien voir, ne rien dire, ne rien entendre comme les trois petits singes de dame Sagesse, n'est-ce pas se conduire un peu lâchement ? observa Axel.

— Tu en parles à ton aise. Que dois-je faire ? Un scandale ? Demander le divorce ? Chasser Zélia ? Non, vois-tu, les petits jeux saphiques se pratiquent souvent dans les pensionnats, entre demoiselles tourmentées par Eros, et même dans les couvents, entre nonnes privées d'hommes. Cela ne tire pas à conséquence, concéda Louis Vuippens.

— Certes. Si tu veux des références, je me souviens aussi que Plutarque, dans sa *Vie de Lycurgue,* rapporte que les honnêtes et vertueuses épouses spartiates aimaient les jeunes filles sans que leur réputation en souffrît, mais nous ne sommes plus en Grèce au premier siècle de notre ère, dit Axel.

— Je veux aussi te dire deux choses, reprit Louis. La première est que la relation particulière qu'a Zélia avec ta filleule n'altère en rien nos rapports conjugaux. Seul l'esprit doute parfois, non de la sincérité mais de l'intégrité de l'amour que me porte ma femme. La seconde est, ne le prends pas au tragique, que tu tiens une part de responsabilité dans cette situation.

— Moi ! Responsable de quoi ? Grand Dieu !

— Oui. Indirectement, bien sûr. Entre hommes, nous pouvons parler crûment, n'est-ce pas ? Si tu n'avais pas joué les parrains nobles et vertueux, si tu avais dépucelé Alexandra, qui n'attendait que ça, elle qui ne voulait pas d'autre amant que toi, je gage qu'elle ne serait pas allée chercher auprès d'une femme le semblant de ce que l'homme qu'elle aime, car elle t'aime comme une folle, aurait pu lui donner.

Par son silence, Axel parut admettre cette responsabilité hypothétique.

— Et tu avais toutes les excuses, étant donné qu'Elise se refuse, depuis bientôt vingt ans, pour la raison que nous savons, au premier devoir de l'épouse, acheva le médecin.

— Alors, restons-en là. Si tu t'accommodes de la situation, je m'en accommoderai aussi. Un secret de plus entre nous, dit Métaz, mélancolique.

Les deux amis achevèrent leur repas en parlant de choses et

d'autres, masquant ainsi, par un échange de banalités, leur commun désarroi.

Plusieurs semaines s'étaient écoulées quand Axel Métaz revit Alexandra, à Genève. Affectueuse comme toujours, elle accueillit son parrain avec des transports de joie particuliers.

— C'est trop gentil à toi d'être présent à Genève le jour de mon anniversaire. Sais-tu que tu es le seul à y avoir pensé. Tu me fais vraiment plaisir, dit-elle en l'embrassant fougueusement.

— Oui, bien sûr ! C'est normal, non ? Tu es ma filleule, presque la fille qu'Elise ne m'a pas donnée, dit-il, se souvenant avec confusion qu'Alexandra, née le 22 novembre 1822, avait, ce jour même, trente-deux ans.

— Vincent est à Zurich et Manaïs ne dîne pas. Emmène donc la vieille fille souper aux Bergues, demanda-t-elle, câline.

— Figure-toi que j'ai aussi pensé à ça, mentit Axel avec aplomb.

— Alors, je vais me faire coiffer, comme tu aimes, les cheveux relevés, annonça-t-elle, mutine, en quittant le salon d'un pas vif.

— J'ai à faire en ville, mais je reviens te chercher vers six heures et demie, lança Axel, au moment où sa filleule passait la porte.

Restait à trouver un cadeau qui n'eût pas l'air d'une politesse de dernière minute. Ne voulant pas un bijou qui donnât trop d'importance à l'événement, M. Métaz se rendit cependant rue du Rhône, chez Gallopin, et choisit une des nouvelles montres pourvues du remontoir à tige qui supprimait la clef trop souvent égarée. Les dames élégantes, sachant que la reine Victoria avait commandé une de ces montres à Patek Philippe, désiraient toutes en posséder une, à porter en sautoir. Un tel cadeau, utile, plairait à Alexandra. Après quelques hésitations, Axel retint une montre au boîtier décoré d'un émail représentant la muse Euterpe jouant de la flûte, qu'il fit livrer, sur l'heure, rue des Granges, avec sa carte de visite.

Le cadeau fut accueilli avec émotion et gratitude par Alexandra. Quand elle embrassa son parrain, avec la fougueuse tendresse qu'elle lui avait toujours manifestée, et bien qu'elle eût les yeux embués de larmes, Axel ne put se défendre d'un mouvement de recul vite réprimé. Tel un parasite pervers, la révélation de Louis Vuippens infectait sa pensée. Jamais plus il ne goûterait auprès d'Alexandra ces moments d'abandon, d'amouritié comme disait

Chantenoz, qui, dans leurs rapports ambigus, tenaient lieu d'échange amoureux.

Pendant le dîner aux Bergues, vingt fois, Alexandra regarda l'heure à sa montre, suspendue à une chaîne d'or, présent de Mme Laviron. Anaïs s'était généreusement dépouillée de ce sautoir pour compléter le cadeau d'Axel.

La banquière qui, sans afféterie, sacrifiait volontiers aux préciosités de la mode réservée aux gens fortunés, était ravie de posséder une telle montre, véritable objet d'art, sorti des vitrines du joaillier le plus distingué de Genève.

Tout en dégustant, à la clarté intimiste des chandelles, un quartier de chevreuil à la Saint-Hubert, accompagné de pommes duchesse et suivi d'un entremets glacé à la vanille, M. Métaz observait sa filleule et se prenait parfois à douter de la sincérité de Vuippens. Alexandra, rayonnante de plaisir, comme chaque fois qu'elle dérobait à son parrain un moment d'intimité, semblait parfaitement à l'aise dans la relation, à la fois passionnelle et platonique, qu'Axel avait imposée.

Les sentiments n'occultaient pas, cependant, chez Alexandra, le sens des affaires. Sachant son parrain en pourparlers avec le nouveau gouvernement genevois, pour la fourniture de matériaux destinés à la construction de la ligne de chemin de fer Lyon-Genève, la banquière tint à mettre l'entrepreneur au courant des derniers soubresauts de la politique genevoise.

— Tu sais que les élections du 12 novembre au Grand Conseil, dernière citadelle fazyste, ont encore donné la majorité aux radicaux dissidents et aux conservateurs démocrates, bien que les amis de Fazy aient regagné du terrain en obtenant trente-trois sièges. Tu ne sais peut-être pas, en revanche, que, lors de l'élection, le 29 octobre, des députés de Genève au Conseil national — qui suscita quelques horions entre fazystes et radicaux dissidents — il n'a manqué à Fazy que quatre-vingt-dix voix pour être élu. Et cela parce que les radicaux dissidents, alliés aux conservateurs, ont refusé d'inscrire de nouveaux électeurs. Mais Fazy ne se remet pas d'avoir été battu en avril et en novembre 53, et il ne pense qu'à reconquérir le pouvoir par tous les moyens. Ce gouvernement, formé par les radicaux modérés, qui reprochent à Fazy des façons dictatoriales et un despotisme peu démocratique, n'a de réparateur que le nom que lui donnent les gazetiers, expliqua Alexandra.

— Où veux-tu en venir ? Les membres du Conseil d'Etat que

j'ai rencontrés m'ont tous paru désireux de mettre de l'ordre dans l'administration trop coûteuse installée par James Fazy et, surtout, d'en finir avec les querelles politiques qui retardent, depuis deux ans, la construction des chemins de fer. Ils ne remettent pas en cause la subvention de deux millions promise à la Compagnie du Lyon-Genève de Bartholini, Kohler et Dufour. Or, pour moi, fournisseur de pierres, de chaux et de bois, c'est le principal, dit Axel.

— Certes, parrain, mais les radicaux fazystes n'ont pas dit leur dernier mot. Le fait qu'ils viennent de refuser la proposition des conservateurs d'établir un gouvernement mixte, prouve qu'ils entendent reprendre seuls les rênes de la République. Et nous connaissons tous les méthodes violentes de Fazy, son manque de scrupule et ses hommes de main, les fameux Fruitiers d'Appenzell, brutes qui intimident les électeurs à chaque scrutin et vont jusqu'à modifier le contenu des urnes. Pense que, dans un an, aux élections de novembre 1855, Fazy peut revenir. Ne romps donc pas avec tes anciens interlocuteurs radicaux ultras. Tu peux les retrouver l'an prochain au pouvoir. Voilà où je voulais en venir, conclut Alexandra avec un sourire.

— D'accord, je me ferai diplomate, d'autant plus que j'escompte une commande de pierres pour le nouveau pont sur le Rhône, entre Peney et Aire-la-Ville. Les ingénieurs ont compris que les portants de maçonnerie construits par des chômeurs ne valent pas de bons piliers de pierre de Meillerie. Il a tout de même fallu que l'ouvrage, construit l'an dernier, s'effondre, lors des épreuves de sécurité, en tuant sept personnes, dont Ferdinand Turrettini, le maire de Satigny, pour que les amis de M. Fazy renoncent à faire de la démagogie socialiste en matière de travaux publics, dit Axel avec humeur.

Axel Métaz, non sans malice et impudence, amena ensuite la conversation sur les occupations d'Alexandra et de Zélia Vuippens, quand l'épouse du médecin séjournait rue des Granges.

— La dernière fois que Zélia est venue, nous avons rendu visite à la fameuse danseuse italienne Carlotta Grisi. Le prince Radziwill, de qui elle fut la maîtresse à Saint-Pétersbourg et de qui elle a une fille, nommée Ernestine, lui a offert l'ancienne propriété de la famille Constant, au Coteau Saint-Jean. Tu sais, celle où Bonaparte, en 1797, M^me^ de Staël et Benjamin Constant, puis M. de Chateaubriand et M^me^ Récamier, il y a vingt ans, habitèrent quelque temps. Cette danseuse, qui connut tous les succès, tant à Londres qu'à Paris, notamment avec le ballet *Giselle*, dont elle suggéra l'adaptation[1], dit-on, à un autre de ses amoureux, le poète Théophile Gautier, s'est retirée de la scène en pleine gloire, à trente-cinq ans. Elle est très accueillante et l'on rencontre chez elle des gens d'esprit, expliqua Alexandra.

— Qui, par exemple ?

— Entre autres célébrités M. Théophile Gautier, qui soupire aux pieds de la belle depuis des années, sans avoir rien obtenu, dit-on. Mme Grisi, la Grisi, comme on dit, nous a lu un poème de M. Gautier qui — tout le monde ne peut pas offrir une montre — accompagnait une lorgnette de théâtre qu'il lui a envoyée en étrenne de Paris. Je n'ai retenu que quatre vers :

*Vous distinguerez mieux Salève*
*L'Arve froid, le Rhône orageux*
*Les tours et les toits de Genève*
*Et, là-bas, le mont Blanc neigeux*[2].

— N'est-ce pas, en peu de mots, un beau panorama de Genève, conclut Alexandra.

— Ce n'est pas une œuvre immortelle et M. Gautier a fait beaucoup mieux que ces vers de circonstance, répliqua Axel.

La banquière évoqua encore la construction, sur l'emplacement de l'ancien bastion du Cendrier, d'une église anglicane, financée par sir Robert Peel, le fils aîné de l'ancien ministre britannique. Chargé d'affaires de Grande-Bretagne à Berne jusqu'en 1850, Peel, qui avait succédé à son père à la Chambre des communes, restait très attaché à la Suisse, où il possédait plusieurs propriétés et où il faisait de fréquents séjours.

— C'est l'architecte David Monod qui construit l'église, dans le style néo-gothique, avec quatre pignons percés de baies, compléta la banquière.

— A Villeneuve, où il a logé quelquefois à l'hôtel Byron, en 1851, on tient sir Robert Peel pour un libertin, peu digne fils d'un aussi estimable père, ajouta Axel.

1. D'après une légende rapportée par Henri Heine.
2. F. Fournier-Marcigny, *les Amours de Genève*, éditions du Mont-Blanc, Genève-Annemasse, 1943.

— C'est peut-être pour se faire pardonner ses péchés qu'il offre une église à Genève, dit Alexandra.

Puis elle enchaîna sur le sujet qui amusait tous les Genevois.

— Sais-tu qu'une demoiselle de Versoix est en passe de devenir célèbre aux Etats-Unis, à cause de sa barbe.

— A cause de sa barbe ?

— Oui, cher parrain. Versoix a donné le jour à une femme à barbe, Joséphine Boisdechêne, et M. Barnum, le grand imprésario de cirque américain, est venu la chercher. Il l'exhibe à travers l'Amérique avec un succès phénoménal, c'est le cas de le dire. A l'âge de huit ans, cette Joséphine avait une barbe de sept centimètres et, à quatorze ans, les poils qui couvrent son visage mesuraient douze centimètres. Elle a aujourd'hui vingt-trois ans. Imagine donc la longueur de sa barbe. Je sais tout ça par le docteur Pierret, que ses parents ont consulté il y a quelques années, à Genève, expliqua Alexandra.

— La science n'a rien pu faire pour débarrasser cette enfant d'un tel système pileux ? demanda Métaz.

— Non. Le médecin se contenta d'inviter la maman de la barbue à ne pas couper ses poils car ils repousseraient plus longs et plus raides, ajouta Alexandra, se retenant de rire.

— Pauvre fille ! Et on la montre comme un animal de foire, s'apitoya Axel.

— Pauvre femme, veux-tu dire. Car elle est mariée à un artiste français, un certain Clofuttia, ou Clofullia. Elle a mis au monde un garçon qui, dès la naissance, portait une barbe prometteuse. On l'a baptisé, avec à propos, Esaü, conclut Alexandra, donnant cette fois libre cours à son hilarité.

Le repas terminé, les convives décidèrent de rentrer à pied rue des Granges. C'est bras dessus, bras dessous, comme un couple bourgeois, qu'ils traversèrent le pont des Bergues pour regagner la ville haute. Le brouillard de novembre couvrait le lac et les quais, que ponctuaient les lumières pâlottes des réverbères à gaz.

— Sais-tu qu'il existe un projet pour la construction d'un grand pont de pierre reliant les deux rives, entre les Pâquis et les Eaux-Vives, révéla la banquière en désignant le lac, au-delà de l'île Rousseau.

— Je sais que les projets ne font pas défaut, dans cette ville bientôt complètement libérée de ses remparts. Mais beaucoup d'eau passera encore sous le pont de la Machine avant que soit lancé le pont dont tu parles. Et puis, qui sait si je serai encore là pour fournir les pierres taillées de Meillerie.

— Tais-toi, je t'en prie. Ne dis pas des choses tristes le jour de mon anniversaire, jeta vivement Alexandra en serrant fort le bras de son parrain.

— Oui, tu as aujourd'hui trente-deux ans, mais, moi, j'aurai cinquante-quatre ans en avril prochain et aucun de mes fils ne prendra la suite de mes affaires. Un banquier et un médecin, mais pas de vigneron ni de carrier, ma petite.

— Ah ! n'en sois pas si sûr. Tant de choses peuvent arriver que nous ne soupçonnons pas, dit la banquière.

— Et tant de choses sont déjà arrivées que nous ne pouvions imaginer, reconnut Axel avec un sourire douloureux, que l'obscurité dissimula aux regards d'Alexandra.

## 2.

La mort soudaine de M. Henri Druey, annoncée le 30 mars 1855 par les journaux, attrista tous les Vaudois. Car aussi bien ses adversaires politiques obstinés que ses partisans inconditionnels reconnaissaient au fils du cabaretier de Faoug, devenu juriste et juge au tribunal d'appel par son seul mérite, des capacités intellectuelles exceptionnelles, un sens moral fondé sur les principes de la religion réformée, la conviction, teintée de dogmatisme mais sincère, d'agir pour la justice sociale et le mieux-être du peuple. Initiateur de la Révolution de 1845, architecte et animateur, dans le canton de Vaud, du régime radical, avant d'en devenir le mystagogue et l'argus national, conseiller fédéral depuis 1848, président de la Confédération en 1850, le politicien romand avait acquis, au fil des années, la stature d'un véritable homme d'Etat.

Ce radical s'était toujours défendu d'être communiste, tout en confessant qu'il admettait les doctrines socialistes « dans ce qu'elles ont de juste ». En 1840, Druey avait écrit à James Fazy, radical moins pur que lui et dont les tendances dictatoriales devaient s'affirmer au fil des ans : « Pour moi, les idées radicales découlent également de ma philosophie, de ma poésie et de ma religion, c'est-à-dire du christianisme qui comprend tout cela. » Devant ses intimes, l'homme reconnaissait aussi aimer le pouvoir, qu'il croyait tenir plus de la Providence que des hommes, ce qui l'avait conduit à l'outrecuidante certitude de toujours détenir la vérité et, parfois, à des excès d'autoritarisme. Il disait encore avoir connu une certaine griserie, et même de l'orgueil, quand, en février

1845, se trouvant à la tête du peuple en colère, il voyait les émeutiers adopter sans tergiverser toutes ses propositions et l'acclamer comme un libérateur.

Le 16 mars, M. Druey avait assisté à la séance du Conseil fédéral et, au cours de la nuit du 17 au 18, une attaque d'apoplexie l'avait terrassé. Après une semaine de souffrances, le tribun avait succombé, quelques jours avant son cinquante-sixième anniversaire.

Le pasteur Duloy, qu'Axel rencontra peu de temps après le décès du chef radical, était de ces libéraux qui, sans approuver totalement la politique conduite par les radicaux, tant dans le canton de Vaud qu'au Conseil fédéral, estimaient cependant que bon nombre de conservateurs, et même de démocrates vaudois, avaient méconnu les qualités et les mérites de Druey.

— On lui doit tout de même nombre de progrès inscrits dans la Constitution de 1848, le code pénal fédéral notamment, et son attitude réaliste dans l'affaire des réfugiés politiques, dit M. Duloy.

— Nous lui devons aussi la suppression de la confession de foi helvétique et une conception assez personnelle de la démocratie. Je me souviens de votre propre irritation quand il disait : « Je ne me lasserai pas d'apporter des restrictions à la liberté, toutes les fois qu'elles me paraîtront utiles. » Cette liberté du citoyen qu'il n'acceptait que « dans l'ordre et par l'ordre, afin que chacun puisse réaliser son individualité dans le cadre des besoins collectifs », rappela Axel Métaz, un brin ironique.

— Certes, mon ami, ses paroles parfois abruptes ne rendaient pas toujours les nuances de sa pensée, mais je crains tout de même que nous n'ayons été injustes envers cet homme. Ceux qui l'ont approché savent qu'il avait une envergure intellectuelle comparable à celle d'Alexandre Vinet, son opposant ecclésiastique privilégié, ajouta d'un ton tranquille le pasteur.

— Cependant, ce conflit avec nos ministres, venant après les rigueurs contre les momiers, le fit apparaître sous un jour peu sympathique et lui aliéna bon nombre de citoyens, rappela Métaz.

— S'il s'en prit aux pasteurs en 1846, c'est parce qu'il les jugeait trop souvent plus attachés aux avantages matériels de leur position qu'à leur sacerdoce, exercé d'une façon primaire et insouciante, sans volonté d'élever l'âme des fidèles. Et aussi parce que, pour cet adepte du christianisme social, certains ministres paraissaient trop enclins à prendre, en toutes circonstances, le parti de ceux que les radicaux nomment aristocrates, même s'ils ne sont que roturiers enrichis dans les affaires. Pour Druey, les pasteurs ne constituaient pas toute l'Eglise. Il considérait que l'Eglise doit rester, comme aux premiers temps, l'assemblée des fidèles, définition chrétienne incontestable, ajouta le pasteur Duloy, qui avait vécu en médiateur la scission ecclésiastique de 1846.

Les conservateurs veveysans remarquèrent que les époux Métaz se rendirent à Faoug, avec M. Duloy et plusieurs bourgeois libéraux, pour assister aux imposantes funérailles de M. Henri Druey, organisées par les autorité cantonales.

Les radicaux vaudois ayant perdu leur chef historique clamèrent leur intention de poursuivre dans la voie socialiste, ouverte par Druey, et envoyèrent comme successeur de celui-ci au Conseil fédéral Constant Fornerod, radical bon teint, déjà assuré de la présidence du Conseil des Etats. Malgré cette continuité rassurante de l'influence vaudoise dans les instances fédérales, les militants vaudois comprirent que l'unité du parti, maintenue tant bien que mal par la forte personnalité du disparu, allait souffrir des fissures nées d'ambitions rivales jusque-là contenues. Cela servirait les oppositions conservatrices et d'extrême gauche, qui recrutaient d'autant plus aisément parmi les insatisfaits que l'établissement des chemins de fer constituait, depuis 1852, une cause permanente de conflit. Entre le gouvernement vaudois et la municipalité de Lausanne, capitale du canton, comme entre les représentants des villes et ceux des campagnes, ces derniers étant trop nombreux au gré des citadins.

Le cercle Fontsalte, du fait de l'autorité patriarcale qu'exerçait le général, fut, dès le commencement du printemps, beaucoup plus attentif aux événements de la guerre de Crimée qu'aux conséquences politiques de la disparition de M. Druey.

En avril, penchés sur leurs cartes d'état-major, Blaise et son ami Piotr Golewski suivaient attentivement le déroulement les opérations militaires en Crimée. Les deux vétérans des guerres napoléoniennes se plaisaient à déplacer leurs petits drapeaux aux couleurs des belligérants. Trévotte, à l'occasion du service, jetait de temps à autre un regard à cette guerre sur le papier, où les fronts sinuaient, cordons de laine multicolores.

— Vos vignettes épinglées couvrent, tels des linceuls, des monceaux de morts et cachent d'affreuses souffrances, observa Charlotte, d'humeur triste, discrètement approuvée par son fils, qui trouvait le jeu pervers.

Les Français et leurs alliés anglais avaient mis le siège devant Sébastopol dès le mois d'octobre de l'année précédente. Le rude hiver, passé à creuser des tranchées sous le feu de l'artillerie russe, avait rendu la situation des assiégeants aussi inconfortable que celle des assiégés. Le froid, le vent, la neige, le choléra avaient tué autant d'hommes que les canons et les fusils. Ces pertes estompaient le souvenir de la sanglante victoire de l'Alma, en septembre 1854. Avec le retour des beaux jours, le siège devait entrer dans une phase plus active et Blaise de Fontsalte prédisait une offensive des Franco-Britanniques soutenus par les Turcs.

— Depuis que les Russes ont fermé la rade de Sébastopol, la flotte française est contrainte à l'inaction et le général Canrobert a eu raison de faire débarquer trente bouches à feu et un millier de marins pour les servir, avant d'être relevé, à sa demande, de son commandement, expliqua le général à son fils, venu passer la journée à Lausanne.

— Seulement, malgré douze kilomètres de tranchées et de barrages, établis autour de la ville, les Russes de Menchikov communiquent encore, par la Tchernaïa et le pont d'Inkermann, avec les vingt mille assiégés de Sébastopol. Regardez, là, Axel, les renforts russes menacent le flanc droit des Français, dit le colonel Golewski en posant son index sur la carte.

— Et les retranchements de Sébastopol sont solides. J'ai fait les comptes : les Russes disposent, pour défendre la ville, d'au moins deux cent cinquante bouches à feu, alors que Français et Anglais réunis ne peuvent en aligner que cent treize, précisa Blaise.

— A-t-on jamais vu des assaillants attaquer une ville mieux armée qu'eux ! Nous avons affaire à de pauvres tacticiens dépourvus d'imagination, estima le Polonais.

Au-delà de leurs critiques les « oncles Tobie » — ainsi que Vuippens nommait les deux stratèges en chambre — trouvaient admirable la charge de la brigade légère que le major général James Brudenell, 7e comte de Cardigan, avait conduite, le 25 octobre précédent, à Balaklava. Ce jour-là, cinq mille cavaliers russes avaient été culbutés par les six cents Anglais, irrésistiblement entraînés par un officier de hussards, que la reine Victoria venait de faire commandeur du Très Honorable Ordre du Bain.

— On m'a rapporté, de Genève, que le général Guillaume Henri

Dufour a écrit à Napoléon III au sujet de la guerre en Crimée, pour donner à son ancien élève des conseils de stratégie, accompagnés de plans de bataille, dit Blaise, narquois.

— Souhaitons que l'empereur les suive, car des renforts et des approvisionnements parviennent aux Russes de leurs provinces méridionales. Croyez-moi, cette presqu'île ukrainienne, sur la mer Noire, que je connais et où il faisait si bon vivre, n'est pas encore aux mains des Alliés. Si le bombardement de Malakoff par l'artillerie française, qui aurait commencé ces jours-ci, ne permet pas rapidement d'investir le principal bastion de la défense de Sébastopol, les Russes se sentiront ragaillardis, malgré leurs pertes, et deviendront capables de faire une sortie endiablée, qui serait bien dans le tempérament slave, commenta le colonel.

Axel avait reçu, quelques jours plus tôt, une lettre de Bertrand. Il fit part des réflexions de l'étudiant au sujet d'une guerre dont, pour des raisons sanitaires, on suivait aussi le déroulement à l'école de Médecine de Heidelberg. Le benjamin des Métaz condamnait la guerre, « moyen barbare d'un autre âge pour régler les conflits des princes dans un monde civilisé ».

— Mon fils m'écrit que, d'après les journaux allemands, les morts se comptent par dizaines de milliers en Crimée, où les ambulances sont en nombre insuffisant pour soigner blessés et malades. Il dit que les médecins manquent de chloroforme pour pratiquer les amputations et que certains bateaux ont dû être transformés en hôpitaux flottants. En revanche, Bertrand révèle que de nouvelles voitures-ambulances de l'armée française, fabriquées à Paris par les ateliers des Messageries générales, ont remplacé l'antique cacolet et les fourgons à tout faire. Elles constituent, d'après ses maîtres en chirurgie, un progrès indéniable pour le transport des blessés. Bien suspendues, légères, solides, ces voitures à quatre roues, capables de faire demi-tour sur place, permettent de charger, sur des galets destinés à amortir les chaos, deux civières matelassées, munies de bras à coulisses. De plus, trois blessés moins atteints peuvent prendre place sur des banquettes. Mais, ajoute Bertrand, elles sont peu nombreuses et n'échappent pas toujours aux tirs destructeurs des Russes, révéla Axel.

Sur ce, abandonnant son père et le colonel Golewski à leur passetemps guerrier, M. Métaz s'en fut aux affaires qui l'appelaient dans la capitale du canton.

Lausanne comptait maintenant dix-huit mille habitants et ne cessait de grandir, comme d'autres cités de la rive lémanique. La demande des bâtisseurs en matériaux croissait chaque mois. Les cinq grandes barques, les deux cochères et les chars de la Société des transports lacustres et terrestres Métaz et Rudmeyer étaient mobilisés en permanence pour livrer sur la côte vaudoise, de Genève à Villeneuve, et dans l'arrière-pays, jusqu'à Yverdon, Moudon, La Sarraz, parfois Fribourg, les pierres de Meillerie, les grès de Grandvaux, les calcaires d'Agiez et de Montcherand, les bois du Valais et, plus souvent maintenant, les charpentes métalliques et les pièces mécaniques que l'on fabriquait à Vevey.

Lausanne, siège administratif du canton, tendait à devenir le premier centre d'activités commerciales et intellectuelles, tandis que son climat, ses collines, ses berges accueillantes attiraient de plus en plus de touristes étrangers. Les Lausannois escomptaient du chemin de fer un surcroît d'affaires, d'échanges, et une considération longtemps chichement accordée à ce que les Genevois regardaient comme un gros bourg peuplé de rustauds. Hélas, comme ailleurs, les ancestrales rivalités politiques et économiques entre ville et campagne se cristallisaient, depuis 1852, autour des tracés des lignes ferroviaires et empoisonnaient l'atmosphère des débats dans les assemblées d'élus. Les conseillers municipaux s'invectivaient, incapables de décider si la future gare de Lausanne serait construite à La Rasude ou dans le val du Flon. Les membres du Grand Conseil, parlement cantonal, subissant les pressions diverses de leurs électeurs, exigeaient les uns et les autres des décisions contradictoires des conseillers d'Etat. Ces derniers, en charge du gouvernement, ne savaient pas encore si la ligne Lausanne-Berne passerait par Morges et Yverdon, ou suivrait le tracé Lausanne-Oron-Fribourg, et si le nœud ferroviaire du canton serait à Renens ou à Lausanne. En attendant, la compagnie de l'Ouest des chemins de fer suisses, après bien des tracas, achevait un premier tronçon, qui relierait, dès le mois de mai, Renens à Yverdon. Dans le même temps, la même compagnie, qui avait obtenu la concession de la ligne Morges-Versoix, laquelle devait permettre de relier Genève à Berne, se heurtait au refus des autorités fribourgeoises d'accorder l'autorisation de traverser le canton à toute ligne qui ne desservirait pas Fribourg !

Cette situation, commune à de nombreux cantons, était fort préjudiciable au développement des chemins de fer en Suisse, lanterne rouge de l'Europe dans ce domaine. Depuis la loi fédérale de 1852, les compagnies fondées par des financiers, le plus souvent étrangers, ne pouvaient mener à bien leurs projets sans l'aide politique et matérielle des cantons et des villes importantes. Cette dépendance suscitait intrigues, manigances douteuses, affrontements politiques, conflits d'intérêt, favoritisme, pots-de-vin. On trouvait, dans les conseils d'administration et parmi les actionnaires des compagnies, beaucoup d'éminences du parti radical et du parti libéral. Charges publiques et fonctions administratives permettaient à ces politiciens de peser sur les choix techniques et sur les tracés des ingénieurs. Par l'intermédiaire d'amis sûrs, placés dans les commissions auxquelles villes et cantons confiaient l'étude des projets, les élus du peuple, représentants communaux, cantonaux ou même fédéraux, étaient à même de satisfaire leur électorat, tout en s'assurant quelques profits personnels non négligeables. Les citoyens n'avaient connaissance du système qu'à l'occasion d'un scandale ou d'une indiscrétion. Quand on apprenait, par exemple, que M. Alfred Escher, titulaire de hautes fonctions fédérales, était devenu propriétaire de la compagnie des chemins de fer du Nord-Est et fondateur d'une banque, le Crédit suisse, qui, disposant d'un capital-actions important, finançait... la compagnie des chemins de fer du Nord-Est !

Axel Métaz, suivant en cela les conseils d'Alexandra, se tenait à l'écart de toute combinaison qui eût associé de près ou de loin ses entreprises à de telles affaires. Il se contentait de fournir des matériaux aux entrepreneurs, à qui il adressait des factures exactes, qu'il entendait voir régler dans les délais coutumiers, en bons francs de Suisse ou de France, et non en actions de la compagnie cliente, comme on le lui proposait souvent.

La construction des voies ferrées n'allait pas sans difficultés ni dangers. Aricie Chantenoz avait confié à Elise Métaz que les dames diaconesses avaient déjà soigné vingt-quatre ouvriers blessés au cours des travaux du chemin de fer Daillens-Vallorbe et qu'elles étaient préparées, connaissant le genre de blessures de ces hommes, le plus souvent des émigrés italiens, à en recevoir d'autres dans leur nouvel hôpital. Maintenant confortablement installées à Pompaples, près de La Sarraz, sur le domaine de Saint-Loup, offert à la communauté protestante par le docteur Butini, philanthrope genevois, les diaconesses, robe noire et coiffe blanche, disposaient de deux cents lits. Ces femmes charitables avaient, pour échapper à la malveillance des catholiques, dû quitter le château d'Echallens, où le fondateur de l'institution, le pasteur Louis Germond, avait créé une école de gardes-malades. Les diaconesses n'avaient pas perdu au déménagement, car l'ancienne maison de bains — où l'on traitait depuis le XVIIIe siècle, avec l'eau « grasse et douce » d'une source sulfureuse, les affections de la peau et de la gorge — permettait d'accueillir confortablement malades et indigents.

En rentrant à Vevey, ce soir-là, après avoir fait la tournée de ses clients lausannois, Axel Métaz rapportait une invitation à inaugurer, avec les autorités et les représentants de la compagnie de l'Ouest des chemins de fer suisses, le chemin de fer Bussigny-Yverdon, le 7 mai prochain.

S'il se rendit au jour dit, avec Elise, à cette cérémonie, Mme Métaz renonça au voyage jusqu'à Yverdon, qu'Axel accomplit seul, en compagnie des invités de la compagnie. Les voitures mises à la disposition des voyageurs parurent confortables, banquettes capitonnées et glaces coulissantes aux portières. La locomotive, une Limmat rouge à haute cheminée noire en forme d'entonnoir, puissante et robuste, tira sans effort, à travers vallons et forêts, le premier train circulant dans le canton. Le trajet prit à peine une heure et, à l'arrivée, les passagers du train mêlèrent leurs applaudissements à ceux des autorités qui, sur le quai d'Yverdon, attendaient le convoi avec drapeaux et fanfare.

Il y avait longtemps qu'Axel ne s'était rendu sur la tombe de Marthe Bovey. En arrivant à Yverdon, il s'éclipsa, évitant discours et banquet officiels pour marcher jusqu'au cimetière. Seul devant la tombe, dont un fleuriste local assurait l'entretien, il médita plus qu'il ne pria. Celle qui reposait sous le marbre gris était sans doute, de toutes les femmes qu'il avait connues, la plus noble, la plus sincère, la plus désintéressée. Le silence héroïque qui l'avait conduite à affronter seule les risques mortels d'un avortement était le choix d'une âme grande et pure. C'est en se remémorant les rares moments où Marthe avait paru heureuse qu'il rejoignit la gare. La promiscuité de la foule bavarde et guillerette des invités de la compagnie de l'Ouest des chemins de fer suisses, sortant d'un repas bien arrosé, parut insupportable à Axel et l'incita à se réfugier dans un compartiment vide. Jusqu'à l'arrivée à Renens, il ne put détacher sa pensée de la majestueuse rousse aux yeux verts, pudique jusque dans l'abandon voluptueux, tendre et si discrète, qui avait été sa maîtresse. Tandis que défilait le paysage, le toc-toc régulier des roues de fer sur les éclisses rythmait la répétition lancinante du remords qui le fouillait. La repentance, qu'il eût voulu crier, ne pouvait plus atteindre celle dont, par égoïsme et vanité, il avait méconnu l'amour.

Elise, dans le cabriolet de son mari, attendait devant la gare de Renens. Après avoir passé la journée à Beauregard, elle devait rentrer avec Axel à Vevey. A peine eut-il pris les rênes que Mme Métaz déclara qu'elle avait trouvé sa belle-mère, Mme de Fontsalte, très fatiguée.

— Elle m'a paru très essoufflée et surtout dépourvue d'entrain. Elle, d'habitude si prompte à lancer feu et flammes quand il s'agit des affaires catholiques, n'a réagi que mollement quand j'ai critiqué le fait que le clergé catholique s'oppose aux mariages mixtes, bien qu'il ne soit plus en son pouvoir de les empêcher, depuis l'entrée en vigueur de la loi fédérale sur ces unions. Elle n'a pas non plus marqué beaucoup d'intérêt quand je lui ai appris que le Conseil d'Etat de Genève pourrait bientôt autoriser Mgr Marilley à entrer en Suisse et à regagner l'évêché de Fribourg. Je trouve cette apathie inquiétante, Axel.

— Vuippens ne m'a pas caché que le malaise grave dont ma mère a souffert lors de son retour d'Einsiedeln avec Bertrand, l'a beaucoup affaiblie et a même altéré ses facultés. Elle a demandé à Blaise qu'on lui aménage une chambre au rez-de-chaussée de Beauregard. Monter l'escalier l'éprouve.

— Et puis, elle, si coquette, ne semble plus se préoccuper autant de sa coiffure et de sa mise. D'ailleurs, elle ne sort pratiquement plus de la maison et du jardin.

— Je sais, Elise, que ma mère est à la merci de ce que Louis nomme une rupture d'anévrisme. Mais la science est impuissante à pallier ce risque. Il faut aussi se souvenir qu'elle a atteint sans grand dommage l'âge exceptionnel de soixante-quatorze ans, dit Axel, résigné.

A nouveau conviés le 1er juillet à l'inauguration du train qui reliait Renens à Morges, les Métaz s'abstinrent d'y participer.

— Nous n'allons tout de même pas flatter l'encolure de toutes les locomotives qui entrent en service, dit Axel, bien conscient que le chemin de fer deviendrait bientôt en Suisse, comme en France et en Grande-Bretagne, un moyen de transport utilitaire et banal.

En revanche, M. Métaz ne manqua pas d'aller encourager les

soixante et un industriels vaudois qui se rendirent à Paris, cette année-là, pour présenter leurs produits à l'Exposition universelle. Horlogers, fabricants de machines-outils, de boîtes à musique, mécaniciens, chocolatiers, ébénistes, fabricants de gants, tous montraient quelque fierté d'avoir été choisis par leurs pairs pour présenter, en France, ce que la Romandie produisait de mieux et de meilleur. Un éleveur de la Gruyère conduisait à Paris, où se tenait également un concours agricole international, trois taureaux reproducteurs de belle race, et M. Prelaz, armurier veveysan, accompagné du colonel Burnaud, de Moudon, et pourvu d'une recommandation du général Fontsalte, faisait le voyage pour montrer au ministre de la Guerre sa dernière invention : une carabine légère de haute précision.

— Vous auriez dû accompagner nos Vaudois à Paris, cela vous eût, comme l'on dit, changé les idées, lâcha un soir Elise en rejoignant son mari, pour goûter en sa compagnie la fraîcheur du crépuscule d'été sur la terrasse de Rive-Reine.

Axel, adossé dans un fauteuil d'osier, observait le manège d'un couple de cygnes qui longeaient le rivage en quête de morceaux de pain lancés, dans la journée, par les enfants, aux canards et aux foulques.

— Je n'ai nulle envie de voyager, vous le savez. Et puis j'ai trop à faire pour distraire une ou deux semaines de mon temps, répondit Axel, sans aménité, avant de replonger dans le silence.

Il regrettait que Bertrand n'eût fait qu'un bref séjour sous le toit familial. Mettant à profit ses vacances, l'étudiant en médecine s'était inscrit, sur le conseil de Louis Vuippens, au cours de médecine légale que donnait, à la faculté de Droit de Genève, le docteur Jean-Charles Coindet, éminent praticien diplômé de l'école de Médecine d'Edimbourg, médecin-chef de l'Asile d'aliénés depuis plus de vingt ans.

Ce praticien de réputation internationale avait été en relation avec Capo d'Istria, Alexandre Vinet et Volta. Il collectionnait, disait-on, les lettres et les manuscrits de Jean-Jacques Rousseau[1]. Les catholiques, eux, se souvenaient surtout qu'il avait été le médecin de l'abbé Vuarin.

1. Le médecin possédait aussi le fameux portrait de Jean-Jacques Rousseau, pastel sur papier marouflé sur toile, par Maurice-Quentin de La Tour, qu'il légua au musée d'Art et d'Histoire de Genève, où les visiteurs peuvent le voir.

Axel aurait dû se réjouir, comme Elise, d'avoir un fils si studieux et comprendre qu'hébergé rue des Granges, Bertrand avait l'occasion de bons moments avec son frère aîné, qu'il ne voyait que rarement. Mais que l'étudiant, absent toute l'année, ne lui consacrât pas toutes ses vacances irritait ce père vigilant qui, par réserve et pudeur, n'extériorisait guère la tendre et profonde affection qu'il portait à ses fils. Axel Métaz avait imaginé des courses en montagne, des parties de pêche sur le Léman, une chasse au chamois en Valais, une tournée de plusieurs jours chez des clients en compagnie du garçon. Et tout cela n'avait pas été proposé, dès lors que Bertrand avait choisi de suivre ce cours d'été de médecine légale.

Ainsi, l'été se déroula mollement, sans peines ni bonheurs. Axel passait le plus clair de son temps sur le lac, à bord de l'*Ugo,* avec Paulin Tabourot, entre Vevey, Meillerie et Morges, où ses barques portaient maintenant les pierres taillées dont il surveillait le chargement sur les wagons à destination d'Yverdon. Parfois, au cours de ces navigations utilitaires, Tabourot, rarement lyrique, mais soucieux de rompre le silence, lançait des interpellations aussi poétiques qu'inattendues.

— Où sont les nymphes lacustres qui peuplaient autrefois le lac et qu'auraient vues les anciens ? dit-il un soir, alors que l'ombre crépusculaire semblait sourdre des anfractuosités rocheuses au flanc des montagnes de Savoie.

— Elles s'en sont allées, écœurées par le va-et-vient des barques et des vapeurs de plus en plus nombreux, mon pauvre Tabourot. Elles s'en sont allées avec les anciens, qui savaient les appeler et les flatter. Nous avons perdu le sens du merveilleux, l'art d'interpréter les signes, nous sommes trop absorbés par nos travaux. En un mot, comme dit mon fils Vincent, nous sommes devenus réalistes, c'est-à-dire uniquement attentifs au réel, aux choses matérielles, expliqua Axel, le regard perdu sur l'eau couleur cobalt.

— On peut parfois se demander si le progrès n'est pas un épouvantail, s'il ne corrompt pas tout. Regardez le chemin de fer, Monsieur, il jette sur la campagne qu'il traverse une fumée grasse qui pique les yeux des voyageurs. Quand il avance à travers champs, les chiens aboient, la locomotive effraie les chevaux et les vaches. Mon oncle a éloigné ses laitières de la voie. Elles donnaient moins de lait depuis que le train passe au bout de son pré. Les bêtes savent, elles, ce qui n'est pas naturel, observa le bacouni d'un air entendu.

Quand il parcourait ses vignes avec Armand Bonjour, Axel

entendait une autre chanson. Pour le contremaître du vignoble, la grande aventure de sa vie avait été le voyage à Koriska. Souvent, Bonjour faisait allusion au paysage fantastique des Carpates, à l'étrange château des Zigeuner, aux filles, regard de feu, taille souple, démarche lascive, entrevues dans les corridors. Il conservait surtout le souvenir ému d'une certaine femme de chambre, nommée Louba, qui avait bassiné son lit et dont il avait recueilli quelques confidences, d'une sincérité douteuse. Le contremaître osait parfois demander à M. Métaz s'il avait des nouvelles « de la mystérieuse princesse qui règne là-bas ». « Le sortilège tsigane semble avoir agi sur ce bon garçon », pensait alors Axel, s'empressant de revenir aux considérations sur le mûrissement du raisin.

Fin novembre, le vin nouveau, millésimé 1855, étant mis en cuve, Axel Métaz dut se rendre à Genève, où l'appelait une affaire de fourniture de pierres de Meillerie pour la construction d'ouvrages sur la voie ferrée Versoix-Genève. La construction de ce tronçon, qui permettrait de relier, dans deux ans, Genève à Lyon, allait commencer, le Conseil d'Etat ayant enfin ratifié le projet.

C'est au cours de ce séjour que M^me^ Laviron et Alexandra proposèrent au Veveysan de faire entrer son fils aîné dans le collège des associés de la banque Laviron Cornaz et C^ie^.

Depuis son retour d'Angleterre, le garçon, très assidu rue de la Corraterie, avait proposé des investissements fort rentables aux clients de la banque et entrepris, avec astuce, de se placer sur les marchés où Marco Lingorno, le banquier d'affaires détesté par Alexandra, tentait de s'imposer.

Bien qu'ils eussent respect et considération pour mademoiselle Alex, certains de ceux qui confiaient, depuis des générations, la gestion de leur fortune à la banque Laviron, se sentaient parfois plus à l'aise avec un homme, jeune et entreprenant, qu'avec une femme intimidante, quelquefois revêche. D'où la proposition d'Alexandra et de sa mère adoptive. Anaïs Laviron reportait sur Vincent l'affection qu'elle eût donnée à un petit-fils, aussi était-elle toujours bien disposée à l'égard de l'aîné des Métaz.

— Naturellement, pour que Vincent figure en nom parmi les associés, sa participation financière au capital social doit être conséquente, dit Alexandra.

— Mais où Vincent prendrait-il cette « participation financière conséquente » ? Il n'a pas de fonds propres, seulement des dettes envers moi, qui ai désintéressé ceux qui l'avaient envoyé en prison et quelques autres, dit Axel avec humeur.

— Après ce temps, tu ne vas tout de même pas lui réclamer cet argent, parrain !

— Question de principe. Si. Et, aussi, parce que Bertrand pourrait voir dans l'abandon de cette créance peu flatteuse une manière d'avantager son frère. Je tiens à ce que Vincent rembourse. Cela fait partie de la sanction méritée par sa conduite. D'ailleurs nous en étions convenus, dit fermement Axel.

— Bien. C'est une affaire entre vous. Mais le meilleur moyen pour que Vincent puisse désintéresser son honorable père, c'est qu'il gagne plus que son salaire. Or, je puis te dire qu'il en est capable en faisant de la banque, sous ma surveillance, cela s'entend.

— Ça, je veux bien le croire !

— Si tu es d'accord, j'organiserai l'affaire ainsi. Tu fais un prêt à ton fils, pour constituer sa commandite et lui permettre de devenir associé. Les associés se partagent, comme tu sais, la moitié des bénéfices ou des pertes annuels, l'autre moitié restant dans un compte de réserve, pour parer aux pertes éventuelles. Cette année, chacun recevra une somme rondelette, crois-moi, en plus de l'intérêt de quatre pour cent généré par les fonds de sa commandite. Je demanderai à Vincent de te servir la moitié de ses bénéfices, tant que sa dette ne sera pas épongée, et ensuite, à chaque exercice, la moitié des intérêts de la commandite. Tu ne cours donc aucun risque et lui sera maître de ses mouvements.

— Si cela ne vous plaît pas, mon bon ami, je suis prête à faire l'opération à votre place. Je suis bien certaine que mon pauvre mari eût approuvé l'arrangement que vous propose Alexandra. Vincent doit se donner une position sur la place de Genève et nous devons l'y aider, intervint, aimable, M^me^ Laviron.

Une telle proposition laissa Axel perplexe. Non qu'il eût l'intention de refuser la transformation du portefeuille que gérait pour lui sa filleule en fonds de commandite pour Vincent, mais plus simplement parce qu'il trouvait son fils un peu jeune, à vingt et un ans, pour entrer dans le collège des associés d'une des plus anciennes banques privées de Genève. Une des plus appréciées, non seulement des vieilles familles genevoises, mais aussi d'une clientèle internationale, sans cesse plus nombreuse. M. Métaz n'avait pas oublié l'aventure anglaise de Vincent, qui avait tout de même révélé un manque de maturité dont on pouvait craindre d'autres manifestations onéreuses.

Devinant, derrière le silence de son parrain, une forme de réticence scrupuleuse, Alexandra insista.

— J'ai toute confiance en Vincent, et les associés l'ont adopté. Non seulement il apporte des idées et des informations fondées, mais il les fait rire. Et puis chacun reconnaît qu'il a acquis, à Londres, un vrai sens des affaires. D'ailleurs, les investissements qu'il a suggérés depuis son retour produisent de bons résultats. Il n'est pas juste qu'il n'en tire pas profit. Crois-moi, nous pouvons ajouter le nom de Métaz à la raison sociale de la banque.

— Plutôt que Métaz, mettez Fontsalte, c'est son nom après tout. Seuls les Veveysans continuent à nous donner un patronyme que je n'ai conservé que par respect pour le défunt Guillaume Métaz qui m'a élevé. Mais mes fils ne sont pas obligés de porter ce nom, dit Axel.

— Alors, acceptes-tu que j'organise l'affaire ainsi que je l'ai exposé ? demanda Alexandra.

— J'accepte. Mais agis en sorte, je te prie, qu'au cas où je disparaîtrais, Bertrand et Elise ne soient en rien lésés, conclut Axel, se rendant sans plus de réserve.

En rentrant rue des Granges, à la fin de l'après-midi, Vincent, qui venait d'apprendre les résultats de l'ambassade d'Alexandra, vint au salon remercier son père.

— Votre confiance est pour moi le meilleur stimulant. La commandite étant votre bien, et non le mien, j'aurai à cœur de la faire fructifier, afin que mère et vous soyez assurés d'avoir de quoi bien vivre vos vieux jours, dit le garçon avec une émotion sincère.

— J'espère que le général ne sera pas mécontent de voir le nom de Fontsalte sur la plaque d'une banque de la Corraterie, s'inquiéta Axel.

— Alexandra assure qu'il ne fera aucune objection. Mais si vous permettez, père, j'aimerais conserver, parce qu'il appartient à l'histoire de notre famille et que vous ne l'avez jamais renié, le nom de Métaz. La raison sociale de la banque pourrait être Laviron Cornaz Métaz de Fontsalte et C^ie^.

Axel, très ému, quitta son siège et prit son fils aux épaules.

— C'est de ta part un geste noble et qui me touche, dit-il.

Et pour marquer le jour où son fils au regard vairon devenait banquier à part entière, Axel le convia avec Alexandra et M^me^ Laviron à souper à l'hôtel des Bergues.

Au cours du repas, la conversation vint tout naturellement sur l'évolution de la banque privée genevoise, de plus en plus souvent concurrencée par les nouveaux établissements de dépôts et d'affaires, qui offraient prêts et crédits, sans exiger autant de garanties que des banques centenaires.

— Là-dessus, Vincent a des idées que je fais miennes, dit Alexandra.

— Oh ! oui, notre Vincent en a, des idées, renchérit Anaïs Laviron, admirative.

Le garçon n'attendait que ces encouragements pour développer, devant son père, sa conception des activités nouvelles d'une banque privée.

— J'ai appris, à Londres, que la banque ne doit plus se cantonner dans la gestion de fortune et aux opérations, purement financières ou spéculatives, qu'elle suscite pour fournir un bénéfice à ses clients. La banque doit tenir compte de l'évolution du monde, des mœurs et des marchés. Elle doit devenir un levier du développement industriel et commercial, par des investissements ou des prises de participation prudentes, dans des affaires dont la rentabilité paraît assurée.

— N'est-ce pas risqué ? interrompit Axel.

— Le profit est toujours proportionné au risque, intervint Alexandra.

— Il faut savoir choisir. Et, pour cela, être bien informé sur les entreprises et les hommes. Mais la concurrence effrénée à laquelle se livrent chez nous les financiers étrangers pour le contrôle des compagnies de chemin de fer suisses, lesquelles changent trop souvent de commanditaires, prouve qu'il y a là un gisement de profits aussi rentable, et peut-être plus, que les opérations traditionnelles sur les changes et les obligations d'Etat. D'ailleurs, père, le chemin de fer va bouleverser l'économie de notre pays. On sait déjà qu'il va permettre d'importer des blés étrangers, moins chers que les nôtres, ce qui va gêner nos agriculteurs et les contraindre à envisager d'autres cultures. Il nous permettra aussi d'exporter, plus vite et plus loin, nos vins, nos fromages, nos montres, nos bois, nos textiles fins, nos chocolats, nos cigares de Vevey, nos boîtes à musique de Sainte-Croix et même, peut-être, vos pierres de Meillerie, conclut Vincent, souriant à son père.

Axel, convaincu bien qu'étonné par l'enthousiasme de son fils pour une activité à laquelle il ne l'aurait pas cru destiné, leva son verre.

— Eh bien, bonne chance, mon garçon ! Que Mercure t'inspire, que Minerve te guide, dit-il.

Alexandra en vint ensuite aux considérations politiques, imposées par les derniers événements.

— Ainsi que je l'avais prédit, les radicaux ont repris le pouvoir et Fazy vient d'être appelé à la présidence du Conseil d'Etat. Tu vois, parrain, que le régime fazyste n'est pas mort, et que nous devons encore compter avec ce cher James, prévint Alexandra.

— Il faut dire que les Fruitiers d'Appenzell, conduits par cette brute avinée de Vautier, n'y sont pas allés de main morte. Lors de l'inauguration du Bâtiment électoral[1], le 12 novembre, jour de l'élection des conseillers d'Etat, ils s'en sont pris avec violence aux radicaux dissidents et à tout ce qui ne votait pas Fazy. D'ailleurs, on a, depuis ce jour, surnommé le Bâtiment électoral, qui devrait être le temple inviolable de la démocratie, la boîte à gifles, compléta Vincent, dont l'œil vairon s'était assombri.

Le jeune homme avait fait le coup de poing au côté de ses amis libéraux modérés, impuissants à contrer les fazystes, dont la liste s'était imposée avec mille six cents voix de majorité. Les Fruitiers d'Appenzell, procédant par intimidation et manipulation des bulletins de vote, avaient ainsi assuré le retour aux affaires de celui qu'on ne craignait plus de nommer le dictateur genevois.

Rue des Granges, comme dans les rues basses, les Fruitiers d'Appenzell faisaient peur. Il s'agissait d'une bande de jeunes et ardents radicaux, militants inconditionnels de James Fazy, qui avaient fondé, le 27 janvier 1855, une société dite Les Fruitiers d'Appenzell. Cette troupe de choc du radicalisme genevois se chargeait d'assurer, au cours des manifestations, des émeutes et des réunions électorales, un service d'ordre musclé. Le chef, Moïse Vautier, âgé de vingt-quatre ans, sorte de brute barbue et musculeuse, représentait un beau type de lutteur de foire villageoise. Une

1. Erigé en vertu d'une loi du 7 mars 1855, il pouvait accueillir dix mille personnes et un étage y était réservé à l'Institut national. Les votations populaires, qui s'effectuaient jusque-là à la cathédrale Saint-Pierre, y furent dès lors organisées. Il devait plus tard être démoli et reconstruit.

récente photographie le montrait ventripotent, fumant une courte pipe, portant moustache et barbiche. Son gilet béait largement sous la poussée d'une forte bedaine. Le meneur affectait en toutes circonstances l'air suffisant et satisfait d'un condottiere.

La société tirait son nom du fait que Vautier, au cours d'un voyage dans le canton d'Appenzell, s'était mesuré à la lutte avec un robuste berger appenzellois, fabricant de fromage, jusque-là invaincu. L'arbitre avait déclaré match nul, ce dont Vautier était très fier. De cette prouesse et d'autres, accomplies par les amis radicaux de Vautier, interventions violentes, le plus souvent, dont on s'ébaubissait à Carouge et à Saint-Gervais, était née la phalange des gros bras radicaux. De son combat singulier en Appenzell, Vautier avait rapporté un seillot[1], qui figurait sur la table d'honneur lors des réunions et banquets des Fruitiers. Ces derniers célébraient, chaque année, l'anniversaire de la fondation du mouvement du Trois-Mars, dont Fazy s'était si bien servi pour se hisser au pouvoir.

La société comptait quatre-vingt-quatre citoyens genevois et quatre campagnards. Tous portaient le costume traditionnel des fromagers appenzellois, très proche de celui des armaillis : chemise blanche à manches courtes bouffantes aux épaules — ce qui donnait de la carrure à ceux qui en manquaient —, larges bretelles de cuir soutenant un pantalon foncé. Une calotte de paille tressée, cerclée d'un ruban rouge, leur tenait lieu de couvre-chef. Un petit seillot de cuivre, suspendu à un ruban, figurait leur insigne.

— On dit, en ville, que les catholiques ont voté pour Fazy bien qu'ils désapprouvent les doctrines radicales, commenta Anaïs Laviron.

— On dit mieux encore. Fazy aurait obtenu les voix catholiques, en échange de la promesse, s'il est élu, d'autoriser, dès janvier prochain, le retour en Suisse de Mgr Marilley, exilé à Divonne depuis 1848, précisa Alexandra.

— Le retour de l'évêque réjouira ma mère, commenta Axel.

— Et dire qu'au temps de ma jeunesse on fermait les portes de la ville, les jours de fête papiste. Comme tout a changé ! soupira Mme Laviron.

— Ce qui a changé, Manaïs, c'est que Genève compte maintenant moins de trente-cinq mille protestants, pour près de trente

1. Seau de bois dans lequel on recueille le lait.

mille catholiques. Il n'y a guère que les Juifs qui ne se soient pas multipliés. Ils ne sont que cent soixante-dix-neuf, d'après le dernier recensement, révéla Alexandra, toujours précise.

— En revanche, nous voyons de plus en plus d'étrangers s'installer à Genève, même des Américains, qui viennent étudier chez nous. A l'Institution Haccius on ne parle plus que l'anglais. On y compte je ne sais combien d'élèves venus de New York, comme au pensionnat Roediger, à Châtelaine. Un certain Johnny James, très doué pour la composition musicale, que j'ai connu chez Sillig, à Vevey, m'a dit que ses cousins d'Albany sont arrivés à Genève en octobre et se sont installés, d'abord à l'hôtel de l'Ecu, avant de louer la campagne Gersbow, près de la Jonction. C'est, paraît-il, une famille très sympathique : le père, une sorte de philosophe, la mère, trois garçons et une fille, nommée Alice. Les garçons, Wilkinson, William et le plus jeune, Henry James [1], ont été placés chez Roediger. J'ai su que la vieille Russe, propriétaire de la campagne Gersbow, ose louer cette maison dix dollars par semaine. Tout ça parce qu'elle offre une vue sur le mont Blanc ! s'indigna Vincent.

— C'est vrai que l'on a tendance à croire ici que tous les Américains sont riches et qu'on peut leur demander des prix plus élevés. On compte comme s'ils venaient tous de Californie les poches pleines de pépites d'or. Mais j'en ai reçu à la banque, envoyés par nos correspondants de New York ou de Boston, qui n'ont pas de fortune et font de gros sacrifices financiers pour donner à leurs enfants une éducation européenne, dit Alexandra.

— Le tour d'Europe est nécessaire à la bonne éducation d'un Américain, disent-ils, compléta Vincent.

Le dîner achevé, M^me Laviron ayant manifesté le désir de rentrer, Axel donna le signal du départ.

Charlotte de Fontsalte était trop fatiguée pour assumer la traditionnelle réunion de famille à Beauregard. Elise se préparait donc à l'organiser à Rive-Reine quand parvint, de Genève, une invitation d'Anaïs Laviron. Pour fêter, en même temps que l'avènement de l'année 1856, l'entrée officielle de Vincent dans le collège des

1. Dans son ouvrage autobiographique, *A Small Boy and Others*, Scribner's Sons, New York, 1913, l'écrivain Henry James raconte le séjour qu'il fit en Suisse en 1855-56 à l'âge de douze ans.

associés de la banque privée, fondée à la fin du XVIIIe siècle par ceux qu'on nommait alors Nos Sieurs Laviron et Cottier, la veuve conviait tous les membres du cercle Fontsalte à une réception rue des Granges.

Axel apprécia que son fils eût écrit qu'ayant perçu ses premières commissions il offrirait, lui aussi, un dîner non pas au restaurant des Bergues, trop coûteux pour sa bourse, mais à l'hôtel de l'Ecu, table réputée et de plus pure tradition genevoise.

Ce fut, pendant trois jours, une belle fête, même si Mme de Fontsalte préféra le plus souvent passer ses après-midi et ses soirées rue des Granges, avec sa vieille amie Anaïs Laviron, plutôt que courir la ville, où les Genevois célébraient, chacun à sa façon, la Nativité du Christ et l'an neuf.

Une extraordinaire animation régnait dans les rues basses. L'abondance des victuailles et des boissons, les vitrines des bijouteries regorgeant d'or, de pierres et de montres, les magasins de nouveautés proposant les dernières créations de la mode parisienne, tout démontrait que l'austérité calviniste d'autrefois avait cédé le pas au luxe et à l'élégance. Les chaussées étaient encombrées de passants, qui allaient et venaient entre les boutiques illuminées où loteries de charcuteries et de volailles retenaient les chalands. Sur les places, le nasillement mélodieux des orgues de Barbarie, les tours de force des bateleurs, les voltiges de jeunes bohémiens antipodistes, les girandoles, les guirlandes et les arcs de feuillage, faisaient oublier l'absence de la neige, tombée trop chichement les jours précédents.

Bertrand, arrivé de Heidelberg, apprenait en plein vent à son frère des refrains de carabins, qui eussent offensé les oreilles des dames de la rue des Granges. Axel, Vuippens, le général Fontsalte et le colonel Golewski allaient de tavernes en brasseries entendre des musiciens, venus d'autres cantons, ou des chansonniers locaux déclamer des couplets moqueurs, qui n'épargnaient ni les bigots papistes ni les politiciens.

Pendant ce temps, Elise, Zélia et Alexandra visitaient les modistes, les magasins de nouveautés, les maroquineries, les lingeries, les bazars, s'extasiant devant les porcelaines et les toile fines de Langenthal, les boîtes à musique de Sainte-Croix, les broderies et passementeries de Saint-Gall, les chapeaux de paille d'Argovie, les draps de Hefti frères, tisseurs à Winthertur, les broches, les bagues et les colliers, ors et pierreries, créations originales de

M. Gallopin. Elles se réfugiaient parfois dans une pâtisserie, pour se réchauffer d'une tasse de thé ou de chocolat Suchard, en croquant un Zwieback ou un Lekerli de Bâle. Dans cette ambiance de fête, Elise et Alexandra n'oubliaient pas de se rendre au temple de la Fusterie pour assister au culte.

Un soir, sous la morsure de la bise noire, tous les membres masculins du cercle, répondant à l'invitation de Vincent, se rendaient, bien emmitouflés, au restaurant de l'hôtel de l'Ecu, situé sur le quai, rive gauche, au débouché du pont des Bergues. Par courtoisie, les hommes avaient laissé aux dames la disposition des voitures qui les conduiraient au restaurant. Au moment où le groupe, à pied, arrivait devant l'hôtel, un cri de femme fit se retourner tous les passants du côté du Rhône. Un coup de vent venait d'enlever le chapeau de castor d'un homme accompagné d'une dame. Surprise, cette dernière n'avait pu retenir une exclamation. Le couvre-chef, porté par le courant, filait déjà vers les vannes du pont de la Machine, où il se perdrait dans les chaînes brise-courant.

— Tiens-moi ça ! lança Vincent à son frère en lui mettant brutalement dans les bras le paletot, le veston, le gilet et le chapeau dont il venait de se débarrasser en un tour de main.

Avant qu'on ait pu songer à le retenir, le garçon traversait le quai en courant, enjambait le parapet et plongeait dans l'eau noire, striée des reflets mouvants d'un réverbère à gaz.

— Mais il est fou ! lança Fontsalte, se précipitant à la suite de son petit-fils, suivi des autres, jusqu'au bord du quai.

Plus agile, Vuippens avait dévalé l'escalier qui conduisait à la berge du fleuve, avec l'intention de détacher une barque. Mais, déjà, Vincent approchait en nageant vers la rive, coiffé du chapeau fugueur. Tiré de l'eau par Axel, qui avait rejoint Louis, le garçon ruisselant eut le sourire un peu forcé du téméraire qui vient de triompher d'un risque inconsidéré.

— Bon sang ! Quel bain ! La femme de chambre avait oublié de chauffer l'eau, dit-il, claquant des dents.

— Vite, couvre-toi et cours à l'hôtel te mettre au chaud, sinon tu vas attraper la mort, ordonna Vuippens.

Bertrand allait jeter un manteau sur le dos de son frère quand la dame qui accompagnait le propriétaire du chapeau se dépouilla prestement de sa cape de fourrure et en couvrit Vincent. Tout le monde vit, à la lumière du gaz, qu'elle était jeune et jolie.

— Monsieur, quelle folie ! Vous auriez pu vous noyer sous nos yeux. Un chapeau ne vaut pas une vie, monsieur, et mon père ne se serait pas autrement soucié de la perte du sien.

— Aux reproches justifiés de ma fille, permettez-moi, monsieur, de joindre ma confusion et mon admiration pour votre geste si spontané. Je ne sais comment vous dire merci, ajouta l'homme de belle prestance, ébouriffé par la bise, en recevant des mains de Vincent son couvre-chef trempé.

Vuippens ne pensait qu'à conduire son filleul à l'hôtel.

— Si vous voulez bien, monsieur, madame, nous ferons les présentations en un lieu moins venté, lança-t-il, entraînant Vincent vers le perron illuminé de l'hôtel de l'Ecu, où concierge et chasseurs venaient aux nouvelles.

Comme, au même instant, les dames de la famille descendaient de voiture, Bertrand fut prié par son frère de sauter dans le cabriolet d'Alexandra et de monter rue des Granges quérir un costume sec.

Tandis que le héros disparaissait dans une chambre de l'Ecu, pour se dévêtir et se sécher, les témoins de l'incident, présentations faites, se congratulaient dans le hall de l'hôtel.

Informées par Axel, M^me^ Laviron, M^me^ de Fontsalte et Alexandra, comme toutes les dames, ne manquèrent pas de traiter Vincent, l'une de fou, l'autre de casse-cou, la troisième de grand écervelé. Elise, aussi émue par la bravoure que par la témérité de son fils aîné, essuya une larme et s'abstint de tout commentaire. Elle se promit de dire plus tard à Vincent ce qu'elle pensait d'un acte où elle voyait autant de fanfaronnade que de dévouement au prochain. Seule Zélia estima que plonger dans l'eau glacée, pour rapporter son chapeau au père d'une belle inconnue, ne manquait ni de courage ni de panache.

On apprit bientôt que la belle inconnue se nommait María-Cristina Feer. Qu'elle venait de Lucerne, avec son père, un industriel, qu'une affaire urgente avait appelé à Genève.

M. Conrad Feer révéla en effet que, déjà propriétaire de plusieurs vapeurs en service sur le lac des Quatre-Cantons, il souhaitait investir dans la nouvelle compagnie de navigation du Léman, dite Société des Rhône, en cours de formation à Genève.

— Le capital prévu de deux cent mille francs, mais qui pourrait être doublé, permettra de faire construire par Escher Wyss trois bateaux en port lourd, quatre gabares en fer et quatre barques. Le *Rhône N° 1*, capable de transporter cent tonnes de fret ou trois cents passagers, entrera en service dans trois ou quatre mois, précisa le Lucernois.

Les Métaz, père et fils, comme Alexandra, connaissaient ces projets, justifiés, aux yeux de certains, par le fait que la voie ferrée d'Yverdon à Morges acheminait maintenant les wagons de marchandises jusqu'au Léman. Le site de Morges, déjà peuplé à l'âge de pierre, était devenu, depuis quelques mois, le port le plus actif de la côte vaudoise. Les bateaux en service ne suffisaient plus à évacuer, vers Genève et Villeneuve, les marchandises en transit apportées par le train.

Axel ayant fait connaître ses activités, M. Feer se montra chaleureux.

— Connaissant la réputation de la Société Métaz et Rudmeyer, je suis très heureux de rencontrer son propriétaire, monsieur. Peut-être devriez-vous, vous aussi, investir dans la Société des Rhône, car, vous le savez aussi bien que moi, la flotte lémanique de transport va manquer de bateaux et j'imagine que vos barques et vos cochères ne chôment pas. Le trafic des marchandises et des passagers par Morges, terminus du chemin de fer, ne peut que décupler dans les mois et les années à venir, dit aimablement le Lucernois.

— Je crains, cher monsieur, que le privilège de Morges ne soit que provisoire. La société de l'Ouest des chemins de fer suisses compte bien, avant longtemps, faire rouler ses convois de Genève à Villeneuve et au-delà, via Lausanne et Vevey. Aussi, trop investir maintenant dans le transport lacustre me paraît risqué. Il se pourrait, dans les années à venir, que le train accapare la majorité des voyageurs, peut-être une grosse partie des marchandises. A ce moment, on découvrira qu'on a lancé trop de bateaux, qui cesseront de produire des bénéfices, dit Axel.

Cet avertissement d'un Vaudois compétent en la matière doucha l'assurance de M. Feer. En homme d'affaires réaliste, il se promit de réfléchir à la question et d'en tirer profit.

Quand Vincent réapparut, élégant, très à l'aise et le sourire aux lèvres, les Lucernois, père et fille, renouvelèrent leurs remerciements, puis se préparèrent à prendre congé après qu'on eut échangé des cartes de visite.

— Pourquoi ne souperiez-vous pas avec nous ? demanda soudain Vincent, s'adressant plus à la fille qu'au père.

— C'est très aimable à vous, mais nous ne voulons pas troubler votre fête de famille, n'est-ce pas ? dit María-Cristina, tournant vers son père un regard interrogateur.

Pendant trois minutes on fit, de part et d'autre, assaut de bonnes manières et de bonnes raisons, avant que Blaise de Fontsalte n'emporte l'acceptation des Lucernois.

— Votre fille m'a confié que vous comptez parmi vos ancêtres ce vaillant capitaine Petermann Feer, qui se battit comme un lion à la bataille de Sempach. J'aimerais vous entendre parler de lui, entre la poire et le fromage, dit le général.

C'était évoquer le sujet le plus cher à M. Feer, qui avait, récemment, fait déposer à l'arsenal de Lucerne la cotte de mailles de Nuremberg et la cuirasse milanaise que ses lointains ancêtres portaient dans les batailles.

Ne restait qu'à passer à table, ce que l'on fit avec entrain. María-Cristina se trouva, tout naturellement, placée entre les frères Métaz, tandis que Charlotte de Fontsalte prenait à sa droite le descendant d'un chevalier suisse du XV^e siècle.

Au cours du repas, Vincent et Bertrand apprirent, de la bouche de la charmante María-Cristina, qu'elle était orpheline de mère, une Madrilène, qui lui avait légué sa chevelure brune, des yeux d'un bleu franc, une carnation mate, de longs doigts fuselés, un port altier. Esprit vif, enjouée sans excès, capable de reparties malicieuses, douée de l'assurance que confèrent bonne éducation et fortune, María-Cristina avait de quoi séduire un jeune banquier genevois, ce qu'il advint, avant même que l'on eût débouché le champagne du dessert, que M. Conrad Feer tint à offrir à ses hôtes.

Tard dans la nuit, après que les membres du cercle Fontsalte eurent regagné la rue des Granges, M. Feer et sa fille l'hôtel des Bergues, Vincent vint dans la chambre de Bertrand.

— Comment la trouves-tu, frérot ?

— Très demoiselle alémanique, mais cependant aimable et jolie, c'est sûr, dit le cadet.

— Superbe, tu veux dire, et pleine d'esprit, qualité rare chez les filles riches, qui sont souvent de belles dindes bien attifées, répliqua l'aîné, ponctuant sa déclaration d'un éternuement sonore.

— Ma parole, te voilà amoureux… et enrhumé ! constata Bertrand, ironique.

— Enrhumé peut-être, amoureux pas encore, frérot. Je dois dire que María-Cristina me plaît et que je la mettrais volontiers dans mon lit. Son buste ferme et rond appelle la caresse, son cou blanc de cygne le baiser, sa taille l'enlacement. Mais, avec ce genre d'héritière, c'est le mariage ou rien. Alors, pas d'emballement. Pour le moment, j'ai seulement demandé et obtenu que son père dépose chez nous ses actions de la Société des Rhône. Les affaires d'abord, dit Vincent.

— Mais, dis-moi, pourquoi t'es-tu jeté à l'eau pour repêcher le chapeau d'un nabab, qui a les moyens d'en perdre un par jour ? demanda Bertrand.

— Figure-toi qu'avant de sauter, je n'ai pas évalué la fortune du propriétaire du chapeau ! Il pouvait aussi bien appartenir à un pauvre homme qui n'aurait pas d'argent pour le remplacer.

— Bonne pensée. Car il y a des pauvres et des mendiants dans les rues. J'en ai vu, approuva Bertrand.

— Oui, il y a des mendiants à Genève, frérot. On n'y pense guère, rue des Granges, mais la Société genevoise d'Utilité publique y pense. Elle vient d'ouvrir, à la suggestion des banquiers Soret-Odier, l'Asile de nuit pour les malheureux sans abri et la Société alimentaire, qui permet aux ouvriers et aux pauvres d'acheter, à bon compte, des aliments, dit Vincent.

— Tu es un brave cœur, reconnut Bertrand, agréablement surpris de découvrir, chez ce frère jouisseur, un sens réel de la charité.

Trois semaines après son retour à Lausanne, Charlotte apprit une nouvelle qui réjouit tous les catholiques de Romandie. M. James Fazy, réélu président du Conseil d'Etat de Genève, avait fait savoir, le 17 janvier, qu'il autorisait le retour, « comme citoyen suisse », de Mgr Etienne Marilley, exilé à Divonne depuis octobre 1848. L'Etat de Fribourg n'ayant pas formulé d'opposition, on imaginait l'évêque retrouvant, à la cathédrale Saint-Nicolas, son siège épiscopal. Mais la jubilation des fidèles fut de courte durée. Le 21 janvier, des radicaux protestants, qui désapprouvaient la compensation offerte par Fazy aux catholiques genevois en échange de leurs voix aux élections de novembre 1855, profitèrent d'une absence de leur président pour faire annuler sa décision. Mgr Marilley avait tout juste eu loisir de dire une messe, dans une paroisse genevoise, avant de repasser la frontière.

— Ce n'est qu'un contretemps, expliqua, quelques semaines

plus tard, le curé de Lausanne à M^me de Fontsalte, accablée par ce revirement.

— Les résolutions de 1848 ne sont plus respectées. Il ne s'agit que d'affiner un compromis, pour que notre évêque nous soit enfin rendu, dit le prêtre, qui rentrait d'une conférence des Etats diocésains, où les représentants de Genève et Fribourg acceptaient « la soumission aux constitutions et aux lois fédérales et cantonales des Etats formant le diocèse, sous réserve qu'un concordat ou qu'un mode de vivre soit convenu et arrêté avant toute chose ».

— Attendons donc le bon vouloir de messieurs les radicaux, conclu Charlotte avec humeur.

Le sort de M^gr Marilley n'était toujours pas résolu quand les Métaz et les Vuippens firent un nouveau séjour à Genève, à l'occasion du concert helvétique, organisé du 9 au 14 juillet. La ligne Lausanne-Renens ayant été ouverte le 1^er juillet, on pouvait maintenant se rendre de Lausanne à Morges en chemin de fer. Les vapeurs assuraient, à partir du terminus provisoire, la correspondance pour Genève, en attendant que le tronçon Morges-Genève fût achevé, ce qui n'interviendrait pas avant un an. Comme beaucoup de mélomanes lausannois, les Veveysans prirent le train dans la gare, nouvellement construite par la compagnie de l'Ouest des chemins de fer suisses, à La Rasude, à mi-pente entre Ouchy et la place Saint-François. Le bâtiment, pourvu d'un péristyle à quatre colonnes et surmonté d'une grosse horloge, ne manquait pas d'élégance.

— Lausanne est enfin entrée dans l'ère du chemin de fer, dit Axel en distribuant les billets achetés au guichet.

Genève, abondamment décorée, attendait des formations musicales de toute la Suisse et des milliers de visiteurs. La Société helvétique de musique, fondée en 1808, invitait en effet, depuis quarante-huit ans, les cantons à se relayer pour organiser un rassemblement, à la fois artistique et patriotique. A plusieurs reprises, les membres du cercle Fontsalte s'y étaient rendus.

Un immense drapeau fédéral flottait sur la cathédrale Saint-Pierre. Les bannières des cantons, des banderoles, des oriflammes, des arcs de feuillage paraient les rues principales. Le 9 juillet, jour de l'ouverture, les Vaudois, arrivés la veille, auxquels s'étaient joints Alexandra et Vincent, se mêlèrent à la foule qui se pressait sur le Grand-Quai pour accueillir les confédérés, venus à bord du vapeur *Léman,* sous grand pavois. Sitôt débarqués, les arrivants, la plupart en uniforme, formèrent un impressionnant cortège coloré. Derrière les musiques du Contingent cantonal de Genève, de Sabon et de Ludwisbourg, suivies des Sociétés musicales de Fribourg, de Bâle et de la société du Chant national de Vevey, les musiciens et les badauds suiveurs empruntèrent, entraînés par les flonflons martiaux des fanfares, le Grand-Quai, les rues basses et la Corraterie pour atteindre le Jardin botanique. C'est là qu'eut lieu la transmission solennelle de la vénérable bannière, frangée d'or, de la Société helvétique. L'abbé Hensen, au nom du comité du Valais, qui avait organisé le précédent concert, remit l'emblème au président du Conseil administratif de Genève, surpris de voir un prêtre catholique remplir cet office. Certains y décelèrent une agacerie à l'encontre des radicaux de la Rome protestante, qui refusaient encore le retour de M^gr^ Marilley. Après les allocutions de circonstance, un vin d'honneur, bienvenu à l'heure de la pleine chaleur, fut servi aux participants, sous les verrières de l'orangerie.

On sut bientôt que, parmi les personnalités présentes à Genève, figurait M. Jules Michelet, le fameux historien français, accompagné de sa famille et, couple peu prisé par la bonne société qui faisait le vide autour d'eux, l'écrivain révolutionnaire Eugène Sue et sa maîtresse, Marie de Solms, cousine de Napoléon III, exilée par l'empereur à Aix-les-Bains, autant pour son inconduite notoire, disait-on, que pour ses idées libérales.

Mais le visiteur espéré par tous les vrais mélomanes genevois, plus encore par Alexandra et Zélia, ne se montrait pas. M. Richard Wagner était cependant bien proche, puisqu'il se trouvait, depuis le mois de juin, à Mornex, au flanc du Salève, dans le pavillon Latard, voisin de l'établissement d'hydrothérapie du docteur Vaillant. Le compositeur, qui venait de se séparer de son épouse, Minna, et de rompre avec son égérie zurichoise, Mathilde Wesendonck, était venu consulter le docteur Coindet à Genève, pour un érysipèle tenace[1]. Le praticien, estimant que la maladie de M. Wagner était d'origine nerveuse et due, sans doute, aux drames affectifs qu'il vivait, l'avait envoyé au docteur Vaillant, autrefois médecin du regretté Rodolphe Töpffer.

Zélia et la banquière s'étaient, quelques jours plus tôt, présen-

1. Richard Wagner, guéri, quitta Mornex le 16 août 1856.

tées au pavillon Latard, à Mornex, pour apporter des friandises à leur musicien préféré. Les confiseries avaient été acceptées mais les visiteuses éconduites sans ménagement. Le maître ne recevait pas. Elles apprirent seulement qu'un pasteur genevois venait dire le culte, chaque dimanche, et que le compositeur jouait souvent, sur un vieux piano, les poèmes symphoniques de Liszt.

Le concert inaugural de la fête, donné à neuf heures, sur le quai de Rive illuminé, attira une foule considérable, « près de trois mille personnes », écrivirent le lendemain les journalistes. Les Veveysans s'y rendirent à pied car aucune voiture ne pouvait trouver passage dans les rues encombrées. Axel observa que Vincent ne cessait de se déplacer entre les groupes d'auditeurs, comme s'il cherchait quelqu'un de connaissance. En l'absence de Bertrand, retenu par ses études à Heidelberg, le jeune banquier semblait d'ailleurs manquer d'entrain. Quand son père le questionnait sur l'avancement des travaux de la gare de Cornavin, il répondait évasivement en pensant manifestement à autre chose. Axel finit par interroger sa filleule.

— Je trahis peut-être un secret, mais Vincent espère la venue de M^lle^ Feer. Il m'a confié qu'elle lui a envoyé, de la part de son père, un très beau portefeuille de maroquin pour le remercier d'avoir repêché le couvre-chef paternel. Je crois savoir qu'ils entretiennent, depuis, une correspondance. Aux dernières nouvelles, la belle María-Cristina comptait que son père l'amènerait à la fête de la musique. Mais, jusque-là, ni elle ni l'homme au chapeau ne se sont présentés. D'où le côté fureteur de ton fils, qui va chaque jour aux Bergues, pour voir si les Lucernois figurent sur la liste des arrivants, dit Alexandra, amusée.

Un soir, au retour du concert fédéral donné à la cathédrale, où les Veveysans avait entendu une exécution, jugée médiocre par Elise et Alexandra, de la *Symphonie héroïque,* de Beethoven, et de l'oratorio *Elie,* de Mendelssohn, Vincent trouva, enfin, rue des Granges, la carte déposée par Conrad Feer.

— María-Cristina et son père sont à Genève, croyez-vous que Manaïs doive les convier à un thé ? Elle ne le fera pas sans votre permission, demanda, mezza voce, Alexandra à Elise.

— Pourquoi priver Vincent de retrouvailles attendues ? intervint Axel, qui avait entendu la question.

C'est ainsi que, les relations renouées, le jeune banquier fut autorisé à conduire M^lle^ Feer au Grand-Quai pour suivre la régate des barques, organisée dans le cadre de la fête, et qu'il put, le 13 juillet, l'emmener danser au bal de clôture, donné au Bâtiment électoral qui, pour un soir, de boîte à gifles devint écrin à sourires. Au lendemain de cette soirée, Vincent, prenant congé de sa cavalière qui rentrait à Lucerne avec son père, offrit à la jeune fille la médaille-souvenir de la fête de la musique, gravée par Antoine Bovy.

— Ce n'est qu'une pièce de métal doré, mademoiselle, dit-il, pour excuser la modicité du présent.

— Elle ne m'eût pas été plus précieuse en or massif, osa María-Cristina, avec un sourire attendri.

## 3.

Axel Métaz, revenant de sa vigne de Belle-Ombre, décida de s'arrêter chez le maréchal-ferrant de la Crottaz. Un cliquetis lui indiquait qu'Icare, son vieux cheval, perdait un fer. Après quelques considérations sur la proximité de la vendange et ce qu'on pouvait en attendre, le forgeron mit un fer neuf au feu.

— Au fait, monsieur Métaz, vous connaissez la nouvelle ?

— Quelle nouvelle ?

— Ah ! vous savez pas ? Cette nuit, les royalistes de Neuchâtel, conduits par le colonel de Pourtalès, ont pris Le Locle pendant que d'autres aristocrates, valets du roi de Prusse, emmenés par le colonel de Meuron, se sont installés au château de Neuchâtel[1] ! On sait pas ce qu'ils ont fait des conseillers. Peut-être qu'ils les ont déjà occis. Mais ça vá pas se passer comme ça, monsieur Métaz. Ces traîtres peuvent nous amener la guerre si le Prussien les soutient. D'ailleurs, un coup comme ça a pas pu se faire sans son aide, hein !

— D'où tiens-tu cette histoire ? demanda Axel, incrédule.

— C'est un matelot du *Léman,* qui m'apporte des clous de Genève, qui me l'a dit. Paraît qu'on parle que de cette affaire, là-bas.

Le lendemain, les journaux confirmèrent, avec force détails, le dire du maréchal-ferrant.

Deux groupes de royalistes neuchâtelois avaient bel et bien pris les armes, pour tenter de rétablir l'autorité du roi de Prusse,

1. Siège du gouvernement cantonal.

Frédéric-Guillaume IV, prince héréditaire de Neuchâtel, sur une principauté devenue canton suisse en 1814. Le traité de Vienne avait estimé, en 1815, qu'il s'agissait d'une propriété personnelle du souverain, comme le château et le bourg voisin de Valengin, ancien fief des comtes d'Aarberg. Un protocole, signé à Londres en 1852, avait confirmé des droits que Frédéric-Guillaume refusait, jusque-là, de faire valoir par les armes, depuis qu'en 1848 le pouvoir cantonal était passé aux mains des républicains radicaux. Au grand dam des derniers royalistes, les armoiries des princes de Neuchâtel avaient disparu des édifices publics et des fontaines, les Neuchâtelois ne se reconnaissant nullement comme sujets du roi de Prusse dont ils avaient, avec courtoisie et fermeté, expulsé le représentant, M. de Sydow, en 1848. Aussi la tentative de Pourtalès et de Meuron paraissait-elle vouée à l'échec, la population ayant vivement réagi en apprenant que les royalistes retenaient prisonniers quatre conseillers d'Etat.

Quarante-huit heures plus tard, les otages étaient libérés et les miliciens républicains du colonel Louis Denzler mataient la révolte. Cernés dans le château, les « champions du droit divin » avaient dû se rendre aux autorités légitimes. On comptait huit morts et vingt-six blessés parmi les royalistes. Quatre cent quatre-vingts autres, dont le colonel Louis-Auguste de Pourtalès et son frère, Charles-Frédéric, inspecteur des milices prussiennes, gravement blessé, avaient été faits prisonniers. Depuis le 4 septembre, le contingent fédéral occupait la ville.

— Cette affaire aura le mérite de clarifier une situation depuis toujours ambiguë. Le roi de Prusse doit comprendre que son titre princier reste honorifique, mais que Neuchâtel est un canton suisse à part entière, dit Axel à Blaise de Fontsalte, venu passer quelques jours à Rive-Reine avec sa femme, dont l'apathie de plus en plus évidente inquiétait ses proches.

Le général se montra moins serein que son fils.

— L'affaire ne fait que commencer, Axel. Vous pensez bien que Frédéric-Guillaume ne va pas laisser juger et condamner ses partisans. Surtout les Pourtalès, qui sont officiers prussiens. Car les meneurs risquent la peine de mort et les autres la prison. Aussi attendons-nous, au mieux à des rodomontades, au pis à une intervention de l'armée prussienne, pronostiqua le général.

Blaise avait prévu juste car, en quelques jours, l'affaire prit une dimension internationale. Le roi de Prusse fit savoir aux signataires du protocole de 1852 qu'il n'entendait renoncer ni à son titre de prince de Neuchâtel ni aux droits afférents reconnus par les puissances, et réclama la libération immédiate des royalistes emprisonnés. Dans le cas où celle-ci n'interviendrait pas rapidement, l'armée prussienne pénétrerait en Suisse, pour délivrer ceux que Frédéric-Guillaume considérait comme de fidèles et dévoués sujets.

Si le gouvernement de Victoria, demeurant fidèle à sa politique du *wait and see*, se tint sur la réserve, l'empereur Napoléon III choisit, immédiatement, de s'entremettre et, comme souvent, sollicita l'avis et l'aide de son ancien professeur du collège militaire de Thoune, le général Guillaume Henri Dufour.

Il lui écrivit de Compiègne, le 24 octobre 1856 :

« Mon cher général,

» Je vous écris comme à un ancien ami, pour vous faire comprendre toute la gravité de la situation de la Suisse et pour vous prier de m'aider à aplanir les difficultés et à éviter les dangers.

» Les vues rétrospectives ne servent pas à grand-chose et il faut prendre la question telle qu'elle est.

» Le roi de Prusse, qui ne reconnaît pas à la Suisse le droit d'avoir changé, sans son assentiment, la Constitution de Neuchâtel, croit son honneur engagé à soutenir les hommes qui ont voulu rétablir l'ancien ordre des choses. L'idée, surtout, de voir ses partisans jugés le révolte à un tel point qu'il est bien décidé à faire valoir son droit par les armes et il s'adresse à la Confédération germanique pour obtenir le passage de ses troupes.

» Dans cette situation il n'y a que la France qui puisse détourner de la Suisse le coup qui la menace, car de quelque manière que tournent les choses, la Suisse y perdra, car elle aura fait d'immenses dépenses pour un bien médiocre intérêt. Or, je suis tout prêt à empêcher, par mon attitude, la Prusse d'envoyer des troupes et je me fais fort d'arranger l'affaire de Neuchâtel d'une manière avantageuse pour la Suisse si, de son côté, la Suisse montre un peu de bonne volonté et quelque confiance en moi.

» J'ai empêché jusqu'à présent que le roi de Prusse demandât directement au Conseil fédéral le renvoi des prisonniers parce que, le refus étant probable, il n'y aurait plus d'arrangement possible. Mais si la Suisse mettait ses prisonniers en liberté sur ma demande formelle et remettait pour ainsi dire le sort de Neuchâtel entre mes mains, son amour-propre national serait sauvegardé et l'affaire s'arrangerait d'elle-même. Si, au contraire, la Suisse repousse mes propositions et a l'air de dédaigner mon avis, je ne m'occuperai plus de la question et je laisserai les choses s'arranger comme elles pourront.

» Je vous prie donc de dire confidentiellement au président du Conseil fédéral que, s'il veut me rendre les prisonniers et me charger d'arranger l'affaire, sans exiger d'avance un engagement du roi de Prusse, il peut compter sur moi mais que, s'il ne le veut pas, je ne mettrai aucun obstacle à la réunion d'une armée saxonne dans le grand-duché de Bade.

» Répondez-moi promptement car le temps presse et croyez, mon cher général, à ma sincère amitié.

Napoléon. »

Au reçu de cette lettre, le général Dufour, après s'être acquitté de la mission d'information confiée par l'empereur, se rendit en France auprès de son ancien élève, sans doute avec l'assentiment verbal du président du Conseil fédéral.

Mi-novembre, Blaise de Fontsalte sut, par un informateur proche du gouvernement suisse, que Guillaume Henri Dufour, après son entretien avec Napoléon III, avait fait parvenir à Berne une note confidentielle ainsi conçue :

« Le roi [de Prusse] a donné l'assurance à Sa Majesté [Napoléon III] qu'il renoncerait à ses droits si l'amnistie était accordée [aux royalistes en rébellion].

» L'empereur a dit que ce qu'il voulait c'est simplement qu'on lui fournît le moyen de peser de tout son poids dans la question neuchâteloise et d'empêcher ainsi une guerre, que tout le monde déplorerait et qui pourrait avoir les plus graves conséquences.

» Que d'accord avec l'Angleterre il se faisait fort d'empêcher le conflit.

» Que tout son désir est d'arriver à une solution pacifique, désirable non seulement pour la Suisse mais pour tous les pays voisins, dont les intérêts se trouveraient si gravement compromis par une guerre.

» Qu'une fois les prisonniers relâchés il ferait cause commune avec la Suisse pour obtenir le correspectif *[sic]* selon son désir.

» Si cela ne se fait pas, la position de l'empereur sera moins forte vis-à-vis du roi de Prusse et moins sympathique vis-à-vis de la Suisse.

» L'empereur m'a fait connaître que, déjà en 1849, il s'est opposé à l'entrée des Prussiens en Suisse[1]. »

— Si les membres du Conseil fédéral ont du bon sens, ils accepteront la médiation de Louis Napoléon. Je sais qu'il y a, parmi les radicaux, des ultras, qui veulent punir de manière exemplaire les trois poignées de royalistes neuchâtelois, et des rodomonts, qui rêvent d'en découdre avec les Prussiens. Mais la sagesse, pour la Suisse, est d'éviter le conflit, car elle ne tiendra pas longtemps devant l'armée prussienne, dit Blaise de Fontsalte, commentant pour ses amis la note de Dufour.

Dans un premier temps, la sage mais officieuse ambassade du général Dufour parut sans effet. Les conseillers fédéraux se montrant intransigeants, on se mit dans tous les cantons à redouter le pire. A Genève, où, lors des élections du 9 novembre au Conseil d'Etat, la liste radicale avait été aisément élue, conservateurs et démocrates ayant refusé de participer au scrutin pour protester contre les violences de l'année précédente, on commençait à parler de mobilisation.

C'est dans cette ambiance angoissante et sous une alternance de pluie et de neige, qu'Elise Métaz et Zélia Vuippens arrivèrent à Genève, le 19 novembre, pour assister, à l'invitation d'Alexandra, aux deux premiers concerts, donnés les 19 et 25, par le célèbre violoniste belge Henri Vieuxtemps au Casino et au Grand-Théâtre. Les mélomanes goûtèrent la virtuosité de l'artiste dans des œuvres de sa composition comme sa *Tarentelle* échevelée et sa *Rêverie* romantique, mais aussi dans des pièces de Paganini comme le *Carnaval de Venise* et le fameux *Mouvement perpétuel*.

La tension montant de jour en jour, Elise, comme toutes les mères, redoutait de voir son fils Vincent appelé sous les drapeaux.

La mort de Mlle Henriette Rath — fondatrice du musée portant le nom de sa famille, amie de l'homme d'Etat français François Guizot —, que l'on mit en terre le 27 novembre, passa presque inaperçue du peuple, l'affaire de Neuchâtel constituant le fond de toutes les conversations.

1. Note confidentielle, écrite au crayon, sous la dictée de Napoléon III, à Dufour le 13 novembre 1856. Ce document inédit, ainsi que la lettre de l'empereur, ont été aimablement communiqués à l'auteur par M. Olivier Reverdin, détenteur des archives de son trisaïeul, le général Dufour.

Les Vaudoises avaient regagné Vevey depuis deux semaines quand la menace de guerre se précisa brusquement, le 16 décembre, au moment où la Prusse rompit les relations diplomatiques avec la Suisse. Aussitôt, le Conseil d'Etat de Genève décida la mise de piquet[1] d'unités du contingent et rappela les recrues de vingt et vingt et un ans. Vincent Métaz de Fontsalte, âgé de vingt-deux ans, ne figurait pas dans les volées appelées, mais étant, par son instruction, affecté à l'inspection de la *Landwehr*, il se porta aussitôt volontaire et fut sur-le-champ mobilisé. Il vint passer les fêtes de fin d'année à Rive-Reine, où le cercle Fontsalte se réunit, Charlotte, maintenant à demi impotente, ne pouvant plus assumer, à Beauregard, les charges d'une maîtresse de maison. Vincent se pavanait, fier de son uniforme d'aspirant tout neuf : habit bleu, épaulettes dorées, képi à plumet rouge.

— A Genève, tout s'arme avec enthousiasme. Le tambour passe dans les rues, les étudiants demandent des armes, on enrôle à toute heure des volontaires et nous sommes nombreux et décidés. On dit que la guerre doit commencer le 2 janvier, dit-il, fort exalté, à son frère, arrivé de Heidelberg.

Le futur médecin, du fait de ses études à l'étranger, échappait à la mobilisation.

— Crois-tu que le titre de prince de Neuchâtel d'une part et la condamnation de quelques poignées de nostalgiques de l'ancien régime d'autre part, vaillent des morts et tout l'argent que cette guerre risque de coûter ? Qu'on rende les royalistes au roi de Prusse et qu'ils aillent vivre, sous son autorité, où bon leur plaira. Le réflexe suisse est, à mes yeux, pure vanité. Et je puis te dire que, si l'on se bat contre les Prussiens, l'affaire n'est pas jouée. Nous savons, à Heidelberg, que Bade et le Wurtemberg ont accordé aux soldats de Frédéric-Guillaume le droit de passage. Le général Charles Groeben dispose de cent trente-cinq mille soldats bien aguerris. On dit que les Prussiens sont prêts à passer le Rhin à Schaffouse et à marcher sur Berne, dit l'étudiant devant sa mère, consternée et inquiète.

Axel Métaz, lui, approuvait plutôt l'attitude de son fils aîné.

— Ce qui est en jeu dans cette affaire de Neuchâtel, ce n'est pas que le sort de trois ou quatre cents royalistes, c'est la souveraineté

1. Avertissement à certains militaires d'être prêts à rejoindre leur unité sans délai et à marcher sous les armes.

et la dignité de la Suisse, l'intégrité de son territoire, le respect de son indépendance. Les partisans d'un prince étranger ont tenté de prendre le pouvoir dans un canton suisse. Ils méritent d'être punis comme traîtres à leur patrie, dit Axel.

— Vous avez raison, Axel, et toi aussi, Vincent, intervint le général Fontsalte. Car le danger est grand de voir les gouvernements absolutistes profiter de cette occasion pour tenter de rétablir l'ancien régime en Suisse. Cela mérite qu'on prenne le risque d'affronter les Prussiens. Je maudis la vieillesse qui m'interdit de courir m'enrôler pour défendre, non seulement une terre qui m'a si bien accueilli, mais le principe sacré de la liberté des peuples, dit Blaise.

— Mais cela ne mérite pas que mon fils meure ! lança Elise, révoltée.

— Je n'ai pas l'intention de mourir, ni même l'intention de tuer, mais nous devons montrer notre détermination sans faille. D'ailleurs, seules la 3e division, du colonel Ziegler, et la 5e division, du colonel Bourgeois-Doxat, de l'armée fédérale, sont, pour l'instant, appelées sous les drapeaux. Genève n'a donc pas de troupes à fournir dans l'immédiat. Et puis nous savons, à la banque, que les discussions diplomatiques se poursuivent secrètement. Ne vous tourmentez pas, maman. Devant notre réaction, la Prusse, que ne soutiennent ni l'Angleterre, ni la France, ni l'Autriche, peut très bien renoncer à la guerre, dit Vincent, pour rassurer sa mère.

Cependant, les préparatifs guerriers se poursuivaient. Le 30 décembre, l'Assemblée fédérale, réunie à Berne, appela au commandement de l'armée le général Dufour qui, aussitôt, renforça les défenses sur le Rhin et, le 6 janvier, à Genève, on vit s'embarquer pour Morges, sur les vapeurs *Rhône* et *Hirondelle,* le 20e bataillon, tandis que la 25e batterie d'artillerie prenait la route de Rolle. Les fantassins, transportés par le train de Morges à Yverdon, iraient prendre position à Niederweningen. Les artilleurs rejoindraient Bülach. Les nombreux Genevois qui, au port de commerce et sur le Grand-Quai, avaient assisté au départ des soldats, furent les premiers à participer à la souscription nationale ouverte pour les familles des mobilisés par M. Auguste Turrettini. On récolta, en quelques jours, 160 000 francs.

Elise Métaz fut bien aise d'apprendre que ses alarmes avaient été vaines quand on sut, le 16 janvier 1857, par les journaux, que le Conseil fédéral avait obtenu — non sans mal, car les foudres de guerre ne voulaient pas souscrire à l'arrangement conclu à Paris, sous la sage tutelle de Napoléon III — le vote d'un arrêté qui suspendait les poursuites contre les rebelles royalistes de Neuchâtel. Sitôt libérés, ceux-ci devraient quitter le territoire de la Confédération jusqu'à complet règlement du conflit.

Les radicaux genevois Camperio et Darier, députés au Conseil national, comme au Conseil des Etats, James Fazy et Carl Vogt, voulurent se distinguer en votant contre la décision du Conseil fédéral, ce qui n'empêcha pas les partisans de l'arrangement honorable de l'emporter. Pour cette fois, les matamores peu économes du sang des autres furent déboutés. La paix, comme l'honneur de la Suisse, était sauve.

Cela se concrétisa le 9 février, à Genève, par le retour des hommes du 20e bataillon et de la 25e batterie. Démarche martiale, teint coloré par les frimas et le soleil d'hiver, uniformes soignés, armes fourbies, les militaires traversèrent la ville de Genthod au Bâtiment électoral, où le gouvernement leur offrit une collation patriotique. On répéta beaucoup à cette occasion le chant militaire suisse *Roulez, tambours*, paroles et musique du professeur Henri-Frédéric Amiel. Composée entre le 13 et le 15 janvier, cette œuvre, déjà « arrangée pour chœur mixte à quatre voix », promettait de devenir un classique des troupes genevoises.

*Roulez, tambours ! pour couvrir la frontière,*
*Aux bords du Rhin guidez-nous au combat !*
*Battez gaiement une marche guerrière !*
*Dans nos cantons chaque enfant naît soldat.*

Tel était le premier couplet de cet air martial, qu'on trouvait imprimé chez tous les libraires de Genève.

Ce jour-là, Vincent connut une joie particulière et intime. María-Cristina Feer savait le jeune banquier mobilisé. Aussi, dès l'annonce du retour du contingent, elle décida, avec l'agrément de son père, de faire le voyage de Genève avec sa gouvernante, pour féliciter son héros. Elle fut la première personne que l'aspirant Métaz de Fontsalte aperçut en pénétrant, avec la troupe, dans la salle du Bâtiment électoral.

— J'ai vraiment eu peur de la guerre. Mon père et moi nous avons eu grand souci de vous, monsieur. Dieu merci, le feu vous a été épargné, dit la jeune fille, émue et rougissante.

— Le soldat qui revient de guerre n'a-t-il pas droit à un baiser ? demanda Vincent, jouant de son irrésistible regard vairon.

Après une brève hésitation, à quatre reprises, à la mode vaudoise, María-Cristina effleura de ses lèvres tièdes les joues du garçon, tandis que la gouvernante faisait mine de s'intéresser aux drapeaux déployés.

Ce soir-là, au cours d'un joyeux dîner rue des Granges, María-Cristina et Vincent décidèrent de s'appeler désormais par leur prénom.

L'affaire de Neuchâtel se termina le 26 mai 1857, lors de la signature du traité de Paris, par lequel le roi de Prusse abandonna ses droits sur le canton en termes clairs.

« S.M. le roi de Prusse consent à renoncer à perpétuité, pour lui, ses héritiers et ses successeurs, aux droits souverains que l'article 23 du traité, conclu à Vienne le 9 juin 1815, lui attribue sur la principauté de Neuchâtel et le comté de Valangin. »

Ainsi s'achevait une courte mais dangereuse période de l'histoire suisse. La Confédération tirait finalement un bénéfice certain de la rébellion des royalistes, puisque Neuchâtel devenait, enfin, un canton souverain comme les autres.

Il se trouva cependant des gens vindicatifs pour déplorer que cette paix, intervenue sans guerre, gaspillât le fonds de patriotisme que les citoyens avaient, en quelques jours, réuni !

— Le vrai patriotisme consiste, d'abord, à vivre pour son pays, ensuite à mourir pour lui si on ne peut faire autrement ! répliqua Alexandra à l'un de ces belliqueux de salon.

Parmi les mécontents se trouvaient bon nombre des membres d'une société cosmopolite et rebelle, qui avait trouvé un refuge sûr à Genève. Ces gens se rencontraient souvent au café du Nord, où arrivaient les journaux français, ou à la brasserie La Terrassière. On y voyait l'avocat Louis Kossuth, chef révolutionnaire, un temps maître de la Hongrie ; le général Georges Klapka, « glorieux débris de la révolution hongroise [1] », ami de Kossuth et de Fazy, qui, naturalisé genevois, siégeait au Grand Conseil ; le comte Bolten Gabor, la comtesse Karolyi, Sandor Telecki, ancien représentant de Kossuth à Paris, grand ami de Victor Hugo ; le prince Ivan Golovine, un érudit détesté du tsar ; Alexandre Herzen, philosophe matéria-

1. Eugène Sue, *Une page de l'histoire de mes livres,* Imprimerie C.-L. Sabot, Genève, 1857.

liste, disciple de Hegel, rédacteur de *l'Etoile polaire*, une feuille antitsariste ; Louis Mierolawski, général et publiciste polonais, qui s'était battu contre les Prussiens en 1849. A ces déçus des révolutions, toujours prêts à reconstruire l'Europe dans la fumée des pipes, se joignaient parfois des patriotes de passage, comme Giuseppe Garibaldi, et aussi des réfugiés nantis, tels Eugène Sue et Edgar Quinet, venu en voisin de Veytaux, où il résidait, dans le pays de Vaud.

On murmurait en souriant, rue des Granges, que M. Carl Vogt, ami et protecteur de Mazzini comme de tous les réfugiés politiques qui vivaient à Genève, avait dû mettre une sourdine à son antibonapartisme, puisqu'il se préparait à accompagner, comme conseiller scientifique dans les mers du Nord, le prince Joseph Charles Paul Bonaparte, dit prince Napoléon, fils du roi Jérôme, cousin germain de Napoléon III et sénateur français.

Dans la sérénité publique retrouvée, les membres du cercle Fontsalte, Genevois ou Vaudois, retournèrent à leurs occupations. Seule la santé de l'épouse du général, qui allait se dégradant de mois en mois, causait de l'inquiétude à son entourage. Lors de ses visites hebdomadaires, le docteur Vuippens ne pouvait que constater une lente déchéance, physique et mentale, contre laquelle ses drogues restaient impuissantes.

— Son muscle cardiaque n'a plus ni force ni élasticité, Axel. On ne peut que tenter d'éviter une syncope, qui serait fatale, car son faible cœur ne recommencerait peut-être pas à battre. Tout ce que nous pouvons espérer, mon ami, c'est qu'elle s'en aille dans le sommeil, sans angoisse ni crainte, dit le médecin qui s'était, comme souvent, arrêté à Rive-Reine en revenant de Lausanne.

— A septante-six ans, après une vie si pleine, ce serait une bénédiction du ciel s'il devait en être ainsi, Louis. Mais je n'imagine pas Blaise sans sa Dorette, comme il l'appelle encore quelquefois, répondit le vigneron.

— C'est la tragédie des vieux couples unis, Axel. La mort ampute le survivant d'une partie de lui-même. C'est la façon qu'a la camarde de tuer en deux temps le veuf ou la veuve, concéda le médecin.

« Ah ! il fait méchant devenir vieille », se plaignait souvent Charlotte, assez lucide pour estimer son état, surtout les jours où, allant de son lit au fauteuil, la septuagénaire prenait conscience que la vie a une fin. Le général passait des heures près de sa femme. Il commentait pour elle les événements, lui faisait lecture de quelques pages d'un ouvrage, égrenait des souvenirs et se retirait, en s'efforçant de ne pas faire grincer le parquet, quand Charlotte s'assoupissait.

Au mois de juin, Clara dut lire à sa maîtresse tous les comptes rendus des journaux qui rapportaient l'arrivée en Suisse de l'impératrice mère de Russie, Alexandra Feodorovna [1], née Frédérique Louise Charlotte Wilhelmine de Prusse, fille du roi Frédéric-Guillaume III. Mme de Fontsalte s'intéressait particulièrement à Sa Majesté, qui portait, entre autres prénoms, le même qu'elle. Au cours de l'été précédent, elle avait d'ailleurs appris, par Blaise, que le duc de Morny avait sollicité une audience de la mère du tsar, alors en cure à Wildbad.

L'impératrice, entrée à Bâle avec dix-huit voitures tirées par quatre-vingt-six chevaux, était descendue à l'hôtel des Trois-Rois. Mme de Fontsalte considéra longuement un dessin qui représentait la calèche impériale à quatre chevaux montés par deux postillons. Ce faste lui donnait à rêver pendant quelques heures, comme lorsque Vincent, visiteur épisodique mais toujours drôle, racontait à sa grand-mère qu'il avait rencontré, dans le hall de l'hôtel des Bergues, le prince Alfred, second fils de la reine Victoria, le duc Ernest II de Saxe-Cobourg-Gotha, le comte de Nesselrode ou la grande-duchesse Anna de Russie. Lors de son dernier passage, le jeune homme avait amusé l'aïeule en lui narrant l'installation, sur une fontaine du Jardin des Plantes, à Genève, d'une belle statue de bronze *l'Enfant et le Crocodile*, coulée autrefois à Munich pour Lola Montes, au temps où l'aventurière bénéficiait de la protection du vieux roi de Bavière.

Au mois d'août, ce fut la mort d'Eugène Sue qui fournit au cercle Fontsalte, réuni un dimanche sur la terrasse de Beauregard, un sujet de conversation. L'écrivain avait succombé, le 1er août, à l'âge de cinquante-trois ans, dans sa maison, La Tour, à Annecy-le-Vieux, où il résidait depuis son exil. Cette mort eût paru naturelle si elle n'était intervenue au lendemain d'un repas bien arrosé, donné par son ami James Fazy, dans l'hôtel particulier construit sur le terrain offert au politicien par la reconnaissante et naïve République de

1. 1798-1860.

Genève. Sue était, ce soir-là, accompagné de sa maîtresse, Marie de Solms, dont on disait qu'elle avait, aussi, des faiblesses pour le dictateur genevois, célibataire jouisseur peu regardant quant à la moralité des femmes qu'il fréquentait. De là à suggérer que l'écrivain français, grand bourgeois reconverti dans le populaire, avait pu être empoisonné, il n'y avait que le souffle mauvais d'un ragot, répandu par des amis du défunt.

Certains, comme Vésinier, le secrétaire de Sue, pensaient que Marie de Solms, née Marie Lætitia Studolmine, petite-fille de Lucien Bonaparte, avait elle-même versé le poison pour se débarrasser d'un amant devenu encombrant, depuis qu'elle s'affichait avec le poète et dramaturge Francis Ponsard, académicien français surnommé, par dérision, chef de l'Ecole du bon sens.

L'auteur de *Lucrèce* et de *la Bourse* avait d'ailleurs suivi le corbillard de M. Sue au côté de Mme de Solms et en compagnie du colonel Adolphe Charras, autre exilé antibonapartiste qui avait naguère aidé Cavaignac à réprimer les émeutes de juin 1848. Tous avaient entendu des gens montrer Marie du doigt, sous un voile de veuve abusif, et lancer : « Voilà la femme qui l'a tué. »

Toutes les dames présentes à Beauregard ce jour-là se récrièrent qu'on ne pouvait faire de Mme de Solms une empoisonneuse. Il était, certes, difficile de compter les amants de celle dont Horace de Viel-Castel, conservateur du Louvre, disait qu'elle était « une femme entretenue jouant les princesses ». La belle veuve de Frédéric de Solms, hobereau wurtembourgeois, chassait comme Diane, jouait à la Bourse, courait les bals, déguisée en papillon, mais devait-on pour autant en faire une criminelle[1] ?

— A mon humble avis, quand on connaît les dîners plantureux que donne Fazy, et d'après ce que j'ai appris, on doit plutôt penser que M. Eugène Sue est mort d'une rupture d'anévrisme, suite à une indigestion compliquée d'éthylisme, risqua Vuippens.

— Ah ! il peut y avoir une autre cause, plus originale, qu'une cuite ou un empoisonnement, dit le général Fontsalte d'un air entendu en quittant le salon.

Il reparut bientôt, tenant une feuille de papier à la main.

— Tenez, voici ce qu'écrivait M. Sue dans une lettre ouverte,

1. Mme de Solms, dans son ouvrage *Eugène Sue photographié par lui-même*, Imprimerie C.-L. Sabot, Genève, 1858, a publié, pour se disculper, une partie de sa correspondance avec Eugène Sue et notamment la lettre qu'il lui adressa le 31 juillet 1857, veille de sa mort.

en forme de pétition, publiée par un journal britannique le 20 juillet 1855, il y a donc exactement deux ans.

Chaussant ses lunettes, Blaise lut :

— « A messieurs les représentants du peuple d'Angleterre, de Belgique, de Hollande, de Piémont et des Etats-Unis.

» Il est patent, il est constant qu'un large système de persécution, au moyen de l'électricité, du galvanisme et de la chimie, est organisé par des hommes puissants pour porter atteinte à la liberté du genre humain, en paralysant, et en détruisant à la longue, la faculté de penser et d'écrire de certains hommes prétendus dangereux et qui le sont peut-être un peu pour ces puissants personnages. Cette nouvelle manière d'assassiner, ou de faire assassiner, impunément et à son gré, l'intelligence et la raison humaines, les facultés suprêmes devant lesquelles tout homme doit s'incliner, cet abominable assassinat, cet attentat à la portion divine de l'homme n'ayant pas été suffisamment prévu par la loi, nous vous prions intensément, Messieurs, de vouloir bien aviser immédiatement et de mettre sans aucun retard votre code criminel en harmonie avec les progrès de la science, en donnant toutes les autorisations nécessaires et les instructions les plus sévères pour rechercher et atteindre par tous les moyens possibles ce crime de lèse-humanité, de lèse-divinité [1]. »

— M. Sue est un romancier plein d'imagination, tout le monde le sait, lança Axel, amusé.

— C'est un fou ! Il faut avoir l'esprit dérangé pour imaginer pareilles choses, renchérit Charlotte.

— Eh eh, qui sait ce que la science peut faire, quand elle est dévoyée par les criminels. A mon avis, on peut tuer par un courant électrique intense. Même si ce n'est pas vrai aujourd'hui, ce sera peut-être vrai demain, dit Vuippens.

— En somme, la police secrète de Napoléon III aurait pu faire assassiner M. Sue par ces mystérieux moyens, électricité, galvanisme ou chimie, que la victime semblait connaître, dit Zélia.

— Il existe, en effet, d'autres sorciers que les Tsiganes, ma chère, lança Louis à sa femme.

— Je ne crois pas à un assassinat politique, car M. Sue, bien qu'il ait voulu le faire accroire, ne constituait pas un danger, ni

1. Cité par F. Tapon-Fougas dans *Sur la mort d'Eugène Sue, humble avis d'un démocrate*, Typographie Mécanique de Ch. Vanderauwera, Bruxelles, 1857.

même une gêne pour Napoléon III. La police impériale le tenait pour un écrivain social de talent, mais tout à fait inoffensif en politique. La thèse de l'indigestion, moins théâtrale et plus triviale que l'arme scientifique, me paraît de loin la plus plausible, conclut le général Fontsalte.

Quelques jours plus tard, le 8 août 1857, M. Villemot, chroniqueur au journal *l'Indépendant belge*, publia un article qui apporta de l'eau au moulin des gens convaincus que Sue avait été assassiné, comme le révolutionnaire italien Gioberti. « J'ai rencontré, l'année dernière, à Aix, Eugène Sue, que je n'avais pas vu depuis dix ans. Il me fut facile de distinguer une démarche alourdie, des épaisseurs et des développements hypertrophiques et aussi, dans la physionomie, quelque chose d'inquiet, de sénile, de découragé », écrivait le journaliste. A partir de cet article, M. Tapon-Fougas, autre réfugié français en Suisse, développa la thèse de « l'empoisonnement atmosphérique par jet continu de vapeurs morbides dégagées par des acides délétères et volatils, portés par des courants galvaniques qui peuvent atteindre leur but à plus de cinq cents mètres ». Comme toutes les autres, cette hypothèse fit long feu.

Quand vint le temps de la vendange, M. Eugène Sue était oublié des Vaudois et M^me^ de Solms se consolait avec Francis Ponsard, tandis qu'un nouveau mari se profilait à l'horizon piémontais, M. Urbain Ratazzi, l'homme d'Etat le plus connu après Cavour [1].

Charlotte de Fontsalte exigea qu'on la portât à Rive-Reine pour assister au ressat des vendanges. Coiffée et habillée par Clara, elle jeta ce jour-là ses dernières forces pour paraître à la fête familiale. Elle s'enquit, auprès de son fils, de l'importance et de la qualité de la récolte de Belle-Ombre, grignota quelques bouchées au fromage, que seule Pernette réussissait aussi bien, but un verre de vin blanc, voulut savoir si Vincent était amoureux d'une Alémanique, comme Alexandra le disait, et confia au curé de Vevey que ses dernières satisfactions de catholique avaient été de voir Mgr Etienne Marilley regagner l'évêché de Fribourg [2] et d'avoir lu la superbe homélie

1. Mme de Solms allait épouser Urbain Ratazzi en 1863 et lui donner, en 1871, une fille, prénommée Roma.

2. L'évêque de Fribourg, Genève et Lausanne avait été autorisé à rentrer en Suisse pour retrouver son siège et ses prérogatives épiscopales le 19 décembre 1856.

prononcée par l'abbé Gaspar Mermillod, lors de la dédicace de l'église Notre-Dame de Genève. Malgré ces propos, tous les membres de la famille constatèrent le regard plein de mélancolie que la vieille dame ne cessa de porter sur ceux qui l'entouraient.

— Cette fois-ci, je sais que c'est ma dernière vendange, dit-elle au moment des toasts.

Comme tout le monde protestait pour la forme et que Vincent s'écriait qu'elle devait s'accrocher à la vie jusqu'à son mariage avec l'Alémanique ou une autre, Charlotte eut un pauvre sourire.

— Mon petit, je te souhaite seulement d'avoir une belle vie comme celle que Blaise, tes parents et tous mes amis ici présents m'ont faite. D'ailleurs, de là-haut, je veillerai sur toi et sur eux, acheva-t-elle, l'œil humide, en pointant un index tremblant vers le ciel d'automne lumineux.

Rentrée à Lausanne, elle s'alita en se disant comblée par le Seigneur, parce qu'elle avait pu participer à une dernière réunion de famille. Puis, au bout de quelques jours, elle sombra dans une demi-conscience paisible, dont elle n'émergeait que pour échanger quelques paroles avec son mari. Elle parut retrouver un peu de force et domina un instant les accès de suffocation qui l'éprouvaient pour recevoir la communion de la main du coadjuteur de l'évêque, également porteur de la bénédiction de Mgr Marilley.

Dès l'aube du 20 octobre, Mme de Fontsalte s'agita et demanda à Clara, aidée de Trévotte, d'ouvrir toute grande la porte-fenêtre et de pousser son lit jusqu'au balcon.

— Je veux voir le soleil se lever sur le lac, dit-elle.

On obtempéra et Clara, trouvant bizarre la soudaine exaltation de la malade, s'en fut chercher le général, qui s'était absenté pour faire sa toilette.

Blaise s'assit près du lit. Il entoura de son bras les épaules de sa femme. Tout symptôme d'étouffement semblait disparu. Sa respiration était courte mais sans effort. Il l'embrassa tendrement sur la tempe.

— Vous souvenez-vous de notre premier matin à Belle-Ombre. Nous regardions ainsi le Léman, la tête pleine de rêves fous, dit-il.

— M'en souviens, murmura-t-elle.

— Quand vous irez mieux, nous monterons à Belle-Ombre. Nous ferons ce pèlerinage. Non ?

Ne recevant pas de réponse, Blaise répéta sa question.

Un râle, bref comme un cri contenu, y fit écho.

Alarmé, il se pencha sur Charlotte. Un douloureux rictus aux lèvres, elle semblait guetter d'un regard fixe et apeuré l'approche d'une barque à voiles latines poussée vers le rivage par le vent du matin.

Le cœur usé de la marquise de Fontsalte avait cessé de battre.

Les dernières volontés de la défunte avaient été clairement exprimées et rédigées. Elle désirait, tant que son mari vivrait, reposer auprès de sa mère et de son père dans le caveau familial d'Echallens. Quand Blaise mourrait, elle devrait être ensevelie à son côté « où bon lui semblerait afin, avait-elle dicté, qu'ils partagent l'Eternité comme ils avaient partagé la vie ».

Le général, depuis longtemps préparé à l'inéluctable séparation voulue par le destin, fut, dès les premiers jours qui suivirent la disparition de sa femme, d'une parfaite dignité. Il assuma son chagrin avec la rigidité du soldat pour qui la mort, glaneuse des champs de bataille, sans cœur ni entrailles, reste le partenaire quotidien d'un cache-cache tragique. « La camarde l'emporte, dans la paix comme à la guerre, et toute révolte étant vaine, mieux vaut la priver du nectar des larmes dont elle fait ses délices », pensait-il.

Blaise tint à organiser lui-même les funérailles de Charlotte. Il voulut une grand-messe des morts, à la cathédrale de Lausanne. Alexandra se mit à l'orgue, pour accompagner la chorale dans l'interprétation du *Salve Regina* légué aux moines d'Einsiedeln en 1547 par Jean de Lenzingen. Puis, avec tous ceux et celles qui composaient ce que la défunte avait autrefois baptisé le cercle Fontsalte, Blaise conduisit l'épouse décédée à sa demeure provisoire d'Echallens.

Devant le caveau refermé, le général prit le bras d'Axel pour quitter le cimetière.

— Mon cher fils, dit-il en marchant, je compte qu'au jour de ma mort, qui ne saurait tarder, vous ferez exhumer le cercueil de votre mère et que vous le conduirez avec le mien, jusqu'à Fontsalte, où nous avons décidé, il y a longtemps, de reposer ensemble. Tout cela figure naturellement dans mon testament, mais je préfère vous adresser de mon vivant cette prière, dit le général.

— Vous serez exaucé, père, répondit Axel, ému.

Il apparut à tous, après la disparition de la générale, que le cercle Fonsalte avait perdu son pivot.

Charlotte, ambitieuse et volontaire, issue du milieu bourgeois, préparée par les dames ursulines, comme toutes les demoiselles de sa condition à la fin du siècle, à devenir mère de famille et bonne maîtresse de maison, avait réussi, après un premier mariage brisé, à s'élever avec intelligence et sensibilité jusqu'à la caste aristocratique de son second mari. Le plus beau jour de la vie de cette femme, avide de considération mondaine, qui ne pouvait prétendre à une carrière intellectuelle, avait été celui où Blaise, lui passant l'alliance au doigt, avait fait de la fille du négociant François Rudmeyer, épouse divorcée de Guillaume Métaz, une marquise de Fontsalte. Belle blonde, douée de grâce et d'une aisance spontanée, Charlotte avait tout appris en quelques mois des manières, des mœurs, des tics de la vieille noblesse des campagnes françaises. Ensuite, elle s'était appliquée à tenir sans afféterie, mais avec assurance, le rang que lui assignait son mariage, prouvant ainsi sa parfaite connaissance de l'étiquette.

— Notre Charlotte était une grande dame, dit Albert Duloy, traduisant l'opinion unanime des Veveysans, venus en nombre assister aux funérailles de celle que les plus anciens nommaient encore, par inadvertance, M^me^ Métaz, d'autres la dame de Belle-Ombre, quelques-uns, les plus jeunes, la générale française.

Le vieux ministre protestant avait fait le trajet de Vevey à Echallens pour adresser avec simplicité, en terre papiste, une prière de circonstance devant la dépouille d'une chrétienne dont il appréciait la foi sincère et l'infatigable charité.

L'année s'acheva dans le deuil et, bien que le général Fontsalte continuât à résider à Beauregard, où le colonel Golewski lui tenait souvent compagnie, Rive-Reine devint, tout naturellement, le lieu de réunion du cercle familial et des amis. Elise se vit ainsi promue hôtesse privilégiée, rôle qu'elle tint désormais plus par devoir que par révérence à la mémoire d'une belle-mère qu'elle n'avait jamais vraiment aimée.

Le 15 janvier 1858 la *Gazette de Lausanne* annonça que la veille, à Paris, Napoléon III avait échappé de justesse à un attentat meurtrier, alors qu'il se rendait en calèche à l'Opéra. On avait déploré huit morts et cent quarante-huit blessés. Le fait que l'instigateur, promptement arrêté, fût un patriote italien, le comte Felice Orsini, né en 1819 à Meldola, près de Forli, conduisit le gouvernement français à exiger, quelques jours plus tard, du Conseil fédéral l'expulsion de tous les membres d'une société italienne, dite de Secours mutuel, établie à Genève.

Cet attentat odieux n'avait fait que des victimes innocentes, ce qui indigna les Français. Les Parisiens ne tardèrent pas à manifester, haut et fort, leur colère contre l'Angleterre et les Etats frontaliers, qui hébergeaient et protégeaient des terroristes connus, toujours prêts à préparer des attentats à l'abri des frontières. La Suisse et la Belgique étaient particulièrement visées.

On sut bientôt que le comte Orsini avait été l'ami intime de Mazzini, fondateur du mouvement Jeune Italie, jusqu'au jour où il s'était séparé de lui, le trouvant trop faible dans l'action révolutionnaire.

C'est à Londres que l'aristocrate italien avait décidé de s'en prendre à Napoléon III, jugé traître à la cause de l'indépendance italienne. Ayant confectionné une bombe, il avait passé la Manche et retrouvé à Paris deux complices : Guiseppe Andrea Pieri et un certain Rudio.

Les terroristes étant passés sans atermoiements aux aveux [1], le comte Orsini avait aussitôt désigné son défenseur, l'avocat Jules Favre, et envoyé une lettre ouverte à l'empereur, que publièrent, le 11 février, le *Moniteur français* et la *Gazette piémontaise*. Le séditieux assassin adjurait Napoléon III de libérer l'Italie !

Emergeant de son chagrin silencieux, le général Fontsalte ne manqua pas de critiquer vivement James Fazy et son gouvernement quand ils refusèrent d'obtempérer à la demande du Conseil fédéral, qui, accédant à la requête française, exigeait l'expulsion des Italiens ou leur internement. Il fallut l'envoi à Genève de deux commissaires fédéraux, le conseiller d'Etat Jacob Dubs et le chef de la police de Bâle, Gottlieb Bischof, pour que les radicaux fazystes fassent exécuter la décision fédérale. Cinq agitateurs italiens furent ainsi internés et une liste, sans doute incomplète, des réfugiés italiens à Genève fut communiquée au département fédéral de Justice et Police.

Mais un événement considérable vint bientôt distraire les Genevois de cette affaire de réfugiés politiques, venant après beaucoup d'autres du même genre.

1. Jugés et condamnés à mort, Orsini et Pieri furent exécutés le 13 mars 1858. Il semble que Rudio eut la vie sauve.

Le 16 mars fut inaugurée la gare de Cornavin, la ligne de chemin de fer Lyon-Genève étant enfin achevée. Cette dernière avait coûté cent douze millions cinq cent mille francs, soit quatre cent soixante-quinze mille francs au kilomètre ! Désormais, un Genevois pouvait se rendre à Paris, via Lyon, par le train, en moins de quinze heures, ce qui condamnait, à court terme, l'usage de la diligence.

La banque Laviron Cornaz Métaz de Fontsalte et C^ie^ ayant placé beaucoup d'actions de la Compagnie des chemins de fer franco-suisses, Anaïs Laviron, Alexandra et Vincent figuraient parmi les invités aux festivités, prévues pour trois jours. Etant donné l'âge et la mobilité réduite de M^me^ Laviron, tous trois se rendirent directement en voiture à Cornavin, tandis que les corps constitués de la République, rassemblés à l'hôtel de ville, se formaient en cortège, derrière la musique de Sabon, pour rejoindre — par la Treille, la place Neuve, la Corraterie, les rues basses, la Fusterie et la rue du Mont-Blanc — la gare toute neuve, dont la façade disparaissait sous les drapeaux et les guirlandes. Tout au long du parcours pavoisé, les autorités purent apprécier l'effort des Genevois pour fêter l'avènement d'un chemin de fer qu'ils attendaient depuis longtemps. On remarqua beaucoup le magasin *A la Ville de Genève,* qui présentait une locomotive de carton-pâte crachant presque autant de fumée qu'une machine véritable !

En gare de Cornavin un train sous pression chargea les invités et le convoi se mit en marche, pour aller, jusqu'à la plaine de Dardagny, à la rencontre du convoi spécial qui transportait de France les membres du conseil d'administration de la compagnie, les personnalités officielles, banquiers et ingénieurs. Quel ne fut pas l'étonnement de Vincent de voir descendre d'un wagon-salon, dans une toilette printanière malgré le temps frais et humide, María-Cristina, suivie de son père.

— Ma coquine de fille a voulu faire une surprise à votre jeune banquier, madame, dit M. Conrad Feer à Anaïs Laviron, pendant que les jeunes gens se serraient les mains avec effusion, ne cherchant pas à dissimuler le plaisir de retrouvailles imprévues.

— Comme je regrette que mon pauvre mari nous ait quittés trop tôt, monsieur. Comme il eût été heureux de voir, enfin, rouler ce train, pour lequel il fit tant de démarches, soupira M^me^ Laviron.

— Etant moi-même actionnaire de la compagnie, je comprends

la satisfaction qu'eût ressentie votre défunt mari, madame, dit M. Feer en s'inclinant.

María-Cristina s'approcha et tendit à Mme Laviron le petit bouquet de fleurs que la Compagnie avait offert à toutes les invitées, au départ de Lyon, où les Feer s'étaient rendus la veille.

— Savez-vous que, ce matin, en gare de Bourg, à neuf heures, notre train a reçu la bénédiction épiscopale de Mgr de Langalerie, accompagné de tout le clergé de la ville. Après cela, il ne pouvait rien nous arriver, n'est-ce pas, dit, moqueuse, María-Cristina, à qui Vincent offrit l'appui de son bras quand tous remontèrent en wagon pour regagner, en un seul convoi, la gare de Cornavin.

Parmi les personnalités, Alexandra désigna M. Gordon, ministre de Grande-Bretagne à Berne, sir Robert et lady Peel, M. Bartholony, le banquier Pereire, des officiers de l'armée piémontaise. En revanche, elle constata avec surprise l'absence des représentants fédéraux, dont le compartiment était désert.

— Pourquoi boudent-ils ? demanda Mme Laviron.

— Sans doute parce que le Zurichois Alfred Escher, membre du Grand Conseil, banquier et propriétaire des chemins de fer du Nord, n'a pas réussi à se glisser avec profit dans la Compagnie franco-suisse. Ce radical, à qui l'on reproche souvent de faire des affaires grâce à sa haute position politique, espère être élu, en juillet, vice-président du Conseil fédéral. Il a donc préféré se tenir à l'écart de cette fête et a dû inviter ses amis des institutions fédérales à en faire autant, risqua Vincent.

Conrad Feer eut un sourire approbateur et trouva plaisant que le jeune banquier genevois fût aussi bien informé du système, fondé sur les pots-de-vin, qui permettait aux politiciens de participer avec profit à la construction des chemins de fer suisses.

Fuyant les réceptions officielles, où Alexandra dut se rendre par obligation en compagnie de Conrad Feer, Vincent proposa à María-Cristina une promenade sur la Treille. La jeune fille découvrit, émerveillée, le plus long banc du monde, dont on parlait même à Lucerne, la ville aux beaux ponts couverts.

— Il a été installé là en 1767, mais il y a mieux, dit Vincent, entraînant sa cavalière sous un marronnier vénérable, contemporain du banc.

— C'est notre marronnier fétiche, María. Le premier arbre de Genève qui, par ses bourgeons, annonce l'arrivée du printemps.

D'ailleurs, voyez comme les vieux Genevois viennent s'en assurer, dit-il en désignant deux vieillards appuyés sur leur canne.

Ces derniers, le nez en l'air, vérifiaient avec force commentaires que le marronnier, sous lequel leurs pères, leurs grands-pères, et même leurs arrière-grands-pères, avaient autrefois, comme Vincent Métaz de Fontsalte, amené des jeunes filles pour leur montrer les bourgeons verts, promesse de vie et symbole des amours fécondes.

Si mademoiselle Alex et M. Feer furent encore contraints de se rendrent au dîner de cent quatre-vingts couverts, offert au Cercle des Etrangers, Vincent, María-Cristina au bras, s'en fut représenter la banque à une autre réception, donnée à l'hôtel Métropole. Au cours de celle-ci, on remit aux invités une médaille d'Antoine Bovy, qui présentait, sur l'avers, les drapeaux suisses et français émergeant des blasons accolés de Paris, Lyon et Genève, portés par une locomotive et surmontant un cartouche où on lisait : « Inauguration du chemin de fer de Lyon à Genève le 16 mars 1858. » Au revers de la médaille figurait le blason de Genève et la devise *Post tenebras lux.*

— C'est la seconde médaille de ce graveur que vous m'offrez, Vincent, dit la jeune fille en recevant l'objet souvenir.

— Pas la seconde, María, la deuxième, car j'ose espérer que vous en accepterez d'autres, plus personnelles, badina le garçon à l'œil vairon, certain, déjà, que la petite Hispano-Alémanique était amoureuse de lui.

Au cours du banquet qui suivit la réception, le poète Petit-Senn déclama des vers qui amusèrent beaucoup María-Cristina par leur naïveté, leur grandiloquence et qu'elle qualifia de vers de mirliton :

*Est-il une plus belle gare*
*Que celle qui s'ouvre en ces lieux*
*Où la vue au lointain s'égare*
*Sur plus d'aspects délicieux ?*
*Emu par ce qui l'environne*
*L'étranger admire enchanté*
*Notre Suisse ayant pour couronne*
*La nature et la liberté.*
*Français, que rien ne nous sépare,*
*Nous sommes faits pour nous aimer,*
*Quand pour vous s'ouvre notre gare*
*Nos cœurs ne pourraient se fermer.*

*Ah ! si vous rendre une visite*
*En un clin d'œil nous est permis*
*Peut-on jamais marcher trop vite*
*Alors qu'on va voir ses amis ?*

— C'est gentil et… politique, mais Petit-Senn a fait mieux que ça, croyez-moi, concéda Vincent.

Le 17 mars, la fête continua avec le grand bal du chemin de fer, organisé par la ville de Genève au Bâtiment électoral. Vincent et sa cavalière n'y firent qu'une brève apparition, rebutés par une populace effrontée et bruyante, qui pilla le buffet en rien de temps, privant ainsi les danseurs de rafraîchissements.

Le *Journal de Genève* estima, le lendemain, que plus de cinq mille personnes s'étaient entassées en désordre, pendant huit heures, dans les salons, que l'orchestre, excellent, avait été inaudible, que les toilettes rudimentaires s'étaient révélées insuffisantes, qu'on avait dû faire appel aux pompiers pour abreuver des gens assoiffés au bord de l'étouffement, qu'une monstrueuse pagaille avait présidé au vestiaire, qu'une quantité de paletots, de châles, de chapeaux avaient été égarés ou volés.

Quand M. Feer et sa fille quittèrent Genève, le 18 mars, María-Cristina, sans avoir reçu d'aveux, se croyait déjà en harmonie de pensée et de sentiments avec Vincent, de qui elle avait tendance à prendre les attentions pour déclarations implicites.

— Alors, mon garçon, tu as eu le temps de conter fleurette à la belle Lucernoise, s'enquit plus tard Alexandra avec malice.

— Ecrivez-vous conter comme dans les contes de fées ou compter comme dans les bilans ? demanda Vincent en riant.

— C'est un beau parti : fille unique, jolie, intelligente, instruite, pas du tout oie blanche.

— La fortune de papa Feer est évaluée à plus d'un million, sans compter les biens immobiliers, les bateaux et des forêts. Je me suis renseigné, précisa le banquier.

— Es-tu amoureux, d'abord ? risqua mademoiselle Alex.

— Je puis l'être, tante Alexandra, mais l'avouer peut me conduire à de promptes fiançailles. Or, rien ne presse. D'ailleurs, María-Cristina est du type épouse, pas du genre maîtresse. Et, pour ce qui est du plaisir, j'ai ce qu'il me faut : deux ou trois fois par semaine, une femme mariée. Pas de fil à la patte, pas de passion dévorante, pas d'engagement, rien qui mobilise les facultés que l'on doit consacrer au travail et aux affaires, déclara, avec sérieux, le jeune homme.

— Tu es assez cynique, semble-t-il, s'indigna Alexandra.

— Cynique ! Pas du tout. Franc et loyal. Je ne m'engagerai que le jour où, étant sûr de rendre une femme heureuse, je déciderai de fonder une famille. Le mariage est une chose trop grave pour qu'on s'y jette à la légère, ajouta le jeune homme.

— C'est drôle, Vincent, bien que tu aies son regard vairon, au moral tu ne ressembles pas du tout à ton père, dit Alexandra, dépitée.

— C'est vrai que je ne lui ressemble pas. Je ne tiens pas, moi, à vivre comme lui, tante Alexandra.

Un événement lourd de conséquences pour la Confédération se déroula les 20 et 21 juillet à Plombières-les-Bains, en France, quand Napoléon III rencontra Camillo Benso, comte de Cavour, président du Conseil du roi Victor-Emmanuel II de Piémont-Sardaigne.

La guerre de Crimée s'était achevée, le 30 mars 1856, par le traité de Paris. Cet accord concrétisait l'arrêt de l'expansion russe en direction des Détroits[1] et assurait l'influence française dans les Balkans et le Proche-Orient. Cette victoire avait coûté la vie à deux cent quarante mille hommes et rendu à l'armée française le prestige perdu à Waterloo et à Vienne, en 1815. Fort de cette sanglante aventure, à laquelle avaient participé, un peu tard, quinze mille Piémontais, Napoléon III venait de s'engager, auprès de Cavour, à aider Victor-Emmanuel II à chasser les Autrichiens de la péninsule et à fonder un royaume d'Italie, qui s'étendrait jusqu'à l'Adriatique et comprendrait les duchés de Parme et de Modène, la Toscane agrandie de la portion des Etats pontificaux située au-delà du versant septentrional des Apennins.

Cavour avait suggéré « que l'on offre la Savoie du Nord à la Suisse en échange du Tessin », mais Napoléon III s'y était opposé : « Les Suisses, je les connais mieux que vous. Il n'y a rien à faire de ce côté-là. »

L'empereur avait obtenu, en contrepartie de son concours, le rattachement à la France du comté de Nice et de la Savoie. Ne restait

1. Ensemble constitué par le Bosphore et les Dardanelles.

qu'à susciter un casus belli qui permettrait aux armées françaises et piémontaises de passer à l'action.

Les Genevois ignoraient cette alliance guerrière, susceptible de compromettre la tranquillité de la Suisse, quand ils avaient, le 18 juillet, donné la sérénade à Cavour, descendu à l'hôtel de l'Ecu. Officiellement, le Piémontais rendait visite à la famille de sa mère, une demoiselle de Sellon, troisième fille du comte de Sellon, pacifiste utopique et philanthrope genevois. Il venait aussi entretenir les autorités du projet d'un chemin de fer qui relierait Genève à Annecy. Mais on murmurait dans les salons de la rue des Granges, où les Sellon avaient leur hôtel, que le Premier ministre du Piémont, Etat catholique, était surtout venu à Genève pour épouser, dans la discrétion la plus absolue, une Anglaise, protestante et richissime !

Même M^me^ Laviron, cependant bien informée, ne put avoir confirmation de cette union clandestine. Alexandra et Vincent apprirent, en revanche, que le comte de Cavour s'intéressait aux chemins de fer parce qu'il détenait de « beaux paquets d'actions » dans plusieurs compagnies.

En attendant, le réseau ferré s'étendait sur la Suisse.

Depuis le 14 avril, le train roulait entre Morges et Versoix, via Coppet. La jonction Genève-Versoix étant assurée depuis le 1^er^ mai, on pouvait maintenant se rendre de Genève à Lausanne en moins de deux heures et même, par le train direct qui partait de Cornavin à 8 h 15 pour arriver à La Rasude à 9 h 35, en une heure et vingt minutes. La compagnie de l'Ouest des chemins de fer suisses venait de commencer les travaux de la voie Lausanne-Villeneuve et les Veveysans discutaient âprement de l'emplacement de leur future gare. D'aucuns, dont Elise Métaz et ses amies, craignaient que les bruits du trafic ferroviaire ne perturbent le déroulement des offices à Saint-Martin !

# 4.

La nouvelle de la catastrophe se répandit sur la côte vaudoise à la vitesse du train. La veille, dimanche 1er août 1858, jour de la fête nationale suisse, à six heures quarante du soir, le vapeur *Helvétie,* venant de Villeneuve, avait heurté, dans le port de Nyon, une embarcation de radelage qui transportait trente-cinq personnes. On avait repêché plusieurs noyés, racontaient les voyageurs.

On n'en sut guère plus à Vevey jusqu'au mardi matin, quand fut livré le *Journal de Genève* qui, sous un énorme titre, rapportait les circonstances du drame :

« Le bateau à vapeur *Helvétie,* parti de Villeneuve après l'*Aigle,* tenait à dépasser ce dernier et, pour cela, la machine était chauffée à outrance et le steamer allait à toute vapeur. L'*Aigle,* arrivé au port de Nyon, chargeait ses voyageurs quand l'*Helvétie,* impatienté de prendre les siens pour repartir et arriver le premier à Genève, au lieu de prendre le large, piqua droit entre le port de Nyon et l'*Aigle.* Une embarcation de trente-cinq personnes, qui se dirigeait vers l'*Helvétie,* fut atteinte et coupée en deux par ce vapeur. Tous les passagers de la barque, sans exception, furent précipités dans les flots, où les secours les plus empressés furent dirigés pour les sauver.

» Mais ce n'est pas le lac qui fit les victimes, ce sont les roues de l'*Helvétie* qui, n'étant pas arrêtées, estropiaient, assommaient, pilaient les naufragés. Sur trente-cinq personnes, neuf seulement se sauvèrent. Plusieurs furent recueillies par les canots de sauvetage de l'*Aigle* et de l'*Helvétie,* qui arrivèrent à force de rames. Mais plusieurs, ou tuées sur le coup ou grièvement blessées, ont péri dans les flots et n'ont été retirées que mourantes.

» Hier matin [lundi] on a trouvé quelques cadavres. Le nombre des morts atteignait le chiffre de quatorze mais on craint d'avoir à l'augmenter. La majeure partie des victimes sont genevoises. Une famille entière a péri, un Anglais et sa femme, une jeune fille, une mère et son enfant, un agent d'assurances. Quatorze cadavres sont à Nyon où l'on accueille les familles. »

Elise, qui devait consulter dans la matinée de lundi, à Genève, le fameux oculiste Jean-Pierre Maunoir, lequel s'était acquis une renommée européenne par ses opérations de la cataracte, avait quitté Vevey la veille, en compagnie d'Anaïs Laviron. Après une semaine passée à Rive-Reine, la veuve de Pierre-Antoine regagnait la rue des Granges. Lazlo avait conduit les deux femmes à Lausanne, où elles étaient montées ensemble dans le train de 4 h 20 de l'après-midi, qui arriverait à Genève à 5 h 43.

— Heureusement que ces dames sont parties par le chemin de fer. Ces bateaux qui font la course entre eux deviennent dangereux. D'ailleurs, il y a de plus en plus de gens qui prennent le train pour aller à Nyon, à Morges ou à Coppet. Lazlo m'a dit qu'à Lausanne le train de 4 h 20 était bien rempli, dit Marie-Blanche, qui venait de commenter avec Pernette le tragique accident du dimanche.

Tout bascula de cette tranquillité dans l'affliction quand un télégraphiste apporta, en fin de matinée, au bureau des entreprises Métaz, une dépêche pour Axel. Ce dernier étant absent, Régis Valeyres, qui imagina une commande urgente de vin ou de pierres, car les négociants employaient maintenant couramment le télégraphe électrique, ouvrit spontanément l'enveloppe. Lazlo, qui se trouvait dans la pièce, vit soudain l'intendant blêmir et s'affaler sur son siège derrière son pupitre.

— Monté ! Monté[1] ! s'écria-t-il, usant du patois vaudois pour dire l'émotion qui l'étreignait.

— Qu'est-ce qui vous arrive ? demanda le Tsigane.

— Tiens, lis, dit Régis en tendant la dépêche.

Le message laconique émanait de la préfecture du district de Nyon : « Nous devons vous informer que M^me^ Métaz de Fontsalte, née Elise Delariaz, figure parmi les victimes identifiées de l'accident du vapeur *Helvétie* survenu dimanche courant à Nyon. Le

1. On traduit cette exclamation par « mon Dieu ! ».

corps est déposé à l'hôtel de ville de Nyon, où la famille est attendue. Sincères condoléances. »

— Diantre ! Comment vais-je annoncer ça au patron, s'interrogea Valeyres d'une voix blanche.

Il n'eut pas à réfléchir longtemps car Axel Métaz, un dossier à la main, apparut dans le bureau.

— Que se passe-t-il ? dit-il vivement, découvrant les mines désolées de Régis et de Lazlo.

— Ah ! Monsieur, un grand malheur, dit le Tsigane en tendant la dépêche.

Les deux hommes virent le sang se retirer du visage du maître et son regard vairon s'assombrir, puis devenir d'une fixité effrayante, comme s'il ne pouvait se détacher du message de mort. Très vite, cette faiblesse, où entrait une dose de la colère contenue, se dissipa.

— Attelle le cabriolet : nous partons pour Nyon tout de suite. Et dis à ta femme de prévenir le docteur Vuippens, ordonna-t-il à Lazlo.

— Mais, Monsieur, je ne comprends pas. Dimanche, à Lausanne, j'ai mis M^me^ Métaz et M^me^ Laviron dans le train. Elles sont montées devant moi. C'est moi qui ai fermé la portière et j'ai même attendu que le train parte, car il y avait beaucoup de monde et il était en retard. M^me^ Métaz pouvait pas être dans une barque de radelage à Nyon, Monsieur, elle était dans le train ! Ce préfet se trompe, c'est pas elle, c'est une autre dame, soutint Lazlo.

— Les mauvaises nouvelles, au contraire des bonnes, sont rarement fausses, Lazlo. Allons, dit simplement Axel.

Comme, dès la sortie de Vevey, le Tsigane fouettait le cheval pour aller plus vite, Axel le retint.

— Inutile de crever ce vieil Icare. Si la mort est déjà passée, nous ne lui reprendrons pas sa proie, Lazlo.

— Mais, Monsieur, j'ai mis madame Elise et M^me^ Laviron dans le train. Je suis sûr que le préfet se trompe, répéta le Tsigane.

— Un train, on y monte et on en descend, Lazlo. Je m'interroge comme toi.

— Et M^me^ Laviron ? On n'a pas de nouvelles, Monsieur.

Axel eut un geste désabusé, puis s'enferma dans un silence qui dura tout le trajet. Celui-ci ne prit que six heures, la nouvelle route des bords du lac étant plus large et plus roulante que l'ancienne.

Le Tsigane, ennuyé, respectait le recueillement de son maître, à qui il jetait de temps à autre un regard de biais.

Dans un désordre abscons, les pensées les plus contradictoires assaillaient Axel. Si la raison l'incitait à douter, comme Lazlo, de la présence d'Elise dans un accident où elle ne devait logiquement pas se trouver, une intuition maligne le conduisait à croire que la dépêche du préfet révélait l'exacte réalité. « Elise est morte, Elise est morte », revenait comme un leitmotiv angoissant et finissait par s'imposer, de telle façon qu'il envisageait déjà les conséquences de cette disparition, pour ses fils et pour lui-même. Certes, depuis fort longtemps, il ne ressentait plus pour sa femme de véritable amour. Mais une tendresse sans épanchements, une affection profonde, fondée sur l'estime et le respect, et aussi, s'avoua-t-il, sincère, sur l'habitude, la présence, le dialogue, l'unissaient encore à Elise.

Elle disparue, sa solitude serait complète.

A Nyon, où ils arrivèrent au crépuscule, dans une ville encore en proie à l'émotion, ils durent se frayer un passage à travers les groupes pour atteindre la mairie, où le syndic, portant cravate noire, accueillait depuis le matin les parents des victimes. Il connaissait l'entrepreneur Métaz et vint à lui aussitôt.

— Ah ! mon pauvre ami. Quelle catastrophe, quel drame. Je ne sais comment vous dire ce que je ressens, marmonna l'élu, visiblement accablé.

Puis il invita Axel à le suivre.

— Je vais avec vous, monsieur, décida Lazlo.

Axel acquiesça. Se heurtant à des gens hagards, ils suivirent leur guide, qui les confia, à l'entrée d'une salle transformée en morgue, à un infirmier en blouse blanche.

A la lueur des torchères et des chandelles, dans une atmosphère tiède, où déjà l'odeur de la mort se mêlait à celle du papier d'Arménie qu'on brûlait par hygiène, sous les draps, offerts par les habitants de la ville, les corps des victimes, alignés pour une revue macabre, attendaient confirmation, par un proche, de leur identité. Un papier épinglé sur chaque linceul proposait celle supposée, établie par les sauveteurs au moyen de papiers trouvés sur les cadavres.

Les trois hommes avancèrent au milieu de femmes en sanglots et d'hommes anéantis par le chagrin, agenouillés ou penchés sur le corps inerte d'une fille, d'un frère, d'une mère ou d'une fiancée, quitté dimanche, après la fête, vivant et joyeux.

— Voilà, monsieur, cette dame, dit l'infirmier après avoir lu le nom de Métaz. Si vous voulez bien reconnaître le corps, ajouta l'homme, s'apprêtant à découvrir la dépouille.

Lazlo, d'un geste sec, lui retint le bras et jeta un regard à son maître. Tous deux avaient eu la même pensée : lever le drap c'était lever le dernier doute. Condamner ou conforter l'espérance.

Axel s'y résolut et découvrit le visage tuméfié d'Elise.

— Il s'agit bien de mon épouse, dit-il à l'homme, tandis que Lazlo, avec une extrême délicatesse relevait les cheveux collés aux joues de la morte et rabattait le drap.

— Je dois m'inquiéter du sort de M^me^ Laviron. Retournons voir le syndic, dit Métaz, encore abasourdi par l'évidence de la mort.

— Parmi les seize corps retrouvés, plusieurs sont sans identité, monsieur, dit l'infirmier. Voulez-vous les voir ?

M^me^ Laviron ne figurait pas parmi les cadavres qu'on leur montra.

Quittant l'hôtel de ville, Axel retourna s'asseoir dans son cabriolet, ferma les yeux et se prit la tête dans les mains. Lazlo, respectant cet instant de solitude voulue, s'éloigna. Il se demandait pourquoi M^me^ Métaz, montée dans le train à Lausanne, s'était trouvée dans la barque de radelage de l'*Helvétie* à Nyon. Le Tsigane savait que son maître, son bienfaiteur, à qui il portait tant d'affection et de respect, se posait la même question. Il se rendit d'abord à la taverne, interrogea des gens qui avaient été témoins de l'accident et qui n'en finissaient pas de raconter l'abordage de la barque par le vapeur, améliorant chaque fois leur récit, que les journalistes s'empresseraient de reproduire. Son enquête finit par le conduire à la gare, où lui fut donnée la solution de l'énigme.

— Dimanche, nous avons dû détacher du train direct un wagon, qui menaçait de prendre feu, par suite d'un échauffement du frein. Un sabot qui collait au bandage. On a fait descendre les voyageurs et, comme le train était archiplein — c'est toujours comme ça les jours de fête —, ils n'ont pas pu trouver place dans les autres wagons. On a donc conseillé à ceux qui allaient à Genève de prendre l'*Helvétie* qui passait vers six heures et demie. Pas de chance pour quelques-uns, il paraît, puisqu'il y a eu cet accident, dû à la faute du chef radeleur. Cet imbécile, pour gagner du temps sur l'*Aigle*, a envoyé sa barque avant que l'*Helvétie* soit arrêté et que ses roues soient immobiles, comme le veut le règlement. Ça va lui coûter sa place. Remarquez que le capitaine de l'*Helvétie* est, lui aussi, coupable pour n'avoir pas attendu au large, raconta l'employé.

Lazlo rapporta ces propos à Axel.

— Je me doutais qu'elle avait eu un empêchement quelconque. J'avais pensé à un malaise d'Anaïs, qui l'aurait obligée à descendre du train. Mais cela laisse un espoir pour Mme Laviron, peut-être a-t-elle pu rester dans le train. Peut-être est-elle rendue à Genève, imagina M. Métaz.

Dominant son chagrin, il s'en fut donner des ordres à un ébéniste de sa connaissance, moins sollicité ce jour-là que les menuisiers chez qui les familles passaient depuis le matin commande de bières. Il obtint de l'artisan qu'il confectionnât un cercueil d'acajou capitonné de satin blanc.

— Je dois me rendre à Genève, mais je serai de retour demain matin, par le premier train, pour la mise en bière, précisa-t-il.

Puis il s'en fut au bureau du télégraphe et expédia en urgence une dépêche à Heidelberg. Il souhaitait que Bertrand fût présent aux obsèques de sa mère.

— Maintenant, nous allons à Genève, décida-t-il.

Au milieu de la nuit, la cloche de l'hôtel Laviron éveilla en même temps Alexandra et Basil Coxon. Le visage courroucé du majordome s'encadra dans le judas du portail puis Coxon leva sa lanterne, pour s'assurer que le visiteur inattendu était bien M. Métaz comme il le prétendait.

— Ces messieurs n'étaient pas annoncés, dit-il en boutonnant prestement sa veste à rayures.

— Ouvrez le portail à ma voiture, dit Axel sans donner d'explication.

Tandis que Lazlo conduisait Icare, fourbu, aux écuries, Axel traversa la cour. Il atteignit le perron au moment où Alexandra apparut en robe de chambre.

— Tu es toujours le bienvenu, mais à cette heure-là, quelle surprise ! Que se passe-t-il, parrain ?

— De bien tristes choses, viens, je vais te le dire. Mais d'abord, dis-moi : Anaïs est-elle ici ?

— Mais non ! Elle est chez toi à Vevey. Elle rentrera je ne sais quand, avec Elise, qui doit venir consulter Maunoir. Mais qu'est-il arrivé ? Pourquoi cette question et cette visite en pleine nuit ? Parle, je t'en conjure, dit la banquière, alarmée.

— Viens, fit-il en entraînant sa filleule au salon, où Coxon avait allumé les lampes.

Alexandra comprit tout de suite aux traits défaits de son parrain qu'il devait lui annoncer une mauvaise nouvelle. Quand tout fut dit, elle lui prit les mains, les baisa, avant de les mouiller de ses larmes.

— Mon Dieu, quelle fin horrible. J'étais à cent lieues d'imaginer, en lisant le récit de la catastrophe dans les journaux, qu'Elise pouvait figurer parmi les victimes. Mais Manaïs, alors, où est-elle ?

— Elle n'est pas parmi les mortes que j'ai vues à Nyon. Peut-être est-elle à l'hôpital cantonal, où l'on soigne plusieurs blessés. Et puis le lac n'a pas rendu tous les corps.

— Mon Dieu, quelle tragédie ! Je dois aller tout de suite à Nyon, parrain, car je suis bien certaine que Manaïs, si peu ingambe, n'a pas quitté Elise. Si elle est à l'hôpital, elle a besoin de moi. Sûr qu'elle s'était embarquée avec Elise. Oh ! mon Dieu, quelle fin affreuse !

— Je dois prévenir Vincent du décès de sa mère. Mon coup de cloche ne semble pas l'avoir réveillé. Je monte jusqu'à sa chambre. J'aime mieux lui annoncer la nouvelle moi-même, dit Axel, se dirigeant vers l'escalier.

— Inutile. Il découche toujours la nuit du mardi au mercredi. Il ne rentre qu'à l'heure de la collation du matin, dit Alexandra.

— Va t'habiller. Je vais l'attendre et nous prendrons le train de sept heures : ce sera plus rapide que la voiture.

Une aube bleutée, lumineuse et fraîche, annonçant un beau jour d'été, éclairait les vieilles pierres de la rue des Granges quand Vincent apparut, allègre, le pas vif. En traversant le hall, il aperçut son père et Alexandra, assis au salon. Ces présences insolites interrompirent net son sifflotement gaillard.

— Ben ! Qu'est-ce qui vous arrive ? Déjà debout ! Vous en faites des têtes !

En trois phrases mesurées, Axel révéla à son fils aîné la mort de sa mère.

— Oh ! Non. C'est impossible. On ne meurt pas comme ça ! jeta le jeune homme avant de se réfugier dans l'embrasure de la fenêtre pour cacher les larmes qu'il ne pouvait retenir.

Axel attendit que Vincent retrouve la force de dominer son désarroi.

— Prépare-toi : nous allons à Cornavin prendre le train pour

Nyon. Lazlo ramènera la voiture, dit doucement M. Métaz, entourant d'un bras affectueux les épaules de son fils.

A Nyon, alors que l'activité commerciale reprenait dans la ville endeuillée, Axel, Vincent et Alexandra retrouvèrent le général Fontsalte, venu de Lausanne, qu'accompagnaient Louis Vuippens et sa femme, le pasteur Duloy et Pernette. La vieille servante avait supplié le médecin de l'emmener afin qu'elle puisse rendre les derniers devoirs de toilette à sa maîtresse.

Louis savait déjà que le corps de Mme Laviron avait été retrouvé et déposé à la morgue.

— Il semble que le bateau de radelage fut d'abord heurté par l'*Helvétie* puis accroché par la roue à aubes qui continuait à battre. D'où ces blessures que portent certaines victimes.

— Mais Mme Laviron est intacte. Elle a péri noyée, intervint Zélia, pour atténuer le chagrin, fait de révolte autant que de désolation, de son amie Alexandra.

Le docteur Lambossy et le lieutenant de gendarmerie Panchaud, qui n'avaient cessé, depuis la catastrophe, de diriger les secours avec le préfet, venaient d'annoncer le bilan définitif de l'accident. La catastrophe avait fait dix-huit victimes dont une seule, Mlle Blanc, avait été tuée par la roue du vapeur, les autres ayant péri asphyxiées par immersion, comme M. Kisielewski, ancien directeur du Théâtre de Lyon.

Le gendarme annonça aux familles que, dès l'arrivée de l'*Helvétie* à Genève, le capitaine, Jacques Ursenbach, le pilote, Pierre Bruchon, et le mécanicien du vapeur, Claude Lantillon, avaient été arrêtés et incarcérés. Le radeleur, Guillaume Rousset, et son aide, Samuel Jeannet, devraient eux aussi comparaître devant la justice, ainsi que le timonier, Michel Champoury.

— Punir les fautifs est une chose, mais il serait souhaitable que l'on supprime le radelage, opération dangereuse par gros temps, et que l'on construise, partout, des pontons où les vapeurs puissent accoster. Les radeleurs reçoivent environ mille francs par an de chaque compagnie, ce qui leur laisse cinq à six mille francs. Les pontons seraient vite amortis, déclara Blaise de Fontsalte, approuvé par tous ceux qui l'entendirent.

Dans le courant de l'après-midi, après la mise en bière, le général, voulant épargner à Alexandra et à Axel démarches et discussions avec les voituriers, organisa, assisté de Vincent, le transport du cercueil de Mme Laviron à Genève et celui d'Elise à Vevey. Il fut décidé que les funérailles de la première auraient lieu le lendemain des obsèques de la seconde, afin que tous les membres du cercle Fontsalte puissent assister, ensemble, aux deux cérémonies.

La population de Vevey rendit à Elise Métaz de Fontsalte l'hommage que son dévouement aux pauvres, aux malades et aux institutions sociales de la ville valait à une dame d'œuvres généreuse et libérale. Axel n'autorisa qu'une allocution, celle du pasteur Albert Duloy. Très ému, le vieil homme, le seul à qui Elise se confiait, avait suivi depuis des années le cheminement spirituel de cette chrétienne irréprochable, qui jamais n'avait révélé à quiconque la secrète frustration que lui imposait sa santé menacée. Ses lèvres n'avaient jamais laissé échapper la moindre plainte. Elle avait dissimulé et excusé les faiblesses d'un époux qu'elle supposait aussi malheureux qu'elle. Elle s'était dévouée aux autres pour s'oublier.

Bertrand, arrivé en temps utile de Heidelberg, parut à tous le plus accablé par la disparition brutale d'une telle mère.

— Je crains bien de l'avoir déçue en n'optant pas pour le pastorat. Peut-être ai-je été ingrat envers elle, dit l'étudiant, au cours d'un tête-à-tête avec M. Duloy.

— Un bon médecin est aussi, dans son genre, un pasteur, au sens biblique du terme, de gardien et protecteur du troupeau, Bertrand. Nous ne sommes pas de ceux qui croient, comme les papistes, que la souffrance élève l'âme et sanctifie l'être humain. Si les méchants pouvaient y voir une punition divine pour leurs méfaits, les justes seraient en droit de la prendre pour injustice et de douter de la bonté de Dieu. Je crois, au contraire, qu'en soignant le corps, le médecin soigne l'âme, ce qui atténue le sentiment de révolte du chrétien, toujours prêt à demander pourquoi Dieu permet-il que l'innocent souffre. Et ce genre de soins, je sais que tu sauras le prodiguer. Ne te tourmente pas, ta mère l'avait compris, acheva le pasteur.

A Genève, tout ce qui comptait dans la ville, des élus du parti conservateur aux présidents des œuvres charitables, en passant par les banquiers de la Corraterie et les personnalités du haut négoce, accompagna Mme Laviron au cimetière des Rois. Elle fut inhumée dans le caveau familial, près de Pierre-Antoine, son mari, Anicet et Juliane, ses enfants, morts du choléra en 1832. Tandis que les fossoyeurs scellaient la dalle, Alexandra, seule désormais à porter le nom de ses parents adoptifs, reçut les condoléances.

Jamais elle n'avait paru aussi mince, aussi rigide, aussi droite, dans un tailleur à veste cintrée et longue jupe étroite, la tête couverte d'un voile qui, dissimulant ses traits, lui couvrait aussi les épaules et le buste. Axel la vit, lame noire dressée dans la lumière d'août au milieu des tombes, telle Atropos, la plus inflexible des Parques, l'impitoyable trancheuse des destinées humaines. Il s'empressa de chasser cette réminiscence mythologique, injurieuse pour sa filleule, dont le chagrin était aussi réel qu'édifiante la dignité. Aussi lui offrit-il son bras pour quitter le cimetière et resta-t-il seul avec elle, quand, le soir venu, Vuippens et Zélia regagnèrent leur foyer, reconduisant le général Fontsalte, le pasteur Duloy et Pernette, tandis que Vincent et Bertrand allaient marcher sur la Treille pour partager, loin des autres, leur chagrin d'orphelins.

— Comment vas-tu organiser ta vie, maintenant que te voilà bien seul ? demanda Alexandra.

— Le général, devenu veuf l'an dernier, n'a rien changé à son train. Je ne vais rien changer au mien. La vie continue, Alexandra, même si elle n'est plus très réjouissante, elle continue. Et puis Bertrand va rentrer à la fin de l'été, son diplôme de médecin en poche. Je sais qu'il ira, comme dit Louis, se faire la main quelque temps à l'hôpital cantonal de Lausanne, pour préparer sa thèse de doctorat. Il veut traiter des accidents des travailleurs. L'an dernier, le 29 mai, une cinquantaine d'ouvriers ont été ensevelis par un éboulement dans le tunnel du Hauenstein. Cette catastrophe a scandalisé Bertrand. Il veut inventorier les types de blessures causées aux ouvriers sur les chantiers et proposer des protections plus efficaces. A Saint-Loup, Aricie est prête à l'accueillir à l'hospice des dames diaconesses, qui regorge d'ouvriers des chemins de fer, blessés ou malades. Je ne serai donc pas aussi seul qu'il paraît, dit Axel.

— Tu n'as qu'un mot à dire, tu le sais, et je viens à Rive-Reine tenir ta maison.

— Ce mot, Alexandra, je ne le dirai pas. Il est trop tôt… ou trop tard, conclut-il.

Il quitta son fauteuil, pour mettre fin à l'entretien qu'il jugeait incongru, en donnant le signal du coucher. Mais Alexandra le retint d'un geste.

— Trop tôt, peut-être, mais pourquoi trop tard ? Je n'ai pas changé, Axel. Je vais avoir trente-six ans en novembre prochain, autant dire l'âge d'une vieille fille confirmée. Sans les soins du coiffeur, j'aurais déjà plus de cheveux gris que bruns, mais le cœur et la volonté sont intacts, dit-elle.

— Ce n'est peut-être pas le jour d'aborder ce sujet-là non plus, Alexandra, mais, tes rapports avec Zélia, qu'en est-il exactement ? Louis n'a rien dit, mais il vous a surprises en curieuse posture, il y a déjà longtemps, dit sèchement Métaz, se rasseyant.

S'il comptait décontenancer sa filleule, Axel fut déçu. Alexandra endura l'accusation sans broncher.

— Un amusement de pensionnaire ou de nonne. Pour voir. Un exutoire, très décevant par rapport à ce qu'on imagine ou se figure. Quand je pense qu'on en fait des romans et un péché ! Le plaisir, comme le mal, est ailleurs, Axel. Ce n'est sans doute que dans l'amour d'un homme qu'une femme peut connaître le bonheur et la plénitude du plaisir… avec bonne conscience ! Mais cela m'a été refusé. Et tu sais par qui, dit-elle avec un triste sourire.

— On peut vivre sans amour physique, même dans le mariage, Alexandra, j'en sais quelque chose et ce cher John Keith…

— Oui, ce cher John, coupa-t-elle. Il n'oublie jamais de m'envoyer une gerbe de roses rouges pour mon anniversaire, accompagnée, depuis des années, de la même demande en mariage, que je n'ai jamais pu décourager, confia-t-elle, pleine d'affectueuse commisération pour son vieil amoureux anglais.

— Patience et obstination sont des vertus britanniques.

— Et la résignation ? Est-ce une vertu ? jeta la banquière, agacée, en quittant son fauteuil.

Malgré son deuil, M. Métaz tint cette année-là, comme toutes les autres, à offrir sur la terrasse de Rive-Reine le traditionnel ressat des vendanges. Assis entre ses deux fils, il présida le banquet à la place autrefois dévolue à Elise, après avoir refusé, comme l'avait proposé Pernette, qu'on laissât une chaise vide pour marquer l'absence de la maîtresse du logis.

— Pas de rites macabres, Pernette. Madame Elise sera présente à la pensée de chacun des convives, avait dit M. Métaz, catégorique.

On évoqua, bien sûr, autour des tables, les souvenirs conjoints d'Elise, de Charlotte et d'Anaïs, tout le monde s'accordant pour dire que le général et le maître de Rive-Reine supportaient avec courage et décence leur veuvage.

On commenta aussi le jugement rendu par le tribunal de Genève dans l'affaire de l'*Helvétie*. Sept accusés avaient comparu, le 27 septembre, devant le président Favre. Le procureur avait conclu à la responsabilité du pilote et du capitaine, défendus par Me Martin. Les deux hommes, reconnus coupables d'homicide par imprudence, avaient été condamnés, le capitaine, Ursenbach, à cinq mois de prison, le pilote, Pierre Bruchon, dit Caza, à six mois de la même peine. Ils devaient, en outre, assumer conjointement les frais du procès, trois mille francs[1]. Quant aux cinq autres inculpés, ils avaient tous été acquittés. Après le jugement, un des avocats, maître Perrin, avait osé mettre en cause les compagnies de navigation et les autorités en disant : « Le capitaine Ursenbach se soumet sans murmurer au coup qui le frappe, parce qu'il espère qu'il sera utile au public en forçant peut-être, soit l'Etat, soit les compagnies, à faire ce que depuis longtemps l'on réclame d'eux et qu'on est en droit d'attendre de leur part pour la sécurité de la navigation. »

— Espérons que la tragédie de Nyon va décider les autorités à exiger, des communes desservies et des compagnies, la construction rapide d'appontements, observa Blaise[2].

— Elles seraient d'autant plus coupables si rien n'était fait, qu'un autre accident identique à celui de Nyon a failli se produire, le 31 août. En arrivant au port de Coppet, le *Léman* a voulu éviter une barque qui lui coupait la route. Le capitaine fit machine arrière et la poupe talonna sur des rochers immergés, qui ouvrirent une voie d'eau. Cette fois, les passagers ne connurent pas d'autre inconvénient que l'obligation de prendre le train pour Genève, mais l'affaire aurait pu, encore une fois, mal tourner, rapporta le colonel Golewski.

— Les ouvriers d'Escher Wyss, qui sont venus de Zurich, ont mis deux semaines à tirer le *Léman* des rochers. Ce fut un vrai

1. La commandite de l'*Helvétie* dut payer 70500 francs d'indemnités aux familles des victimes, ce qui l'obligea à liquider le bateau, lequel fut acquis, à l'enchère publique du 1er octobre 1859, par une autre société, pour la somme de 116100 francs, *Histoire imagée des grands bateaux du lac Léman,* Edouard Meystre, Payot, Lausanne, 1967.

2. Le débarcadère de Nyon fut construit fin 1858. Il en existait déjà à Genève, au port du Molard, à Rolle, à Ouchy, à Villeneuve. On en construisit ensuite à Vevey, Clarens, Montreux, mais le dangereux radelage ne prit fin qu'en 1863.

chantier. Ils durent construire un échafaudage et soulever le bateau avec des crics à vapeur. Ils ont ensuite pompé l'eau, colmaté la coque, avant que l'*Hirondelle* puisse remorquer le *Léman* jusqu'à Ouchy, où il est, à mon avis, pour un bout de temps, précisa Tabourot, le bacouni.

Les risques d'accident semblaient multipliés depuis que le chemin de fer faisait aux vapeurs une concurrence chaque mois plus efficace. Les accords passés entre les compagnies de navigation et la compagnie de l'Ouest des chemins de fer suisses augmentaient encore les dangers, car les capitaines des vapeurs se devaient de « faire l'heure » dans les ports, pour assurer la correspondance avec les trains.

Quand les invités du ressat se dispersèrent, M. Métaz resta seul, à fumer sa pipe sur la terrasse de Rive-Reine. Comme souvent au pays de Vaud, la première quinzaine d'octobre offrait un reste d'été adouci. La lumière satinée de fin d'après-midi, l'air immobile, le lac lisse, conféraient au site familier une telle paix rassurante qu'Axel en eut la gorge nouée. Tant de beauté paraissait inconciliable avec tant de vies consommées. Il eût aimé qu'Elise fût encore là pour partager cet instant. Il la revit, près du bassin aux dauphins cracheurs, plantant son aiguille empennée de laine colorée dans le canevas d'une tapisserie qui ne serait jamais achevée. Entre elle et lui le silence n'était jamais absence. Il suffisait d'un mot, d'une vague considération sur l'envol bruyant d'un couple de cygnes ou du dernier ragot, rapporté par Pernette de l'épicerie de Marie Bonnaveau, pour que soit perceptible la palpitation de la vie commune et se renouvelle l'échange des pensées. Le fauteuil d'Elise avait été rangé et, dès son retour de Genève, le veuf, imitant en cela Blaise de Fontsalte, avait demandé à Lazlo de brûler, derrière les communs, tous les vêtements de la morte. Il avait aussi convoqué le tapissier et le peintre pour rénover le décor de la chambre d'Elise. Il avait remplacé rideaux et voilages, substitué au lit et à l'armoire une bibliothèque, un grand bureau d'acajou, deux fauteuils et un canapé, afin que Bertrand trouvât tout agencé, à son retour prochain de Heidelberg, un cabinet de travail confortable.

La vue de la *Juliane*, sa plus belle barque, rentrant à vide, légère et lente, lui inspira l'idée de baptiser *Elise* celle actuellement en construction sur son chantier de l'entre deux villes. Sans doute le dernier bateau qu'il lancerait, car Axel savait que les jours des entreprises lacustres semblables à la sienne étaient comptés.

Dès que le réseau ferroviaire aurait atteint une densité suffisante, que les trains seraient assez nombreux et rapides pour assurer, aussi bien le transport des voyageurs que celui des marchandises, les grandes barques à voiles latines, actrices élégantes et romantiques vouées au décor du Léman, perdraient le monopole des naus antiques. Ces nacelles majestueuses qui, depuis des siècles, portaient de Villeneuve à Genève, de Saint-Gingolf à Morges, d'Evian à Lausanne, tout le nécessaire et l'utile à la vie des hommes, s'en iraient pourrir dans leur souille, au fond de baies désertes. « Les barques meurent aussi », se dit Axel en voyant les bacounis de la *Juliane* abattre les voiles pour rentrer au mouillage de La Tour-de-Peilz.

Bertrand arriva, comme prévu, au commencement de novembre, nanti du diplôme qui l'autorisait à exercer la médecine, « c'est-à-dire à tuer les gens avec la bénédiction d'Hippocrate », précisa Louis Vuippens, ironique. Le vieil ami d'Axel se dit fier des appréciations portées sur son filleul par les maîtres de Heidelberg, Ludwig Helmholtz, qui enseignait l'anatomie et la physiologie, Nikolaus Friedreich, professeur d'anatomie pathologique, qui avait donné son nom à une maladie concernant les troubles de la coordination des mouvements. Bertrand avait, aussi, suivi les cours de clinique en chirurgie et en pharmacologie, matières nécessaires au praticien qui souhaitait s'intéresser aux accidentés des chantiers et des usines.

Le diplômé dut, en respect de la loi vaudoise du 1er juin 1810, prêter serment devant les autorités et ses pairs. Axel Métaz, Vincent et Blaise de Fontsalte tinrent à assister à cette cérémonie. Tous regrettèrent avec émotion que la mort eût privé Elise et Charlotte du bonheur de voir leur fils et petit-fils s'engager sur la Bible « à exercer avec prudence » l'art pour lequel il avait été patenté, « à soigner avec zèle, sans distinction des personnes ni des fortunes » tous les malades, avant de jurer « toutes ces choses par le nom du Dieu fort, comme je veux qu'il m'assiste à mon dernier jour ».

Le nouveau médecin était encouragé dans la voie qu'il avait choisie par un confrère genevois, son aîné de deux ans, Pierre-Louis Dunant, frère d'Henry Dunant, le fondateur de l'Union Chrétienne des Jeunes Gens. Pierre-Louis Dunant avait étudié à Paris et, comme Bertrand, tenait à pratiquer une médecine sociale. Toute la famille Dunant semblait d'ailleurs vouée à la philanthropie, à l'exemple d'un aïeul médecin, feu Charles-Guillaume Dunant[1], auteur du fameux traité *Pharmacopea genenvenis*.

On appréciait déjà la disponibilité et la gentillesse du jeune docteur Métaz, tant à l'hôpital de Lausanne où l'avait introduit Vuippens, que dans les familles des malades que Louis lui confiait pendant ses absences. Bertrand s'efforçait de passer le plus souvent possible la soirée avec son père, à moins qu'ils n'aillent, ensemble, dîner avec le général Fontsalte et le colonel Golewski, à Beauregard.

Au cours de ces rencontres, on évoquait, sans vaine mélancolie, les disparus, à travers les plaisants souvenirs du passé, « quand les dames embellissaient nos tables », aussi bien que les événements d'actualité.

Le colonel Golewski avait eu vent, en septembre, d'une visite du prince Napoléon au tsar Alexandre II, qui séjournait en Pologne. Au cours de cette entrevue, le cousin germain de Napoléon III avait reçu l'assurance que la Russie n'interviendrait pas au côté des Autrichiens si les troupes françaises entraient en Italie. A condition, toutefois, que la France veuille bien reconsidérer la limitation, imposée par le traité de Paris, du nombre des navires russes admis à naviguer en mer Noire.

Blaise avait appris ensuite que l'empereur avait fait demander au vieux général suisse Antoine Henri de Jomini — qui avait servi Napoléon Ier avant de passer, en 1813, au service du tsar et qui s'était depuis longtemps installé en France —, un plan d'attaque contre l'Autriche. Comme cette « consultation » coïncidait avec la création, en France, de trois grands camps militaires d'instruction, avec une mission du général Niel en Italie, avec la révélation que la France enverrait deux cent mille hommes en Piémont « en cas d'agression autrichienne » et que, le 1er janvier 1859, Napoléon III avait déclaré à l'ambassadeur d'Autriche à Paris qu'il regrettait que les rapports du gouvernement impérial avec le gouvernement autrichien « ne soient pas aussi bons que par le passé », les deux amis s'attendaient à une nouvelle guerre. Les Autrichiens aussi car, informés des préparatifs des Français et des Sardes, ils envoyaient des renforts en Italie du Nord.

En attendant de ressortir cartes, petits drapeaux, épingles et laines de couleur pour suivre, au jour le jour, ce que Blaise nom-

1. 1744-1808.

mait déjà la campagne d'Italie de Louis Napoléon, le général distrayait sa solitude en achevant la mise au net du récit de ses campagnes.

Ayant, un soir, entraîné son fils jusqu'à son cabinet de travail, il ouvrit une armoire et désigna à Axel des piles de dossiers, strictement alignés et numérotés.

— Vous avez là le contenu de la vie d'un soldat mêlé à l'histoire de la Révolution, du Consulat et de l'Empire. Naturellement, un soldat ne voit jamais tout d'une bataille. Il ne connaît, de celle-ci, que ce qui se passe autour de lui, ce qui le touche personnellement. Il peut longtemps ignorer, en combattant, si l'on court à la victoire ou si l'on craint la défaite. Cependant, ma position au service des Affaires secrètes et des Reconnaissances m'a permis d'en connaître un peu plus que le commun des officiers d'état-major. J'ai toujours eu, tant sur les champs de bataille que dans les services ou les salons, de très bons postes d'observation. Quand j'aurai rejoint votre mère, tous ces papiers seront à vous. Vous en ferez l'usage que vous dictera votre conscience. C'est pour vous, pour Vincent et Bertrand, que je les ai rassemblés, conclut, ce soir-là, le général.

Le conflit annoncé, voulu par Napoléon III et Cavour, fut amorcé le 20 avril quand le chancelier d'Autriche, parfaitement informé des préparatifs français et sardes, adressa un ultimatum au roi Victor-Emmanuel II, l'invitant à désarmer ses troupes dans les trois jours. Cette exigence autoritaire, inacceptable prétention, constituait le casus belli qu'attendaient Napoléon III et Cavour. Le 25 avril, trois divisions françaises marchaient vers l'Italie ; venant d'Algérie d'autres troupes naviguaient vers Gênes ; les Etats sardes mobilisaient : c'est-à-dire que les Piémontais se préparaient les premiers au combat. Le 26 avril, la guerre était déclarée ; le 30 avril, les Français entraient à Turin, ovationnés par leurs alliés. Deux semaines plus tard, cent mille soldats français stationnaient en Italie, prêts à en découdre avec les Autrichiens, dont les renforts marchaient sur Milan.

Le 8 mai, les troupes autrichiennes, qui avaient déjà occupé Verceil, Casale, Valence, Pavie et Magenta, avançaient sur Turin. Un temps menacée, la ville allait connaître des jours difficiles jusqu'à ce que sept mille français mettent en déroute, le 20 mai à Montebello, vingt-cinq mille Autrichiens. Ces derniers avaient laissé sur le terrain deux cent quatre-vingt-quatorze tués et sept cent dix-huit blessés. Côté français, on dénombrait cent cinq morts, dont le général Beuret, et cinq cent quarante-neuf blessés. Cette victoire prouvait l'efficacité de l'offensive française. Napoléon III, qui s'était embarqué à Marseille pour Gênes, le 11 mai, était arrivé le 14 mai à Alessandria, d'où il avait adressé aux troupes rassemblées une proclamation qu'il eût voulue dans le ton de celle que son illustre oncle avait fait lire à ses soldats, la veille de Marengo.

— Louis Napoléon a enfin sa campagne d'Italie. Mais bien qu'il ait jugé édifiant, dans sa proclamation, reproduite par les journaux, de rappeler nos combats et nos victoires de 1800, Marengo, Lodi, Castiglione, Arcole et Rivoli, son texte n'a ni le panache ni la force de ceux du Premier consul. Le ton de l'oncle, net, sobre, fort, le ton du soldat, qui nous galvanisait, fait défaut au neveu, constata Blaise.

Tandis que le général Fontsalte et le colonel Golewski se penchaient sur leurs cartes d'état-major et spéculaient sur les choix tactiques de Napoléon III, devenu commandant des forces alliées en Italie, les autorités suisses s'inquiétaient des conséquences d'une guerre si proche.

Dès le 5 mai, le Conseil fédéral avait proclamé haut et fort la neutralité du pays, en même temps qu'il ordonnait l'appel sous les drapeaux de certains contingents fédéraux et nommait, pour la quatrième fois de sa carrière, le général Guillaume Henri Dufour commandant en chef de l'armée fédérale. Ce dernier ordonna des levées de troupes et fit couvrir les régions frontières du Valais, du Tessin et des Grisons. Son chef d'état-major, le colonel Ziegler, s'installa avec ses bureaux à l'hôtel Métropole, à Genève, mais n'eut pas à mettre sur pied les unités genevoises. Ainsi, Vincent Métaz de Fontsalte fut-il dispensé, cette fois, de revêtir l'uniforme. Fort heureusement d'ailleurs, car le jeune banquier, à qui Alexandra confiait de plus en plus de responsabilités, était accaparé par les affaires.

Alexandra et Vincent s'intéressaient notamment à une vaste opération immobilière, rendue possible aux Pâquis par les destructions dues à l'incendie qui, au cours de la nuit du 18 au 19 juin de l'année précédente, avait détruit six chantiers vétustes, situés entre la gare de Cornavin et la maison des Orphelins. Grâce à l'intervention des pompiers, ces bâtiments neufs n'avaient pas été endommagés. En revanche, les flammes avaient anéanti des dépôts de planches, de bois à brûler, de charbon et quelques sordides maisons de bois, dont les occupants avaient pu fuir à temps. En nettoyant cette zone, les flammes avaient libéré des terrains, dont les bâtisseurs avisés s'étaient immédiatement portés acquéreurs. On murmurait même que l'incendie, né au voisinage du vieux café Charbonnet, avait été allumé par une main criminelle. Quand il s'agissait de tirer bénéfice des circonstances, Vincent et Alexandra n'avaient pas d'états d'âme. La banque avait donc acheté plusieurs parcelles qui appartenaient aux incendiés. Elle les avait conservées jusqu'au jour où le quartier, déjà condamné par le plan d'urbanisme, était devenu constructible. Vincent venait de revendre, avec un fort bénéfice, ces terrains à une société immobilière dont la banque Laviron Cornaz Métaz de Fontsalte et Cie était actionnaire fondateur.

— J'ai réussi là une bonne affaire, dit-il en rendant à son père la dernière partie, assez modeste, de la somme qu'il lui devait encore, au titre du remboursement de ses dettes londoniennes.

Axel apprécia le geste mais invita son fils à ajouter ces fonds à sa commandite, afin qu'ils fructifient pour le bien commun.

Depuis sa mésaventure de jeunesse, Vincent avait pris le jeu en telle horreur qu'il était de ceux qui, depuis quelques mois, menaient l'offensive contre le Cercle des Etrangers.

Dès la destruction des fortifications et le comblement des fossés, ce qui assurait la continuité du quai des Bergues jusqu'aux Pâquis, James Fazy avait demandé à l'architecte Joseph Collart de construire un immeuble de rapport sur le terrain que lui avait offert la République de Genève, naïve et reconnaissante. Le chef radical s'y était réservé un appartement somptueusement aménagé.

D'après ceux que le président du Conseil d'Etat recevait, cette demeure était richement meublée et décorée. On voyait aux murs des tableaux de Van Loo, Véronèse, Ribera, Titien, Van Dyck, Claude Lorrain et, sur des stèles, des statues de James Pradier. Pour faire face aux dépenses inhérentes à cette coûteuse installation, Fazy avait, disait-on, emprunté de l'argent en France et louait, pour vingt-cinq mille francs par an, le premier étage de son immeuble au Cercle des Etrangers devenu, dès 1852, maison de jeu. L'établissement comportait quatre salons, qui ouvraient sur un vestibule où se trouvait le vestiaire. Dans l'une des pièces, on consommait du bordeaux et des viandes froides à toute heure ; dans une autre, pourvue de fauteuils confortables, on pouvait lire les journaux et rédiger sa correspondance ; une troisième était réservée aux « petits jeux », échecs, dames et cartes, tandis que, dans la plus vaste, une grande table, couverte d'un tapis vert, n'était accessible qu'aux joueurs initiés. Le *Journal de Genève,* au service des antifazystes, avait récemment précisé qu'on trouvait au cercle une table de trente-et-quarante et que les croupiers étaient autorisés à accepter des mises jusqu'à deux mille francs. Le rez-de-chaussée de l'immeuble abritait une salle de bal et des salons, que louaient des sociétés, pour réceptions et banquets.

Les jeux de hasard ne constituaient pas une nouveauté à Genève. A la fin du XVIIIe siècle, fonctionnaient des loteries, dont la fameuse Roue de la fortune, à laquelle de nombreux Genevois avaient tenté leur chance. Ce jeu avait suscité un tel engouement que les autorités protestantes s'étaient émues. Pris par la passion du jeu, des maîtres horlogers, des négociants, des commerçants, des pères de famille avaient dilapidé leurs biens. En ce temps-là un libraire connu, correspondant des loteries allemandes et gênoises, faisait de l'agiotage sur les mises et les gains. Le jour où l'on s'était aperçu que le banquier Pierre Chenaud, jusque-là de bonne réputation, recevait, lui aussi, des mises qu'il transmettait à un banquier de Bâle, le gouvernement avait interdit tous les jeux de hasard sur le territoire de la République [1].

D'après M. Fazy, qui, paraît-il, fréquentait assidûment l'établissement installé sous son toit, on ne pratiquait, au Cercle des Etrangers, que les mêmes jeux autorisés dans tous les cercles de Genève et non la roulette, comme l'affirmaient ses ennemis politiques. Mais de nombreux citoyens, scandalisés, allaient répétant que Fazy abritait un tripot, construit sur le terrain offert par la République. Ils rappelaient aussi que le tribun avait déclaré, lors de l'inauguration de son immeuble, qu'il entendait « donner l'exemple de la construction digne des nouvelles destinées de Genève ».

Bien informé, Vincent détenait un rapport confidentiel de l'administration, daté du 20 septembre 1857. Le document révélait le détail de la fortune de Fazy. Le politicien disposait de 528 000 francs en banque, son hôtel valait 650 000 francs, sa campagne de Russin 198 000 francs. Il possédait, aussi, des actions de la Banque Générale Suisse, et des hypothèques et engagements d'un montant

1. D'après la *Revue du Vieux Genève,* 1990.

de 700 000 francs. De surcroît, il venait d'ajouter à sa collection de tableaux des œuvres de Greuze, Diday, Hamilton, Carrache, Ruisdael, Théniers, Poussin, Corrège !

Alexandra ne portait pas une affection particulière à Fazy, mais elle reconnaissait en lui l'homme qui, ayant par des méthodes, peut-être contestables mais efficaces, rénové la démocratie genevoise, voulait maintenant faire de Genève une cité moderne, accueillante et digne de son histoire. Aussi trouvait-elle exagérées les accusations partisanes du *Pierrot,* journal satirique de l'opposition.

— Genève n'a offert à Fazy qu'un terrain, et non l'hôtel qu'il a fait construire dessus. Pour ce faire, il a contracté d'importants emprunts, dont on dit au pays de Vaud qu'il ne peut plus aujourd'hui payer les intérêts, remarqua Axel.

— Vous m'étonnez, père, on m'a affirmé que Fazy toucherait cent mille francs par an sur la ferme des jeux, dit Vincent.

— Fazy s'est toujours pris pour un grand financier. Or, il spécule maladroitement et, quand il a créé une Bourse d'Etat, il n'a pas réussi à s'assurer le concours des agents de change qui l'eussent fait fonctionner[1], précisa Alexandra.

— N'empêche que c'est une autre de ses créations, la Banque de Commerce[2], qui, avec l'aide de capitaux français, lui a fourni l'argent pour construire et aménager son hôtel ! rétorqua Vincent.

— Nous avons appris, avec quelque étonnement, à Lausanne,

1. En 1856, James Fazy voulut en effet créer une Bourse d'Etat. La loi fut votée par le Grand Conseil en décembre 1856. Le local prévu se situait au deuxième étage de la maison de la Poste aux lettres, à Bel-Air. L'institution fut boudée, on dirait aujourd'hui boycottée, par les agents de change qui avaient déjà constitué leur Bourse depuis 1850. Un seul et unique agent de change se présenta à la Bourse d'Etat : « un nouveau venu étranger qui s'était inscrit à la chancellerie ». On ne le revit pas et la Bourse Fazy ne fonctionna jamais.

2. Cette banque fut liquidée en 1865 et Fazy, ruiné, dut vendre la même année, à Paris, sa collection de tableaux. Son immeuble, futur hôtel de Russie, fut vendu 478 422 francs en 1866. En 1867, la vente aux enchères de la gentilhommière, que James Fazy avait héritée de son père, lequel l'avait fait construire en 1789, à Russin, rapporta 350 000 francs. Les sommes ainsi recueillies servirent à payer emprunts et hypothèques. Ruiné, malade et retiré dans un petit appartement, rue Berthelier, le politicien genevois aurait fini dans la misère si le Conseil d'Etat ne l'avait chargé de cours à la faculté des Lettres, afin de lui allouer une indemnité de 3 000 francs par mois. Il mourut le 6 novembre 1878. L'hôtel de Russie, un des plus appréciés des touristes, fonctionna jusqu'en 1968, date à laquelle il fut vendu 6 200 000 francs à un groupe immobilier, qui le fit abattre pour construire l'immeuble sans caractère que l'on voit aujourd'hui.

que votre dictateur vient de se marier, presque en catimini, à l'âge de soixante-quatre ans. Est-ce exact ? demanda Axel.

— C'est vrai. Il a épousé l'an dernier la demoiselle de compagnie de sa défunte mère, de trente-trois ans sa cadette[1]. Comme quoi, les vieilles filles peuvent trouver de vieux maris ! confirma Alexandra en riant, avec un clin d'œil à son parrain.

James Fazy avait rencontré sa future épouse, Henriette Sprenger, en 1845, alors qu'elle avait dix-huit ans. Cette rencontre s'était faite sur le vapeur l'*Aigle* par une belle journée d'été. La demoiselle avait été présentée à Fazy par son ami Stockalper, qui regagnait Genève avec le tribun radical après un séjour à Lausanne. Stockalper ayant expliqué que M^lle^ Sprenger se rendait à Genève dans l'espoir de se placer, Fazy, qui cherchait une lectrice pour sa mère, devenue aveugle, proposa aussitôt l'emploi à la jeune fille, qui l'accepta.

On ignore quels furent, pendant treize années, les rapports de Fazy avec la dame de compagnie de sa mère. Les bonnes langues avaient vite soutenu que la gentille Henriette faisait la lecture à M^me^ Fazy mère et les délices nocturnes de Fazy fils. Aussi, quand James Fazy annonça son mariage avec la lectrice, il se trouva des Genevois pour dire : « Il lui devait bien ça ! » M^me^ James Fazy, épouse fort discrète, n'apparaissait jamais au côté de son mari dans les manifestations officielles, ni même aux dîners que donnait le politicien à ses amis[2].

A cette époque, le physique de Fazy fournissait aux caricaturistes peu charitables matière à ridiculiser le dictateur. Moustache tombante, dissimulant la commissure des lèvres, lorgnon, cheveux plaqués, séparés par une raie sur le côté gauche, cravate et gilet noirs sur chemise blanche, chaîne de montre festonnant sur le ventre lourd du sédentaire, mains épaisses, fossette au menton, regard peu aimable de l'éternel insatisfait : tel le connaissaient les Genevois.

1. Fazy épousa, le 25 février 1858, Elie-Joséphine-Henriette Sprenger (29 décembre 1827-23 janvier 1897), fille de Jacques Sprenger, de Saarbourg, maître de musique au 27^e^ régiment d'infanterie légère, et de Marie Marguerite Husserman, née à Saint-Maurice, en Valais.

2. Lors de la mort de Fazy, en novembre 1878, son nom apparaît dans l'avis de décès, mais aucun des auteurs des nécrologies, longues et détaillées, consacrées au tribun, ne lui adresse de condoléances, alors que le parti radical en est largement honoré. Elle n'est pas citée, non plus, parmi les personnalités qui suivent les funérailles du tribun et pas davantage, en 1882, lors de l'inauguration de la statue de Fazy aux jardins Saint-Jean.

Les détracteurs du tribun avaient choisi l'époque de son mariage pour inviter les citoyens vertueux à exiger la fermeture des jeux, arguant que le Cercle des Etrangers était « un lieu de perdition où disparaissaient d'énormes sommes d'argent ». Les hôteliers se plaignaient, car de riches voyageurs, ayant perdu au jeu, s'en allaient sans régler leur note. Les bijoutiers, les joailliers, les horlogers, les propriétaires de commerces de luxe, affirmaient que le Cercle leur enlevait des clients.

Le 29 décembre 1858, Théodore de Saussure, conservateur, membre du Grand Conseil, capitaine d'artillerie, descendant d'une illustre famille, avait été le premier à demander, dans un brochure sévère, l'application de l'article 410 du code pénal, qui interdisait les maisons de jeu à Genève. Fazy avait aussitôt répondu que tous les cercles étaient des maisons de jeu. Ce en quoi il ne mentait pas.

— Cependant, père, ne trouvez-vous pas cette réclame pour le cercle, publiée en novembre dernier, des plus alléchantes, dit Vincent en extrayant du dossier qu'il avait constitué une coupure du *Journal de Genève*.

Axel lut :

— « L'ouverture de la dernière section de chemin de fer de Lyon à Genève a placé définitivement le Cercle des Etrangers au premier rang des établissements de ce genre. Il est le seul, avec Hambourg, qui reste ouvert toute l'année. Une grande extension a été donnée au cercle sous tous les rapports. Un excellent restaurant, approvisionné par les premiers fournisseurs de Paris, a été établi pour le service des déjeuners, dîners et soupers à la carte. Trajet direct de Paris à Genève : seize heures. »

— Quand on sait que le fameux cercle de la ville de Hambourg, auquel il est fait référence, est une maison de jeu célèbre, on ne peut plus douter du genre de clientèle que le Cercle des Etrangers, qui se veut de réputation internationale, entend attirer à Genève : les grands joueurs professionnels européens qui fréquentent notamment les casinos français et les tripots de Londres, soutint Vincent.

Le gérant animateur du Cercle des Etrangers était un certain Victor Bias, ami de Fazy, que *le Pierrot* nommait par anagramme Saïb ! Ce même homme, qui avait fondé à Aix-les-Bains un cercle de jeu, s'était vu refuser, par le gouvernement de Genève, en 1847, l'autorisation d'ouvrir en ville un établissement semblable. Fazy avait alors produit devant le Conseil d'Etat une lettre de Victor Bias qui offrait un douzième des bénéfices de son établissement au canton, si le gouvernement l'autorisait à organiser les jeux. Bien qu'aucune décision n'ait été officiellement prise, M. Bias avait installé son industrie de hasard au Cercle des Etrangers.

On disait aussi que Fazy avait des faiblesses… et des générosités, pour une certaine Ida, femme de mœurs légères et collaboratrice de Bias. Les bonnes langues genevoises assuraient que cette femme entretenue faisait « la pluie et le beau temps » chez Fazy, donc au gouvernement. Arrogante, toujours élégamment vêtue, elle circulait en dog-cart, accompagnée d'un groom en livrée. Elle n'hésitait pas, disait-on encore, à user de son fouet pour corriger qui se moquait d'elle ou lui manquait de respect. Les Genevois l'avait surnommée la Du Barry et reprenaient volontiers : « Vive notre impératrice, du tripot le bénéfice ! »

*Le Pierrot* et les anciens amis de Fazy, radicaux dissidents, fondateurs du club La Ficelle, menaient l'offensive contre le chef de l'Etat.

— A ce jour, les attaques périodiques contre le Cercle sont restées sans effet, constata Vincent, aussi envisageons-nous de lancer, quand le moment sera venu, une pétition publique pour réclamer la fermeture de l'établissement.

Tandis que l'aîné des fils d'Axel se faisait un nom et une réputation de banquier habile et redoutable, le jeune docteur Bertrand Métaz partageait ses journées entre les malades de l'hôpital cantonal, les ouvriers blessés de Saint-Loup, La Source, école des infirmières laïques et indépendantes, récemment fondée à Lausanne par le docteur Charles Krafft, et les œuvres sociales de Vevey. Il organisait les conférences de l'Union Chrétienne des Jeunes Gens dans le canton et se rendait régulièrement à Genève pour rencontrer Henry Dunant, le fondateur de cette Union qui essaimait au-delà des frontières. Déjà, en 1855, un congrès international avait réuni à Paris les délégués de trente-huit Unions françaises, suisses et britanniques. Internationaliser le mouvement était d'ailleurs le but du jeune philanthrope genevois, qui, au retour d'un séjour en Tunisie, venait de publier, chez l'éditeur Fick, un ouvrage dont la presse avait rendu compte avec sympathie. Fasciné par l'ancienne terre carthaginoise, Dunant, reçu par le bey avant de parcourir le pays, avait écrit sa *Notice sur la Régence de Tunis* pour vanter les charmes du pays et faire connaître son histoire. Mais Bertrand, comme bon nombre de ses amis, retint surtout du livre le chapitre consacré à l'esclavage. Celui-ci subsistait, certes, en Tunisie, mais ne ressemblait en rien, d'après Dunant, à la plaie qui rongeait les Etats-Unis, où le travail servile avait pris une scandaleuse importance économique. L'auteur s'indignait qu'un pays qui se voulait la plus édifiante démocratie du monde, celui où l'homme se sentait le plus libre de penser, de parler et d'entreprendre, pût maintenir, avec hypocrisie, non seulement les ventes d'esclaves noirs, sans tenir compte des liens familiaux — « sans plus de scrupule qu'on le ferait pour une portée de petits chiens ou de petits chats » —, et acceptât, aussi, l'existence d'élevages d'esclaves comme d'élevages de bétail.

Dunant concluait par un avertissement solennel : « Malheur à ceux qui foulent aux pieds l'esprit du christianisme et qui violent les principes les plus naturels soit de l'humanité, soit de cette civilisation moderne à la tête de laquelle les Etats-Unis prétendent se trouver placés ! Veulent-ils attendre, pour se réveiller, de voir, un jour, crouler leur esclavage au bruit de quelques épouvantables coups de tonnerre ? »

Bertrand n'avait pas oublié les propos sur l'esclavage aux Etats-Unis, tenus devant lui, en 1853, par Mme Beecher Stowe, dans un salon genevois. Il devait se souvenir plus tard de la prophétie d'Henry Dunant, quand celle-ci se réalisa, tel un fratricide épilogue à *la Case de l'oncle Tom.*

En attendant, la guerre, qui ensanglantait l'Italie du Nord, mobilisait les cœurs généreux et compatissants, dans une Suisse à l'abri du conflit. Français et Sardes étaient en passe de triompher des Autrichiens et, à Beauregard, le général Fontsalte et son ami Golewski, à l'ouvrage sur leurs cartes, plantaient des drapeaux tricolores sur des noms qui, la veille encore, étaient inconnus des lecteurs de journaux : Palestro, Turbigo, Magenta, Melegnano, etc.

Dès le commencement des hostilités en Italie, et au fur et à mesure qu'étaient parvenues à Genève des informations sur la violence des combats entre Français et Autrichiens en Lombardie, les bonnes âmes genevoises s'étaient émues. Depuis le mois de mai fonctionnait un ouvroir et des dames de la meilleure société fabriquaient de la charpie au mètre, avec leurs filles et leurs servantes.

Elles produisaient de la charpie comme elles faisaient de la tapisserie, en potinant et prenant le thé.

Quand Axel se moquait de ces dames patronnesses, habiles à transformer leurs vieux draps et leurs camisoles usagées en bandelettes, qui exhaleraient une bonne odeur féminine de lavande jusque dans les ambulances du front, Alexandra s'insurgeait.

— Moque-toi ! Seul compte le résultat. Notre charpie est fort utile aux blessés, à qui nous envoyons aussi tabac et douceurs.

Cependant, la banquière convenait avec Bertrand, son infatigable complice en bonnes œuvres, que faire de la charpie ne suffisait pas. Aussi se rendirent-ils, ensemble, le 29 juin 1859 [1], à la réunion de la Société évangélique, première association genevoise à s'émouvoir à la lecture des journaux qui rapportaient les nouvelles de la guerre.

Devant les membres de la Société évangélique, zélateurs de l'orthodoxie protestante, réunis à Montchoisi, chez Mme Naville de Pourtalès, le professeur de théologie historique Jean Henri Merle d'Aubigné, directeur de l'école de Théologie évangélique de Genève, sollicita, ce jour-là, avec un lyrisme que son ancêtre le poète Agrippa d'Aubigné n'eût pas désapprouvé, l'aide immédiate des Genevois pour les victimes de la guerre d'Italie.

— « Au sein de nos inaccessibles montagnes, sur ces bords paisibles, en face d'un lac qui nous sourit, au milieu d'une nature qui, dans ces beaux jours de juin, étale toutes ses pompes, nous entendons pour ainsi dire à travers les Alpes et leurs glaciers le bruit des foudres de guerre et nous recueillons en frémissant les cris déchirants des blessés. Les voilà étendus, un jour, deux jours quelquefois, dit-on, sur le champ de bataille, ou entassés dans quelque ferme ou quelque ambulance. Les voilà qui demandent, sous le ciel brûlant qui les dévore, à boire, à boire... un verre d'eau !... et hélas ! expirant malgré les efforts inouïs des amis de l'humanité, parce que ceux-ci ne sont pas assez nombreux pour donner à tous un verre d'eau froide. Depuis des semaines, dans toutes nos maisons, on fait — excusez le mot familier — de la charpie [2]. »

Dans un silence un peu confus, car les dames présentes avaient compris la légère ironie du propos, l'orateur émit le souhait de voir

1. Soit quatre jours après la bataille de Solférino, dont on ne savait encore rien à Genève.

2. Alexis François, *le Berceau de la Croix-Rouge*, A. Jullien, éditeur, Genève, 1918.

produire ce qu'il nomma « une charpie meilleure », c'est-à-dire un engagement plus affectif et plus efficace. Le chrétien à l'abri, face au drame de la guerre, ne devait pas se sentir quitte de tout devoir humanitaire par la simple préparation de linge à pansements. Il fallait faire plus et cesser de mettre en avant une neutralité propre à dissimuler une certaine indifférence.

— « Il peut y avoir neutralité quand il s'agit de faire des blessures ; il n'y en a plus quand il s'agit de les panser », lança le théologien.

Puis, il conclut :

— « Il faut des prières, il faut des hommes, il faut de l'argent. »

Les membres les plus influents de la Société évangélique entendirent son appel et y répondirent aussitôt. Ils décidèrent la création d'un comité, idée suggérée par M^me^ Adrien Naville, épouse de M. Naville-Rigaud, évincé du Conseil d'Etat par la révolution fazyste de 1846.

Parmi les premiers à s'engager figura Alexandre Lombard, de la banque Lombard Odier et C^ie^, que les Genevois nommaient « Lombard dimanche » depuis que le pieux philanthrope avait publié une brochure exigeant, avec le repos, la sanctification du dimanche. Cette initiative, autant sociale que religieuse, valait au banquier de solides inimitiés chez les industriels et les commerçants. Suivant son exemple, les Naville, Lefort, Morsier, le docteur Louis Appia, l'architecte Brocher et le professeur vaudois Geymonat s'employèrent à réunir des fonds et décidèrent que trois étudiants en théologie recevraient des leçons de pansement avant d'accompagner, en Italie, le pasteur Charpiot, de Saône-et-Loire, chirurgien dévoué.

Bertrand de Fontsalte aurait aimé faire partie de l'expédition mais, n'étant pas de l'Oratoire, comme les trois autres, il ne pouvait y prétendre.

Un renfort considérable vint de la comtesse Agénor de Gasparin, fille spirituelle d'Alexandre Vinet, qui révéla le contenu de la lettre qu'Henry Dunant lui avait adressée, de Castiglione, le 28 juin. Cette lettre avait mis six jours seulement pour parvenir à Genève. Entre-temps, la bataille de Solférino avait confirmé la déroute des Autrichiens et l'espoir, pour l'Italie, d'une authentique libération. Solférino, bataille décisive mais aussi, de toutes, la plus meurtrière.

Ce 24 juin 1859, l'armée autrichienne avait perdu dix-neuf mille trois cent onze hommes dont six cent trente-quatre officiers, tués, blessés ou portés disparus. Chez les alliés, Français et Sardes, les pertes étaient à peine moindres : dix-sept mille trois cent cinq hommes tués ou blessés et neuf cent trente-six officiers, dont deux généraux français, morts en combattant.

M^me^ de Gasparin, très émue par le message de Dunant, avait pris la liberté de faire parvenir au *Journal de Genève* et, en France, à *l'Illustration*, les extraits les plus édifiants de la lettre de son correspondant.

« Depuis trois jours, écrivait le Genevois, je soigne les blessés de Solférino à Castiglione, et j'ai donné des soins à plus d'un millier de malheureux. Nous avons eu quarante mille blessés, tant alliés qu'Autrichiens, à cette terrible affaire. Les médecins sont insuffisants, et j'ai dû les remplacer, tant bien que mal, avec quelques femmes du pays et les prisonniers bien portants. Je me suis immédiatement transporté de Brescia sur le champ de bataille au moment de l'engagement ; rien ne peut rendre la gravité des suites de ce combat ; il faut remonter aux plus fameuses batailles du premier Empire pour trouver quelque chose de semblable. La guerre de Crimée était peu en comparaison (ceci est le dire de généraux et d'officiers supérieurs, comme de simples lieutenants ou soldats, qui ont fait les campagnes d'Afrique et de Crimée).

» Je ne puis m'étendre sur ce que j'ai vu, mais encouragé par les bénédictions de centaines de pauvres malheureux, mourants ou blessés, auxquels j'ai eu le bonheur de murmurer quelques paroles de paix, je m'adresse à vous, pour vous supplier d'organiser une souscription, ou tout au moins de recueillir quelques dons, à Genève, pour cette œuvre chrétienne.

» Pardonnez-moi de vous écrire au milieu d'un champ de bataille où l'on ne mesure pas ses expressions. Mais le champ de bataille, lui-même, n'est rien, même avec ses monceaux de morts et de mourants, en comparaison d'une église où sont entassés cinq cents blessés. Depuis trois jours, chaque quart d'heure, je vois une âme d'homme quitter ce monde, au milieu de souffrances inouïes. Et cependant, pour beaucoup, un peu d'eau, un sourire amical, une parole qui fixe leurs pensées sur le Sauveur, et vous avez des hommes transformés, qui attendent courageusement et en paix l'instant du délogement. »

La publication de ce texte, tant en France qu'en Suisse, eut aussitôt l'effet escompté. Des milliers de gens découvrirent, à travers le témoignage d'Henry Dunant, la réalité d'une guerre dont on ne célébrait que les victoires et l'éviction d'Italie de l'occupant autrichien.

Si certaines personnes s'interrogeaient sur la présence d'un homme d'affaires genevois sur les champs de bataille de Lombardie, d'autres, comme Bertrand Métaz, savaient que le voyage entrepris par Dunant en Italie avait, au départ, un but moins noble que le service des blessés. En tant que président et directeur de la Société anonyme financière et industrielle des Moulins de Mons-Djémila, en Algérie, Henry Dunant pestait contre l'administration française, qui lui refusait de nouvelles terres à blé pour agrandir le domaine, dont la superficie restait limitée à sept hectares, au bord de l'oued Débéh, à dix kilomètres de Constantine. La Société des Moulins de Mons-Djémila, dont la constitution avait été approuvée par le Conseil d'Etat le 13 mars 1858, annonçait un capital de cinq cent mille francs, porté à un million en 1859, et assurait « une répartition fixe, soit un intérêt de 10 % par an » à ses actionnaires. Siégeaient au conseil d'administration, le général Dufour, le colonel Trembley, Théodore Necker, Thomas Mac Culloch, le comte de Budé, M. de La Harpe et Daniel Dunant, frère d'Henry, toutes personnalités genevoises de haute réputation.

Informé de la présence de Napoléon III en Italie et sachant qu'il vaut toujours mieux s'adresser au maître qu'aux subalternes, Henry Dunant avait, en hâte, rédigé un mémoire sur la Société et aussi, pour flatter l'empereur, une brochure qu'il comptait lui remettre personnellement, entre deux batailles du côté de Brescia.

L'ouvrage, édité à Genève par l'imprimeur Jules-Guillaume Fick, était dédié « à Sa Majesté l'Empereur Napoléon III », et portait un titre assez flagorneur pour faire sourire : *L'Empire de Charlemagne rétabli, ou Le Saint-Empire romain reconstitué par Sa Majesté l'Empereur Napoléon III.*

Malgré une lettre d'introduction du général Dufour pour Constant Mocquard, chef de cabinet de l'empereur, ce dernier n'avait pas accordé, au quartier général de Volta, la moindre audience à Dunant. Trouvant la flatterie un peu forte, Napoléon III avait, non seulement refusé la dédicace de l'ouvrage « en raison des circonstances politiques actuelles », mais fait écrire par Charles Robert, Maître des requêtes, que Sa Majesté priait l'auteur « d'en suspendre la publication, qui serait de nature à présenter des inconvénients ».

De retour à Genève le 10 juillet, le jour même où Napoléon III et François-Joseph s'étaient rencontrés à Villafranca pour préparer la paix, Henry Dunant avait oublié sa déconvenue d'homme d'affaires[1]. La vision des morts, des blessés, des mutilés de Solférino le hantait jour et nuit. Il ne pensait qu'à mobiliser les bonnes volontés par-delà les frontières, pour exiger des belligérants à venir l'inviolabilité permanente des blessés tombés à terre et de ceux qui, pourvus d'un signe bien visible, reconnu par toutes les armées, leur porteraient secours.

Bertrand Métaz de Fontsalte, enthousiaste, s'engagea sur-le-champ à soutenir cette notion de simple humanité et de charité universelle. Faire de tout combattant blessé un être neutre et sacré : tel était le but de la croisade que Dunant et ses amis décidèrent, cet été-là, d'entreprendre.

1. Ce n'est qu'en 1860 que le gouvernement français concédera à la Société des Moulins de Mons-Djémila deux cent trente-quatre hectares.

## 5.

— Savez-vous la nouvelle ? L'impératrice mère de Russie est arrivée à Vevey. Elle a loué tout l'hôtel des Trois-Couronnes pour l'hiver, annonça triomphalement le vieille Pernette à Axel, en servant le dîner, quelques jours avant le commencement de la vendange.

M. Métaz sourit et n'en fut pas impressionné car la côte vaudoise attirait, chaque année, de plus en plus de têtes couronnées ou découronnées.

Quatre ans après la mort de son mari — le tsar Nicolas Ier, décédé le 3 mars 1855, alors que se profilait à Sébastopol la défaite de ses troupes assiégées par les Français, les Anglais et les Turcs —, l'impératrice Alexandra Feodorovna était encore sous le coup de cette disparition. L'accession au trône de son fils Alexandre II aurait dû la consoler, mais le nouveau tsar, influencé par les réformistes et les libéraux, avait émancipé les serfs des villes et des campagnes, y compris ceux qui travaillaient sur les domaines de la couronne. La noblesse russe désapprouvait avec aigreur ce libéralisme à l'occidentale et refusait d'appliquer les ukases du souverain.

Alexandra Feodorovna, redoutant une épreuve de force susceptible d'allumer une fronde meurtrière, avait choisi la Suisse pour s'éloigner d'une cour agitée et rétablir une santé compromise par le deuil et les soucis. Après Bâle et Berne, Vevey l'accueillait avec respect et les commerçants comptaient bien profiter des pratiques d'une suite nombreuse et dépensière.

L'impératrice veuve ne fit pas oublier aux Veveysans le compositeur français Hector Berlioz, qui s'était attiré la sympathie de tous en répétant : « La vue de votre du lac m'inspire. » Alors âgé de cinquante ans, le musicien avait passé plusieurs semaines aux Trois-Couronnes, au commencement de l'année, pour mettre au point la partition de son opéra *Faust,* créé avec un immense succès au Théâtre lyrique de Paris le 9 mars.

M. Jules Monnerat, le nouveau directeur, successeur de son beau-frère, le fondateur du palace, M. Gabriel Monnet, avait accueilli avec la même courtoisie, pour de brefs séjours, Louis Kossuth, le chef de la révolution hongroise de 1848, et l'écrivain russe Léon Tolstoï, personnages dont la veuve du tsar n'eût sans doute pas apprécié la présence sous « son » toit.

Quelques jours après l'arrivée d'Alexandra Feodorovna, à la fin du ressat des vendanges, Louis Vuippens, à cette heure-là un peu éméché, émit l'idée qu'Axel aurait dû inviter l'impératrice mélancolique et quelques dames de sa suite à partager le banquet traditionnel des vendangeurs.

— Nous l'aurions volontiers initiée au picoulet, dit Paul Tabourot, qui avait dû promener sur le lac la souveraine et ses dames de compagnie.

Répondant à une sollicitation courtoise, Axel Métaz avait en effet mis son yacht, l'*Ugo,* et son bacouni à la disposition du propriétaire des Trois-Couronnes, soucieux de fournir le meilleur bateau à son illustre cliente.

— Peut-être recevras-tu une décoration, lança Albert Duloy au garçon qu'il avait baptisé trente ans plus tôt.

— Sauf le respect que je vous dois, je compte avoir, demain, ma récompense, Monsieur le Pasteur. J'enlève, à sa demande, pour une partie de pêche, une gentille Ukrainienne, dont je ne sais si elle est comtesse ou caméristе, mais dont le regard de braise m'a paru plein de promesses, confia Tabourot, habituellement peu loquace.

— On te souhaite de bien pêcher… et pas que de la perchette, lança, égrillard, Vincent Métaz, venu de Genève avec Alexandra.

Comme souvent, la ronde du picoulet se forma en un instant, garçons et filles ne souhaitant, une fois restaurés, que quitter la table pour aller danser sur la place du Marché.

Quand Axel se retrouva sur la terrasse désertée de Rive-Reine, seul avec ses fils, il s'étonna que Vincent n'eût pas invité au ressat M. Conrad Feer et sa fille María-Cristina, comme il l'y avait autorisé.

— Eh bien, père, je dois avouer que je suis un peu en froid avec M. Feer. Il a dit à tante Alexandra que je devrais me déclarer officiellement ou ne plus voir sa fille aussi souvent. C'est un homme de tradition. Si on se tient la main, si on se mignote un peu, on se déclare, si on se déclare, on se fiance, si on se fiance, on se marie, c'est réglé comme un effet à terme, conclut Vincent, moqueur.

Axel observa son aîné un instant. Il le trouva beau, de cette beauté mâle, rustique et conquérante, qui plaisait aux femmes. Toison brune et bouclée des Fontsalte, visage aux contours équarris, menton carré, front large, Vincent eût paru d'une rusticité brutale sans le sourire, aussi aisément ironique qu'enjôleur, hérité de sa mère. Sous l'arc épais des sourcils, le regard vairon, mobile, audacieux, parfois adamantin, révélait assurance et courage.

— Et tu ne tiens pas à entrer dans le cycle conjugal, semble-t-il, persifla Bertrand.

Plus frêle mais aussi grand que son frère, pareillement brun et frisé, le cadet offrait des traits plus fins, mieux modelés, un regard bleu et doux, une distinction aristocratique et l'assurance paisible de ceux dont la délicatesse dissimule le caractère viril.

Axel Métaz était fier de ses fils et sa solitude se trouvait allégée, même hors de leur présence, du simple fait de leur existence.

— Je comprends Conrad Feer, Vincent. Pour peu qu'il se soit renseigné sur ton mode de vie, sur ta propension à passer d'une femme à l'autre avec désinvolture, ce qu'il a dû faire en bon père de fille unique, il doit craindre, comme disait ma mère, que María-Cristina et toi ne fassiez Pâques avant les Rameaux, dit Axel posément.

— Pas question que j'y touche, père, bien qu'elle me paraisse aussi inflammable que l'amadou et tout à fait désirable. On sait où cela conduit : devant M. le Pasteur en rien de temps ! ajouta Vincent, prudent.

— Tu vas avoir vingt-cinq ans. Tu as tout le temps de penser au mariage, observa Axel, à qui Mlle Feer ne plaisait qu'à demi.

— En réalité, tu n'es pas vraiment amoureux de María-Cristina. Voilà la vérité, frérot. Mais tu ne devrais pas la laisser imaginer un avenir que tu n'as guère envie d'offrir. Tu peux la faire souffrir, cette demoiselle. Elle est pure et sincère, cela se voit, dit Bertrand avec sérieux.

— Le mariage est affaire de raison, l'amour, de déraison. Aussi suis-je circonspect. Je suis certain que María-Cristina peut faire une bonne épouse. Mais je n'ai pas encore envie d'une bonne épouse, bien raisonnable. Alors, qu'elle patiente ! Peut-être me déciderai-je un jour, dit Vincent, cynique.

Axel sourit, mais Bertrand fronça les sourcils.

— Quel égoïste tu fais ! Considère l'autre, tout de même, et cesse de jouer avec le cœur de cette fille ! Tu traites des sentiments comme des billets à ordre. M. Feer a raison de se méfier de toi, dit le cadet.

— Voyons, vous n'allez pas vous disputer. Le vieux Feer m'a dit qu'il voulait marier sa fille, mais il ignore qu'on ne force pas la main à un Fontsalte. Il faut le laisser à son formalisme de père noble. Seuls les jeunes peuvent décider de leur avenir, commun ou non. Nous ne sommes plus au temps des mariages imposés par les parents. Vincent a raison, rien ne presse. Et si la jolie María-Cristina est impatiente de se marier, qu'elle aille voir ailleurs ! Notre Vincent aurait mieux fait de laisser se perdre dans le Rhône le chapeau du Lucernois ! dit Alexandra.

— Je plains cette pauvre petite, elle ne mérite pas ça. Sûr qu'elle sera malheureuse dans tous les cas, dit Bertrand.

— Ma parole, c'est toi qui es amoureux d'elle ! La façon dont tu défends ses intérêts me charme, lança Vincent, goguenard.

— Je pourrais, oui, je pourrais être amoureux d'une jeune fille de ce genre, concéda le cadet avec franchise, en se levant pour aller quérir un verre de vin de Belle-Ombre sur la desserte.

— Allez danser sous la Grenette. Vous ne manquerez pas de cavalières, suggéra Axel.

— Voulez-vous de moi ? demanda Alexandra aux deux garçons qui se préparaient à partir.

— Et comment donc ! Tu es la meilleure valseuse que je connaisse, dit Vincent en enlevant Alexandra de son siège, pour l'emporter, gesticulante et rieuse, dans ses bras vers la porte du jardin.

— Ces deux-là s'entendent comme larrons en foire, constata Bertrand en emboîtant le pas à son frère.

Trois semaines après ces considérations matrimoniales, auxquelles Axel refusa d'attacher de l'importance, Bertrand arriva à Rive-Reine, à l'heure du souper, en brandissant un journal.

— Vous avez lu ce qui vient de se passer aux Etats-Unis, père ?

Comme Axel avouait n'avoir pas ouvert une gazette, son fils l'informa.

— Le 16 octobre, un certain John Brown, abolitionniste du Kansas, a décidé d'attaquer l'arsenal de Harper's Ferry, dans l'Etat de Virginie, pour prendre des armes, afin de libérer des esclaves. Il est entré dans la ville avec un groupe de dix-huit hommes, dont cinq Noirs. Ils ont abattu quatre soldats et pris des otages, dont un colonel, Lewis W. Washington, l'arrière-arrière-neveu de George Washington, avec lesquels ils se sont enfermés dans l'arsenal. Naturellement, on a envoyé un détachement du Marine Corps, commandé par le colonel Robert E. Lee. Ils ont donné l'assaut, tué dix rebelles, dont les deux fils de Brown. John Brown lui-même a été blessé et arrêté. Voilà à quoi conduit le maintien de l'esclavage, père. Henry Dunant a raison : tout cela finira dans le sang. C'est le premier coup de tonnerre dans le ciel esclavagiste américain, commenta Bertrand.

— Ce Brown a eu tort de tuer des gens et de vouloir s'approprier des armes pour en tuer d'autres. Ce n'est pas ainsi que l'on sortira les Noirs de l'esclavage. Cet acte va donner raison à ceux qui crient que les Noirs sont dangereux et prêts à massacrer les Blancs, dit Axel.

— Mais, père, les esclavagistes ne veulent pas entendre raison. D'ailleurs, lors d'une convention commerciale, qui s'est tenue en Virginie, les planteurs ont décidé que toutes les lois, fédérales ou des Etats, qui interdiraient le libre commerce des esclaves seraient considérées par les Sudistes comme nulles et non avenues. Certains ont même demandé qu'on rétablisse la traite, qu'on aille encore chercher des Noirs en Afrique. Vous rendez-vous compte, père ? C'est le retour des négriers !

Les journaux révélèrent, quelques jours plus tard, que John Brown, considéré par certains comme un aventurier et un fanatique, son passé prouvant une coupable propension à la violence, avait déjà, en mai 1858, organisé une réunion secrète à Chatham, dans l'Ontario. Douze Blancs et trente-quatre Américains et Canadiens noirs y avaient assisté, pour entendre Brown développer le plan d'une insurrection générale des Noirs dans le Sud. En décembre de la même année, Brown avait organisé un raid dans le Missouri, pour libérer onze esclaves. Au cours de cette opération avortée, il avait abattu un homme.

Le procès de Brown se déroula du 25 octobre au 2 novembre.

Reconnu coupable de meurtre, conspiration criminelle et trahison, il fut condamné à être pendu à Charlestown. Ce même jour, M. Victor Hugo, exilé à Guernesey, qui espérait voir différer l'exécution de la sentence, fit publier par de nombreux journaux européens une lettre « aux Etats-Unis d'Amérique », dans laquelle il comparait Brown, « le libérateur », à un combattant du Christ, qui mourait égorgé par la République américaine. Son plaidoyer exalté se terminait par une exhortation grandiloquente : « Oui, que l'Amérique le sache et y songe, il y a quelque chose de plus effrayant que Caïn tuant Abel, c'est Washington tuant Spartacus. »

Malgré les interventions de Ralph Waldo Emerson, qui voyait en Brown « un nouveau saint attendant le martyre », et de Henry Thoreau, le philosophe champêtre de Concord, qui affirmait : « Aucun homme en Amérique ne s'est jamais élevé d'une manière aussi persistante et aussi efficace pour la dignité de la nature humaine », Brown fut pendu le 2 décembre 1859, ce qui fit de lui le premier martyr de l'abolitionnisme.

Les girandoles du 1er janvier 1860 étaient à peine éteintes dans les rues basses que le bruit courut, en Suisse romande, que Napoléon III entendait bien toucher les dividendes de l'intervention victorieuse de l'armée française en Italie. Suivant l'accord passé avec le roi de Sardaigne, Victor-Emmanuel II, et son ministre Cavour, la France se préparait donc à annexer la Savoie et le comté de Nice.

La paix signée à Zurich, le 10 novembre 1859, n'avait pas confirmé la neutralité de la Savoie du Nord[1]. Les traités de 1815 et 1816 permettaient à la Suisse d'occuper ou non la région, en cas de guerre, pour garantir ses frontières, mais cette clause originale restait facultative.

Si, pour les Genevois, Nice restait une ville lointaine au bord de la Méditerranée, la Savoie était proche et certains citoyens disaient, comme James Fazy, que la Savoie du Nord devait être réunie à la Suisse. Le Conseil fédéral, alarmé, avait délégué, dès le 30 janvier, M. Abraham Tourte, conseiller d'Etat de Genève, comme ministre plénipotentiaire à Turin, où tout se jouait. Suivant attentivement les

1. « Région comprise au nord d'une ligne partant d'Ugine au midi du lac d'Annecy et atteignant le Rhône par Faverges, Lescheraine et le lac du Bourget », *Histoire de Genève de 1798 à 1931*, ouvrage collectif publié par la Société d'histoire et d'archéologie de Genève, Alexandre Jullien, éditeur, Genève, 1956.

négociations franco-sardes, Tourte fit savoir, le 25 février, que le sort de la Savoie du Nord lui paraissait scellé, bien que le gouvernement français eût assuré, vingt jours plus tôt, que l'empereur ne porterait aucune atteinte à la neutralité de la Suisse et qu'en cas d'annexion de la Savoie il abandonnerait à la République de Genève le Chablais et le Faucigny.

Le 1er mars, Napoléon III confirma le projet d'annexion sans renouveler sa promesse. Malgré les interventions du ministre de Suisse à Paris, M. Jean Conrad Kern, du général Guillaume Henri Dufour, habituellement très écouté par son ancien élève du Collège militaire de Thoune, et la démarche beaucoup moins appréciée de James Fazy, le vainqueur de Magenta et de Solférino autorisa, le 24 mars, à Turin, la signature du traité comportant la cession de la Savoie et du comté de Nice à la France. Ce document précisait que la réunion de ces territoires à l'Empire, second du nom, se ferait sans nulle contrainte pour les populations.

La nouvelle, ébruitée quelques jours avant la signature du traité, souleva l'indignation des Genevois. Le 23 mars, une assemblée populaire, qualifiée de spontanée par ceux qui l'avaient organisée, attira de nombreux citoyens au Bâtiment électoral tandis que la Société de Zofingen se réunissait d'urgence. Les étudiants, rejoints par leurs anciens, dont Vincent Métaz de Fontsalte et ceux de sa volée, s'engagèrent à verser leur sang si besoin était pour la défense des intérêts territoriaux de la Confédération.

Par crainte d'une occupation prématurée de la Savoie par les troupes françaises, le Conseil d'Etat mobilisa aussitôt une troupe, sous le commandement de M. Eugène Gambini. Tandis que des pétitions, diffusées par un Comité des intérêts savoisiens siégeant à Genève, recueillaient, dans le Chablais et le Faucigny, treize mille signatures de Savoyards, qui exigeaient leur rattachement à la Suisse, les meneurs radicaux échauffaient les esprits. James Fazy prononçait des harangues enflammées et envoyait à Londres le professeur Auguste De la Rive, avec mission d'obtenir l'appui des Britanniques et des puissances signataires des traités de Vienne.

Genève a toujours été friande de ces accès de fièvre. Elle y retrouve sa féconde unité dans l'exaltation patriotique de l'Escalade. Les gens s'arment, sortent les bannières, les tambours et les fifres, se rassemblent au Molard, défilent derrière les fanfares, collectent des fonds. Les élus palabrent à l'hôtel de ville, les dévots prient à la Fusterie, les ménagères font des provisions, les cabinotiers applaudissent à Saint-Gervais des orateurs de carrefour, qui citent Rousseau et Proudhon. Ces rodomontades romantiques, qui amusent l'étranger, traduisent cependant la volonté du peuple genevois de montrer que l'honneur commande à la minuscule République de toujours s'affirmer face aux puissances.

Vincent, bien que vaudois de naissance et de caractère, devenait farouchement genevois dès que l'indépendance de la République était menacée. Le sang chaud des Fontsalte le poussait à manifester haut et fort son désir d'en découdre. Cela lui valut d'être entraîné dans ce que les gens sensés nommèrent « une escapade détestable[1] ».

Le vendredi 30 mars, à quatre heures du matin, Vincent et quelques membres de la Société de Zofingen rejoignirent, sur le Grand-Quai, une trentaine de gaillards armés et fort éméchés, commandés par John Perrier, homme de main de Fazy. Après s'être fait remettre à l'arsenal une caisse de munitions, ils avaient décidé de s'emparer par la force du vapeur *Aigle N° 2* pour se rendre à Thonon. Il s'agissait de soulever une population savoyarde censée opposée à l'annexion française. Après les horions de l'abordage, car l'équipage de l'*Aigle* avait tenté de repousser les assaillants et, malgré l'euphorie guerrière de la traversée, ceux qui débarquèrent à Thonon durent vite déchanter. Les Savoyards ne manifestèrent aucun empressement à risquer leur vie pour la République de Genève, et les arrivants furent courtoisement reconduits. Evian, où l'on se rendit ensuite, fit un accueil plus chaleureux, mais aussi passif, aux Genevois, qui, cette fois, avaient jugé bon de cacher leurs armes. Les Eviannais acclamèrent les citoyens de la Suisse voisine, chantèrent avec eux *la Marseillaise* en déambulant dans les rues, comme un jour de kermesse, mais réfutèrent les arguments des rares zélateurs du parti suisse, qui répétaient, plus opportunistes que sensés : « Si Genève est française, il faut être français ; si Genève est suisse, il faut être suisse ; si Genève est cosaque il faut être cosaque[2]. »

Un café du port accueillit les expéditionnaires pour un déjeuner bien arrosé, après quoi les autorités locales invitèrent vivement les Genevois à rentrer chez eux. Ces hommes, qui n'avaient pas des-

1. Henri-Frédéric Amiel, *Journal intime*, volume III, L'Age d'Homme, Lausanne, 1979.
2. Louis Comby, *Histoire des Savoyards*, Fernand Nathan, Paris, s. d.

soûlé depuis la veille, embarquèrent tels des touristes sur l'*Italie*, vapeur du service régulier, car on venait d'apprendre qu'un contingent de gendarmes montés à bord de l'*Hirondelle* donnait la chasse à l'*Aigle*.

Vincent et ses amis étudiants ne s'étaient grisés que de paroles. Ils constatèrent avec dégoût que tous les hommes de main fazystes dormaient, et que John Perrier, mélancolique, cuvait son vin et sa déconvenue.

L'apparition soudaine sur le lac du vapeur *Guillaume-Tell*, piquant droit sur l'*Italie*, mit un peu de piment à cette traversée aux allures de piteuse retraite. A bord du *Guillaume-Tell*, les chasseurs du 20e bataillon, accompagnés de trois commissaires de police, ne semblaient pas disposés à s'amuser, comme les Savoyards, des fanfaronnades radicales. Une bataille navale fut heureusement évitée ! Les bateaux s'accostèrent dans les eaux suisses, entre Hermance et Bellerive. Soldats et policiers, envoyés par les autorités genevoises, montèrent à bord de l'*Italie* et obligèrent les expéditionnaires à passer sur le *Guillaume-Tell* après qu'ils eurent rendu leurs armes sans résistance.

Sitôt débarqué à Genève, Vincent Métaz de Fontsalte parvint à s'esquiver discrètement, tandis que les hommes de Perrier, encadrés par les gendarmes, étaient conduits à l'hôtel de ville sous les huées des passants. Tous découvrirent, avec stupéfaction et amertume, que leur expédition était désapprouvée par une population scandalisée ; que le Conseil d'Etat avait déjà avisé le Conseil fédéral et James Fazy, qui se trouvait à Berne ; qu'on attendait l'arrivée du colonel fédéral Paul-Charles Ziegler, nanti de tous les pouvoirs par les autorités fédérales, pour diligenter l'enquête sur cette vaine équipée, des commissaires fédéraux Johann-Jacob Blumer, de Saint-Gall, et Emile Welti, d'Argovie.

Rue des Granges, Alexandra accueillit plus que fraîchement un Vincent penaud et las.

— Un homme dans ta position, connu comme un jeune banquier honorable, n'a pas à se mêler de ce genre de conflit. Nos clients sont de tous les bords et la plupart indifférents à l'annexion de la Savoie par la France. Nous gérons des fortunes aussi bien genevoises que françaises ou étrangères. Tant que la Confédération n'est pas en guerre déclarée, tant que la Corraterie n'est pas menacée de destruction, souviens-toi que tu n'as qu'une seule patrie, la banque, qu'un seul drapeau, notre raison sociale, qu'un seul catéchisme, les affaires. Laisse les imbéciles se compromettre et prendre des coups. Je vais intervenir auprès de qui il convient pour que ton nom n'apparaisse pas sur la liste des complices de Perrier, car des poursuites vont être engagées, peut-être même par le département fédéral de Justice et Police, dit sèchement mademoiselle Alex.

— Des poursuites judiciaires ? Mais pourquoi ? risqua Vincent, incrédule.

— Pourquoi ? Tu ignores, bien sûr, la proclamation que le Conseil d'Etat a fait répandre, tandis que vous jouiez les matamores sur le lac ! Tiens, lis ! ajouta Alexandra en tendant au jeune homme un placard imprimé.

Vincent s'assit et lut :

« Chers Concitoyens,

» Le Conseil vient d'apprendre qu'une cinquantaine d'hommes, porteurs de quelques armes, sont partis cette nuit du Grand-Quai pour la rive savoisienne.

» Le gouvernement de Genève proteste contre une violation aussi imprudente que coupable des devoirs que nous imposent à la fois la neutralité suisse et nos sympathies bien entendues pour la cause savoisienne.

» Déjà une enquête est commencée et des mesures sont prises pour atteindre les provocateurs de ce mouvement et en arrêter les fâcheuses conséquences.

» Le Conseil d'Etat compte sur la confiance et l'appui de nos concitoyens et ne faillira pas à son devoir, dans les circonstances graves où se trouve la République.

» Au nom du Conseil d'Etat,

» Le vice-président,

Adolphe Fontanel. »

— Si Fazy avait été là, sûr que la proclamation eût été différente. Perrier a agi, si j'ose dire, avec sa bénédiction, dit Vincent, sa lecture terminée.

— Ce n'est pas certain. Le bon peuple commence a en avoir assez de Fazy, de ses amis radicaux, de sa maison de jeu, des Fruitiers d'Appenzell, des Perrier et autres démagogues. L'idéologie socialiste a passé de mode. Souviens-toi de ce qu'a écrit Alexandre Vinet, un grand honnête citoyen à l'esprit clair : « Le socialisme a pour défaut majeur de nier la dualité entre l'homme et la société, et de chercher une identité commune à ces deux termes différents. » Et aussi : « Tout socialisme absorbe l'individu dans la masse et, par là, tue la morale, la liberté et le progrès qui lui est lié. L'égalitarisme piétine religion, famille, industrie, commerce et science. » Cela, les Genevois l'ont compris. Ils veulent vivre et travailler en paix. Je compte bien qu'aux prochaines élections M. Fazy sera renvoyé à ses amusements libertins et que tu vas, désormais, t'abstenir de toute action politique publique. L'argent est extrêmement susceptible, dit Alexandra.

Le tancé prit un air contrit, décocha à la banquière un sourire plein d'affectueuse soumission, promit de ne plus s'intéresser, désormais, qu'aux affaires.

Basil Coxon ayant annoncé : « Mademoiselle est servie », Vincent souleva Alexandra dans ses bras et, sans qu'elle pût ni voulût s'en défendre, la porta jusqu'à la salle à manger en clamant qu'il avait une faim à dévorer tout cru.

Le lendemain, les Genevois apprirent sans plaisir que le Conseil fédéral avait décidé l'occupation militaire du canton et qu'une garnison, formée de troupes de Genève, de Neuchâtel, de Vaud et de Berne, stationnerait en ville. Ces soldats seraient relevés, au bout de six semaines, par des contingents fédéraux envoyés de Fribourg, du Valais, d'Appenzell et de Zurich, afin que l'ordre ne soit en aucun cas troublé, tant que l'affaire touchant à l'annexion de la Savoie par la France ne serait pas résolue.

Le *Bund,* qui annonçait cette nouvelle, publiait aussi la liste des expéditionnaires qui seraient poursuivis en justice : seize Genevois dont Perrier, quatre Vaudois, trois Neuchâtelois, six Savoyards, trois Français, en tout trente-deux personnes. Le Conseil fédéral avait désigné comme procureur M. Carlin, député au Conseil national de Berne, et comme juge d'instruction M. Duplan-Veillon. Le magistrat devrait aussi considérer le cas d'autres excités, partis de Genève en breaks, munis de bannières, d'armes et de manifestes, sous la conduite de M. Jules-César Ducommun, frère du chancelier Elie Ducommun. Parmi eux se trouvaient des réfugiés politiques français opposants à Napoléon III. Ces gens avaient été encore plus mal accueillis que les amis de Perrier. Les Savoyards avaient saisi leurs drapeaux et brûlé leur proclamations antifrançaises.

L'apparition, au lendemain de ces événements, de M. Conrad Feer, accompagné de María-Cristina, rue de la Corraterie, surprit Alexandra. L'homme d'affaires lucernois venait consulter la banquière au sujet de la Société immobilière d'Ouchy. Un de ses amis lausannois lui conseillait d'investir promptement dans une affaire qui promettait d'être juteuse.

— La Société se propose de construire, à Ouchy, un palace, qui devrait rivaliser en luxe et en confort avec ce qui se fait de mieux en Europe. Mais, avant de m'engager je voudrais connaître votre opinion sur les administrateurs. Sont-ils des gens sérieux et leur projet grandiose est-il aussi rentable qu'ils l'affirment ? Je sais que le tourisme se développe considérablement, notamment le tourisme de montagne. J'ai des intérêts à Zermatt, que les Anglais, grands sportifs, fréquentent maintenant en toutes saisons. Ils ne pensent qu'à être les premiers sur les sommets les plus élevés. Ils ont déjà conquis le mont Rose à 4 566 mètres et veulent monter sur tous les plus de 4 000 mètres. Quelle folie ! Je ne sais combien de grimpeurs ont déjà trouvé la mort à ce jeu stupide et certains parlent de s'attaquer, encore et toujours, à l'inviolable Cervin. Car, depuis cinq ans, tous ceux qui ont tenté de l'escalader ont dû renoncer, qu'ils soient français, allemands, suisses, italiens ou anglais, dit M. Feer.

— C'est tout de même un Italien, M. Jean Antoine Carrel[1], de Breuil, qui s'est approché le plus près du sommet. A deux ou trois cents mètres, dit-on, précisa María-Cristina.

— Mais cela nous éloigne du Léman, chère madame. Le tout est de savoir si le lac vaut la montagne. J'entends pour l'hôtellerie, reprit, pratique, le Lucernois.

— A mon avis, il la vaut largement. Si l'on peut se noyer au cours d'une baignade, d'un naufrage ou d'un accident, comme mes parents naturels, ma mère adoptive ou la femme de mon parrain, le Léman me paraît cependant beaucoup moins dangereux que vos sommets à chutes et vos avalanches. Vincent va se renseigner pour l'affaire d'Ouchy, en attendant, venez donc souper, ce soir, rue des Granges, proposa Alexandra.

Rien ne pouvait autant réjouir María-Cristina, qui souffrait de

1. 1828-1890. Sa cordée devait atteindre le sommet le 16 juillet 1865. Il mourut d'épuisement, au retour de sa cinquantième ascension du Cervin, après avoir assuré la sécurité de ses compagnons.

l'éloignement de son béguin genevois, depuis que M. Feer avait fait comprendre à celui-ci qu'il compromettait inutilement sa fille.

Vincent, qui commençait à se lasser de sa liaison du mardi soir, se déclara ravi de revoir « la petite Alémanique », dès que mademoiselle Alex lui annonça sa présence à Genève.

Le même soir, à l'heure des liqueurs et du cigare, dans le salon de l'hôtel Laviron, le jeune banquier décida d'éblouir celui qu'il nommait, avec Alexandra, Fer-à-priser, jouant ironiquement sur le patronyme du Lucernois et sa façon de tirer à chaque instant sa tabatière pour se bourrer le nez de tabac.

— Je sais tout, cher monsieur, de la Société immobilière d'Ouchy, chargée de l'aménagement du rivage et du port. Elle a, en effet, entrepris, depuis août 1858, la construction d'un hôtel de luxe, qui devrait ouvrir l'an prochain. On dit que l'établissement sera dirigé par M. Alexandre Rufenacht, actuellement directeur de l'hôtel des Bergues, à Genève. Entreprise sérieuse donc, si j'en juge aussi par son conseil d'administration. Oyez plutôt. Président : Paul-Emile de Crousaz, avocat et député ; entouré d'Edouard Dapples, syndic de Lausanne et Conseiller national ; Duplan-Veillon, juge de paix ; William Haldimand, philanthrope, fondateur de l'Institut des Aveugles ; Bory-Hollard, banquier ; Samson Boiseau, ancien négociant qui a fait fortune à New York ; Pache, le fameux maître voiturier ; Numa Bovet et Gustave Perdonnet, propriétaires de la campagne de Mon-Repos. J'ajoute que la société exploite, près de l'hôtel en construction, une vigne qui donne, bon an mal an, quinze chars de vin blanc [1].

— Je puis donc, à votre avis, entrer dans la Société immobilière. On prépare une augmentation de capital, pour assurer l'aménagement intérieur de l'hôtel, qui doit, m'a-t-on dit, se nommer Beau-Rivage, du nom d'une ancienne villa d'Ouchy.

— Vous pouvez, je crois, prendre sans risque des parts dans cette affaire. D'ailleurs, les architectes viennent de renoncer à distribuer l'eau chaude dans les chambres, installation trop onéreuse, ce qui prouve leur souci de saine gestion, dit Vincent.

Enchanté de son informateur, M. Feer autorisa aussitôt le jeune banquier à conduire sa fille au concert spirituel, donné ce soir-là à Saint-Pierre, pour entendre *Saint Paul*, un oratorio de Mendelssohn dont on disait grand bien.

1. Environ neuf mille litres.

Après le concert, bien que la nuit fût fraîche et le clair de lune brumeux, Vincent convia María-Cristina à boire un punch dans un café de la place du Bourg-de-Four, fréquenté par des étudiants et des gens de la basoche. L'un d'eux, ancien condisciple de Vincent, légèrement gris, reconnut son camarade de volée et s'approcha de sa table.

— Tu pourrais me présenter à ta ravissante fiancée, dit-il en s'inclinant exagérément devant M^lle^ Feer.

Vincent fit de bonne grâce les présentations, puis régla l'addition et entraîna sa compagne par les ruelles pentues qui glissent vers le lac, le pont des Bergues et l'hôtel du même nom, où logeaient les Lucernois.

— Pourquoi avoir laissé croire à cet avocat que nous sommes fiancés, demanda-t-elle, faussement désinvolte.

— Ah ! oui, pourquoi ?... Eh bien, ma chère María, parce que ce sera vrai... demain... si vous le voulez bien, dit Vincent, lui prenant brusquement la taille.

Il advint exactement ce à quoi il s'attendait. María-Cristina se mit à pleurer, lui jeta les bras autour du cou, trouva ses lèvres et lui donna un long baiser salé de larmes.

« Voilà une bonne chose de faite », se dit-il en rendant son baiser à la jeune fille.

Quand M. Feer et sa fille quittèrent Genève, María-Cristina, presque fiancée, rayonnait de bonheur ; son père était rassuré sur les intentions matrimoniales du garçon qui, deux ans plus tôt, avait repêché son chapeau dans le Rhône, et Vincent paraissait sensiblement plus amoureux depuis qu'il savait que sa future épouse apportait cent mille francs de dot.

Les tourtereaux, ayant mainfesté une touchante impatience, se marieraient fin avril si M. Métaz père consentait à cette union, ce qui ne semblait faire aucun doute.

La décision subite de Vincent n'étonna pas outre mesure Alexandra. Mieux que quiconque, elle connaissait les manières du jeune banquier qu'elle avait formé.

— Tu vas devoir renoncer aux cotillons de hasard et licencier sans éclat ta pratique du mardi. Il faut te mettre, dès maintenant, dans la peau du fiancé vertueux, qui va épouser une fille unique et riche héritière, conseilla-t-elle, pince-sans-rire.

— La dame du mardi va pleurer et se gaver de pâtisseries pendant un mois, ce qui plaira à son mari, qui la trouve trop plate, mais elle ne fera pas de scandale, sa situation conjugale le lui interdit.

D'ailleurs, ce n'est pas ce qui me préoccupe, tante Alexandra, dit Vincent, pensif.

— Parce qu'il y a une autre dame, moins… résiliable ?

— Non. C'est à cause de Bertrand. Je suis certain qu'il est secrètement épris de María-Cristina. Sûr qu'il aurait pris la relève, si je n'avais pas sauté le pas. Il sera peut-être désappointé en apprenant que j'épouse, et ne croira pas à la sincérité de mes sentiments. Quand il saura que María-Cristina m'apporte cent mille francs, je l'entends déjà me dire, le nez pincé, « en somme, tu en fais une affaire », imagina Vincent.

— Et s'il dit ça, aura-t-il complètement tort ? persifla la banquière.

Vincent éluda la question, à laquelle Alexandra subodorait la réponse.

— Quoi qu'il en soit, M^lle^ Feer n'était pas un parti pour Bertrand. C'est une enfant gâtée, aimant le luxe et le confort, assez indifférente à la misère du monde, qui angoisse tellement mon médecin de frère. María-Cristina donne volontiers de l'argent aux bonnes œuvres, qui tiennent les pauvres et les malheureux à l'écart des riches. Bertrand dit toujours que le don d'argent ne suffit pas, qu'on doit payer de sa personne, que les malheureux ont besoin autant d'affection que de pain. Je suis sûr qu'il est capable d'embrasser un lépreux, comme ça, pour lui apporter un peu de chaleur humaine. Tu le vois agir actuellement avec son ami Dunant et M^me^ de Gasparin. Ils remuent ciel et terre pour que les puissances européennes s'intéressent aux blessés des guerres futures ! Alors, tu penses, María-Cristina et Fer-à-priser, c'est pas leur tasse de thé, comme disent les Anglais ! acheva Vincent, pour se rassurer.

Un événement moins intime, car d'importance nationale, passa presque inaperçu à Genève, à cause de l'agitation politique relancée par l'arrivée en Savoie, le 11 avril, d'un commissaire impérial, avant même que le Parlement sarde se soit prononcé sur l'annexion et que les populations aient été consultées comme annoncé.

Le 18 avril, le Conseil fédéral fit savoir qu'il acceptait avec reconnaissance « la propriété inaliénable de la prairie du Grütli », acquise par la Société suisse d'Utilité publique au moyen d'une souscription nationale.

Bertrand Métaz avait, dès le premier jour de la souscription, cassé sa tirelire pour participer à l'achat de la prairie historique qu'il avait visitée lors de son pèlerinage chez Nicolas de Flue, avec sa défunte grand-mère, en octobre 1853.

— Savez-vous, expliqua-t-il à son père, que le haut lieu des Waldstätten où se réunirent en 1291 les valeureux représentants de nos trois cantons primitifs, a failli devenir une sorte de Zermatt. Un nommé Michaël Truttmann, le fils des propriétaires du pré, modestes paysans, qui travaillait chez un marchand de vin à Berne, eut l'idée, il y a deux ans, de construire un hôtel sur le pré fameux, pour accueillir les patriotes pèlerins, de plus en plus nombreux depuis que les meilleurs tireurs de Suisse s'y retrouvent. Les fondations étaient déjà creusées quand des citoyens crièrent au sacrilège et alertèrent la Société suisse d'Utilité publique. On créa aussitôt une commission et, grâce à l'intervention du gouvernement d'Uri, les travaux furent arrêtés. On sait le reste, puisque la souscription nationale a permis d'acheter aux paysans, pour cinquante-cinq mille francs — une fortune pour ce bout de terre — la prairie du Grütli, où tout Helvète devrait, au moins une fois dans sa vie, aller se recueillir.

M. Métaz apprécia le récit de son fils, mais ne fit aucun commentaire, bien qu'il approuvât la conservation d'un lieu aussi symbolique que le Grütli, que les Alémaniques s'obstinaient à nommer, avec juste raison, Rütli.

Axel avait en effet mission d'annoncer à son fils cadet les fiançailles de son fils aîné. La veille, à Genève, Vincent, sans dire pourquoi, lui avait donné à craindre que Bertrand ne se réjouisse pas de son mariage.

— Je rapporte de Genève une intéressante nouvelle. Ton frère m'a prié de demander, officiellement, pour lui à Conrad Feer, la main de sa fille María-Cristina. Tout est, bien sûr, déjà arrangé entre Vincent et la jeune fille, et M. Feer a donné son accord. Mon intervention est donc de pure forme. J'ai écrit ce matin à Lucerne, pour présenter une demande déjà acceptée et dire ma satisfaction, débita Axel avec naturel.

Bertrand ne parut ni surpris ni chagrin.

— Enfin, il s'est décidé. Depuis le temps qu'ils s'écrivent et se mignotent ces deux-là, ça devait arriver. M^lle^ Feer, fille unique d'un père richissime, est, certes, un beau parti, constata avec une feinte indifférence Bertrand.

— Cent mille francs de dot et, comme on dit, de belles espérances, précisa Axel.

— Diantre ! Voilà notre banquier nanti d'une épouse charmante et d'un capital rondelet. Il ne reste qu'à souhaiter que Vincent soit heureux, rende sa femme heureuse et que tous deux vous donnent de nombreux petits-enfants, ajouta le médecin.

— Moi, je suis heureux que ton frère se marie. Il a un grand besoin de stabilité affective. Le mariage la lui apportera, commenta M. Métaz.

— « Pendaison et mariage, question de destinée », dit Bertrand, citant Shakespeare[1].

— Tu n'as pas envie d'imiter ton frère ? Tu es d'ailleurs d'une remarquable discrétion quant à tes relations féminines, risqua M. Métaz, souriant.

— La discrétion fait partie du plaisir, père, répliqua le médecin, mettant ainsi fin à des considérations matrimoniales qui l'agaçaient.

Le mariage de Vincent Métaz de Fontsalte avec María-Cristina Feer eut lieu, comme prévu, le 30 avril, à Lucerne. Ce fut, pour la bonne société lucernoise, l'événement mondain de la saison. Les notabilités, les grands négociants du canton, les juristes, les gens de banque et d'affaires emplirent le temple Saint-Matthieu, à l'heure de la cérémonie nuptiale. María-Cristina, orpheline très jeune d'une mère catholique, avait été instruite dans la religion réformée de son père. Jamais on n'avait vu mariée plus rayonnante, plus sûre d'aller au bonheur, plus élégante, plus enviée aussi des demoiselles. Car son époux vaudois retint longtemps leur attention. Plus d'une fut impressionnée par l'étrange regard bicolore de ce grand garçon rieur, athlète racé aux cheveux bruns bouclés, dont l'assurance révélait une force de caractère peu commune.

Au cours du dîner à l'hôtel Schweizerhof, que Bertrand revit avec mélancolie, car l'établissement lui rappela les heureux moments passés là avec sa défunte grand-mère, Conrad Feer annonça qu'il comptait se retirer bientôt des affaires, dès que son gendre pourrait prendre sa succession, sans pour autant abandonner la banque.

La cavalière de Bertrand, une amie de pension de María-Cristina, promue demoiselle d'honneur, glissa à l'oreille du médecin vau-

1. *Le Marchand de Venise.*

dois que son frère avait bien de la chance d'être l'élu de María-Cristina : tout le monde autour du lac des Quatre-Cantons connaissait la fortune à venir et la position sociale d'une héritière qui avait refusé les plus beaux partis lucernois.

— Naturellement, on fait surtout grief à Cristina d'avoir choisi un mari en Suisse romande, d'autant plus que votre frère ne parle pas, ou très peu, le *Schwyzerdütsch* et qu'ici nous tenons les Vaudois pour des paysans mal dégrossis et inféodés à la France, dit la jeune dinde.

— Le *Schwyzerdütsch* n'est, mademoiselle, qu'un dialecte bâtard de l'allemand, un langage sommaire, qui ne permet pas de traduire les nuances subtiles d'une pensée, et il est d'ailleurs incompris ailleurs que dans vos cantons primitifs. Mon frère parle et écrit couramment le bon allemand, l'anglais, l'italien, le français et même l'espagnol qui est, si je ne m'abuse, la langue de la défunte M^me^ Feer et que María-Cristina pratique admirablement. Les époux ne manqueront donc pas de langages communs, puisque votre amie s'exprime aussi avec élégance en français et en anglais, répliqua Bertrand, irrité.

— Sans doute, monsieur, sans doute. Mais, ici, on en veut beaucoup aux Romands d'avoir abandonné les Savoisiens, qui voulaient être suisses, à ce Napoléon III, tyran avide de conquêtes, comme son oncle. N'a-t-il pas chassé les Autrichiens d'Italie et encouragé le révolté Garibaldi à prendre la Sicile et Naples ?

— Vous semblez ignorer, mademoiselle, que ce tyran a demandé l'avis des Savoyards. Pas plus tard qu'hier, la cour d'appel de Chambéry a donné le résultat du vote populaire. On a demandé aux Savoyards : « Voulez-vous être annexés à la France ? » Sur 135 449 votants, 130 449 ont répondu oui, 255 seulement ont dit non. Et ce fut la même chose pour l'annexion du comté de Nice : 25 743 ont dit oui, 160 ont dit non. C'est bien dommage pour la Suisse, principalement pour la République de Genève, mais les Savoyards, comme les Niçois, ont librement choisi, quasi unanimement, d'être français. Si les uns et les autres préféraient être suisses, comme vous semblez le croire, ils ont eu là une belle occasion de le faire savoir [1]. Si Napoléon III est un dic-

1. Une Ligue savoisienne, association de droit suisse, dont le siège est à Genève et qui revendique mille sept cents adhérents, conteste, depuis sa création, le 26 mai 1994, l'annexion de la Savoie par la France et prône l'indépendance de la Savoie.

tateur, c'est un dictateur qui n'hésite pas à user du plébiscite, l'application la plus directe du suffrage universel, conclut le médecin.

Comme la demoiselle se taisait, un peu confuse, Blaise de Fontsalte qui, pour plaire à son petit-fils, avait revêtu son uniforme de général barré du grand cordon de la Légion d'honneur, intervint.

— J'ai entendu votre échange de propos et je puis ajouter une précision qu'ignore encore sans doute mon petit-fils Bertrand. Lors de la prochaine ratification du traité de Turin, l'empereur Napoléon III, à qui vous prêtez un peu à la légère, mademoiselle, tant de mauvaises intentions, annoncera officiellement la création d'une grande zone franche, entre l'Ain et la Savoie. En reculant la barrière douanière française, sans changer pour autant la frontière, c'est une région beaucoup plus étendue que la zone sarde de 1816 qui sera librement accessible aux importations venant de Suisse. Les industriels et négociants de Genève et du pays de Vaud sont, croyez-moi, bien que bons Suisses, très satisfaits de cette mesure, profitable au commerce helvétique, expliqua le général.

De confuse, la demoiselle d'honneur devint cramoisie, s'excusa de son ignorance auprès du général Fontsalte, qui, galant homme, l'invita à danser, les mariés venant d'ouvrir le bal nuptial.

C'est au jour de son quatre-vingtième anniversaire, célébré sans éclat à Beauregard, le 14 mai 1860, que Blaise de Fontsalte annonça, après les toasts, qu'il se préparait à monter, dans quelques jours, à l'hospice du Grand-Saint-Bernard pour faire retraite.

— Depuis la mort de M^me^ de Fontsalte, vous le savez tous, « rien ne m'est plus, plus ne m'est rien », comme disait Valentine de Milan, après l'assassinat de Louis d'Orléans. Aussi, malgré toute la tendre affection que je porte à mon fils et à mes petits-fils, sans oublier la délicieuse María-Cristina ni l'amitié qui nous lie, ai-je décidé de me retirer chez les moines du Saint-Bernard, pour me faire à l'idée, en toute sérénité, de quitter cette vie, ce qui ne saurait tarder, étant donné mon âge. Près du tombeau de Desaix, mon frère d'armes, je me sentirai à l'aise, dit posément le général.

Un silence déférent, fait de stupéfaction et d'émotion contenue, accueillit cette déclaration. En dépit d'une longévité peu courante à l'époque, le marquis de Fontsalte, bien qu'amaigri et moins ingambe, résistait à l'assaut de la sénilité. Esprit clair, maîtrisant sentiments et réactions, il avait conservé la rigidité morale de l'officier, qui doit en toute circonstance donner l'exemple du sang-froid et du courage.

Axel comprit que les membres du cercle attendaient qu'il s'adressât à son père.

— Nous respectons votre décision et nous en saluons le courage et la piété, bien que vous savoir isolé dans la montagne ne va pas manquer d'inquiéter ceux qui vous aiment. J'aimerais, au jour de votre départ, vous accompagner jusqu'au monastère, dit Axel.

— Je vous sais gré de cette offre. Vous m'accompagnerez jusqu'à Bourg-Saint-Pierre. Au-delà, le chemin sera encore enneigé et nous devrons confier nos personnes aux guides muletiers, dit le général.

Le nous donnait à entendre que le vieux Trévotte serait du voyage. Le général le confirma plus tard, expliquant que Titus, bien que perclus de rhumatismes, assurerait son service à l'hospice, afin d'épargner un travail supplémentaire au clavendier et aux frères convers de la communauté.

Le colonel Piotr Golewski, qui devait connaître depuis un certain temps la décision de son ami, annonça qu'il allait lui-même regagner son pays.

— Le tsar Alexandre II vient d'exiger que tous les fonctionnaires russes soient remplacés par des Polonais, comme les gouverneurs de province, et que l'enseignement soit rendu à nos maîtres d'école. L'université de Varsovie va être rétablie l'an prochain. Des propriétaires fonciers ont fondé une Société d'agriculture ; des intellectuels et des hommes d'affaires se réunissent, pour mettre en œuvre le progrès économique et social, maintenant que l'obligation de corvée a été abolie pour tous. Je dois donc retourner sur mes terres, où l'on m'attend, mettre mon expérience au service de cet espoir d'une Pologne régénérée. Mais je ne vous quitterai pas sans une immense peine, vous qui m'avez reçu comme un parent. Au moment où ma route va se séparer de celle de mon très cher ami et bienfaiteur le marquis Blaise de Fontsalte, j'ai le cœur serré. Mais, si Dieu le veut, ce n'est qu'un au revoir, acheva le comte, l'œil humide et la voix chevrotante.

Au moment de rentrer à Vevey, le pasteur Duloy, à qui Zélia avait offert son bras pour descendre l'escalier du perron, se tourna vers le général, attentif à reconduire ses hôtes.

— Mon vieil ami, j'admire votre sérénité. Je suis plus vieux que vous de cinq ans, à croire que le Seigneur m'a oublié, mais je ne pourrais pas, comme vous, m'éloigner de mon lac et de ma Grenette. Comptez-vous faire longtemps retraite dans les montagnes ? demanda-t-il en serrant fortement la main de Blaise.

— La date de mon départ est fixée au 24 de ce mois, mais non celle de mon retour… si retour il doit y avoir, dit Blaise.

Après être monté dans la voiture des Vuippens, aidé par le médecin, M. Duloy s'assit près de Zélia et lui prit la main.

— Nous ne reverrons plus le général, ma petite. Ce chrétien a déjà commencé sa partance, acheva-t-il, mélancolique.

Zélia vit dans cette soumission du vieux pasteur une part d'admiration pour l'homme qui n'entendait pas se laisser surprendre par la mort.

Le 24 mai, au petit matin, la grande berline de Blaise de Fontsalte remonta la rue du Lac et pénétra dans la cour pavée de Rive-Reine. Axel était prêt et Jean Trévotte n'eut pas à descendre pour ouvrir la portière. Lazlo s'en chargea. Tandis que M. Métaz s'installait sur la banquette, face au général, le Tsigane grimpa sur le siège du cocher, à côté du vieil adjudant, devenu son ami au fil des ans. Il reconduirait la voiture à Vevey.

— Sais-tu que la neige n'a pas encore fondu dans le val d'Entremont, au-dessus de Sembrancher. Il se pourrait même qu'il en soit tombé, cette nuit, à Saint-Pierre, dit Lazlo.

— On verra bien. « Neige du matin n'arrête pas le pèlerin », lança Titus en secouant les rênes pour faire démarrer les chevaux.

Tout au long de la route, sèche jusqu'à Bourg-Saint-Pierre, Axel écouta Blaise égrener des souvenirs.

— Il y a exactement soixante années aujourd'hui, je gravissais à cheval ces pentes, escorté de ce bon Trévotte. Nous suivions l'empereur et notre armée, nos artilleurs tiraient leur canons couchés, tels des nouveau-nés au berceau, dans des troncs d'arbres évidés. L'idée de ce portage n'était pas du Premier consul, comme des hagiographes bien intentionnés l'ont souvent écrit, mais tout simplement d'un astucieux paysan de Bourg-Saint-Pierre ! Nous allions, sans le savoir, livrer bataille à Marengo. Je venais de quitter Vevey et votre mère, qui m'avait fait si forte impression.

Axel respecta un instant le silence du vieil homme, qui, le regard perdu sur les cimes, parcourait mentalement cette séquence de sa vie.

— Vous avez choisi ce jour, n'est-ce pas, pour monter à l'hospice ? demanda Axel.

— Oui, bien sûr. C'est une date qui, pour moi, clôt le cercle du temps vécu, dit le général, avant de reprendre son récit avec une soudaine fougue. Ah ! comme j'étais jeune alors, et fort et présomptueux ! Comme j'étais fier de mes galons de capitaine. Rien ne pouvait me résister. J'aurais pourfendu cent lanciers prussiens, fusillé cent espions, pillé cent châteaux, troussé sur la paille cent servantes et cent duchesses dans les ruines de leur château !

Le général s'interrompit à nouveau, comme gêné de s'être abandonné à ces fanfaronnades. Ce fut d'un ton plus posé qu'il reprit la parole.

— J'aurais eu honte, alors, de rouler berline comme un commissaire aux vivres. Certains jours, je me demande si j'ai vraiment vécu tout cela, car le bonheur que m'apporta plus tard ma pauvre Dorette, et vous, et Vincent, et Bertrand et nos amis, a tout dissous de ce temps-là, quand le service de Notre-Dame la France, l'esquive de la mort et le désir de gloire suffisaient à remplir ma vie. Nous changeons, mais la nature, immuable décor, ranime avec indifférence nos souvenirs, dit-il, désignant le paysage alpin.

— « La nature ne fait rien en vain », reconnut Axel citant Aristote.

— Je crois qu'en 1800 il y avait plus de neige qu'aujourd'hui et, aussi, un sacré brouillard, ajouta Fontsalte, levant les yeux sur le Grand-Velan dont le sommet de laque blanche se découpait sur le bleu printanier du ciel.

A Bourg-Saint-Pierre, ils firent halte à l'auberge Au déjeuner de Napoléon, que fréquentaient chaque été des milliers de touristes qui, tous, voulaient s'asseoir dans le fauteuil rustique que le Premier consul avait occupé, le temps d'avaler deux œufs sur le plat, un jour de mai 1800.

Bientôt, Lazlo et Trévotte revinrent avec les muletiers embauchés fort cher, car ces indispensables guides paraissaient peu disposés à prendre la route en fin d'après-midi.

— Nous devons partir tout de suite si vous voulez être à l'hospice avant la nuit. Et il faudra vous tenir bien en selle, grommela l'un d'eux, évaluant d'un regard peu amène l'âge avancé de ses clients.

— C'est là que nous nous séparons, dit Blaise, prenant son fils aux épaules.

Son regard vairon fixa intensément celui, tout semblable, d'Axel, comme s'il voulait transmettre à son fils mille secrets indicibles. Face à face sur la petite place du village, tous deux spontanément se découvrirent. Le soleil déclinant allongeait leurs ombres parallèles. Tendus et pâles, conscients de la solennité de l'instant, ils tombèrent dans les bras l'un de l'autre, se donnant pour la première fois une longue et virile accolade.

— Adieu et que Dieu vous garde, dit Blaise, se détournant vivement pour cacher une larme qui roulait vers sa moustache.

— Adieu, père. Je sais maintenant que je vous aime, avoua Axel, tout aussi troublé.

Quand le général se mit en selle, sans l'aide du muletier, Lazlo le salua et se dirigea vers Titus, qui avait mis son point d'honneur, malgré sa jambe de bois, à enfourcher lui aussi, seul, sa mule.

— Prends ! Ça réchauffe les entrailles et c'est meilleur que l'eau bénite des moines, dit le Tsigane en tendant au vieux soldat une bouteille de lie.

Les deux hommes se serrèrent la main et le chef muletier, impatient, donna le signal du départ.

Axel suivit longtemps des yeux la petite caravane qui gravissait les premiers lacets, au-dessus du village. Quand elle disparut, après avoir franchi le pont Saint-Charles, jeté dix ans plus tôt sur le Valorsey pour remplacer l'arche construite sous Charlemagne, il se tourna vers la vallée.

— Allons, dit-il d'un ton las à Lazlo.

— Votre père, Monsieur, c'est un grand seigneur, proclama le Tsigane, avant de refermer la portière blasonnée aux armes des Fontsalte.

La vendange, cette année-là, fut abondante et de qualité, et les vins de la récolte précédente trouvèrent preneurs à des prix jamais atteints.

Le 26 octobre, grâce à l'expédition de Giuseppe Garibaldi et des Mille, ses premiers compagnons, qui devinrent bientôt vingt-cinq mille, et l'audace de Cavour qui fit envahir les Etats de l'Eglise par les Piémontais, Victor-Emmanuel II fut bientôt présenté comme le futur roi d'Italie.

Malgré les protestations des puissances signataires des traités de

1815, la volonté des Italiens de faire de leur pays, jusque-là morcelé, une seule et même patrie, l'emporta.

Refusant de suivre Mazzini qui souhaitait proclamer la République, Garibaldi, maître du jeu, préféra avec sagesse en faire une monarchie, régime moins redouté des absolutistes européens.

Mais l'événement qui réjouit le plus le docteur Bertrand Métaz et ses amis de l'Union Chrétienne des Jeunes Gens, lesquels, derrière le fondateur, Henry Dunant, militaient contre l'esclavage dans le monde, fut l'élection, le 6 novembre 1860, d'un certain Abraham Lincoln à la présidence des Etats-Unis. Antiesclavagiste déclaré, le candidat du parti républicain avouait des origines modestes. Il avait été un excellent bûcheron, conducteur de péniches sur le Mississippi, poseur de rails, commerçant endetté, puis avocat autodidacte épris de politique. Devenu, à vingt-cinq ans, membre de la Chambre des représentants de l'Illinois, il avait su se pousser avec intelligence et obstination jusqu'au Congrès fédéral, à Washington, avant d'être choisi par la convention républicaine de Chicago comme candidat du parti à la présidence.

A cinquante et un ans, ce fils de pionnier, devenu brillant juriste et politicien habile, avait mené des campagnes antiesclavagistes courageuses, ce qui lui valait l'inimitié grandissante des Sudistes. Celle-ci allait se traduire, dès son élection à la Maison-Blanche, et avant même qu'il soit installé, le 4 mars 1861, par la décision, le 20 décembre, que prit la Caroline du Sud de quitter l'Union.

Bertrand Métaz suivait avec intérêt les événements américains, que la plupart des Suisses considéraient d'un œil indifférent, certains estimant même que les journalistes consacraient trop de place dans les gazettes à des affrontements politiques qui se déroulaient à des milliers de kilomètres.

— Lincoln est un homme courageux. Il a refusé tout compromis sur l'extension de l'esclavage à certains territoires, mesure que proposent certains pour calmer les planteurs de coton du Sud. Et cela bien qu'il soit déjà menacé de mort. Il a dit aux républicains : « Tenez bon sur ce point, comme une chaîne d'acier. La lutte doit venir et mieux vaut maintenant que n'importe quand plus tard. » Nul doute que d'autres Etats esclavagistes vont suivre, dit Bertrand, lors d'une réunion de famille, à Rive-Reine.

Le médecin avait vu juste car, entre le 2 et le 11 janvier 1861, le Mississippi, la Floride et l'Alabama firent sécession. Le 19 janvier, ce fut au tour de la Georgie de quitter l'Union ; le 4 février, la Louisiane et le Texas rejoignirent les dissidents. Décision plus grave, les délégués des six Etats sécessionnistes, réunis le 4 février à Montgomery, Alabama, avaient choisi de créer une Confédération du Sud avant d'élire, le 9 février, un président provisoire en la personne de M. Jefferson Davis, du Mississippi. Les rebelles proclamaient qu'il s'agissait, pour eux, de « maintenir la suprématie de la race blanche ». « Rester dans l'Union signifierait perdre tout ce qui est cher aux Blancs », ajoutaient-ils.

— Le combat va enfin s'engager pour l'abolition pure et simple de l'esclavage, dit Bertrand.

— Alors, ce sera la guerre entre les Etats, observa Axel.

— Peut-être, car les sécessionnistes se sont déjà emparés des arsenaux fédéraux et de certains forts, à Baton Rouge, à Mobile, à Augusta, à Savannah, et même des chantiers navals de Pensacola, en Floride. Mais l'esclavage sera vaincu, car les abolitionnistes seront soutenus par tous les hommes libres du monde, lança le médecin, enthousiaste.

# 6.

En tout Vaudois veille Thomas l'Incrédule. Car le Vaudois n'accepte rien sans discussion ni preuves. Sceptique, difficile à duper, il ne croit pas toujours ce qu'il voit. Il tient même l'apparence pour complice du mensonge. Partant, il ne s'engage que porté par une conviction réfléchie, avec la rusticité composite du montagnard lacustre, frotté depuis des siècles aux fréquentations cosmopolites.

Cette circonspection, loin d'être stérilisante, confère au réformé vaudois assez de prudence pour contenir les débordements éventuels d'un tempérament latin, ouvert à toutes les jouissances. C'était déjà, en 1861, manière pour le citoyen, qui ne cachait pas sa défiance vis-à-vis des politiciens et de leurs décisions, de pratiquer une sorte de contrôle démocratique du progrès.

Ainsi, depuis plus d'un an que les Veveysans savaient imminente l'ouverture de la ligne de chemin de fer de Lausanne à Bex, qui desservirait Vevey, Montreux et Villeneuve, s'inquiétaient-ils publiquement de l'emplacement de la future gare. Un premier projet avait été présenté par la compagnie de l'Ouest des chemins de fer suisses, qui plaçait la gare en dehors de la ville, au-delà de la Veveyse, sur le territoire de Corsier. Les citadins avaient immédiatement réagi, jugeant cet emplacement trop éloigné du centre. Ils demandaient que la gare fût plutôt construite en deçà de la Veveyse, plus près de la place du Marché.

Les ingénieurs s'étaient donc appliqués à produire un nouveau projet. Ils proposèrent bientôt de construire la station sous la terrasse Saint-Martin. Cette suggestion, dès qu'elle fut connue, apparut aux yeux de certains dévots comme une triviale agression de l'irréligion contre l'Eglise nationale. Sous le titre *la Gare et le Temple, face trop négligée d'une question fort débattue,* parut une adresse anonyme destinée aux Veveysans[1]. Axel Métaz, comme tous les notables, trouva la brochure dans son courrier. Sa lecture l'amusa plus qu'elle ne le scandalisa.

« Si l'on nous eût annoncé, écrivait l'auteur, il y a trente ou quarante ans seulement, que les abords de notre maison de prière, de notre temple de Saint-Martin, seraient envahis et troublés par la construction d'une gare de chemin de fer, nous nous serions tous récriés, et nous aurions dit d'une voix unanime : "Impossible ! à chaque chose sa place." Aujourd'hui, la proposition d'une chose semblable a été faite et l'on a vu la majorité de notre honorable Conseil communal, et, on doit le penser, la majorité de notre public, se prononcer en faveur de cette proposition, sans qu'une seule voix, croyons-nous, se soit élevée pour réclamer contre un pareil projet, au nom des intérêts religieux qui nous paraissent être en cause. [...] On ne s'est pas demandé quelles seraient et la position faite au temple de Saint-Martin et les conditions imposées au culte, qui s'y célèbre pendant six mois de l'année, par l'établissement de la gare au pied de cet édifice. [...] On se demande avec une sorte d'effroi si nous n'avançons pas vers un temps où la Bourse et le marché, les gares de chemin de fer et le sifflement des locomotives auront complètement remplacé les nobles édifices consacrés au culte du Très-Haut et les paroles de vérité qui descendent de la chaire chrétienne comme une semence de vie morale sur les peuples. »

Le rédacteur du libelle tenait cependant à ne pas passer pour un de ceux « qui voudraient follement enrayer le char du progrès ». Il ajoutait donc : « Qu'on ne croie pas que nous maudissions les inventions merveilleuses dont notre époque se félicite et se glorifie ! Quand le pape lui-même finit par ouvrir ses Etats aux lignes de chemin de fer, ce n'est pas nous qui nous plaindrons d'en voir quelques-unes sillonner et vivifier encore davantage les rives de notre Léman. Mais nous sommes fermement convaincus d'une chose : c'est que l'homme ne vit pas de pain seulement, mais de toute parole de Dieu. »

Or, certains pensaient que la parole de Dieu ne serait pas uniquement couverte, le dimanche, par le ferraillement des trains, le

1. Imprimerie et librairie de Lürtscher et fils, Vevey, 1860.

halètement et les coups de sifflet des locomotives, mais aussi par les bavardages, les jacasseries, les rires, les interpellations des gens de Vevey et des environs, qui afflueraient vers la gare. « Qu'on se représente le bruit inévitable, les rencontres, les entraînements, les moqueries, les scandales peut-être — en tout cas, nous ne craignons pas de le dire, le mauvais exemple et les profanations du jour du repos, aux portes mêmes du sanctuaire », ajoutait le porte-parole des protestataires, qui voyait déjà s'installer, près de la gare, des cafés, des restaurants, des hôtels, des commerces, des établissements publics, sources de bruit et d'agitation.

« Que ceux qui iront à la gare pour s'amuser ne troublent pas ceux qui iront au Temple pour prier », demandait le polygraphe, pour qui le train semblait attirer tous les vices !

Au Cercle du Marché, dans les salons, chez Nanette Bonnaveau l'épicière-poète, dans les tavernes, à la poste, chez le pharmacien, aux comptoirs des banques, au coin des rues, les élus, les bourgeois, les ménagères, les ouvriers, les lavandières de l'entre deux villes, les bacounis, les pêcheurs, tous et toutes ne parlaient que de la future gare, devenue, en quelques semaines, le premier personnage de Vevey.

Que le prince de Galles, fils de la reine Victoria, descende aux Trois-Couronnes ; qu'on annonce l'arrivée, au mois d'août, des fils du roi Victor-Emmanuel II ; que Marie Risnich, épouse du comte Keller, nièce de Balzac et de Mme Hanska, « assez belle pour séduire un pape », quitte la ville en promettant d'y revenir ; que des chrétiens de l'Empire ottoman soient massacrés par les Druses ; que l'anarchiste russe Mikaïl Bakounine se cache dans le pays de Vaud ; qu'une enquête ordonnée par l'évêque de Tarbes confirme l'apparition de la Vierge Marie à une petite paysanne de Lourdes nommée Bernadette Soubirous [1] ; que l'Etat de Genève lance un emprunt de 60 000 francs à 4 % pour couvrir les dépenses publiques ; que l'on abatte un chien enragé dans le district d'Aigle ; qu'une épidémie de gale soit à redouter, et même, que l'on étudie une nouvelle Constitution pour l'Etat de Vaud, rien ne pouvait distraire les Veveysans de leur obsession égoïste : où diable allait-on poser la gare ?

Comme souvent, un sage se manifesta en la personne de M. Auguste Perdonnet, notable incontesté, qui, comme son défunt

1. Le 8 février 1858.

père, le bienfaiteur de la ville, aimait Vevey et ne voulait que son harmonieux développement. Répliquant par une autre brochure, plus mince, à celle du contempteur de la gare sous Saint-Martin, il proposa, en accord avec la compagnie de l'Ouest des chemins de fer suisses, dont il était administrateur, un emplacement capable de satisfaire tout le monde.

La gare, qu'il nommait «de conciliation», pourrait être construite sur un terrain communal, dit Pré-de-la-Ville, champ de tir des carabiniers. Située au nord et à distance de la place du Marché, à l'ouest et à distance de la terrasse Saint-Martin, la gare ne gênerait personne. Le terrain en question étant accessible par une courte pente, il suffirait de construire deux escaliers d'une douzaine de marches pour permettre aux voyageurs d'accéder au quai du chemin de fer. L'espace, dégagé du côté de la ville, prendrait, naturellement, le nom de place de la Gare et les voitures des hôtels y stationneraient commodément. Ainsi, la gare de Vevey se trouverait aux abords immédiats du centre, sur un emplacement autorisant le développement urbain prévisible, puisque M. Perdonnet constatait : «La population s'accroît régulièrement de 15 % tous les dix ans et, avec la population, le commerce et l'industrie.»

Quant au danger moral que la proximité d'une gare aurait fait courir aux Veveysans, Perdonnet en niait l'existence «en prenant un exemple en Suisse même, à Bâle. Depuis plus de vingt ans, la station de l'Est français est aux portes de la ville, sans qu'une seule construction se soit élevée dans le voisinage. Un tout petit cabaret, logé dans une maison déjà ancienne, se soutient à peine. A Mulhouse, en vain a-t-on tenté de construire un hôtel près de le gare. Le propriétaire de cet hôtel s'est ruiné et l'a abandonné».

Le projet Perdonnet l'emporta, et la construction de la gare fut enfin décidée. Ces atermoiements eurent pour principal inconvénient que Vevey accueillit le chemin de fer au milieu d'un chantier à peine ouvert, le 9 avril 1861, jour de l'inauguration officielle de la ligne Lausanne-Bex.

Axel Métaz, son fils Bertrand, M. Duloy et les Vuippens figuraient parmi les invités, qui prirent place dans une voiture-salon pourvue de douze sièges confortables. A bord du train se trouvaient déjà, dans le wagon d'honneur, les membres du Conseil d'Etat vaudois, plusieurs membres du Grand Conseil et les administrateurs de la compagnie, dont le président, M. Pereire. Ce dernier, ignorant avec bienveillance l'absence de gare, choisit la halte de Vevey pour annoncer que Napoléon III venait de le décorer de la Légion d'honneur. « Vive l'empereur et vive la Suisse ! » lança-t-il. « Vive la Suisse ! » reprirent les assistants, moins bonapartistes que le banquier parisien.

De la terrasse de leur voiture-salon, couverte d'un léger auvent de tôle supporté par des tringles, Axel et son fils admirèrent, comme les étrangers, le panorama du lac qu'ils découvraient sous un angle inhabituel. Bien que familiers du grandiose décor lémanique, les Veveysans restaient sensibles à son charme et, le voyant défiler, tel un gigantesque diorama, ne pouvaient s'en rassasier. Tout au long de la voie ferrée avaient été dressés des arcs de triomphe de feuillage et hissées des bannières. A chaque arrêt éclataient les flonflons cuivrés de la fanfare locale, rangée devant chaque petite gare neuve, pimpante et fleurie comme une fille fraîchement maquillée. A Veytaux, le pasteur Duloy reconnut M. et M^me^ Edgar Quinet : debout au bas de leur vigne, au milieu des badauds, ils regardaient passer le train qui, en sens inverse, eût conduit l'exilé à Paris en moins de vingt heures.

— C'est parce qu'il a été, autrefois, séduit par la beauté de notre Léman, de nos vignes, et par l'affabilité des Vaudois, que M. Edgar Quinet, l'éminent professeur au Collège de France, républicain intransigeant, expulsé par le gouvernement de Napoléon III, s'est installé à Veytaux, après avoir vécu en Belgique, dit, avec un rien de fierté, le pasteur.

— Ce médiocre poète, « un des premiers parmi les talents de second ordre », a dit je ne sais quel littérateur, est aussi un grand remueur d'idées révolutionnaires, observa Axel.

— Le regretté Alexandre Vinet, qui connaissait l'œuvre de M. Quinet, a cependant écrit : « C'est l'un des critiques écoutés de cette époque », et aussi : « Jamais on n'a prodigué avec une nonchalance plus superbe de plus superbes images », cita, avec un peu d'emphase, M. Duloy.

— En tout cas, cet opposant au régime impérial est un paroissien qui ne fréquente guère l'église, cher pasteur ! Bien qu'élevé par une mère protestante et pieuse, dit Bertrand.

— Il a même souvent vitupéré la religion dans ses écrits et ses discours ! renchérit Vuippens.

— Mais il n'interdit pas à sa charmante épouse d'assister au culte. M^me^ Quinet, de famille moldave, a l'âme religieuse, même si ce n'est pas à la façon dont nous l'entendons. Elle utilise le psautier de la mère de son mari, je le sais par Sophie Vinet, qui rend souvent visite aux exilés, répliqua M. Duloy, toujours indulgent.

Une banderole rouge, sur la vieille tour de Chillon, attira bientôt l'attention des voyageurs.

— La compagnie a cru bon d'enrubanner nos vieilles pierres, que caresse la fumée de la locomotive. Mais apprécient-elles le passage de ce gros serpent de fer et de bois, bruyant, soufflant, sifflant et, il faut bien le dire, assez malodorant, qui nous transporte plus vite qu'un cheval au galop ? observa M. Duloy, dubitatif.

— Cher pasteur, le train conduira au château des centaines de visiteurs, qui descendront dans le cachot de Bonivard et donneront des bonnes-mains au gardien. Cette perspective réjouit déjà tous les hôteliers, de Montreux à Villeneuve. C'est le progrès ! dit Bertrand.

— Ah ! le progrès ! mon petit. Je me souviens de ce qu'en écrivait ce bon Rodolphe Töpffer, en 1835. Tu n'étais pas né qu'il nous avertissait déjà : « Il [le progrès] ne laisse rien en place, balaie tout devant lui ; il creuse, mine, plâtre, bouleverse, canalise ; il fait des campagnes une officine, des chemins une machine à wagons, des hommes des charbonniers ou des actionnaires, un tas de drôles véhiculant, voulant véhiculer, ne demandant qu'à véhiculer, qui vous véhiculeront, n'en doutez pas. » Eh bien, voilà, c'est arrivé ! Le progrès nous véhicule et le fantôme de Bonivard nous regarde passer dans nos cages à roulettes. Sûr qu'il rit de nous ! conclut Albert Duloy.

Axel eut tout loisir d'apprécier les avantages du chemin de fer quand, quelques jours plus tard, il se rendit à Genève. Le train le transporta de Vevey à la gare de Cornavin en une heure et demie, alors que le vapeur eût mis quatre heures pour accomplir le même parcours. Rue de la Corraterie, M. Métaz trouva Vincent réjoui.

— J'ai à vous annoncer une bonne nouvelle : María-Cristina va vous donner un petit-fils au regard vairon, dit le banquier.

— Ou une petite-fille ! risqua Axel, avant de féliciter son fils.

La perspective d'être grand-père avant la fin de l'année lui fit prendre conscience de la relève, terriblement rapide, des générations.

Après qu'eurent été réglées les affaires justifiant le bref séjour de M. Métaz à Genève, le père et le fils, rejoints par Alexandra, montèrent dîner rue des Granges. Ils y retrouvèrent la future mère, plus belle que jamais, épanouie et souriante. Le jeune couple habitait provisoirement l'hôtel Laviron en attendant l'achèvement de la villa que Vincent, grâce à la dot de sa femme, faisait construire, à Chêne-Bougeries, aux portes de Genève, dans une zone résidentielle en pleine verdure.

Au cours du repas, Alexandra évoqua l'affaire, qui, une fois de plus, opposait amis et obligés de James Fazy à ses adversaires, dont les dissidents radicaux, les plus virulents de tous.

Le 26 mars au soir, James Fazy, vice-président du Conseil d'Etat, responsable du département des Finances, sortait d'une séance à l'hôtel de ville et regagnait son domicile quand il avait été attaqué, sur le pont des Bergues, par un passant. L'homme lui avait porté un coup de poing à la tempe gauche en criant : « Tiens, voilà ce que je t'avais promis ! » Aussitôt arrêté, François Marchand, ouvrier bijoutier en chômage, avait été incarcéré à la prison de l'Evêché. Un serrurier, Alexandre Charles, qui, peu après l'agression, avait approuvé celle-ci à haute voix lors d'un rassemblement de badauds en criant : « C'est bien fait, on ne peut pas seulement avoir du pain ! », avait été interpellé.

De l'interrogatoire de l'agresseur il ressortit que, s'étant présenté au département des Travaux publics pour obtenir « un lot dans les travaux de démolition des fortifications », Marchand avait été éconduit. S'étant rendu au bureau de James Fazy pour demander l'appui du chef radical, il avait été accueilli encore plus fraîchement. « Je ne suis pas chargé de vous nourrir », avait lancé le chef du département des Finances. « On favorise les uns au détriment des autres, j'ai autant de droits, et peut-être plus, que ceux qu'on emploie », avait répliqué le chômeur, au courant, comme beaucoup de Genevois, du favoritisme dont bénéficiaient les militants radicaux. Ayant intimé l'ordre à son visiteur de sortir, Fazy s'était entendu répondre, sur le ton de la fierté prolétarienne outragée : « Vous êtes un insolent. Je ne suis jamais sorti de cette façon de nulle part ! » C'est alors que le politicien, excédé par cette résistance, avait saisi une chaise pour frapper Marchand.

*Le Pierrot* avait ironiquement commenté l'agression qui, très vite, prit une tonalité politique, l'opposition voyant en Marchand, bijoutier obligé de se reconvertir en terrassier pour nourrir sa famille, « une victime de l'incurie et de l'arbitraire du gouvernement fazyste ».

Le rédacteur ajoutait : «M. James Fazy reçoit deux coups de poing en pleine figure sur le pont des Bergues, au milieu de la foule qui n'a pas l'air de trop se scandaliser. [...] Nous disons que la chose est triste, mais à qui la faute ? N'est-ce pas à celui qui s'est toujours appuyé sur les coups de poing, si bien appliqués, dans le temps, par les zouaves ! Il ne doit pas s'étonner si, une fois, cette noble institution se tourne contre lui. De plus, lorsqu'on s'est toujours vanté d'avoir fait la prospérité de Genève, d'avoir créé de l'ouvrage pour tout le monde, on ne doit pas s'étonner si un de ceux qui se trouvent sans ouvrage vient en demander et croit, s'il n'en obtient pas, à la mauvaise volonté de l'habile magicien qui sait tout transformer d'un coup de baguette.

» M. Marchand a pris le régime au sérieux. Il s'est souvenu des Ateliers nationaux et s'est cru en droit de demander de l'ouvrage à M. Fazy ; or, ayant reçu un coup de chaise à la place, il a cru pouvoir se transformer en zouave pour un moment ! »

— James Fazy saura certainement tirer profit de cette affaire lors des élections de novembre prochain en faisant répandre que ce pauvre Marchand a été gouverné par l'opposition conservatrice, alliée aux radicaux dissidents du cercle La Ficelle, conclut Vincent.

C'est un événement d'une tout autre importance que rapportèrent, fin avril, les journaux. Dès le 11 mars, les représentants des Etats américains sécessionnistes, alors au nombre de sept, s'étaient dotés d'une Constitution, d'un drapeau, avant de décider la création d'une armée. Le 10 avril, le général d'origine française Pierre Toutant de Beauregard, commandant les premières forces sudistes à Charleston, avait adressé un ultimatum au Major Robert Anderson, de l'armée des Etats-Unis, lui demandant de remettre Fort Sumter à la Confédération. Anderson ayant refusé, le 12 avril, à quatre heures et demie de l'après-midi, les Sudistes avaient ouvert le feu sur le fort avec leurs canons et contraint les occupants à se rendre.

Il ne s'agissait pas d'un exploit flatteur, les troupes confédérées, fortes de quatre mille hommes, n'ayant à vaincre que quatre-vingt-cinq officiers et soldats de l'Union, assistés de quarante-trois ouvriers, employés aux travaux du fort. Cette canonnade constituait néanmoins le premier acte d'hostilité délibérée. La prise de Fort Sumter allumait la guerre entre le Sud esclavagiste et le Nord abolitionniste, encore que le partage idéologique eût mérité d'être plus nuancé que ne le marquaient les journaux suisses.

Au lendemain du bombardement, le président Abraham Lincoln, ayant reconnu qu'il existait, dans l'Union, une situation insurrectionnelle, avait ordonné l'appel sous les drapeaux de soixante-quinze mille miliciens. Deux jours plus tard, la Virginie rejoignait les rebelles et l'on s'attendait à ce que d'autres Etats, où l'on discutait ferme, entre pro et antisécessionnistes, comme l'Arkansas, le Tennessee et la Caroline du Nord, en fassent autant.

— C'est une guerre fratricide, que viennent de provoquer les esclavagistes, dit Bertrand à son frère, lors de la pendaison de crémaillère qui réunit, fin avril, toute la famille dans la belle villa de Vincent et María-Cristina.

— Et rien n'indique que les Sudistes ne l'emporteront pas, frérot. Les Nordistes sont loin de condamner unanimement les sécessionnistes. Et puis il y a les affaires.

— Comment ça, les affaires ?

— D'où crois-tu que vient le coton que travaillent les filatures du Nord, les filatures anglaises et françaises ? Et à qui crois-tu que profite la traite des Noirs ? Moi, tout ça m'intéresse, car le contrecoup financier et économique de cette guerre entre les Etats américains, une guerre civile en somme, ne va pas tarder et se fait déjà sentir. La France, qui importe, bon an mal an, cent vingt mille tonnes de coton américain, voit déjà ses filatures de Rouen et de Mulhouse manquer de matière première. Sais-tu qu'on prévoit de ne recevoir à Liverpool, cette année, que 300 000 balles de coton américain au lieu de 500 000 l'an dernier ? Il va falloir se rabattre sur les cotons des Indes et du Brésil. Les Bourses européennes vont réagir. Mais cela n'est rien : un banquier doit savoir anticiper sur l'événement et se placer au bon moment sur les marchés. Hier, comme je consultais d'anciens dossiers pour me faire une idée de l'évolution possible des affaires, je suis tombé sur cette information édifiante, découpée, il y a trois ans, dans le *Journal de Genève* et classée par notre archiviste. Connaissant tes nobles sentiments pour les Nordistes, je te l'ai apportée. Tiens, lis-nous ça, que tout le monde en profite, dit Vincent en tendant à son frère l'article, daté du 4 avril 1858.

Bertrand s'exécuta de bonne grâce.

— « Le *New York Herald* contient quelques détails sur la recrudescence du commerce des esclaves. Un journal de La Nouvelle-

Orléans, le *Delta*, a récemment déclaré que ce commerce était régulièrement rétabli dans le Sud, qu'un dépôt existait sur l'un des affluents du Mississippi et qu'on y recevait des cargaisons de Noirs, tout aussitôt vendus et mis à l'ouvrage. Sans garantir ni démentir les assertions du *Delta*, le *New York Herald* attribue au nord des Etats-Unis la plus grande part dans cette renaissance de la traite. Selon ce journal, c'est surtout de New York, de Boston et de Portland, que partent les bâtiments employés à ce commerce. Les cinquante négriers capturés et amenés à New York pendant les vingt dernières années étaient presque tous équipés aux frais des Etats du Nord. On peut évaluer à quarante le nombre des négriers qui sortent annuellement des ports mentionnés plus haut. Ces bâtiments, de cent à cent cinquante tonneaux, comptent quinze à vingt hommes d'équipage et peuvent porter, chacun, quatre cents à six cents Noirs. »

— J'ose espérer que, depuis trois ans, tout a changé. Et puis la guerre va donner à réfléchir aux armateurs sans scrupule, commenta le médecin avec humeur en rendant le papier à son frère.

— Bertrand ! Comme tu es naïf ! Rien n'a changé et rien ne changera tant qu'il y aura des planteurs pour acheter des esclaves, des industriels pour acheter le coton cueilli pas les esclaves et des gens ordinaires pour acheter des chemises tissées avec ce coton ! Peut-être que les négriers trouveront, demain, plus profitable de transporter des armes et des munitions pour le Sud, qui ne dispose pas d'une industrie, comme le Nord. D'ailleurs, je sais, par John Keith, que la Grande-Bretagne va annoncer, très officiellement, dans quelques jours, que le gouvernement de Victoria reconnaît la qualité de belligérant aux deux parties. Ce qui veut dire, quand on connaît le sens des affaires des fils d'Albion et leur hypocrisie, que les fabricants d'armes britanniques vendront aux deux armées de quoi s'entre-tuer allégrement. Tandis, bien sûr, que les plus éminents philosophes et politiciens continueront à condamner l'esclavage, avec des sanglots dans la gorge !

— Ce sont des façons déshonorantes ! s'indigna Bertrand.

— Ce sont les affaires, frérot ! conclut Vincent.

Axel Métaz aurait aimé que le général Fontsalte fût encore à Beauregard, où il aurait pu suivre le conflit américain sur les cartes, plantant ici et là de petites bannières étoilées et ce nouveau drapeau des sécessionnistes que les journaux venaient de reproduire : trois larges bandes horizontales, une blanche entre deux rouges et, dans l'angle supérieur gauche, du côté de la hampe, un carré bleu, frappé de neuf étoiles blanches, représentant les neuf Etats sécessionnistes [1]. Mais Blaise de Fontsalte n'avait pas reparu au pays de Vaud. Axel, après avoir reçu régulièrement des missives, était resté tout l'hiver sans nouvelles de son père, la neige, qui atteignait parfois cinq ou six mètres d'épaisseur au Grand-Saint-Bernard, interdisant tout déplacement au vaguemestre de l'hospice. Il comptait bien qu'avec le printemps, les chemins étant devenus praticables, un message lui parviendrait bientôt.

Mais la neige, cette année-là, paraissait s'accrocher aux Alpes valaisannes. Il en tombait toujours en avril, même en mai, au-dessus de deux mille mètres, et le reclus de l'hospice n'avait pas encore écrit quand Axel fut de retour à Genève, où, depuis sa solitude, il faisait de plus fréquents séjours.

L'affaire Marchand venait de rebondir, provoquant un de ces accès de fièvre politique qui relèvent plus de la commedia dell'arte que du noble jeu démocratique. Le 10 mai, l'agresseur de M. Fazy avait été condamné par la cour d'assises à neuf mois de prison et aux dépens du procès, le jury estimant qu'il s'agissait d'une affaire « de particulier à particulier ». Cette peine, considérée comme trop clémente par les élus radicaux, souleva aussitôt l'indignation des amis de Fazy, parce que la justice n'avait pas tenu compte des fonctions éminentes de la victime. James Fazy vit dans le jugement un désaveu de sa politique et déclara : « Puisqu'un jury de douze personnes ne sait pas me rendre justice, je vais faire appel à un jury plus grand, le peuple. » Et, pour soutenir leur vice-président, les conseillers d'Etat donnèrent leur démission quelques jours plus tard.

De la rue des Granges à la Corraterie, des rues basses jusqu'à Saint-Gervais, on spéculait déjà sur le résultat des élections futures, quand la nouvelle de la catastrophe de Glaris se répandit en ville.

1. Après la première bataille de Manassas, en juillet 1861, le drapeau sera modifié, d'une part parce que le Stars and Bars des Sudistes était trop fréquemment confondu avec le Stars and Stripes de l'Union, d'autre part parce que quatre autres Etats avaient rejoint la Confédération sudiste. Le nouvel emblème de la Confédération devint celui qui a survécu jusqu'à nos jours et qu'ont adopté certaines sociétés ou associations patriotiques du Vieux Sud : deux bandes diagonales bleues, sur fond rouge, portant treize étoiles blanches.

Le lendemain de la *Landsgemeinde*[1] du 9 mai, la foire traditionnelle et la fête populaire avaient rassemblé les familles glaronnaises, venues à Glaris faire des emplettes, chanter, danser, se restaurer. Vers dix heures du soir, alors que s'achevait une représentation théâtrale, quelqu'un avait alerté l'assistance : l'écurie et la grange du conseiller Christophe Tschudi étaient en flammes. Attisé par un fœhn violent, qui soufflait depuis le matin, l'incendie s'était propagé à une vitesse effrayante, dévorant les unes après les autres les maisons, la plupart en bois. Au son du tocsin, toute la population mobilisée et les renforts, venus des villages voisins, avaient vainement tenté de combattre le feu qui, au petit matin, avait détruit les deux tiers de la ville. Le bilan, publié le 16 mai par les journaux, était précédé d'un appel du comité central de secours de Glaris. « Ce bourg, naguère si florissant, n'est plus maintenant qu'une ruine. Près de cinq cents maisons, entr'autres celles de la Grand'Rue, la cathédrale avec sa nouvelle sonnerie, les quatre maisons de cure, les édifices cantonaux, la maison de ville, le Casino, la banque et d'autres édifices publics, ainsi que ceux appartenant aux particuliers, sont devenus la proie des flammes. Trois mille personnes se trouvent aujourd'hui sans asile. La perte totale en habitations et mobilier, éprouvée par le plus grand nombre de ces infortunés, peut être évaluée à plus de huit millions, dont la caisse d'assurance ne les indemnisera que pour une faible partie[2]. »

— A cela, il convient tout de même d'ajouter quatre morts par brûlures et une femme, qui n'a pas été retrouvée, compléta Vincent qui, au nom de la banque, venait d'envoyer un secours substantiel au comité glaronnais.

Au cours des jours qui suivirent, la presse fit état des dons qui ne cessaient d'affluer à Glaris : subsides alloués par les gouvernements cantonaux et par les villes, sommes recueillies par les comités d'entraide spontanément créés à travers le pays ou offertes par les entreprises, les banques, les particuliers. Si les Suisses donnè-

1. « Dans les cantons campagnards, assemblée de tous les citoyens qui possèdent les droits politiques. Organe souverain de la communauté, la *Landsgemeinde* se réunit en principe une fois par an. On peut y décider de la guerre ou de la paix, des alliances, des traités. L'Assemblée est également compétente pour légiférer, prononcer l'admission de nouveaux membres dans la communauté, élire les fonctionnaires, etc. », *Nouvelle Histoire de la Suisse et des Suisses*, Payot, Lausanne, 1982.

2. *Le Nouvelliste vaudois*, jeudi 16 mai 1861. Le bilan définitif fit état de 5 morts, 593 maisons détruites, 2250 sans-logis.

rent ainsi plus de deux millions, on reçut vingt mille francs de Russie, trente-trois mille francs de Turquie, six mille francs de Paris, trois mille francs de Liverpool, mille cinq cents francs de Chine et du Japon, trois cents francs de Perse.

— Cela réjouit le cœur de voir que les Suisses n'ont pas perdu le sens de la solidarité et qu'ils comptent, à travers le monde, de vrais amis, commenta Bertrand.

En revanche, le jeune docteur Métaz fut choqué, quelques jours plus tard, quand il apprit que des Vaudois avaient pris le train pour Genève afin d'assister à l'exécution d'un certain Claude Vary, assassin de trois personnes, condamné à mort le 8 mai par la cour d'assises. Malgré l'intervention du chapelain catholique, l'abbé Blanc, qui avait visité pendant quatorze mois le prisonnier, et une pétition des opposants à la peine de mort, le Grand Conseil avait refusé, par soixante et une voix contre quinze, de commuer la peine de Vary en réclusion perpétuelle. L'exécution était fixée au 25 mai.

Bien qu'un tel spectacle ne lui plût guère, Bertrand de Fontsalte se laissa convaincre par Louis Vuippens de l'accompagner à Genève au jour du supplice.

— Nous autres, médecins, devons voir au moins un guillotiné, pour nous faire une idée de ce qui se passe dans l'organisme humain au moment où la tête est brutalement séparée du corps par le fer tranchant, expliqua Louis.

L'exécution était prévue pour six heures du matin, mais les deux médecins, arrivés à Genève la veille, découvrirent avec stupeur, en quittant à l'aube la rue des Granges, qu'une foule dense avait déjà envahi la place Neuve et tentait d'approcher au plus près la guillotine, dressée au bas de la montée de la Treille. Un gendarme apprit aux Vaudois que des gens, soucieux d'être bien placés, avaient dormi sur les pelouses des Bastions.

— Dès minuit, il y avait là des femmes et des hommes, mais le gros du peuple est arrivé bien avant vous, vers quatre heures du matin, précisa le représentant de l'ordre.

Aux ouvriers, paysans, femmes en fichus, commis du commerce et serveuses de tavernes, se mêlaient quelques bourgeois, décidés à voir s'accomplir le geste fatal de Thémis.

Bertrand s'étonna de découvrir que cette assistance, excitée et bavarde, comptait beaucoup plus de femmes que d'hommes. A cinq heures et demie, encadré par des gendarmes sabre au clair, le condamné apparut, tête nue, vêtu d'une chemise et d'un pantalon, les mains liées derrière le dos par une cordelette, que tenait comme une laisse le bourreau en habit. L'abbé Blanc et trois huissiers en frac noir escortaient Vary.

Vuippens le trouva laid, cou de taureau, épaules épaisses, faciès de brute. L'assassin n'inspirait aucune pitié, car le bruit courait qu'il n'avait marqué aucun repentir au cours de son procès.

— Une vraie caricature d'assassin, reconnut Bertrand, tandis que les pompiers mettaient leurs lances en action pour déloger les curieux montés dans les arbres et faire reculer la foule.

Les choses, ensuite, allèrent très vite. Cueilli, dès l'escalier de l'échafaud, par le bourreau et son aide, affublés de fausses barbes pour ne pas être reconnus, le condamné fut prestement basculé sur la planche inclinée, buste en avant, le chef dans la lunette. La lourde lame glissa et tomba dans un affreux craquement, sans détacher franchement la tête du corps du supplicié. Des gens se mirent à siffler, estimant que le spectacle avait été trop court, que le couperet s'était abattu trop tôt.

— C'est horrible, ce mauvais tranchoir ! Il a fallu que le bourreau intervienne pour séparer la tête du buste. Une boucherie indigne d'un peuple civilisé ! lança Bertrand, écœuré.

— Certes. Mais qu'importe, la mort a été instantanée ! J'ai regardé les mains de l'homme : elles n'ont pas tressailli, dit Vuippens.

Un peu plus tard, chez les Vincent Métaz de Fontsalte, qui avaient invité les deux médecins à partager leur repas de midi avant qu'ils ne regagnent Vevey, la discussion vint naturellement sur la peine de mort.

— Il est incroyable d'entendre qualifier d'absurde et de scélérate l'abolition de la peine de mort, qui n'est qu'un assassinat juridique ! dit Bertrand.

— Attention ! Il faut se défier des déclamations purement sentimentales, et ne pas oublier le point de vue de la justice. Le meurtrier ne peut se plaindre du fait que la société réclame sa vie, en échange de celle qu'il a sciemment supprimée. La société doit faire respecter le droit à la vie de tout citoyen et se charger du droit posthume de la victime. La société ne se venge pas, elle punit, dit Vuippens.

— La société qui supprime l'assassin n'est point injuste. La société qui ne voudrait pas verser le sang et qui supprimerait seulement la liberté du meurtrier serait peut-être plus humaine. Je conçois donc, comme M. Victor Hugo, que l'on abolisse la peine de mort, mais à une condition toutefois : « que Messieurs les assassins commencent », comme l'a écrit M. Alphonse Karr[1], dit Vincent.

María-Cristina approuva chaleureusement, posant sur son mari un regard admiratif. Depuis son mariage, la fille de Conrad Feer découvrait, avec un émerveillement enfantin, les connaissances, le savoir-faire, la lucidité, la facilité de repartie, la mâle assurance de Vincent. Et ce dernier, bien conscient de son empire, s'en amusait.

— Il faut reconnaître que les sentimentaux négligent souvent la victime, seul acteur honorable et pitoyable du drame, pour porter un intérêt niais et déplacé à l'assassin qu'ils représentent, avec ses avocats, comme un pauvre hère malchanceux, aux prises avec une société égoïste, méprisante et brutale. Cette miséricorde dévoyée me fait penser à la mère d'un enfant polisson, qui prend le parti de celui-ci contre le père qui veut — qui doit — sévir, développa Vuippens.

Le sujet était loin d'être épuisé quand Bertrand et Vuippens se firent conduire à Cornavin, pour prendre le train qui les porterait à Vevey en une heure et demie.

Par un matin lumineux de fin mai, Axel se préparait, avec Tabourot, à mettre son voilier en état pour la première sortie de l'année sur le lac, quand un commis de Rive-Reine vint l'informer qu'un prêtre inconnu demandait à le voir d'urgence.

Regagnant vivement sa maison, Axel trouva, assis devant un bol de café et en conversation avec Pernette, un religieux, qu'il reconnut tout de suite, à l'écharpe blanche barrant sa robe noire, pour un moine du Grand-Saint-Bernard.

— Vous m'apportez des nouvelles du général Fontsalte, je suppose, dit Axel, jovial, en voyant une enveloppe à son nom, posée sur la table.

— Hélas, monsieur, ce ne sont sans doute pas celles que vous attendez. Pardonnez-moi d'être brutal, monsieur. Dieu a rappelé à Lui le marquis Blaise de Fontsalte, dit le religieux en se signant.

— Mort, Fontsalte ! Venez avec moi, dit simplement Axel.

Il fit signe au moine de le suivre jusqu'à son cabinet de travail,

1. Journaliste et romancier français (1808-1890). *Les Guêpes*, journal satirique, 1840.

tandis que Pernette commençait à se lamenter en triturant son tablier.

— Comment est-ce arrivé ? articula Métaz, d'une voix enrouée par l'émotion, dès qu'ils furent seuls.

— Je suis désolé de vous causer cette peine, monsieur, mais l'ordonnance du général n'était pas capable, vu son grand âge et son incapacité physique, de venir jusqu'à vous. Nous avons encore un bon mètre de neige jusqu'au plan de Sales et…

— Oui, je sais. Racontez-moi, coupa Axel.

Le religieux prit un temps de réflexion, comme s'il se remémorait un récit préparé.

— Eh bien, voilà. Le général avait coutume, dès que le temps était au beau et qu'il ne tombait pas cette mauvaise neige mouillée, que nous voyons souvent au printemps, d'aller se promener autour de l'hospice. Car, en dépit de son âge, cet homme, d'une robustesse qui nous étonnait tous, était capable de marcher pendant des heures. Il se chaussait de hautes bottes, se coiffait d'un bonnet de fourrure, qu'il disait avoir reçu autrefois d'un Cosaque, et s'en allait, muni d'un de nos grands bâtons, si utiles pour sonder l'épaisseur de la neige.

— Je vois. Et alors ? dit Axel, impatient.

— Il y a quelques jours, c'était le 20 mai, le général est sorti, après le repas de midi, le meilleur moment, disant qu'il allait du côté du Pain-de-Sucre, vous savez cette montagne bizarre qui se dresse à l'ouest de notre petit lac, sur le versant italien. Le général ne s'éloignait jamais beaucoup et, d'ailleurs, M. Trévotte était toujours à le guetter, derrière la vitre, en pestant avec de gros jurons contre les imprudences de votre père. Quand, au milieu de l'après-midi, le temps changea brusquement et qu'une tourmente de neige nous boucha la vue, M. Trévotte commença à s'inquiéter et à nous agiter pour que nous allions à la rencontre du général. A la fin, le clavendier demanda à un marronnier de prendre Barry[1] et d'aller

1. Depuis la fin du XVIIIe siècle, les moines du Grand-Saint-Bernard élèvent des chiens de montagne, qui portent le nom de l'hospice. Le plus célèbre d'entre eux, Barry Ier, mourut en 1814, à Berne, où il avait été conduit pour être soigné après avoir sauvé, dans le massif du Saint-Bernard, de nombreuses vies humaines. Les Bernois firent naturaliser sa dépouille et on peut voir, aujourd'hui encore, ce chien empaillé au musée d'Histoire naturelle de Berne. En revanche, le chien naturalisé que voient les visiteurs de l'hospice du Grand-Saint-Bernard est un descendant de Barry, qui mourut en 1910, lors d'une chute dans une crevasse. Il est de tradition que le meilleur chien du moment porte toujours le nom de Barry.

faire un tour du côté du Pain-de-Sucre. Notre frère revint bientôt, car la nuit tombait et le vent fort faisait tourbillonner la neige. On n'y voyait pas à cinq pas. Il expliqua qu'il y avait eu une petite avalanche et que le chien avait fait mine de vouloir descendre dans un creux, mais il l'avait retenu, la neige mouillée étant trop molle pour le porter. M. Trévotte se mit presque en colère, disant qu'on devait aller à la lanterne rechercher le général, ce qui était impossible, vu la tourmente aveuglante qui s'enflait. Au matin, M. Trévotte, qui n'avait pas quitté le vestibule, assis derrière la porte d'entrée, voulut m'accompagner avec les deux marronniers et le chien, car on se doutait bien, déjà, monsieur, de ce qu'on risquait de trouver. Mais M. Trévotte était incapable de se tenir dehors. Je l'ai vu pleurer de rage, monsieur, se révoltant contre l'indigence de son corps mutilé, monsieur.

— Et alors ? répéta Axel, que la prolixité du religieux agaçait, bien qu'il sût déjà la fin du récit.

— Alors, le temps s'étant remis au beau, le chien nous a conduits assez loin de l'endroit où nous pensions trouver le général. Nous avons sondé avec nos bâtons, et un frère, qui connaît bien l'endroit, a dit qu'il y a, près de là, un petit éperon de rocher sous lequel, parfois, les gens se terrent pendant les avalanches. Tout de suite, Barry se mit à gémir. Nous n'avons pas eu à pelleter longtemps, car la couche de neige glacée était mince. C'est là que nous avons trouvé le corps de votre père. Une fois la neige écartée avec précaution, il nous apparut intact. Il était couché sur le dos, comme quelqu'un qui s'est allongé pour s'abriter ou se reposer, ses mains croisées sous sa houppelande bien serrée contre lui. Ses belles moustaches étaient de cristal, monsieur, ses yeux clos. Il semblait dormir paisiblement, dans le sarcophage de neige durcie par le gel de la nuit. Nous l'avons porté à l'hospice et M. Trévotte, à qui votre père avait laissé des consignes pour après sa mort, lui a passé son uniforme de parade, qu'il avait apporté dans ses bagages, sans oublier le grand cordon de la Légion d'honneur. Ensuite, on a déposé la bière à la chapelle et notre prévôt a dit la messe des morts.

— Je vous remercie de ces soins. Mais cette enveloppe, que vous tenez là, ne m'est-elle pas destinée ? demanda Axel.

Le religieux pria Métaz d'excuser son oubli et tendit la lettre. Axel, ayant reconnu la grande écriture du général, ouvrit aussitôt l'enveloppe et lut :

« Mon cher fils,

» Comme vous le savez j'ai trouvé à l'hospice le silence et la sérénité qui conviennent à un homme qui doit être prêt à quitter la vie d'un jour à l'autre. Cette hiver, la blancheur onctueuse de la neige tombée en abondance — on a mesuré six mètres d'épaisseur devant la porte du monastère — m'a donné à penser qu'il n'y a peut-être pas fin plus souhaitable que s'endormir dans un champ de neige. Ainsi, le froid nivéen conduit insensiblement à celui de la mort. J'imagine qu'à l'instant où ils se confondent, on doit, avec un reste de lucidité, connaître la sensation indolore du passage... et le linceul est tout prêt. N'en déduisez pas, mon cher fils, que je courre au suicide mais, quand le temps sera venu, si Dieu me prend en pitié, c'est ainsi que j'aimerais partir.

» Quand Trévotte vous remettra cette lettre, j'aurai quitté la vie d'une manière ou d'une autre, à la discrétion du Tout-Puissant, et vous aurez à charge de me conduire, avec votre mère, en notre terre de Fontsalte-en-Forez. Tout ce que j'ai possédé en ce monde vous appartient et je salue en vous le nouveau marquis de Fontsalte. Je sais que vous porterez nos armes avec honneur et fierté.

Votre père aimant *in aeternum.* »

Axel, pensif et malheureux, remit la lettre dans l'enveloppe et la posa sur son bureau.

— Comment descendrons-nous le corps du général de l'hospice ? Y avez-vous pensé ? demanda M. Métaz.

— Nous avons prévu, si le temps se maintient, de faire glisser le cercueil sur un traîneau jusqu'à Saint-Pierre, où l'on pourra le mettre sur un char, dit le moine.

— Bien, je serai à Saint-Pierre demain, et je vous attendrai. Je conduirai le corps à Villeneuve, où je l'embarquerai sur mon bateau pour Lausanne, compléta Axel.

Ainsi furent organisées les étranges funérailles d'un homme dont la fin, pas plus que l'existence, ne pouvait entrer dans le moule ordinaire des vies humaines. Vuippens et Bertrand assistèrent Axel, enfermé dans un chagrin silencieux, et durent, à Bourg-Saint-Pierre, donner des soins à l'adjudant Trévotte, désemparé par la disparition de l'officier, qu'il avait servi pendant plus d'un demi-siècle. En arrivant à Beauregard, où tout le monde logea la veille de l'inhumation, l'adjudant remit à Axel un petit écrin. Celui-ci contenait la chevalière armoriée du général que, suivant la volonté du défunt, Titus avait retirée de l'auriculaire du mort pour la remettre à son fils.

Axel, qui ne portait aucune bague, la glissa aussitôt à son doigt, après un regard sur les armoiries gravées qui rappelaient l'ancestrale étrangeté du regard Fontsalte. Il énonça : « D'azur à deux yeux, l'un d'or l'autre d'argent, chacun surmonté d'une étoile de sable et accompagnés en pointe d'une eau jaillissante d'or. »

— Je crois que le général souhaitait que vous ne la quittiez jamais et, qu'après vous, elle passe à monsieur Vincent, votre fils aîné. C'était bien la volonté du général, monsieur Axel. Je vous le jure. Que le sceau des Fontsalte soit toujours au doigt d'un Fontsalte, voilà ce qu'il voulait, acheva l'adjudant.

— Rassurez-vous, Titus, cette bague ne me quittera que mort, assura Axel, ému.

— Pardonnez-moi de vous avoir parlé ainsi, mais pensez que j'ai connu le général Fontsalte lieutenant à Altenkirchen, en 96, et que nous ne nous sommes jamais quittés depuis. Sans lui, je serais mort à Marengo, quand Larrey m'a coupé la jambe. Et après, il a voulu me garder comme ordonnance et m'a fait fabriquer une botte spéciale pour monter mon cheval. Quelle misère qu'il soit mort ainsi, seul dans la neige, comme un vagabond ! Ah ! je m'en voudrai toujours de l'avoir laissé sortir. En plus, c'était le 20 mai, un jour qu'il marquait chaque année. Pensez, l'anniversaire de notre montée au Saint-Bernard, en route vers l'Italie avec le Premier consul, alors qu'il venait de quitter votre future mère, de qui il était déjà bien fort entiché, même s'il ne le disait pas. Quelle misère, non, quelle misère ! se lamenta Titus.

Depuis le récit du moine du Grand-Saint-Bernard, Axel était fixé sur la mort de son père. Elle n'avait d'accidentel que les apparences. Le fait qu'il eût choisi le 20 mai pour faire cette promenade dans la neige renforçait singulièrement ce qu'il exprimait dans sa lettre. Le général Fontsalte avait pris rendez-vous avec la mort, à son heure et au lieu par lui désigné. La camarde, compagne familière du soldat, lui avait obéi.

Quand Blaise de Fontsalte fut inhumé, provisoirement, près de Charlotte, au cimetière d'Echallens, Axel Métaz dut organiser le transfert des époux dans leur sépulture définitive de Fontsalte. Vincent, voyant son père malheureux, indécis et las, prit l'initiative. Par ses relations dans les administrations et les compagnies ferroviaires, il obtint rapidement les documents relatifs au transport des corps en France et, au départ de Lausanne, un wagon-salon de douze places, qui fut d'abord attelé au Lausanne-Genève, puis au Genève-Lyon et, enfin, au train Lyon-Saint-Etienne. La dernière partie du parcours, de la préfecture de la Loire à Fontsalte, une vingtaine de kilomètres, s'effectua avec des attelages loués.

Axel et ses fils furent étonnés de constater, lors de la messe des morts — que l'évêque du diocèse tint à venir célébrer lui-même, dans la chapelle du vieux château —, combien la population restait attachée aux membres de cette très ancienne famille forézienne.

Le prélat, dans son homélie, sut traduire le sentiment de ceux qui avaient bien connu le général. « Nous le savons tous ici, les Fontsalte sont, depuis toujours, démocrates et républicains, non pour flatter le peuple ou s'en faire bien voir, mais par raison raisonnante. Néanmoins, ils ont toujours professé que l'aristocratie a sa place sous tous les régimes politiques. Car, le peuple a besoin d'exemples et c'est le devoir de l'aristocratie de les lui proposer. Comme ce fut, autrefois, le privilège de la noblesse de porter les armes, l'aristocratie doit aujourd'hui, mes frères, porter la conscience de la démocratie, dit l'évêque, avant de conclure, citant saint Paul : "*Omnia pura puris*[1]." »

Le général gouverneur militaire de la région s'était fait accompagner d'un détachement d'infanterie, chargé de rendre, comme il se devait, les honneurs au grand officier de la Légion d'honneur défunt, le préfet s'était déplacé, et le maire du village trouva les mots simples, qui convenaient, pour saluer tristement le retour au pays d'un Forézien qui, sans que personne l'eût jamais su, pas même sa famille, avait été un bienfaiteur de sa commune. Enrichi par le commerce des eaux de Fontsalte, l'usine d'embouteillage et ses annexes, le village avait grandi et s'était équipé d'une école neuve, d'un dispensaire, d'une bibliothèque, grâce aux libéralités du général, peu présent mais très au courant des besoins locaux.

Quand le maire, adressant ses condoléances, appela Axel Métaz « monsieur le Marquis », le Vaudois dut cacher sa confusion, qui eût été encore plus grande s'il avait vu le sourire d'Alexandra. Sa filleule avait tenu à faire le voyage, ainsi que les Vuippens. Seuls manquaient María-Cristina — enceinte, elle n'était plus en situa-

1. Tout est pur pour ceux qui sont purs. Lettre à Tite.

tion de supporter un long trajet en chemin de fer — et le vieux pasteur Albert Duloy, dont les forces déclinaient depuis l'hiver.

Après les obsèques, une vieille femme du pays, ancienne institutrice, vint embrasser les trois Métaz de Fontsalte. Examinant Axel, elle déclara qu'il était « le portrait craché » du défunt et ajouta qu'elle se sentait bien aise de voir que le regard vairon de « nos seigneurs » se retrouvait encore chez l'un des petits-fils du général. Axel, pour la première fois de sa vie, se vit investi d'une sorte de responsabilité dynastique, à laquelle rien ne l'avait préparé.

Avant de quitter Fontsalte, trois jours plus tard, il revint seul dans la chapelle où avaient été inhumés Blaise et Charlotte. Sous les grandes dalles, fraîchement scellées, tous deux, comme ils l'avaient souhaité, reposaient côte à côte pour l'éternité. « Moi, je m'en irai un jour reposer près d'Elise, mon épouse patiente et fidèle, dans le cimetière de Vevey, car ce caveau ne peut plus recevoir personne et c'est bien ainsi », pensa-t-il, redevenant soudain étranger à ce qui l'entourait. Comme il se préparait à quitter l'oratoire, Axel entendit des pas sur les dalles. Il se retourna et vit Vincent, qui s'avançait en compagnie d'un inconnu.

— Ce monsieur est un sculpteur très coté dans la région. Il veut bien se charger de réaliser les gisants que je veux offrir à grand-père et grand-mère, dit le banquier.

— Des gisants !

— J'aurais voulu vous en faire la surprise, mais vous vous êtes trouvé là, alors vous savez tout, ajouta Vincent.

Axel, ému, ne sut que bafouiller une sorte de remerciement un peu niais à son fils, tandis que l'artiste prenait des mesures.

— Plutôt que des photographies récentes, nous vous enverrons des reproductions des portraits du général et de son épouse, jeunes. Ils étaient tous deux très beaux, dit le banquier au sculpteur, en entraînant son père vers le porche, que le soleil printanier franchissait pour dérouler sur les dalles antiques, polies par mille passages, un tapis de lumière.

Quittant le château où ils laissèrent le vieux Trévotte, décidé à monter la garde près de la tombe du général jusqu'à ce que la mort le prenne à son tour, Vincent promit à son père de revenir souvent à Fontsalte. Le banquier avait été séduit par la gentillesse des gens du pays, par les épaisses murailles, la rudesse médiévale du vieux donjon et, aussi, par le décor bucolique des bords du Lignon, cher à Honoré d'Urfé.

— Puisque ce château est maintenant maison de famille, et que l'exploitation des eaux minérales mérite qu'on s'y intéresse d'un peu plus près, je prendrais volontiers les choses en main, père, si vous m'y autorisiez, dit-il à Axel.

— Ce domaine te reviendra et ton grand-père eût été heureux que tu t'en occupes. Moi, je suis trop vieux et puis, les affaires, hein, tu sais ! Alors, tu as carte blanche, bien sûr, dit Axel.

— J'espère que tu nous inviteras, de temps en temps, à chasser sur tes terres, futur marquis de Fontsalte par droit d'aînesse, lança Bertrand en riant.

— Frérot, tout ce qui est à moi est à toi, tu le sais. Je nous ferai à tous un beau château en mémoire de grand-père. María portera un hennin et toi, Diafoirus du Forez, un énorme clystère à piston, et père rendra la justice sous un saule, entouré des gentes bergères de l'Astré, déclama Vincent, dont l'appétit de vivre éclatait, en dépit du deuil, jusque dans les regards qu'il lançait de biais aux petites paysannes venues déposer des bouquets tricolores, bleuets, marguerites et coquelicots, sur le caveau clos des Fontsalte.

Après les moments douloureux et d'une rare intensité émotionnelle, vécus depuis la mort et les funérailles du général Fontsalte, Axel Métaz, dolent, comme étonné de constater qu'à Vevey rien n'avait changé, mit plusieurs semaines à reprendre le rythme routinier de son existence de vigneron chef d'entreprises. Comme irrésistiblement attiré par le souvenir des absents, il prit l'habitude de se rendre souvent à Beauregard, devenu sa propriété, où, contrairement à ce qu'il avait tout d'abord redouté, il éprouvait une sérénité nouvelle. Là, subsistait le véritable centre de ce que les intimes avaient si longtemps nommé le cercle Fontsalte, aujourd'hui décimé par la mort.

La maison, ses dépendances et son parc, entretenus par Clara, la gouvernante, assistée d'un homme de peine et d'un jardinier-palefrenier, paraissaient nets et figés comme un décor de théâtre déserté par les acteurs. Vu de l'esplanade de Beauregard, le lac paraissait au Veveysan plus lointain, mais aussi plus vaste que de la terrasse de Rive-Reine, surélevée de quelques mètres seulement au-dessus des eaux. Dans la demeure silencieuse, Axel passait des heures, allant d'une pièce à l'autre, découvrant sur une toile de Calame, de Diday ou de Bocion, un détail qui, jusque-là, lui avait échappé, feuilletant *les Vies des hommes illustres,* de Plutarque, un Montaigne somptueusement relié ou les *Conversations de Goethe pendant les dernières années de sa vie*, recueillies par Eckermann. Il finissait toujours par s'asseoir, au premier étage, dans le cabinet de travail du général, derrière la grande table d'acajou, dessus de cuir doré aux petits fers, face à l'écritoire, ornée d'une aigle d'or aux ailes éployées, avec encriers de cristal, cadeau de Napoléon Ier à l'officier. Pensif à la vue du sous-main, dont le buvard portait, hiéroglyphes confus, les empreintes mêlées des mots tracés au fil des mois par le général, il reconnaissait l'odeur du tabac hollandais, les effluves de l'encaustique et du cuir patiné des fauteuils. S'il hésitait à tremper une plume dans l'encre pieusement renouvelée par Clara, il osait, en revanche, jouer avec le poignard coupe-papier, souvenir rapporté d'Egypte par le capitaine Fontsalte, tout en considérant le faisceau de pipes et le pot à tabac, dans lequel son père l'avait si souvent invité à puiser.

Parfois, quand Bertrand s'absentait de Rive-Reine, Axel passait la nuit à Beauregard, dans la chambre que sa mère avait installée pour Elise et lui, au temps où ils formaient encore un couple heureux. Ces jours-là, Clara se mettait en cuisine, ayant à cœur de satisfaire le nouveau maître des lieux.

« Je m'ennuie tellement quand je suis seule, dans cette grande maison, que c'est un plaisir de vous servir, comme je servais autrefois votre père, depuis la mort de Madame », disait l'honnête femme.

Fumant sa pipe sur la terrasse, un verre de lie à portée de main, Métaz convoquait au rendez-vous du souvenir tous les fantômes aimés, tandis que le crépuscule embrumait le lac et que montaient d'Ouchy, dans le silence du soir, les échos de l'orchestre de l'hôtel Beau-Rivage.

Le ressat des vendanges de la triste année 1861 eût été empreint de beaucoup de nostalgie, à Rive-Reine, si Vincent et María-Cristina n'avaient fait le voyage de Genève, pour présenter l'enfant, que l'épouse du banquier avait mis au monde deux mois plus tôt. Vuippens et Bertrand, ayant examiné en médecins le regard du bébé, déclarèrent, avec assurance, que la fillette avait bien le regard vairon des Fontsalte. Sur les lèvres de sa petite-fille, prénommée María-Elisa Eufemia, par référence aux grand-mères qu'elle ne connaîtrait pas, Axel, vivement sollicité, déposa une goutte de vin de Belle-Ombre « afin que la demoiselle soit aussi vaudoise que lucernoise ».

Si María-Cristina se montrait fière de sa fille, gros bébé brun, de caractère facile, Vincent ne semblait pas attacher beaucoup d'importance à la paternité. Hors de la présence de sa femme, qui s'était tôt retirée avec Alexandra et Zélia, enchantées de pouponner, Vincent confessa qu'il était fort déçu que María-Cristina ne lui eût pas donné, d'emblée, un garçon.

— Le regard vairon sied à un mâle, pas à une fille. Plus tard, on se moquera de María-Elisa. On dira qu'elle a une coquetterie dans l'œil et elle sera malheureuse. Et puis je sais que, si j'ai ensuite un fils, il n'aura pas le regard Fontsalte, parce qu'il est avéré que seul le premier enfant d'un père à l'œil vairon hérite de ce… de cette particularité, dit avec humeur le banquier.

— C'est exact, seul a le regard vairon le premier des enfants qu'un œil vairon fait à une femme, mon cher frère. Mais il reste capable de faire autant de premier enfant à l'œil vairon qu'il connaîtra de femmes ! confirma Bertrand.

— Qu'est-ce que ça veut dire ? fit Vincent.

— Ça veut dire, gros bobet, que, si tu changes de partenaire, celle-ci te donnera un garçon à l'œil vairon… à moins que tu ne fasses toi-même que des filles, ce qui, d'après un proverbe espagnol, que María-Cristina doit connaître, serait l'apanage des grands amants, expliqua Vuippens en riant.

— Eh ! eh ! c'est intéressant ça, fit Vincent.

— Pauvre María-Cristina, elle se prépare de beaux jours ! soupira Bertrand.

L'apparition du pasteur Duloy qui, fatigué, souhaitait qu'on le raccompagnât chez lui, mit fin à la conversation. Pendant que Lazlo allait chercher le cabriolet, M. Duloy interrogea Vincent sur ce que l'on disait, dans la banque genevoise, des événements d'Amérique.

— La guerre paraît bien engagée, monsieur le Pasteur. D'après le correspondant de notre banque à Washington, les Sudistes, qui avaient remporté, en juillet, une victoire sur les fédéraux à Manassas Junction, près de la rivière Bull Run, en Virginie, furent bien près, un moment, de passer le Potomac et de hisser leur drapeau sur le Capitole, comme ils se le proposaient. Mais cette bataille, la première un peu sérieuse, leur a coûté trois cent quatre-vingt-sept morts et mille cinq cents blessés. Les Nordistes, qui ont perdu le même jour quatre cent quatre-vingt-un morts et plus de mille blessés, ont senti passer le vent de la déroute et se sont ressaisis. Le 10 août, à Wilson's Creek, dans le Missouri, les plus grosses pertes ont été pour les Sudistes, comme en septembre à Lexington, Missouri. Lors des derniers combats connus, à Ball's Bluff, en Virginie, les deux parties ont fait, si j'ose dire, jeu égal, et l'on ne sait ce que réserve l'avenir, expliqua Vincent.

— Tout ce que l'on sait, hélas, mes pauvres enfants, c'est qu'il y aura beaucoup de familles en deuil, beaucoup de mères et de fiancées qui pleureront, et que la haine remplacera le patriotisme des uns et des autres, dit le pasteur, avant de s'éloigner au bras de Lazlo.

Ce soir-là, loin de partager la déception de son fils aîné, Axel Métaz confia à Vuippens, pendant que ses fils allaient danser le picoulet autour de la Grenette, qu'il était fort satisfait d'avoir une petite-fille au regard vairon.

— Le tendre regard bicolore de María-Elisa nous fera peut-être oublier un jour celui, maléfique, d'une malheureuse sorcière des Carpates, que nous connaissons trop bien, conclut-il.

Vincent était revenu de sa déconvenue et commençait à reconnaître tous les charmes à sa fille, qu'il retrouvait chaque soir, avec María-Cristina, dans sa belle villa de Chêne-Bougeries, quand, dans l'après-midi du 24 novembre, jour des élections au Conseil d'Etat, un commis de la banque vint annoncer, rue de la Corraterie, que James Fazy était évincé du gouvernement.

Une liste indépendante avait recueilli quatre mille six cent soixante-treize voix, alors que celle où figurait Fazy n'en obtenait que deux mille neuf cent douze. M. Emmanuel Fol-Bry, radical indépendant, devenait président du Conseil d'Etat.

— Ce n'est pas pour autant la fin du régime, car beaucoup de radicaux tiennent encore les fonctions importantes. Et puis les Genevois vont être consultés cette année, comme tous les quinze ans, sur la refonte de la Constitution. Je vois très bien Fazy reprendre en main une majorité qui lui échappe en faisant admettre les bienfaits de sa ruineuse administration et ses honteuses complaisances par une Assemblée constituante divisée, commenta Alexandra, prudente.

— Mais c'est tout de même le commencement de la fin, répliqua Vincent, enchanté de la première décision annoncée par le nouveau gouvernement.

Pour convertir sa dette flottante, l'Etat de Genève allait lancer un emprunt de trois millions de francs à 5 %. Pour un banquier, il y avait là matière à profits.

— Maintenant, nous allons, enfin, pouvoir nous occuper sérieusement de la destruction du tripot de M. Fazy. En publiant, d'abord, qu'un jeune homme, dont je tairai le nom, héritier d'une grande famille d'Autriche, s'est donné la mort après s'être ruiné au Cercle des Etrangers ; ensuite que le consul des Etats-Unis à Hanau s'est tiré une balle dans la tête après avoir jeté son dernier florin sur le tapis vert du cercle de Hambourg ; enfin qu'un des avocats les plus populaires de Londres, M. Edwin James, membre de Parlement, a disparu sans donner d'adresse, mais en laissant une dette de jeu de plus de deux millions. Peut-être s'est-il jeté dans la Tamise ! déclara Vincent, ironique et déterminé.

Depuis ses coûteuses mésaventures londoniennes, il s'était pris d'une haine farouche pour les jeux de hasard. La banque lui fournissait, il est vrai, des émotions plus raffinées et des gains plus substantiels.

# 7.

L'hiver accorde parfois un sursis trompeur à l'automne, pour n'apparaître qu'avec l'année nouvelle. Ce fut le cas en 1862 quand, après un doux mois de décembre, la neige s'abattit en abondance, le 7 janvier, sur les rives du Léman. Aussitôt, dans les campagnes vaudoises, on se souvint du réjouissant dicton : « Beau temps en décembre, neige en janvier, remplissent les greniers. »

A Genève, en revanche, les citadins, surpris par la soudaine rigueur des éléments — car la bise noire, complice active, enlevait les flocons dans une folle et aveuglante sarabande —, pestaient contre cet assaut du froid. En paralysant la circulation routière et la navigation sur le lac, l'hiver contrariait les affaires.

Les pauvres et les sans-logis furent, comme toujours, les premières victimes de cette situation. Aux premiers jours de février, quand les conditions atmosphériques s'améliorèrent, la Société alimentaire annonça qu'au cours des dix-neuf journées les plus éprouvantes pour les malheureux, elle avait distribué mille rations de soupe chaude, mille deux cents plats de viande et plusieurs centaines de kilos de pain.

La vie de la cité ayant retrouvé son rythme habituel, les Genevois reprirent conscience qu'ils n'étaient pas seuls au monde. Les résidents britanniques, de plus en plus nombreux autour du Léman — on en comptait près de cinq cents, des deux sexes, dans le canton de Vaud, et deux fois plus dans la République de Genève —, portaient encore le deuil du prince Albert, époux de la reine Victoria, décédé le 14 décembre précédent, d'une fièvre typhoïde.

L'empereur Napoléon III avait envoyé ses condoléances à Victoria en même temps qu'il faisait expédier, comme chaque année, des sommes d'argent aux fonds des pauvres de trois communes thurgoviennes : Ermatingen, Salentein et Mannenbach. Louis Napoléon se souvenait qu'il était citoyen d'Argovie. Cette fidélité appréciée des Suisses ne faisait pas oublier pour autant la guerre que l'armée française menait au Mexique, non pour contraindre le gouvernement mexicain à payer ses dettes européennes, comme on le soutenait à Paris, mais pour placer sur le trône des Aztèques Maximilien, frère cadet de l'empereur François-Joseph d'Autriche, gendre de Léopold Ier, roi des Belges.

— Si l'on peut admettre que les empereurs se rendent entre eux de menus services, il est inadmissible que l'on tue des Mexicains pour leur imposer un maître étranger, dit Vincent, commentant devant son frère et son père, de passage à Genève, les événements du Mexique.

La guerre influençait fâcheusement le cours du peso, comme le marché de l'or, et le Trésor mexicain, déjà pillé par des présidents de la République habitués à s'enfuir avec la caisse, était maintenant contraint d'entretenir l'armée française.

Plus que l'expédition du Mexique, le déroulement de la guerre civile américaine intéressait Bertrand. Engagé au côté d'Henry Dunant, il diffusait les idées du Genevois, occupé à rédiger ses souvenirs de la guerre d'Italie. Au cours de séjours parisiens, motivés par l'exploitation aléatoire de ses moulins de Mons-Djémila, Dunant avait développé, devant la Société d'ethnographie, comme dans les salons et les antichambres des ministres, ses idées sur les « secoureurs volontaires », qui apporteraient leurs soins aux blessés sur les champs de bataille. Dunant avait aussi rencontré, à Lausanne, le colonel fédéral Ferdinand Lecomte, qui rentrait des Etats-Unis, où le gouvernement suisse l'avait envoyé en mission d'information. L'officier vaudois, fort bien accueilli par le secrétaire d'Etat américain, William Henry Seward, comme par le secrétaire à la Guerre, Edwin McMasters Stanton, avait figuré pendant quelques semaines, comme aide de camp volontaire, à l'état-major du général George Brinton McClellan, chef de l'armée fédérale. Ce dernier comprenait d'autant plus aisément le sens de la mission du colonel Lecomte qu'il avait assisté, en observateur, à certains engagements de la guerre de Crimée. L'Américain avait rapporté de ce conflit européen le modèle de selle hongroise qui équipait maintenant la cavalerie de l'Union.

— Ne pourra-t-on reprocher bientôt à la Suisse d'avoir choisi son camp dans cette affaire ? Notre neutralité, si souvent proclamée, voudrait que nous ayons, aussi, un observateur chez les Confédérés, dit Alexandra.

— Voyons, tante Alexandra ! On ne peut imaginer un officier suisse chez les esclavagistes ! s'écria Bertrand.

— Pourquoi non ? Si l'on se prétend neutre et sans parti pris ! rétorqua la banquière.

— Parce que, dans cette guerre, le seul parti honorable est celui des abolitionnistes, le Nord, c'est-à-dire le gouvernement légal de l'Union. Les Sudistes sont des rebelles. D'ailleurs, tous les étrangers de quelque importance, qui se mêlent de ce conflit fratricide, sont au côté des fédéraux. Le prince de Joinville, après avoir conduit son fils, le duc de Penthièvre, à l'Académie navale de Newport, conseille la Marine de l'Union, et ses deux neveux, le duc de Chartres et le comte de Paris, sont capitaines dans l'armée du Nord, comme le Genevois Eugène Subit et le Zurichois Dietrich. Quant au Bernois Jean-Eugène Smith, fils d'un officier de Napoléon Ier tué à Waterloo, il a été nommé colonel il y a six mois, précisa Bertrand.

— Il y a aussi des Français, côté sudiste, frérot. Le prince Camille de Polignac et le général Jean-Baptiste Girardey, entre autres, dit Vincent.

— C'est bien pourquoi Napoléon III a décrété, en septembre dernier, sans tenir compte des mérites des belligérants : « Tout officier désireux de participer à la guerre civile américaine sera radié des cadres de l'armée. » Voilà ce que j'appelle une attitude neutre, jugea Alexandra.

— Neutre ! Pas tant que ça ! Car les opposants politiques à l'empereur tiennent tous pour le Nord, précisa le jeune médecin.

— Si j'en crois les journaux, le fils d'un Suisse de Saint-Gall, émigré aux Etats-Unis, Félix Kirk Zollicoffer, ancien journaliste à Paris et politicien dans le Tennessee, devenu général dans l'armée sudiste, vient d'être tué le 19 janvier à Mill Spring par les Nordistes. Donc, pas de jaloux. Il y a des étrangers, et même des Suisses, dans les deux camps, ricana Vincent.

Axel Métaz avait présentement des préoccupations plus terre à terre que celles de ses fils. Assurer la livraison régulière des pierres de Meillerie et d'autres matériaux, destinés à la construction du grand pont qui serait l'orgueil de Genève, absorbait le plus clair de son temps et l'obligeait à de fréquents déplacements. Car, dès la fin des intempéries, avait commencé la réalisation de l'ouvrage qui devait relier le quartier des Pâquis, sur la rive droite, au nouveau quartier de Rive, entrée commerciale de la ville du côté de la Savoie, sur la rive gauche de la rade. L'ingénieur cantonal Léopold Blotnitzki, assisté de Daniel Chantre, avait choisi de lancer le pont dans le prolongement de la rue du Mont-Blanc pour le faire aboutir au Jardin anglais, orné depuis peu d'une fontaine en bronze à vasques superposées, soutenues par des naïades et des chérubins, œuvre du sculpteur parisien Alexis André.

Avant de se rendre à la gare de Cornavin, où il prendrait le dernier train pour Vevey, Axel tint à voir fonctionner, à la banque, la machine à copier les lettres que venait d'acquérir Alexandra. Conçu par Koller, un fabricant zurichois, l'engin reproduisait, sans presse à copier mais avec exactitude et rapidité, les lettres et documents de la banque.

— Nous aurons peut-être bientôt une machine à écrire, annonça Alexandra.

— Les Anglais en fabriquent, paraît-il, d'utilisables. John, qui a racheté l'établissement financier de Baker, l'ancien associé de Laviron à Londres, essaie actuellement un *typewriter*. Nous attendons son avis pour passer commande, compléta Vincent.

Ce soir-là, le jeune banquier, qui rentrait à Chêne-Bougeries en cabriolet, proposa à son père de le conduire à Cornavin en faisant un détour par le boulevard de Neuve, depuis peu éclairé au gaz de charbon, ce qui attirait au moins autant de badauds que le chantier du grand pont.

— Les rues des villes éclairées comme en plein jour, la machine à écrire, le chemin de fer, le télégraphe électrique, de Genève à Londres, grâce au câble sous-marin de Calais à Douvres, l'hélice, qui remplace les roues à aubes des bateaux, le tramway, cet omnibus sur rails, tiré en ville par des chevaux, qui va bientôt circuler entre Genève et Carouge, et les yeux artificiels, qu'un certain docteur Boissoneau, de Paris, va présenter aux oculistes genevois, que de choses nous apporte le progrès, père ! Ne vivons-nous pas une époque extraordinaire ?

— Extraordinaire en effet, Vincent, mais quand chaque découverte nouvelle enlève un peu à l'homme, je me demande, comme notre vieil ami Duloy, si le progrès est une aussi bonne chose qu'on croit, dit Axel.

C'est la tête pleine d'interrogations qu'il pénétra seul dans la gare et s'en fut, usager sceptique du progrès, prendre place dans le train pour rentrer chez lui.

L'année s'annonçait laborieuse, ce qui n'était pas pour déplaire à ce chef d'entreprises solitaire, obligé de vivre avec son temps, lequel lui paraissait, au fil des mois, s'écouler de plus en plus vite, bizarre influence de l'âge et, peut-être aussi, de découvertes qui raccourcissaient les distances et offraient la communication instantanée, d'une capitale à l'autre.

Comme Vincent l'avait annoncé à son père, une nouvelle campagne des antifazystes contre le Cercle des Etrangers commença, dès le 20 février, quand la *Feuille d'Avis* du canton de Genève publia le texte d'une pétition adressée par les dirigeants du cercle La Ficelle au président du Conseil d'Etat.

« Monsieur le Président,

» Les soussignés, citoyens suisses et genevois, ont l'honneur de vous adresser la pétition suivante :

» Il est de notoriété publique qu'une maison de jeu est ouverte depuis quatre ou cinq ans, rue du Mont-Blanc, numéro 1.

» Elle s'affiche dans tous les journaux de l'Europe ; ce n'est qu'à Genève qu'elle se cache sous le nom de Cercle des Etrangers.

» Depuis longtemps, la plupart des gouvernements monarchiques eux-mêmes, cédant à la réprobation publique, ont supprimé les maisons de jeu, source pour eux d'un revenu aussi productif qu'immoral.

» Nos confédérés s'indignent de voir Genève rester en arrière et souffrent de ce que l'on assimile son nom à ceux de Baden-Baden, Hambourg, Wiesbaden, etc.

» L'article 410 du Code pénal prohibe absolument les maisons de jeu, quel que soit le titre sous lequel elles dissimulent leur honteuse industrie.

» La loi est claire, l'exécution ne peut être différée.

» En conséquence, les soussignés vous prient respectueusement, Monsieur le Président, de prendre d'urgence les mesures les plus énergiques pour faire cesser une industrie incompatible avec nos mœurs.

» En secondant les vœux de l'opinion publique, vous acquerrez, Monsieur le Président, des droits légitimes à la reconnaissance du peuple. »

La pétition, largement répandue dans la ville, recueillit cinq mille deux cents signatures, ce qui n'impressionna guère James Fazy, lequel fit insérer dans la même *Feuille d'Avis,* sous le texte même de la pétition, dont il avait eu copie avant publication, ses dénégations en caractères gras.

« Je soussigné, déclare que la désignation de maison de jeu, donnée par un projet de pétition au cercle établi dans ma maison, est une calomnie uniquement inventée pour me nuire. Genève, le 20 février 1862. James Fazy. »

Le président du Conseil d'Etat, où Fazy comptait une majorité d'obligés, fit répondre aux pétitionnaires : « Ce cercle est constitué aussi régulièrement que les autres et considéré comme lieu de réunion privé. On est autorisé à y faire tout ce qui est admis ou toléré par la loi. »

— M. Fazy et son ami Bias, qui se partagent plus de six cent mille francs chaque année, d'après un croupier mécontent de ses six mille francs de salaire annuel, ne font que reculer pour mieux sauter, dit Alexandra.

— Et la belle Mme Ida, buste opulent et croupe *teres atque rotunda* [1], va devoir trouver un autre protecteur ! renchérit Vincent.

L'affaire de la maison de jeu fut cependant estompée, au mois de mars, par le débat sur l'abolition de la peine de mort, relancé à Genève par l'exécution de Maurice Elcy, voleur et assassin crapuleux. Son pourvoi, comme un an plus tôt celui de Vary, ayant été rejeté par la Cour de cassation et sa grâce refusée par le Grand Conseil, qui se prononça pour l'application de la sentence fatale, par quarante-cinq voix contre trente et une, Elcy, âgé de vingt et un ans, monta à l'échafaud le 24 avril, avec calme et sang-froid. Le pasteur Borel, qui assista jusqu'au dernier moment le condamné, assura que Maurice Elcy avait manifesté un repentir sincère, adressé à sa famille une lettre émouvante, et déclaré qu'il plaçait son espoir dans la miséricorde du Seigneur.

1. Arrondie et même sphérique. Horace, *Satires.*

Au cours de l'année 1862, les partisans de l'abolition de la peine de mort ne cessèrent de se manifester. D'abord, par une pétition, lue à l'assemblée récemment élue pour préparer une révision de la Constitution, ensuite par l'organe du pasteur Augustin Bost qui, ayant sollicité l'appui de M. Victor Hugo, reçut, fin novembre, une longue lettre de ce dernier.

Le poète, alors exilé sur l'île anglaise de Guernesey, écrivait :

« Une occasion se présente où le progrès peut faire un pas. Genève va délibérer sur le peine de mort. [...] Puisque vous réclamez mon concours, monsieur, je vous le dois. Mais ne vous faites pas d'illusion sur le peu de part que j'aurai au succès si vous réussissez. Depuis trente-cinq ans, je le répète, j'essaye de faire obstacle au meurtre en place publique. J'ai dénoncé sans relâche cette voie de fait de la loi d'en bas sur la loi d'en haut. J'ai poussé à la révolte la conscience universelle ; j'ai attaqué cette exaction par la logique, et par la pitié cette logique suprême ; j'ai combattu, dans l'ensemble et dans le détail, la pénalité démesurée et aveugle qui tue. » Puis il concluait, avec son emphase coutumière : « O peuple de Genève, votre ville est sur le lac de l'eden, vous êtes dans un lieu béni ; toutes les magnificences de la création vous environnent ; la contemplation habituelle du beau révèle le vrai et impose des devoirs ; la civilisation doit être harmonie comme la nature ; prenez conseil de toutes ces clémentes merveilles ; croyez en votre ciel radieux, la bonté descend de l'azur, abolissez l'échafaud. Ne soyez pas ingrats. Qu'il ne soit pas dit qu'en remerciement et qu'en échange, sur cet admirable coin de terre où Dieu montre à l'homme la splendeur sacrée des Alpes, l'Arve et le Rhône, le Léman bleu, le mont Blanc dans une auréole de soleil, l'homme montre à Dieu la guillotine[1] ! »

L'exhortation de l'auteur des *Misérables* semblait arriver trop tard. La nouvelle Constitution, qui allait être soumise à l'approbation populaire le 7 décembre, maintenait la peine de mort, sauf pour délit politique.

Dans une seconde lettre au pasteur Bost, le poète dit son ultime espoir de voir les citoyens imposer l'abolition car, estimait-il, « une Constitution qui, au dix-neuvième siècle, contient une quantité quelconque de peine de mort, n'est pas digne d'une République ».

1. Lettre de Hauteville-House, 17 novembre 1862.

Si, le 7 décembre, le peuple genevois rejeta le projet de Constitution, par 6377 non contre 5811 oui, ce ne fut pas pour soutenir l'abolition de la peine de mort mais, plus prosaïquement, parce qu'une majorité de catholiques et d'indépendants, adroitement circonvenus par les radicaux, contestait le nouveau découpage électoral, la périodicité du renouvellement des Conseils municipaux et le système de nomination des juges ! La Constitution de 1847, fabriquée par Fazy, restait donc en vigueur pour quinze ans. Elle comportait la peine de mort comme devant[1].

Les citoyens de la cité de Calvin se résignèrent, en majorité, à ne pas changer de Constitution mais furent nombreux à protester contre la démolition de la Tour Maîtresse. L'ingénieur cantonal observait que ce vestige des fortifications fermait la rue d'Italie et gênait la vue que l'on peut avoir sur le lac, de la promenade Saint-Antoine. Or, cette tour à machicoulis, construite en 1364, la plus forte et la plus pittoresque des vingt-deux tours de l'antique enceinte épiscopale, était, pour les uns, monument patriotique, pour d'autres, trésor archéologique inestimable. Mais Fazy et les crèchiers[2] donnaient la priorité à la mise en valeur du quartier et l'on avait déjà édifié, entre le lac et la Tour, une rangée d'immeubles plus élevés que cette dernière !

La démolition étant consommée, les Genevois trouvèrent, le dernier jour de l'année 1862, une maigre consolation dans l'inauguration pompeuse du pont du Mont-Blanc, ouvrage à six arches, « construit en trois cents jours sans perte de vie humaine », fit observer le conseiller d'Etat Camperio, dans son discours, lors du banquet offert aux entrepreneurs.

Si le maintien de la peine capitale dans la République de Genève déçut Bertrand, qui citait toujours l'exemple de Neuchâtel, où le supplice avait été supprimé depuis 1855, la publication du livre d'Henry Dunant le combla d'aise. *Un souvenir de Solférino*, tiré à mille six cents exemplaires, qui portaient la mention « ne se vend pas », fut envoyé par l'auteur « aux familles régnantes, à des hommes politiques influents, à des philanthropes connus, à des écrivains ». L'ouvrage suscita une telle émotion et un tel intérêt de la part de ceux qui le reçurent, que l'éditeur Fick dut bientôt imprimer mille copies destinées à la vente. En quelques jours, le Tout-Genève

1. La peine de mort fut abolie, en Suisse, le 24 mai 1871. Maurice Elcy fut néanmoins le dernier condamné exécuté à Genève.

2. Un des surnoms donnés aux radicaux genevois.

fut informé du contenu du livre, tandis que les libraires de Paris, de Turin, de Saint-Pétersbourg et de Leipzig le réclamaient d'urgence.

Après avoir raconté avec lyrisme, dans un style pathétique et incisif, des scènes de bataille dont la sauvagerie, crûment révélée, suscita chez le lecteur horreur et indignation, Dunant brossait le tableau des souffrances insoutenables des blessés, au lendemain de la bataille de Solférino, en juin 1859. « Ailleurs ce sont des infortunés qui, non seulement, ont été frappés par des balles ou des éclats d'obus qui les ont jetés à terre, mais dont les bras ou les jambes ont été brisés par les roues des pièces d'artillerie qui leur ont passé sur le corps. Le choc des balles cylindriques fait éclater les os dans tous les sens, de telle sorte que la blessure qui en résulte est toujours fort grave ; les éclats d'obus, les balles coniques produisent aussi des fractures excessivement douloureuses et des ravages intérieurs souvent terribles. Des esquilles de toute nature, des fragments d'os, des parcelles de vêtements, d'équipements ou de chaussures, de la terre, des morceaux de plomb compliquent et irritent les plaies du patient et redoublent ses angoisses. »

Dunant, qui avait soigné de son mieux des blessés rassemblés dans les églises de Castiglione, organisé avec les ressources locales un service volontaire, incapable de faire face à l'afflux permanent des estropiés et des mourants, s'insurgeait contre une intendance inadaptée, parce que le manque d'infirmiers et de médecins condamnait à la mort des blessés qui auraient pu être sauvés. « Car il est toujours pénible, en effet, écrivait-il, de ne pouvoir ni soulager ceux que l'on a devant les yeux, ni arriver à ceux qui vous réclament avec supplication, de longues heures s'écoulant avant de parvenir où l'on voudrait aller, arrêté par l'un, sollicité par l'autre, et entravé, à chaque pas, par la quantité d'infortunés qui se pressent au-devant de vous et qui vous entourent. »

Et le Genevois concluait par un appel pour la création d'un corps de « secoureurs volontaires », dont la neutralité serait par tous admise, et qui soigneraient les blessés sur les champs de bataille, sans distinction de nationalité ni de grade. « Pour une tâche de cette nature, il ne faut pas des mercenaires, que le dégoût éloigne ou que la fatigue rend insensibles, durs et paresseux. Il faut d'autre part des secours immédiats, car ce qui peut sauver aujourd'hui le blessé ne le sauvera plus demain et, en perdant du temps, on laisse arriver la gangrène qui emporte le malade [...]. Il y a donc là un appel à adresser, une supplique à présenter aux hommes de tout pays, de tout rang, aux puissants de ce monde comme aux plus modestes artisans, puisque tous peuvent, d'une manière ou d'une autre, chacun dans sa sphère et selon ses forces, concourir en quelque mesure à cette bonne œuvre. »

L'émouvant appel de Dunant, divulgué, répété, répandu, publié par de nombreux journaux à travers l'Europe et par ses amis de l'Union Chrétienne des Jeunes Gens, fut entendu de tous et, notamment, des vrais philanthropes, comme Adolphe Pictet, qui écrivit, après avoir lu le livre : « Toute l'Europe frémit. »

Bientôt, Victor Hugo, Ernest Renan, les Goncourt, Charles Dickens joignirent leurs félicitations à celles de Florence Nightingale, l'Anglaise qui avait organisé les ambulances britanniques pendant la guerre de Crimée.

Mais en émettant l'idée la plus généreuse du siècle, Henry Dunant n'imaginait pas l'ampleur de la tâche à accomplir pour concrétiser ses vues, les rendre matériellement efficaces, faire de ce corps de « secoureurs volontaires » une réalité utile et agissante. Pour passer de la théorie à la pratique, son concept avait besoin d'hommes réalistes, possédant le sens de l'organisation, les compétences médicales et administratives qui faisaient défaut à l'auteur d'*Un souvenir de Solférino*. Par chance, Genève possédait ce genre de citoyens, notamment à la Société d'Utilité publique, association patriotique, dont les œuvres sociales multiples et de large portée fonctionnaient depuis longtemps.

Très ému par le livre de Dunant, le président de la Société d'Utilité publique, Gustave Moynier, un juriste d'aspect sévère, volontaire et précis, dévoué à l'amélioration de la condition ouvrière, voulut rencontrer l'auteur, non seulement pour le féliciter, mais pour lui proposer la mise en œuvre de son invention. C'est ainsi que, dans sa réunion du 7 février 1863, la Société d'Utilité publique décida « de prendre en sérieuse considération l'idée émise dans les conclusions du *Souvenir de Solférino* » et que fut constituée une commission, composée du général Guillaume Henri Dufour, des médecins Maunoir et Appia, de Gustave Moynier et d'Henry Dunant.

Le général Dufour, alors âgé de soixante-seize ans, aussi brillant ingénieur que soldat courageux, fin stratège, personnalité incontestée en Suisse comme en France, avait déjà prouvé le respect et la pitié que lui inspiraient les blessés des deux camps pendant la guerre du Sonderbund.

Théodore Maunoir, praticien habile et courtois, père de famille nombreuse, qui avait étudié la médecine à Paris et à Londres, jouissait d'une réputation et d'une clientèle internationales. Quant à son confrère, Louis Appia, d'origine piémontaise — Vaudois du Piémont comme on disait alors —, il avait parcouru les champs de bataille de Crimée et de Lombardie, et donné ses soins aux blessés, dans les hôpitaux de Turin, Milan et Brescia. Sa vocation et sa piété l'ayant conduit, depuis longtemps, à s'intéresser au sort des soldats blessés, il avait publié, en 1859, un traité qui faisait autorité, *le Chirurgien à l'ambulance ou quelques études pratiques sur les plaies par armes à feu*[1].

Pour Bertrand Métaz de Fontsalte, la création de cette commission, dont Henry Dunant assurait le secrétariat général, devait conduire à la formation d'un corps laïque et indépendant d'infirmiers volontaires. Aussi fut-il enchanté d'apprendre, au mois de mars, qu'après plusieurs réunions à la Société genevoise d'Utilité publique, un projet de charte avait été établi par les cinq commissaires, maintenant constitués en Comité international permanent de secours aux militaires blessés.

Après avoir « agité », suivant la formule de Moynier, toutes les cours d'Europe et toutes les personnalités qu'ils estimaient susceptibles de souscrire aux thèses exprimées dans *Un souvenir de Solférino,* dont les éditions se succédaient, Dunant, véritable commis voyageur du Comité, et Moynier, administrateur doué, avaient convaincu leurs amis de convoquer, du 26 au 29 octobre 1863, à Genève, une conférence internationale, au cours de laquelle serait présenté aux délégués un *Projet de Concordat,* seize pages imprimées, que les commissaires joignaient à l'invitation. Ce texte comportait deux titres et dix articles, fruit du travail de ceux qui entendaient transformer en actes les idées de Dunant. Il prévoyait, dans chaque pays, un comité national, chargé « de remédier par tous moyens en son pouvoir, à l'insuffisance du service sanitaire officiel dans les armées en campagne ». Dans son article 7, la charte exigeait : « En cas de guerre, les comités des nations belligérantes fournissent les secours nécessaires à leurs armées respectives et pourvoient, en particulier, à la formation et à l'organisation de corps d'infirmiers volontaires[2]. »

1. Joël Cherbuliez, libraire-éditeur, Genève, 1859.
2. Ce document constituait l'ébauche de la charte internationale de la Croix-Rouge à naître.

Quelques jours après les vendanges, fort médiocres cette année-là, Louis Vuippens et Bertrand de Fontsalte, tous deux membres de la Société vaudoise d'Utilité publique, se rendirent à Genève pour assister aux travaux de la conférence internationale.

— Je crains bien que les cours et gouvernements européens, qui ont, paraît-il, fait très bon accueil à ton ami Dunant, ne considèrent la réunion de Genève comme une de ces réunions internationales, à la mode ces temps-ci, où l'on palabre, se congratule et banquette, dit Vuippens, pendant le trajet en train de Vevey à Genève.

— Tout dépendra du rang et de la qualité des délégués des gouvernements, répliqua Bertrand, lui aussi un peu inquiet.

Les réserves des Vaudois se révélèrent heureusement vaines. La conférence organisée dans les salons de l'Athénée, aimablement mis à la disposition de la Société d'Utilité publique par Mme Gabriel Eynard, veuve depuis peu du banquier philanthrope Jean-Gabriel Eynard, principal artisan, dans les années vingt, de l'indépendance de la Grèce, fut une pleine réussite. Les délégués, venus de seize capitales européennes, dont Bertrand avait redouté qu'ils ne fussent que ternes personnages envoyés, par courtoisie diplomatique, passer trois jours au bord du Léman, durant l'agréable saison des vendanges, se révélèrent, au contraire, de haut rang et maîtres dans leur spécialité. En plus des médecins en chef ou chirurgiens généraux des armées d'Autriche, de Bade, de Bavière, du Hanovre, de Hesse, des Pays-Bas, d'Espagne, de Suède, du Wurtemberg, de Saxe, de la Garde impériale française, l'inspecteur général des hôpitaux de Grande-Bretagne, le prince Henri XIII de Reuss, délégué par l'Ordre de Saint-Jean de Jérusalem, un conseiller intime du roi de Prusse, l'aide de camp du grand-duc Constantin de Russie, le bibliothécaire de la grande-duchesse Hélèna Pavlovna, participèrent aux travaux, auxquels assistèrent également le médecin en chef de l'armée suisse, les représentants des Sociétés d'Utilité publique vaudoise et neuchâtelloise et bon nombre de particuliers, médecins ou philanthropes.

Présidés par le général Dufour, élégamment vêtu, comme à son habitude, d'une redingote noire ornée au revers de l'insigne de grand officier de la Légion d'honneur, les débats, parfois serrés, aboutirent aux résolutions souhaitées par Dunant, l'initiateur, et ses quatre amis, véritables architectes de l'entreprise. Il fut également proposé « qu'un signe distinctif identique soit admis pour les corps sanitaires de toutes les armées, ou tout au moins pour les personnes d'une même armée attachées à ce service. Qu'un drapeau identique soit aussi adopté dans tous les pays, pour les ambulances et les hôpitaux». L'article 8 de la résolution finale régla cette question en décidant que les infirmiers volontaires porteraient «dans tous les pays, comme signe distinctif uniforme, un brassard blanc avec une croix rouge».

Au blanc, couleur des parlementaires intouchables, le général Dufour avait demandé et obtenu qu'on ajoutât une croix rouge. Ainsi, l'emblème de l'organisation internationale, qui venait de voir le jour en Suisse, apparut comme celui de la Confédération helvétique inversé, la croix rouge sur fond blanc remplaçant la croix blanche sur fond rouge.

A la fin des travaux, le docteur J.-H.-C. Basting, chirurgien major du régiment d'élite de l'armée des Pays-Bas, se chargea de remercier ceux qui avaient pris l'initiative de cette conférence, dont le retentissement ne faisait aucun doute pour quiconque. «Que M. Henry Dunant, en provoquant par ses efforts persévérants l'étude internationale des moyens à appliquer pour l'assistance efficace des blessés sur le champ de bataille, et la Société genevoise d'Utilité publique, en appuyant de son concours la généreuse pensée dont M. Dunant s'est fait l'organe, ont bien mérité de l'humanité et se sont acquis des titres éclatants à la reconnaissance universelle.» Toute l'assistance applaudit, debout, cette déclaration.

Les délégués étaient émus, se donnaient l'accolade, se réjouissaient comme d'honnêtes gens qui, oubliant leurs différences, leurs querelles passées, parfois les conflits qui ont opposé leurs nations, se sont élevés au-dessus des contingences qui divisent, pour s'unir autour d'une œuvre capable d'humaniser, sinon l'enfer des guerres, du moins les soins dus à toutes leurs victimes, sous la protection d'un emblème neutre, symbole sacré de la compassion agissante que l'homme doit à son semblable souffrant.

Bertrand de Fontsalte sortit de ces journées réconforté et plus enthousiaste que Vuippens, lequel rappela que, pour voir ces vœux pieux passer dans les faits, il faudrait attendre la ratification des résolutions de la conférence par les gouvernements étrangers.

— L'impulsion est donnée. Le gouvernement qui se déjugerait connaîtrait l'opprobre universel, dit Bertrand.

Vincent connut une satisfaction d'un autre genre, le 29 octobre, quand, sur injonction du procureur général, M. James Fazy fut contraint de résilier le contrat de M. Bias et de fermer les jeux du

Cercle des Etrangers. *Le Pierrot* publia aussitôt un dessin représentant la belle Ida attifée en dame de cœur, brandissant une quenouille prolongée d'un râteau de croupier, fuyant Genève avec Bias en queue-de-pie, coiffé d'un gibus couronné de cartes à jouer. Un poteau indiquait la direction des fuyards : Aix-les-Bains !

L'intérêt suscité à travers l'Europe par la conférence de Genève n'était pas encore retombé quand Alexandra adressa aux survivants du cercle Fontsalte une invitation, sur bristol gravé, à venir le 22 novembre 1863 « en l'hôtel Laviron, rue des Granges, à Genève », célébrer avec elle son anniversaire.

Axel Métaz, un peu étonné par la solennité que sa filleule entendait donner à cette date, alors qu'elle avait célébré ses quarante ans dans la discrétion, se mit aussitôt en quête d'un cadeau, estimant qu'il se devait, pour être dans le ton de l'invitation, d'offrir un objet un peu précieux. Après bien des recherches, auxquelles il prit d'ailleurs plaisir, il dénicha chez un antiquaire de Lausanne un éventail de la fin du XVIII^e^ siècle, peint sur ivoire, pièce fragile d'une facture raffinée, représentant le triomphe d'Alexandre, d'après un tableau de Lebrun. Placé dans son bel écrin ce présent eût été digne d'un musée.

En arrivant rue des Granges, au jour dit, avec les Vuippens et Bertrand, quelle ne fut pas sa surprise de trouver là, près de Vincent et de María-Cristina, John Keith, le banquier londonien.

— John a eu la gentillesse de faire le voyage, dit Alexandra, très à l'aise dans un fourreau de soie noire, qui mettait en évidence sa plastique anguleuse.

Après la verrée au salon, les convives passèrent à la salle à manger. Au moment du dessert, on procéda à la remise des cadeaux.

L'éventail d'Axel fut reçu avec émotion.

— Quel bel objet d'art ! Je le ferai mettre sous verre, dit la banquière.

Axel remarqua qu'Alexandra semblait contenir une sorte de fébrilité qui n'était pas dans sa nature.

Zélia et Louis Vuippens offrirent, remplie de friandises, une coupe de cristal de Baccarat, gravée au chiffre de leur amie. Bertrand avait fait relier de maroquin un exemplaire d'*Un souvenir de Solférino*, María-Cristina présenta des pochettes finement brodées et céda la place à son époux, tandis que Basil Coxon versait le champagne.

— Voici mon cadeau, chère tante Alexandra, dit l'aîné des Métaz en tendant à celle dont il n'était neveu qu'à la mode de Bretagne un portefeuille de cuir usagé et gonflé.

Le présent piqua la curiosité de tous et, quand Alexandra ouvrit le portefeuille, le cri d'étonnement qu'elle ne put retenir augmenta leur désir d'en connaître le contenu.

— Mon Dieu, mais ce sont des traites, des créances, des bordereaux de Bourse, des billets à ordre... et tous annulés, Mais, Vincent, je ne comprends pas, de quoi s'agit-il ?

Enchanté de l'effet produit, Vincent expliqua :

— Ma chère tante, tu es maintenant propriétaire de la banque de Marco Lingordo. Je l'ai acquise et je te l'offre. Tel Nemesis, je ne suis que l'instrument de ta vengeance.

— Mais comment as-tu pu faire ça ?

— Très simplement. J'ai appris que Lingordo était fort préoccupé par la gestion de ses affaires. Avec certains de ses déposants, il avait constitué un groupement financier pour acquérir des terrains à bâtir dans le quartier de Rive, en pleine expansion. Mais le Conseil d'Etat a ressorti la loi qui interdit les consortiums de propriétaires. Apprenant cela, les associés de Lingordo ont voulu récupérer les fonds investis en commun pour acquérir chacun sa parcelle indépendante. Notre banquier était incapable de rembourser, ayant lui-même emprunté à taux élevé pour mener l'affaire à bien. J'ai donc racheté les créances des candidats propriétaires et, quand j'ai eu suffisamment de papiers, je suis allé trouver Lingordo pour exiger qu'il honore subito les engagements signés. « Si vous voulez éviter la faillite, peut-être la banqueroute, assurément le déshonneur, il ne vous reste qu'à me vendre votre banque, qui ne vaut plus rien », lui ai-je dit, expliqua Vincent avec aplomb.

— Et alors ? lança Alexandra, l'œil pétillant, intéressée au plus haut point.

— Il ne vous a pas sauté à la gorge ? risqua John Keith.

— Non. Il a d'abord dit, s'estimant victime d'une manœuvre indélicate, qu'il allait se plaindre au procureur de la République. Je lui ai répondu : « C'est votre droit, allez-y. » Et puis j'ai fait mine de me retirer. Il s'est aussitôt ravisé. Nous avons discuté comme des maquignons et il a finalement accepté une somme qui lui a sans doute permis de regagner son Tessin natal, sans scandale. Voilà, chère tante Alexandra.

Si la plupart des invités d'Alexandra demeurèrent un peu pantois, la banquière et John applaudirent.

— Un coup de maître, mon cher ! dit l'Anglais, en connaisseur.

— Tu ne peux savoir le plaisir que tu me fais en chassant ce malotru de la banque genevoise, Vincent, s'écria Alexandra en sautant au cou du garçon.

— La devise des Fontsalte n'est-elle pas « *Par pari refertur*[1] » ? dit le jeune banquier en riant, tandis que María-Cristina, béate, acceptait cette douteuse annexion comme nouvelle preuve du génie de son époux.

— Et avec quel argent as-tu conclu cette brillante affaire ? Les statuts de la banque Laviron n'interdisent-ils pas à un associé d'engager les fonds de la communauté ? dit Axel, un peu agacé par l'outrecuidance de son fils.

— Nos statuts défendent, en effet, « de faire confiance excédant la somme de vingt mille livres courant sans l'assentiment des associés gérants », mais je n'ai pas eu besoin d'autant pour acheter la banque Lingordo, maintenant propriété de la banque Laviron Cornaz Métaz de Fontsalte et Cie, assura Vincent.

— Le mieux sera tout de même, soit de dissoudre la banque Lingordo, soit de la vendre, car sa réputation laisse fort à désirer, dit Alexandra.

— J'achète ! lança vivement John Keith. Je change, bien sûr, la raison sociale, et j'en fais notre succursale en Suisse. Glyner and Keith of Switzerland, n'est-ce pas une belle enseigne ?

Alexandra, quittant sa chaise, vint ensuite se placer, debout, derrière celle de Keith. Ce mouvement calma subitement l'euphorie de cette fin de repas et c'est dans un silence interrogateur que la banquière prit la parole.

— Je dois maintenant vous annoncer à tous que M. Keith et moi avons décidé de nous marier, dit Alexandra d'une voix ferme en fixant son parrain.

Le premier moment de stupeur passé, les convives se pressèrent pour féliciter le banquier britannique et embrasser la future lady.

— « Patience et longueur de temps font plus que force ni que rage », lança Vuippens, citant La Fontaine.

1. On rend point par point.

— J'ai attendu ce moment près de vingt ans. On ne pourra pas dire qu'il s'agit d'une décision prise à la légère, dit Keith, avec humour.

— De votre côté, certainement pas, dit Axel avec ironie, ce qui lui attira un regard farouche d'Alexandra.

— Et la banque Lingordo, que vient de m'offrir Vincent, constitue ma dot, lança-t-elle aussitôt, ne laissant pas loisir aux convives de s'interroger sur le commentaire sibyllin de M. Métaz.

On but joyeusement à la santé et au bonheur des fiancés, qui avaient décidé de se marier à Londres, dans une totale intimité.

En regagnant Vevey, seul avec Louis Vuippens, Zélia étant restée avec Alexandra pour l'aider à préparer son voyage à Londres et Bertrand ayant à faire à Genève, Axel Métaz observa, avec un rien d'amertume, que sa filleule semblait se jeter dans le mariage pour faire une fin et que sa victime, le brave John, ne pouvait s'attendre à des noces passionnées.

— Il ne s'y attend pas. John est un homme intelligent, sensible, mais d'un grand bon sens et d'une parfaite urbanité. Il sait parfaitement à quoi s'en tenir sur les sentiments qui conduisent Alexandra à accepter une demande en mariage qu'il formule, avec une obstination toute britannique, depuis des années. Alexandra ne lui a jamais caché qu'elle vit depuis l'enfance un amour impossible pour son parrain, passion sans issue et sur laquelle elle a fini par tirer un trait. Keith a renoncé à l'épouse-maîtresse, rêve de tout homme amoureux. Ce qu'il veut et qu'il aura, c'est l'épouse-complice, avec qui il pourra parler affaires, investissements, change des monnaies, je ne sais quoi encore ! Ces deux-là se délectent de spéculations, comme d'autres de chapons farcis ou de crème fouettée. Ils jouent à la Bourse comme d'autres jouent aux échecs, expliqua le médecin.

— Si ça leur suffit, grand bien leur fasse à tous deux ! rétorqua Axel, toujours aussi amer.

— On dirait que ce mariage te désole ! Mais, mon petit vieux, tu en es l'auteur. Alexandra, qui, pas plus que Zélia, n'avait finalement vocation au saphisme, m'a souvent dit qu'elle ne voulait pas finir sa vie en solitaire. Quand Elise est morte et que tu t'es retrouvé seul à Rive-Reine, elle a espéré que tu accepterais qu'elle vînt tenir ta maison, « sans plus, car parrain a passé l'âge du batifolage », m'avait-elle assuré. Or, une fois de plus, tu l'as éconduite et, comme elle est fort réaliste, elle a pris sa décision. Nous ne pouvons que lui souhaiter de trouver, dans son union avec John, une sorte de bonheur compensatoire, les jouissances intellectuelles de l'affairiste et la vie confortable qui attend la femme d'un baronet, dit Louis.

— Je les lui souhaite aussi, finit par dire Axel Métaz, résigné.

L'année 1863 ne devait pas finir sans infliger au solitaire, qui peu à peu se détachait de Rive-Reine, pour résider de plus en plus souvent à Beauregard, une nouvelle séparation. Au lendemain des fêtes de Noël, Bertrand annonça à son père qu'il se préparait à partir pour les Etats-Unis.

— Depuis le mois de juin 1861, le gouvernement américain a créé une Sanitary Commission, chargée d'organiser ambulances et hôpitaux sur les champs de bataille. Abraham Lincoln, qui a pris conscience de l'insuffisance en matière de secours aux blessés des combats, accepte les volontaires, médecins, infirmiers et infirmières. Le secrétaire à la Guerre a même nommé une certaine Dorothea Dix, ancienne visiteuse des prisons, Superintendant of Women Nurses. Plus de deux mille jeunes filles se sont déjà engagées. On cite aussi Elizabeth Blackwell, la première femme diplômée médecin, qui, après avoir fondé un dispensaire pour femmes et enfants, à New York, a créé une école d'infirmières pour l'armée, et encore Clara Barton, qui recrute des volontaires pour les hôpitaux de campagne, et Mary Ann Bickerdycke, que les soldats nomment Mother Bickerdycke et qui s'occupe de l'hygiène des camps. Et puis l'Union Chrétienne des Jeunes Gens, qui s'appelle là-bas Young Men's Christian Association, a aussi ses corps d'infirmiers. Donc, j'ai décidé, étant célibataire et dépourvu de responsabilités familiales, de proposer mes services et l'Army Medical Corps les a acceptés. Je quitterai Vevey en février.

Axel ne put que s'incliner devant la mission humanitaire que s'attribuait son fils.

Quelques jours avant de quitter Rive-Reine, Bertrand montra à son père copie d'une lettre, datée du 5 février 1864 et adressée à Henry Dunant. Elle émanait de M. B. Bowles, secrétaire de la European Branch of U.S. Sanitary Commission, à Paris.

Après avoir proposé un échange d'informations, de publications et de documents, l'Américain écrivait : « Je fais simplement remarquer que la science sanitaire des armées sur le champ de bataille est un sujet auquel l'Amérique porte un intérêt particulier, qui a mobilisé l'attention constante d'un corps important d'hommes de sciences formant une partie de l'U. S. Sanitary Commission depuis deux ans et demi. Les faits qui sont venus à notre connaissance dans cette science — malheureusement par l'expérience pratique de notre présente guerre civile — sont nombreux et instructifs. »

— Vous voyez, père, que je pourrai me perfectionner dans mon art, tout en servant les malheureux.

Axel, une fois de plus, approuva, et la veille du départ de Bertrand, qui devait embarquer quelques jours plus tard au Havre pour New York, il remit à son fils les adresses de Blandine et de la seconde famille de Guillaume Métaz.

— Blandine, épouse divorcée d'un officier de la Marine, Lewis Calver, sans doute aujourd'hui dans l'armée sudiste, car fils d'un riche planteur de Louisiane, est, comme tu le sais, ma demi-sœur, puisque nous avons la même mère. Sa fille, née comme toi en 1836, est en somme ta demi-cousine. Tu peux leur rendre visite si tu vas à Boston. Je me plais à les imaginer antiesclavagistes, comme le fut toujours Guillaume Métaz, leur père et grand-père.

Ainsi, au cours du rude hiver 1863-1864, Axel Métaz connut un regain de solitude. Son fils cadet parti, Alexandra installée en Angleterre jusqu'au printemps, Vincent à Genève, où María-Cristina attendait un deuxième enfant, ne lui restait que son vieil ami Vuippens, quelquefois accompagné de Zélia, qui semblait d'ailleurs se dessécher au fil des ans. Le pasteur Duloy ne quittait plus son domicile car ses jambes le trahissaient trop souvent et Axel lui rendait de fréquentes visites. Auprès de cet homme paisible et sage, qui attendait avec une parfaite sérénité et même, semblait-il, une sorte de curiosité théologique, la visite de la mort, Axel trouvait la force d'accepter son sort.

Alexandra lui écrivait des lettres affectueuses, racontant les potins d'une brillante saison mondaine, les travaux du chemin de fer souterrain, qui traverserait Londres et qu'on nommait *underground trailway* ou *metropolitan*, traduisant l'opinion des Britanniques sur les grands événements du moment, la guerre civile américaine et autres conflits, qui ensanglantaient des contrées lointaines, Mexique, Cambodge, ou les territoires danois envahis par les Prussiens et les Autrichiens : Slesvig, Holstein, Lauenbourg.

Plus l'intéressaient les lettres de Bertrand, qui avait reçu le baptême du feu à Fort Pillow, dans le Tennessee, où l'armée de l'Union avait eu trois cent cinquante tués. « Les Américains semblent sortir tout juste du Moyen Age médical », écrivait le Vaudois. « Les praticiens négligent avec désinvolture la propreté minutieuse, cependant exigée par l'un des leurs, le docteur Oliver Wendell Holmes, de Harvard, et ignorent le rapport qu'il y a entre l'eau polluée et la fièvre typhoïde. L'hygiène fait partout défaut. Les chirurgiens utilisent des instruments à peine nettoyés et, quand ils me voient tremper mes scalpels, mes écarteurs et mes pinces dans le whiskey, ils me traitent de fou gaspilleur ! Nous manquons souvent de chloroforme et nous devons le réserver pour les grosses opérations. Bien souvent, nous extrayons les balles et les éclats d'obus sans anesthésier les blessés, ce qui ne se fait plus en Europe depuis dix ans. Les nouvelles balles font d'ailleurs d'horribles blessures. On ampute les membres pour éviter la gangrène, mais les blessures à l'estomac sont à tout coup fatales. D'ailleurs les soldats nous appellent aimablement *butchers* ou *quacks*[1].

» En plus des blessés, il y a les malades. La dysenterie fait d'affreux ravages. On la soigne au calomel, qu'on appelle ici *tartar emetic.* D'après un inspecteur de la Sanitary Commission, on compte deux morts de maladie ou de suites de blessures pour un tué au combat. Dans les camps insalubres, la variole, l'érysipèle, les pneumonies, les diarrhées, les affections vénériennes tuent aussi sûrement que les armes des Sudistes. En ce qui concerne les services sanitaires, les rebelles sont encore plus mal lotis que nous, surtout depuis qu'ils connaissent défaite sur défaite. On raconte d'horribles histoires sur leurs hôpitaux puants, leurs médecins ivres, les blessés et les malades abandonnés à leur sort, dès qu'une offensive nordiste est signalée. Mais, bien sûr, il faut faire la part de l'exagération des journalistes de Washington et de New York, qui montrent les gens du Sud encore plus noirs, sans jeu de mots, qu'ils ne sont ! »

Dans une autre lettre, reçue au printemps, le médecin expliquait qu'ayant bénéficié d'un bref congé après la bataille de Wilderness, en Virginie, qui. entre le 5 et le 7 mai, avait mis aux prises cent mille Nordistes et soixante mille Sudistes, faisant dix-sept mille victimes, dont deux mille deux cent quarante-six morts, chez les fédéraux et sept mille cinq cents victimes chez les rebelles, il s'était

1. Bouchers ou charlatans.

rendu à Boston où la demi-sœur de son père l'avait accueilli très aimablement.

« Demi-tante Blandine — c'est comme cela que je l'appelle — est une femme charmante, un peu dodue, très soignée de sa personne. Quant à Emily, ma demi-cousine, elle est tout simplement ravissante. Des traits d'une extrême pureté, un regard de porcelaine de Delft, un peu mélancolique, une taille élégante, des mains longues et fines, de beaux cheveux blond cendré. Elle raisonne très justement, paraît instruite et regrette que son père, à qui elle semble conserver une grande affection malgré son inconduite, ait déserté la Marine des Etats-Unis pour servir la Marine sudiste. Bref, mon cher père, sortant de l'enfer de Wilderness, où j'ai amputé, nuit et jour pendant une semaine, de pauvres garçons, dont plus de la moitié, à mon avis, ne survivront pas, j'ai trouvé dans ce foyer bostonien un réconfort inestimable. J'ai oublié de vous dire qu'Emily est infirmière sur un navire hôpital, qui navigue entre le Massachusetts et la Georgie pour évacuer, vers les hôpitaux généraux de New York et de Washington, les blessés graves que les médecins espèrent sauver. Je suis invité à Boston autant qu'il me plaira », concluait Bertrand.

Le premier matin de l'été s'annonçait chaud, moite et lénifiant, quand Axel Métaz sortit sur la terrasse de Rive-Reine après la collation du matin. Tel un tulle épais, une brume de chaleur limitait le regard à cent pas, dissimulait le décor familier du lac, tamisait la lumière, étouffait les bruits. L'air immobile et dense, chargé de l'odeur âcre des eaux, affadit les premières bouffées qu'Axel tira de sa pipe, tandis qu'il attendait, tel un spectateur guettant le lever du rideau, que se dissolve la vapeur lacustre. Des pas précipités sur le gravier le firent soudain se retourner. Il vit venir à lui, courant presque, Armand Bonjour.

— On a volé l'*Ugo !* cria le contremaître, avant même de saluer le maître.

— On a volé l'*Ugo ?* répéta Axel, incrédule.

— Oui, Monsieur. Ce matin, en ouvrant sa fenêtre qui donne sur le port, le cabaretier de La Tour-de-Peilz a remarqué que votre yacht n'était plus à l'amarre. Il a pensé que vous étiez sorti tôt, comme parfois, mais sa femme lui a dit qu'elle avait entendu du bruit dans la nuit. Quand je suis allé prendre mon bol de café, il m'a raconté ça et j'ai bien vu, moi aussi, que l'*Ugo* était pas au mouillage. Alors, je suis allé chez Tabourot. Il était pas chez lui, sa porte était ouverte, son lit défait et sa montre, à laquelle il tient beaucoup, se trouvait sur la table de nuit. A croire qu'il est parti précipitamment, Monsieur.

— Je ne vois pas Tabourot s'en aller seul avec mon bateau, en pleine nuit, Armand. Il doit y avoir une explication simple, et les pirates du Léman, c'est de l'histoire ancienne ! dit Axel.

— J'ai aussi interrogé la voisine de Tabourot. Elle m'a dit qu'il y avait eu du remue-ménage, cette nuit, du côté de chez le bacouni. Elle a entendu parler, comme des gens qui se disputaient, m'a-t-elle dit. Le mieux, c'est peut-être de prévenir les gendarmes, Monsieur, et aussi les bacounis qui vont sortir dès que la brume sera levée. Ils connaissent tous votre bateau et s'ils le voient, ils préviendront.

— Soit. Va alerter les bacounis, moi, j'irai voir les gendarmes. Quoi qu'il en soit, mon yacht ne peut pas sortir du lac, hein ! dit Axel, qui ne semblait pas prendre la chose au tragique.

Il imagina que Tabourot, dont les bonnes fortunes auprès des touristes esseulées de l'hôtel des Trois-Couronnes ne se comptaient plus, avait pu emprunter l'*Ugo* pour une promenade nocturne, qui se prolongeait du fait de la brume.

A la fin de la matinée, dans Vevey baignée d'un soleil radieux, qui laquait du même bleu le ciel et le Léman, on ne parlait plus, en plaisantant, au marché comme chez Nanette Bonnaveau, à la Cour au chantre, comme au Cercle et dans les tavernes, que de la disparition du yacht de M. Métaz et du bacouni Tabourot.

Au soir de cette journée, on riait moins. Ni les bateliers ni les pêcheurs, ni les promeneurs ni les capitaines des vapeurs, dûment interrogés par les gendarmes, n'avaient vu le voilier de M. Métaz. Aucun port de la côte vaudoise ou de la côte savoyarde ne l'avait accueilli et personne ne l'avait reconnu en train de naviguer sur le lac.

— A croire qu'il a coulé, ou qu'il a été pris par le Hollandais volant, dit Vuippens, moqueur.

Le lendemain, on commençait à trouver l'affaire un peu troublante et la gendarmerie s'apprêtait à rechercher l'épave sur le lac, quand un télégramme fut apporté à Rive-Reine.

« Le yacht *Ugo* est quai des Bergues à Genève. Il y a une personne qui veut vous voir. Venez d'urgence, s'il vous plaît. Tabourot. »

Le temps de consulter l'horaire des chemins de fer, et Axel, accompagné d'Armand Bonjour, prit le train pour Genève.

De Cornavin, les deux hommes, anxieux, se rendirent directement quai des Bergues. Ils aperçurent l'*Ugo,* ancré à deux encablures du quai. Voiles correctement serrées, le bateau paraissait intact. Un inconnu, carrure massive et chevelure brune opulente, somnolait sur le pont.

— C'est un Tsigane ! Et cette présence ne me dit rien qui vaille, murmura Axel à l'intention de Bonjour.

Puis il héla l'homme et réclama Paulin Tabourot.

Sans répondre, l'interpellé se pencha sur l'écoutille et, l'instant d'après, on vit apparaître sur le pont une femme jeune et alerte, coiffée d'un châle, que le Tsigane fit prestement descendre dans le naviot avant de prendre les avirons. Comme l'esquif approchait du quai, Armand ne put retenir une vive exclamation.

— Mais je la connais, cette fille ! C'est Louba, la servante de Koriska, Monsieur. Ça alors, c'est une drôle de surprise ! ajouta le contremaître en tendant la main à la bohémienne, pour l'aider à monter sur le quai.

— A mon avis, tels que je connais les Tsiganes, nous ne sommes pas au bout de nos surprises, Armand ! souffla Axel.

La servante, émue de revoir Bonjour, sembla-t-il à Axel, négligea d'expliquer sa présence à bord de l'*Ugo,* et débita le message dont elle était porteuse.

— Notre Bulebassa, la princesse Adriana, est à l'hôtel des Bergues, Monsieur. Elle vous attend. Vous apprendrez tout ce que vous devez savoir de sa bouche, Monsieur.

— Où est mon batelier, Paulin Tabourot, s'il vous plaît ?

— Notre Bulebassa vous apprendra tout de sa bouche, Monsieur. Je ne puis en dire plus.

Ayant parlé, la fille sauta dans le naviot et, après un sourire enjôleur à Bonjour, stupéfait, donna l'ordre de retourner au yacht.

— Qu'ai-je fait au Bon Dieu, pour être ainsi poursuivi par une sorcière, que je croyais à jamais cloîtrée dans son château des Carpates Blanches, soupira Axel en se dirigeant vers l'entrée de l'hôtel.

— Je vais avec vous ? interrogea Bonjour.

— Non. Reste là et surveille le bateau. Et, si la fille revient à terre, essaie de la faire parler, dit Axel.

Comme il s'y attendait, il trouva dans le hall de l'hôtel un Tsigane, d'allure plus civilisée que le flibustier de l'*Ugo*, qui vint directement à lui.

— Monsieur Métaz de Fontsalte, si vous voulez bien me suivre jusqu'à l'appartement de la princesse Adriana. Elle vous attend, Monsieur.

« Qu'a-t-elle encore inventé ? » s'interrogea Axel, montant l'escalier derrière le garde du corps de son étrange demi-sœur. Malgré la duplicité d'Adrienne, sa roublardise, sa fourberie, ses façons licencieuses d'autrefois, parfois ses crapuleries, il ne pouvait se déprendre d'un indéfinissable attachement pour cette femme. Il ne reniait ni la quête d'autrefois pour retrouver la mystérieuse demi-sœur au regard vairon, ni la passion coupable qu'elle lui avait insufflée. La déchéance physique d'Adry lui avait inspiré, lors de leur dernière rencontre, plus de pitié que de répulsion. « Comment vais-je la trouver, cette fois-ci ? » se demanda-t-il encore, tandis que son guide l'introduisait, sans cérémonie, dans une vaste chambre.

A la vue de la femme, assise, le dos à la fenêtre, où s'encadrait au loin le décor alpin, Axel Métaz eut un haut-le-corps. Débarrassée de son masque, Adriana avait retrouvé un visage, un faciès primitif, comme inachevé, aux traits à peine esquissés, une peau lisse et décolorée. Il pensa aux visages de femmes des fresques étrusques.

Elle se leva et vint au-devant de lui, les mains tendues, son regard vairon brillant de plaisir.

— Axou, cher Axou, comme je suis heureuse de te revoir. Tu as vieilli mieux que moi, bien sûr, mais tu n'as pas tellement changé. Des rides, des cheveux blancs et, toujours, ton air colère, quand je viens te voir sans être annoncée.

— Toi, en revanche, tu as changé. Cette nouvelle tête de poupée te va tout de même mieux que ton masque de cuir d'autrefois. A qui as-tu volé ce visage ? lança Axel, rudement.

— Je n'ai rien volé et, crois-moi, j'ai souffert pour l'avoir, ce semblant de visage. C'est un médecin hongrois qui a pratiqué sur moi, en je ne sais combien d'opérations, ce qu'il a appelé une autoplastie. Mais tout cela intéressera Vuippens plus que toi. Le résultat est ce qu'il est. D'ailleurs je ne sors jamais sans un voile de veuve sur la tête. Mais je ne suis plus aussi effrayante, n'est-ce pas ?

— Ça dépend de quel point de vue on se place ! C'est toi qui as fait voler mon bateau ? Tu ne pouvais pas arriver par le train, comme tout le monde, non ?

— Je suis arrivée de Paris par le train, Axou. Ton bateau n'a servi qu'à transporter mes bagages.

— Tu as vraiment beaucoup de bagages ! persifla Axel.

— Quelques malles, comme toute femme élégante, et aussi vingt caisses, contenant chacune trente kilos d'or.

— L'or de Koriska ! Comment cet or est-il venu jusque-là ?

— Sous le plancher de mon wagon-salon, qu'on a accroché à je ne sais combien de trains, de Vienne à Genève, en passant par Munich, Strasbourg, Paris, Lyon. Mais tu imagines mes gens démonter mon wagon en gare de Cornavin pour sortir les caisses ! Impossible ! Alors, ils sont allés faire ça, tranquillement, sur une voie de garage, à Bourg, et puis, dans une voiture, ils sont entrés dans la zone franche — bien commode, cette zone franche ! — jusqu'à Thonon. A partir de là, bien sûr, il fallait un bateau.

— C'est pourquoi tes sbires ont volé l'*Ugo !*

— Emprunté, Axou. On va te le rendre, dit Adriana très à l'aise.

— Et mon bacouni, le brave Tabourot...

— On l'a emprunté aussi. Mes hommes sont d'excellents cavaliers, mais ils ignorent tout de la navigation. Ils ont dû insister un peu, pour embaucher ton batelier. Mais il sera largement désintéressé, dès que mon magot sera en sûreté dans une banque, ajouta-t-elle, se rasseyant en indiquant un siège à Métaz.

— Et dans quelle banque comptes-tu déposer cet or ? Tu crois que les banquiers genevois acceptent l'or non titré sans poser de questions ! s'enquit Axel, railleur.

— Les banquiers sont des banquiers, Axou. Et l'estampille de saint Pertinent vaut bien celle de la banque d'Angleterre, quand l'or est de l'or. D'ailleurs, j'attends un banquier d'un moment à l'autre.

— Qui est-il ? demanda-t-il. Je connais beaucoup de banquiers à Genève.

— Celui que j'attends, tu le connais mieux que tous, c'est ton fils Vincent, autrement dit mon demi-neveu, n'est-ce pas ? Associé de ta filleule Alexandra chez Laviron Cornaz Métaz de Fontsalte et Cie, une des premières banques privées de la ville. Je suis renseignée.

Axel resta un instant sans voix. Cette diablesse avait donc tout prévu, tout organisé, avec l'assurance irritante de ceux qui ne doutent jamais du succès de leurs entreprises.

— Vincent est un banquier honnête. Jamais il n'acceptera un tel dépôt, j'en suis certain, dit Axel, courroucé.

— Heureusement qu'il est honnête. Tu ne penses tout de même pas que je confierais mon or à un banquier véreux !

Axel allait répliquer quand un coup discret fut frappé à la porte, qui s'ouvrit aussitôt sur Vincent Métaz de Fontsalte. Le jeune homme resta figé sur le seuil en apercevant son père en compagnie d'une inconnue à visage de momie.

Axel, bien que cela lui déplût, fit les présentations.

— Je connaissais votre existence, madame, mais j'ignorais que vous aviez, comme mon père et moi, le regard vairon, dit Vincent, aimable.

Sans perdre de temps, Adriana expliqua ce qu'elle attendait de la banque.

— Vous conservez l'or que j'ai apporté de mon pays dans vos coffres et vous le vendez anonymement, à qui bon vous semble, à ma demande, quand j'aurai besoin d'espèces. Pour assurer une rentabilité appréciable à votre établissement, vous pourrez tout de suite vendre une dizaine de pains, afin que je puisse ouvrir un compte, que vous gérerez à vos conditions, dit-elle sans hésiter.

— Mais, chère madame, nous sommes très honorés de votre confiance. Avez-vous beaucoup d'or ? demanda Vincent, sans opposer la moindre réticence, à la stupéfaction de son père.

— Six cents kilos. En pains d'un kilo, répartis dans vingt caisses, répondit Adriana, aussi désinvolte que s'il se fût agi d'une cargaison de haricots.

— Six cents kilos ! Six cents kilos ! Mais, madame, c'est énorme ! Enorme… énorme ! Je ne suis pas sûr que toutes les banques de la Confédération réunies puissent en montrer autant !

— Tant pis pour la Confédération, mon neveu ! Acceptez-vous d'abriter mon or et de vous charger de mes intérêts ?

— Mais bien sûr. En tant que banquier, je ne puis que vous accueillir, en tant que neveu que vous satisfaire, dit Vincent en s'inclinant.

Axel, pantois, découvrait avec aigreur qu'une complicité peu scrupuleuse s'était déjà établie entre sa demi-sœur et son fils. Il se leva et vint, vibrant d'indignation, se planter devant Vincent.

— Tu ne vas pas accepter cet or. C'est de l'or volé, Vincent ! Moi, je le sais ! Il sort de la fonderie de Koriska, alimentée, depuis toujours, par toutes les pièces d'orfèvrerie dérobées à travers l'Europe, des ciboires des prêtres aux bijoux des courtisanes. C'est l'or glané par les Tsiganes au cours des révolutions et des guerres, l'or des châteaux incendiés, des prêteurs sur gages pillés, des notaires, des couvents, l'or des guillotinés, des fuyards, des naufrageurs, des Frères de la côte, des Inquisiteurs espagnols, des pirates barbaresques, des receleurs de Londres ou de Paris ! Non, tu ne dois pas entrer en affaires avec cette femme, assena le Vaudois, avant de se rasseoir, accablé.

Un silence pénible succéda à cette diatribe, pendant lequel Axel vit son fils lever un regard interrogateur sur Adrienne, qui lui répondit d'un battement de paupières qui signifiait : « Laissez-le dire. »

— Tu n'es guère aimable, Axou, et tu présentes mon peuple tsigane à ton fils comme un ramassis de voleurs, et moi, telle une fille de Méphistophélès qui toujours ment, comme l'héritière du Mal incarné. Je sais que ce garçon a été élevé au contact de Lazlo, qui ne lui a fait que du bien et ne lui a inculqué que de bons principes. Les Tsiganes des Carpates ont toujours dû se battre et se débattre pour survivre. Nous y avons réussi avec nos moyens, qui, je le reconnais, ne s'embarrassent pas toujours des lois de tout le monde. Alors, mon neveu qu'en dites-vous ?

— Je dis, ma tante, que mon père se fait un idée particulière de la banque en général et de la banque genevoise en particulier. Si le banquier commence à s'interroger sur l'origine de l'argent, ou de l'or, qu'on lui confie, il va penser que le magot déposé par telle tête découronnée a été pris dans les caisses de l'Etat, que la fortune de l'industriel est faite de la sueur des travailleurs, que celle de tel magnat des chemins de fer est tachée du sang des ouvriers morts en posant les rails, que celle de l'armateur est le produit de la traite des esclaves noirs, que le bas de laine du commerçant est rempli des petites tricheries quotidiennes, des balances plombées, que sais-je encore ! L'argent ni l'or ne sont jamais purs et le vôtre, celui de Koriska, ne l'est sans doute pas davantage, mais je sais que, si je refusais de faire affaire avec vous, dix banquiers de haute réputation dérouleraient un tapis rouge sous vos pas, pour avoir le privilège et le profit d'héberger votre or !

— Nous sommes donc d'accord. L'or est à bord du voilier de votre père, ancré tout près d'ici. A vous de donner des ordres pour le faire porter à la Corraterie. Vous n'aurez qu'à montrer ceci à mes gens, ajouta Adriana.

Elle tendit à Vincent une châtelaine, à laquelle pendait une médaille d'or, qu'Axel reconnut tout de suite comme l'effigie de saint Pertinent et qui portait au revers la tête de mort, une rose entre les dents.

— Mais c'est un bijou, ma tante, dit Vincent, marquant, pour la première fois, un peu de confusion.

— Gardez-le, c'est un cadeau, un talisman, mon garçon, votre père vous le confirmera, dit la Tsigane.

Visage fermé, Axel reconnut le rire de sorcière, à la fois moqueur et tendre, qu'il avait entendu fulgurer pour la première fois, jadis, dans un très vieux palais, à Venise.

Peu de jours suffirent à la fille de feu le marquis Blaise de Fontsalte, général d'Empire, et d'une comédienne gitane, pour faire la conquête d'Alexandra, devenue Mrs John Keith, et de María-Cristina. Zélia, tout d'abord craintive à la pensée de revoir celle qui l'avait autrefois séquestrée à Koriska, fut reçue par Adriana avec des transports de joie. Quant à Louis Vuippens, assez mal disposé à l'égard d'une femme qu'il soupçonnait fort d'avoir initié, autrefois, son épouse à des jeux pervers mal définis, il ne put que se résoudre à une relation cordiale avec la vieille Tsigane. Dès leur première rencontre, Adrienne lui fit remettre par Vincent le produit de la vente de deux lingots d'or, afin que le médecin pût faire construire, au pays de Vaud, une clinique pour tuberculeux et un laboratoire, son inaccessible rêve depuis des années.

La Tsigane tenait à résider en dehors de Genève, « plutôt sur une hauteur, avec une belle vue sur le lac et la ville ». Les Keith, qui passaient autant de temps à Londres qu'en Suisse, depuis que Vincent avait été promu gérant de la banque au même titre que mademoiselle Alex, lui vendirent, à un prix qu'elle ne discuta pas, la villa de Cologny, propriété Laviron, dont Alexandra avait hérité à la mort de Manaïs.

Adrienne, enchantée d'apprendre que lord Byron avait passé, en 1816, des nuits ardentes avec Claire Clairmont dans la villa voisine, propriété de la famille Diodati depuis le XVIIIe siècle, fit effectuer d'importants travaux de rénovation de sa demeure. Elle renouvela le mobilier mais tint à conserver la longue-vue, montée sur trépied, que feu Pierre-Antoine Laviron utilisait, autrefois, pour guetter l'arrivée de la diligence de Paris, dont le postillon, convenablement rétribué, indiquait au banquier, par un chiffon attaché à son fouet, si la rente avait monté ou baissé à Paris.

— Aujourd'hui, le télégraphe a rendu cette astuce caduque, observa Axel, invité, avec les anciens du cercle Fontsalte, à la pendaison de crémaillère.

— Mais cela peut servir à d'autres jeux, dit Adriana, avec un clin d'œil à Vincent.

Séduit par la vieille aventurière, dont la force de caractère autant que la mystérieuse existence le subjuguait, le banquier s'était pris d'affection pour cette demi-tante exceptionnelle. Adriana le traitait comme un fils et comblait de cadeaux María-Cristina et María-Elisa, qui commençait à marcher.

Lazlo, Marie-Blanche ainsi que leurs enfants, maintenant collégiens, avaient, eux aussi, été conviés par le Bulebassa.

— Alors, te voilà vaudois et bon citoyen suisse, vigneron, même, à ce qu'on m'a dit ! Es-tu heureux, au moins ? demanda Adriana.

— Je suis très heureux. Monsieur Axel et la défunte Madame ont été, pour moi et ma famille, comme de vrais parents. Je suis fier d'être suisse, mais mon cœur reste tsigane, Bulebassa, et mes enfants connaissent tous nos chants et nos danses.

Comme Lazlo et les siens allaient se retirer avant le dîner réservé aux intimes, après avoir reçu des enveloppes bien lestées, le Tsigane eut un aparté avec son ancienne souveraine.

— Il y en a une qui pourrait bien être heureuse, aussi. C'est Louba. Notre contremaître des vignes, M. Armand Bonjour, un brave homme, sérieux et travailleur, voudrait bien la marier, comme on dit ici, car ces deux-là se sont plu et ils s'aiment. Mais, bien sûr, Louba est à ton service et toi seule peut décider, Bulebassa, dit Lazlo, respectueux.

— Par saint Pertinent, qu'ils se marient et nous fassent des petits Tsiganes helvètes ! Vois-tu, Lazlo, je suis une vieille femme. J'ai fait beaucoup choses dans ma vie, des bonnes et des moins bonnes, tu le sais, bien sûr, même si tu as toujours tenu ta langue. Mais la chose qui me donne aujourd'hui le plus de plaisir, c'est de faire le bonheur de ceux qui le méritent. Alors, que Louba saute sans plus attendre dans le lit de cet Armand !

— Pour ça, Bulebassa, je crois bien qu'ils ont pas attendu la permission ! dit Lazlo en riant.

Adriana envoya à son ancien domestique une vigoureuse bourrade à la mode tsigane. A la grande stupéfaction des invités, Lazlo la lui rendit avec mesure, puis leurs mains se joignirent et, ensemble, rejetant le buste en arrière, ils se mirent à tournoyer en chantant à tue-tête, dans leur langue hermétique, un refrain des Carpates.

— Quel peuple formidable que les Tsiganes ! Le feu de la vie les habite ! Regardez-les ! La princesse et le cocher s'amusent, sans façon, de choses que nous autres, Anglais ou Suisses, ne pouvons comprendre, parce que c'est leur sang qui parle et qui chante, dit John Keith.

Axel, qui s'était résigné à l'intégration d'Adriana dans le cercle Fontsalte, finit par obtenir, ce soir-là, l'entretien tête à tête qu'il souhaitait depuis l'arrivée de sa demi-sœur.

— Comptes-tu rester longtemps à Genève ? demanda-t-il tout d'abord.

— Je compte y finir mes jours, si ça ne gêne personne. Je n'ai pas eu encore l'occasion de te le dire, car tu m'as fuie comme une pestiférée pendant des semaines, mais mon règne de Bulebassa est terminé. Comme je n'ai pas eu d'enfant, il a fallu que notre Conseil désigne un nouveau souverain, à Koriska. J'ai donc cédé la place. On m'a rendu tous les honneurs possibles : les sept prochaines filles à naître dans la tribu porteront mon prénom, j'ai choisi la place et la pierre de mon caveau et tous les Tsiganes continueront à m'appeler Bulebassa. Mais Koriska, c'est fini. Je n'y retournerai qu'enfermée entre quatre planches. Et puis j'ai bouclé mes malles…

— Et tes caisses d'or ! interrompit Axel.

— J'ai pris ce qui me revient du trésor accumulé par mes ancêtres. Personne n'a rien à redire, fit Adrienne, fermement.

Au cours de l'été 1864, le Comité international permanent de secours aux militaires blessés, que certains initiés commençaient à désigner du nom de son emblème, la Croix-Rouge, vit son existence confirmée lors d'un congrès diplomatique international, organisé à Genève. Dès le 8 août, vingt-quatre délégués, y compris celui des Etats-Unis d'Amérique, se trouvèrent réunis à l'hôtel de ville. Les travaux, parfois animés, furent entrecoupés de promenades en vapeur sur le lac, de banquets, de réceptions, et clos par un gala après que, le 22 août, les représentants officiels de seize Etats eurent apposé leur signature sous le texte d'une convention, qui reconnaissait « la neutralité des ambulances et du personnel sanitaire entre les belligérants ».

Pour les cinq fondateurs — Henry Dunant, le général Dufour, Auguste Moynier, les médecins Maunoir et Appia —, ce document marquait l'aboutissement de leurs efforts : les blessés militaires seraient désormais impartialement secourus sur les champs de bataille par des volontaires neutres et reconnus comme tels.

Tandis que les délégués, satisfaits de l'œuvre achevée, se congratulaient dans une salle de l'hôtel de ville, Genève connaissait une nouvelle fois l'émeute populaire.

Tout avait commencé, le 12 juillet 1864, par l'élection d'un conseiller d'Etat au Conseil fédéral. Le président Jean-Jacques Challet-Venel ayant été désigné, il fallait pourvoir à son remplacement au Conseil. James Fazy, évincé du gouvernement depuis 1861 et qui se débattait dans des ennuis financiers personnels, avait décidé de briguer le poste. Le nouveau parti des indépendants lui avait aussitôt opposé un candidat, Arthur Chenevière, banquier et député au Grand Conseil.

La lutte fut âpre et, le 21 août 1864, Chenevière l'emporta avec une majorité de 337 voix. Mais le Grand Bureau du Conseil, qui comptait dix-sept radicaux contre dix indépendants, manœuvré par John Perrier, dit Perrier le Rouge, héros malheureux de l'expédition de Savoie en 1860, annula l'élection de Chenevière, sans donner de raisons valables à cette décision.

Le lendemain, 22 août, deux mille citoyens, scandalisés par les méthodes radicales, se rendirent à l'hôtel de ville pour sommer Moïse Vautier, vice-président du Conseil d'Etat et chef des Fruitiers d'Appenzell, de prononcer l'annulation de la décision arbitraire du Grand Bureau, afin de faire respecter le verdict des urnes. Mal leur en prit car, pendant qu'on discutait à l'hôtel de ville et que le Conseil d'Etat acceptait de proclamer, enfin, le résultat officiel de l'élection, à Saint-Gervais, les hommes de main radicaux et les Fruitiers d'Appenzell ameutaient la populace en criant que les aristocrates avaient triché, pour s'emparer d'un siège au Grand Conseil. Aussitôt, des groupes s'armaient et, sous la direction de Perrier et du docteur Adolphe Fontanel, autre excité notoire, prenaient la direction du quai des Bergues.

Pendant ces préparatifs belliqueux, et suivant la tradition, la parade des vainqueurs de l'élection quittait la place de l'Hôtel-de-Ville derrière deux huissiers en manteau rouge et jaune, tambours et drapeaux. Les indépendants entendaient ainsi défiler à travers la ville, afin que nul n'ignore le triomphe de leur candidat. Le cortège atteignait la place Chevelu, après avoir emprunté les rues basses, la Fusterie et le pont des Bergues, quand il se heurta au barrage des radicaux, qui venaient de piller l'arsenal et disposaient non seulement de fusils mais de pièces d'artillerie. Aussitôt, des coups de feu retentirent et l'on ramassa cinq blessés, tandis que les indépendants réussissaient à désarmer quelques radicaux. Poursuivant sa marche, le défilé, amputé de ceux qui avaient prudemment reflué vers le pont de la Machine, se heurta, à Chantepoulet, à un nouveau barrage. Celui-ci était solidement établi par des radicaux en armes et prêts à faire usage des canons empruntés à l'arsenal. Malgré l'intervention courageuse d'un commissaire de police, désireux de ramener les furieux à la raison, l'ordre d'ouvrir le feu fut lancé par Perrier. Les frustrés du jour, qui n'attendaient qu'un encouragement, déclenchèrent aussitôt un véritable tir de barrage, qui coucha à terre les premiers rangs des indépendants, distants de moins de cinquante pas.

On compta quatre morts et de nombreux blessés, ce qui dégrisa un moment les tireurs. La population, atterrée par cette façon de concevoir la démocratie, se rebella spontanément et, après un prompt retour à l'hôtel de ville, fit savoir aux conseillers d'Etat qu'ils étaient prisonniers du peuple, lequel paraissait bien décidé à ne pas supporter plus longtemps une dictature radicale, qui faisait fi du suffrage universel. A leur tour, les indépendants, et des citoyens qui ne songeaient qu'à défendre la démocratie bafouée, s'armèrent, bientôt rejoints par la troupe, venue de Plan-les-Ouates. Déjà, les barricades indépendantes faisaient face aux barricades radicales. Une nouvelle fois, du bastion de Saint-Gervais, partait une amorce de guerre civile, suscitée par des meneurs irresponsables, qui voyaient surtout, dans la chute annoncée du radicalisme autoritaire à la Fazy, la fin de leurs privilèges, la suppression de leurs prébendes, et qui se moquaient comme d'une guigne de la démocratie et des valeurs républicaines, qu'ils avaient prêchées plus par démagogie que par réelle conviction.

Il fallut l'intervention courageuse du conseiller d'Etat Degrange pour que les deux partis mettent bas les armes et démontent les barricades.

Une nouvelle fois, Genève s'était fait peur.

A la grande confusion du général Dufour et de ses amis, l'affaire avait beaucoup amusé les délégués au congrès diplomatique. Représentants de monarchies autoritaires, si souvent critiquées, ils ne manquèrent pas d'ironiser sur la violence des mœurs démocratiques.

Le procès des émeutiers s'ouvrit le 13 décembre, dans le Bâtiment électoral, ce qui parut assez ironique aux Genevois. Les juges fédéraux et le jury de douze membres entendirent quatre cent quatre-vingts témoins. Les audiences relevèrent plus souvent d'une joute électorale sans grand respect pour les victimes. Le 30 décembre, le jury déclara les prévenus innocents, ce qui permit aux magistrats d'acquitter tout le monde !

— Maintenant que la lâcheté du jury a couvert celle des juges, les Genevois peuvent mettre un crêpe à leur chapeau. La République est en deuil de la démocratie, dit Vincent.

— On dit que Fazy, effrayé par les conséquences des actes criminels de ses amis, a passé la frontière et se cache à Ferney, dit Alexandra, venue avec son mari passer la fin de l'été à Genève.

— Cette fois-ci, c'est vraiment la fin de Fazy et de son régime. Il est d'ailleurs rassurant de constater que les dictateurs en puissance, qui se servent de la démocratie pour prendre le pouvoir, sont un jour chassés par la démocratie. Il y a, dans le destin de Fazy, une grande leçon civique, même si elle fut coûteuse et, comme on l'a vu cet été, meurtrière, commenta le banquier.

Au fil des mois, Bertrand avait tenu son père au courant de l'évolution de la guerre entre les Etats américains. Le médecin avait vécu les tragiques lendemains des coûteuses victoires du Nord sur le Sud, dont les armées manquaient d'armes et de munitions, depuis que l'amiral Farragut s'était emparé de La Nouvelle-Orléans. Le médecin conservait des batailles de Shiloh, Antietam et Gettysburg — d'après lui les plus meurtrières — d'affligeants souvenirs. A partir de février 1865, ses lettres donnèrent à penser que les troupes de l'Union allaient triompher et que la guerre approchait de son terme. A la lecture de ces mêmes missives, Axel commença à soupçonner que son fils était amoureux de sa cousine Emily.

Le médecin passait, en effet, toutes ses permissions à Boston, et ne manquait jamais de raconter ses sorties avec Emily, quand coïncidaient leurs présences chez Blandine, où Bertrand affirmait avoir trouvé la douce et chaude ambiance d'une famille. En mars, il informa son père que Lewis Calver avait été tué lors d'un engagement naval.

« Votre demi-sœur, de divorcée est devenue veuve, ce qui n'a causé à cette chrétienne qu'un chagrin relatif. Mais Emily, en revanche, a été très peinée, car son âme généreuse avait déjà pardonné à son père, aussi bien ses torts envers l'épouse que son engagement dans la Marine sudiste. “Il faut comprendre, m'a-t-elle dit, que, par ses origines et son éducation, mon père était lié à jamais au Vieux Sud, à ses plantations et au travail servile des Noirs, comme vous êtes lié au pays de Vaud, à vos vignes et aux principes de liberté et d'égalité qu'ont établis vos ancêtres.” Je puis comprendre ces nobles sentiments et n'estime que davantage ma cousine parce qu'elle a, dans le climat de haine qui règne ici, le courage de les exprimer. »

Bien avant que Bertrand le confirme à son père, Axel connut, par le *Journal de Genève* du 19 avril, la déroute des forces sudistes. « La grande querelle est close, écrivait le correspondant à Washington du quotidien suisse. Le pouvoir militaire de la Confédération est brisé et celui des Etats-Unis plus solidement établi que jamais ; ce sera au profit, non d'une faction, mais du pays tout entier. Pleins de reconnaissance envers Dieu, nous ne nous laisserons aller ni à la colère ni à la vengeance, pas même au blâme. »

Ainsi, avec la reddition du général Robert E. Lee et celle de l'armée du Sud, le 9 avril 1865 à Appomattox, en Virginie, la guerre, commencée quatre ans plus tôt, prenait fin. Les destructions paraissaient énormes, l'économie des Etats esclavagistes était anéantie et, bien que personne ne se risquât encore à dresser le bilan des pertes humaines, on estimait que deux millions d'hommes, au moins, avaient servi l'Union et un million le Sud, que plus de trois cents cinquante mille Nordistes et cent trente mille Sudistes avaient péri, au cours des combats ou des suites de leurs blessures.

Les politiciens et les éditorialistes des journaux se félicitaient encore de la victoire de la dignité humaine sur l'esclavage quand, le 26 avril, une « dépêche électrique » du *Journal de Genève* annonça, en termes télégraphiques, une nouvelle stupéfiante :

Abraham Lincoln avait été assassiné et le secrétaire d'Etat, M. Seward, grièvement blessé.

Lincoln, réélu à la présidence en novembre 1864, avait été abattu dans sa loge, au cours d'une représentation de *Notre Cousin américain,* au Ford's Theater, à Washington, par l'acteur John Wilkes Booth. Les journalistes précisaient que le meutrier « avait interprété cent fois, avec plein succès, le rôle d'Hamlet sur la scène du théâtre Ford » ! Il s'agissait, bien sûr, d'un complot, comme en témoignait l'agression quasi simultanée contre Seward.

Axel, qui se trouvait le 3 mai à Genève, put apprécier les sentiments qu'inspirait aux citoyens la tragique disparition du président américain. Dès huit heures, une foule silencieuse, évaluée à quatre mille personnes, avait envahi le Bâtiment électoral. Il y avait là des gens de toutes opinions et de toutes conditions, réunis pour témoigner leur sympathie unanime à l'Union américaine en deuil. Après les allocutions des politiciens professionnels, prêts en toute occasion à se mettre en vedette, un orateur fit approuver une adresse au peuple américain.

« Frères de l'autre côté de l'Océan !

» L'énergique défenseur de l'intégrité du pays, le valeureux champion de l'abolition de l'esclavage, le grand citoyen Lincoln est tombé victime du plus lâche des crimes. Sa mort est une perte pour l'humanité, pour la liberté dans l'un comme dans l'autre hémisphère *[sic]*. Genève vient solennellement associer sa douleur et ses regrets à la douleur immense que cet horrible attentat a produite aux Etats-Unis. »

Après une comparaison, audacieuse et, de l'avis de plusieurs, déplacée avec la guerre du Sonderbund, censée avoir « soudé la Confédération helvétique », les auteurs de l'adresse concluaient par : « Vive la République américaine, vive la liberté », exclamation reprise par la foule.

Vincent, qui avait accompagné son père, commenta en banquier la fin de la guerre civile américaine.

— On doit, bien sûr, se réjouir, mais les conséquences de l'anéantissement économique du Sud cotonnier, et l'inévitable chute d'activité industrielle du Nord que va entraîner la paix, vont se faire sentir dans toute l'Union. Déjà, l'or a fortement baissé, les importations ont diminué de quarante pour cent et le coton a perdu trente-cinq pour cent de sa valeur en quelques jours, précisa Vincent.

— Ma première raison de me réjouir, c'est le retour de ton frère, dit Axel, coupant court aux considérations affairistes.

— Je serai, moi aussi, content de le revoir. J'imagine que, s'étant fait la main sur les Yankees, il va, auréolé de gloire, connaître un afflux de patients. Vuippens, qui ne s'occupe plus que de la construction de sa clinique à Lausanne, l'attend aussi pour lui léguer ses malades, observa le banquier.

A Vevey, M. Métaz trouva une lettre de Bertrand. La missive annonçait en effet le retour du médecin mais, aussi, d'autres nouvelles qui toutes ne surprirent pas le Veveysan.

Après avoir raconté la prise de Richmond par les Nordistes, où il avait rencontré le lieutenant-colonel fédéral Ferdinand Lecomte, de Lausanne, envoyé pour la seconde fois par le gouvernement de Berne sur le théâtre des opérations, Bertrand révélait que plusieurs Suisses avaient pris part au siège de la ville, notamment le capitaine Eugène Subit qui, grièvement blessé, avait reçu ses soins.

Puis le médecin démobilisé abordait le sujet qu'Axel s'attendait à le voir traiter depuis longtemps.

« J'ai attendu, cher père, la fin d'une guerre qui aurait pu, à tout moment, bouleverser mes plans, pour vous faire part de mon désir d'épouser ma cousine Emily. Elle envisage avec joie le plaisir de vous connaître et de vivre désormais au pays de Vaud. Nous aimerions nous marier ici, avant de nous embarquer pour l'Europe, ce qui simplifierait beaucoup de formalités. Mais j'attendrai votre agrément pour conduire Emily devant le pasteur. Notre amour enchante sa mère, mais il l'attriste aussi. Elle va se trouver seule désormais en Amérique, où rien ne la retient, sauf quelques amies. Elle souhaiterait, j'ai cru le comprendre, rentrer en Suisse avec l'intention de finir ses jours au pays natal, près de sa fille et de son gendre. Mais votre demi-sœur semble redouter votre réaction, car, m'a-t-elle dit, “ayant pris, autrefois, le parti de mon père contre celui de ma mère aujourd'hui défunte, je crains bien que mon demi-frère Axel, avec qui j'ai eu tort de ne pas entretenir de relations suivies, ne tienne pas à me voir m'installer à Vevey ou à proximité”. Je crois qu'un mot de votre part dissiperait ses craintes et calmerait les appréhensions de cette femme simple, pour qui sa fille est tout. »

La vie avait enseigné à Axel Métaz l'art de simplifier les situations, que l'amour-propre complique trop souvent, quand le passé interfère dans le présent. Ainsi ses relations avec Alexandra, mariée, avaient pris un tour naturel et plus confiant, aussi bien que ses rapports avec Adriana, qu'il voyait avec plaisir à Cologny, où il allait passer parfois les fins de semaine. Aussi, après une nuit de réflexion, voulant ignorer la négligence épistolaire de sa demi-sœur, prit-il sa plume pour écrire à Blandine une lettre généreuse. Non seulement il l'invitait à revenir à Vevey, où elle avait tant de souvenirs, mais encore lui offrait-il de s'installer à Rive-Reine, avec les jeunes mariés. « J'ai pris depuis un certain temps la décision de me retirer à Beauregard, c'est-à-dire à Lausanne, qui offre plus de ressources intellectuelles et plus de distractions que Vevey au solitaire que je suis devenu. »

En écrivant ces mots, Axel Métaz eut bien conscience d'officialiser un choix irréversible. Toute tergiversation eût affaibli sa volonté de s'éloigner des affaires dès que Bertrand serait rentré. En l'installant à Rive-Reine, il en faisait son successeur, avant qu'il ne devînt son héritier.

Dans une autre lettre, adressée à son fils cadet, il disait sa satisfaction de le voir épouser la jeune fille élue. « Je crois déjà la connaître, tant tu m'as écrit de choses sur elle, ce qui m'avait d'ailleurs incité, depuis quelques mois, à penser que tu n'étais insensible ni à son charme ni à ses qualités morales. »

Les courriers expédiés, Axel connut un vrai moment de sérénité, presque de bonheur. Quand il fit part à Vuippens de ses décisions et du mariage de Bertrand, son vieil ami lui prit les mains.

— Ce sont de sages résolutions. A Beauregard, tu seras tout près de ma clinique et nous nous verrons tous les jours. Et puis tes entreprises deviennent lourdes pour un homme de bientôt soixante-cinq ans. Il est temps que tu dételles en partie et te consacres plus souvent aux délices du port, vantés par le poète. La seule chose que je crains, vois-tu, c'est que Bertrand n'abandonne la médecine. Mais je lui fais confiance. Bien secondé, comme tu l'as été, et à l'occasion avec ton aide, il mènera de front le vignoble et notre art.

— Je le crois aussi, et puis je tiens à conserver certaines activités commerciales. Mais vois-tu, Louis, comme la vie se complaît à restaurer les équilibres, à boucler les cercles, à renouer les liens rompus. Le petit-fils d'un Fontsalte va épouser la petite-fille d'un Métaz. Ce qui fit autrefois scandale est aujourd'hui louangé. Cette union possède, à mes yeux, un caractère absolutoire. Et si l'on ajoute que Bertrand, sa femme et ma sœur seront sans doute là au mois d'août pour la fête des Vignerons — souviens-toi de celle de

1819 —, on peut dire que le destin ne manque ni d'humour ni d'ironie en ajoutant cette touche au tableau restauré, dit Axel en levant son verre

Quelques jours plus tard, M. Métaz se rendit à Genève pour assister à l'inauguration d'un nouvel hôtel, construit aux Pâquis.

Lors de la démolition des bastions du Cendrier et de Chantepoulet, douves et fossés avaient été comblés avec les déblais des fortifications détruites. On pouvait, depuis, se rendre à pied sec, sans emprunter le vieux pont en fil de fer, du quai des Bergues aux Pâquis, quartier résidentiel en voie d'urbanisation. Les remblais, produits de la destruction des remparts, avaient été tassés sur une couche de glaise dure qui allait s'amollissant au fur et à mesure que l'on creusait le sol.

« A dix mètres de profondeur, la glaise étant imbibée par les infiltrations du lac, le sous-sol devient une sorte de magma spongieux, une sorte de soupe épaisse. Cela ne présente cependant pas d'inconvénient majeur pour les constructions qu'on voudrait élever en ces lieux », expliquait un géologue. Mais les sceptiques assuraient que, dans moins d'un siècle, les bâtiments ne manqueraient pas de se fissurer.

C'est sur l'ancien terre-plein, entre les fossés comblés et soigneusement nivelés, qu'un riche Anglais célibataire, M. Curry, avait décidé, en 1862, de construire une vaste résidence. Son conseiller et homme de confiance était un hôtelier allemand, Johann Jacob Mayer, récemment arrivé de Neckarrems, petite ville située à quatre kilomètres de Stuttgart, où il tenait une auberge de bonne réputation. On ignorait encore les raisons qui avaient conduit ce bel homme à s'exiler en Suisse. Peut-être était-ce, après les révolutions ratées de 1848, le marasme économique, à moins que ce ne fût pour des raisons religieuses, car Johann Jacob Mayer était protestant.

A Genève l'attirait peut-être, aussi, le développement du tourisme international, dont il avait déjà une bonne expérience puisque ses ancêtres étaient aubergistes de père en fils depuis 1644 !

Les travaux de sa résidence déjà avancés, M. Curry mourut, léguant la demeure inachevée à Mayer, qui décida aussitôt d'en modifier les plans pour en faire un hôtel de luxe. Celui-ci devait être inauguré le vendredi 13 mai 1865. Alexandra et John Keith,

Vincent et María-Cristina, Axel Métaz — il avait fourni une partie des matériaux de construction — figuraient parmi les invités de la famille Mayer. Axel était curieux de voir ce que pouvait être un hôtel qui bénéficierait de toutes les nouveautés en matière de confort.

Les invités découvrirent, à l'enseigne de Beau Rivage, un palace somptueux, réalisé par l'architecte d'origine allemande, alors à la mode à Genève, Anthony Graff, auteur apprécié des plans de l'hôtel d'Angleterre et d'une école moderne aux Eaux-Vives.

La façade de Beau Rivage, du côté de la ville, offrait, sur trois étages, un alignement de larges fenêtres. Celles du rez-de-chaussée surélevé ouvraient, de part et d'autre d'une entrée monumentale, sur un perron, encadré de deux fortes colonnes à chapiteaux classiques, supportant le large balcon à balustres d'un grand appartement, au premier étage.

Le hall carré, cerné de colonnes de marbre rose, était décoré de fresques à motifs pompéiens. Au centre du hall, dallé de marbre à motifs floraux, une fontaine rejetait son bouquet murmurant dans un bassin de pierre. A chaque étage, sur trois côtés, des galeries promenoirs, celle du premier étant soutenue par les colonnes roses, donnaient accès aux chambres et aux suites. Le mur fermant ce quadrilatère eût été triste s'il n'avait été percé d'un œil-de-bœuf et agrémenté de statues à l'antique, juchées dans des niches, telles des vierges païennes. Au dernier étage, des médaillons ovales, peints à fresque, offraient au regard une Vénus alanguie sur un rocher, un char romain en pleine course. Ailleurs, des bergers énamourés contaient fleurette à des bergères, plus dolentes qu'émoustillées.

Les chambres étaient exceptionnellement vastes. De celles donnant sur le lac, on voyait, par temps clair, la pyramide du mont Môle et, plus loin, griffant le ciel limpide, l'aiguille Verte, les Grandes-Jorasses et parfois, majestueux et baigné d'une lumière rose au crépuscule, le mont Blanc. Du côté de la ville, on découvrait le nouveau pont du Mont-Blanc, le Grand-Quai de la rive gauche, les toits de la vieille ville, les clochers de Saint-Pierre et, plaqués sur l'horizon, tel un découpage, lourds et protecteurs, dominant Genève et ses collines, le Petit et le Grand Salève qui allongeaient leur croupe.

— Le point de vue est encore meilleur d'une terrasse, sorte d'*altana* à la vénitienne, que nous avons aménagée sur le toit, dit un commis de l'architecte.

— C'est, à n'en pas douter, l'hôtel le plus élégant que j'aie vu, commenta Axel. Nos Trois-Couronnes, de Vevey, et le Beau-Rivage Palace, d'Ouchy, n'ont qu'à bien se tenir. Voilà un concurrent sérieux dans la plus grande des petites villes d'Europe, comme disent les amis de M. Fazy !

— Tu veux dire la plus petite des grandes villes, répliqua Alexandra, citant la définition chère aux Vieux-Genevois, toujours méfiants quand il s'agissait d'innovations susceptibles de dénaturer la Genève de Calvin, voire d'entacher sa réputation morale par l'accueil de trop de « gens de loisirs ».

M. Johann Jacob Mayer, dont on avait déjà francisé les prénoms en Jean-Jacques, pouvait être fier de son hôtel, où étaient annoncés des Américains de New York City, des Indiens de Bombay, des Anglais et des Suisses des cantons alémaniques. Nul doute que ce robuste et souriant rejeton d'une famille engagée dans l'hôtellerie depuis le XVIIe siècle saurait accueillir et choyer les voyageurs de la haute société internationale[1].

A l'heure du dîner, la table se révéla, par sa succulence, à la hauteur du décor.

Pendant l'absence de M. Métaz, un événement local avait ému les Veveysans. Dès sa sortie de la gare, Axel remarqua que les hommes le saluaient aimablement, mais tel qui l'eût arrêté pour un brin de causette passait son chemin en pressant le pas. En arrivant à Rive-Reine, il vit à ses yeux rouges que Pernette avait pleuré, mais avant qu'il ait eu le temps d'interroger la vieille servante sur les raisons de ce chagrin, Lazlo, qui guettait son retour, l'aborda sans préambule.

— Ah ! Monsieur, un vrai malheur est arrivé cette nuit !

— Un accident... grave ? jeta Axel, impatient.

— Belle-Ombre à brûlé, Monsieur. Il n'en reste pas pierre sur pierre. Un vrai cauchemar !

— Belle-Ombre a brûlé ! On a mis le feu ou quoi ?

— Non, Monsieur... enfin si... la foudre. Elle a allumé la paille de l'écurie, les charpentes se sont enflammées et puis, quand le feu

1. Beau Rivage, considéré comme l'un des meilleurs hôtels d'Europe, est resté propriété de la famille du fondateur. C'est à Beau Rivage que mourut, le 10 septembre 1898, l'impératrice Elisabeth d'Autriche, dite Sissi, poignardée sur le quai du Mont-Blanc par l'anarchiste Luigi Luccheni.

est arrivé au cellier, les tonneaux de lie ont sauté, comme des bombes. Vous pensez, l'alcool ! Quand, à Chexbres, un vigneron, qui craignait les dégâts de l'orage, sortit, il vit de loin le feu et donna l'alerte. Mais c'était trop tard. Les premiers voisins arrivés ont même pas pu approcher du puits. Je suis monté dès que j'ai su, mais tout s'est effondré. Rien à sauver, Monsieur.

Axel reçut le choc sans broncher. Le destin, dont il vantait, quelques jours plus tôt, l'humour à Vuippens, venait d'éliminer rageusement une part de passé. Isolée au cœur du vignoble, comme défendue par l'armée verte des ceps, Belle-Ombre était beaucoup plus qu'une maison de vigneron. Lieu de retraite, de méditation, de mémoire, sorte de sanctuaire familial, réceptable d'amours anciennes, dépôt inviolable de serments, de secrets, de confidences, d'espoirs, de moments de vie intenses, l'humble demeure des premiers moines vignerons avait été dévorée par le feu du ciel.

— Allons tout de même voir, finit par dire Axel, d'un ton las.

En montant à travers les vignes, il découvrit, navré, au dernier détour du chemin, que sa maison au toit de lause manquait au décor familier. Déjà, les ouvriers, envoyés par Bonjour, s'activaient dans la ruine calcinée, les mains et le visage maculés de suie.

— Je fais ramasser les pierres, Monsieur. Elles pourront servir pour reconstruire la maison, dit le contremaître.

— Non, Armand. On ne reconstruira pas Belle-Ombre. Fais dégager le terrain, fais enlever ces pierres et ces cendres. Que l'endroit soit net, nivelé, la terre propre. Au printemps, tu planteras de la vigne, ordonna Axel.

Puis, sans s'attarder, il monta dans son cabriolet et, seul avec sa peine, descendit vers la ville en pleurant.

L'arrivée de Bertrand, accompagné d'Emily, sa jeune épouse, et de Blandine, apporta, quelques jours plus tard, une heureuse diversion. Axel revit son fils avec joie et beaucoup d'émotion. Le médecin avait forci, pris de la carrure ; son visage hâlé portait les stigmates des nuits de veille, des heures éprouvantes, passées à amputer et à panser des plaies. La guerre avait durci ses traits et son regard, et Pernette lui vit aux tempes les tout premiers cheveux gris.

C'est avec plus de curiosité que d'émoi, en revanche, qu'Axel accueillit sa demi-sœur. Bertrand l'avait mis en garde : « Vous ne reconnaîtrez plus en elle la Veveysanne, mais un type courant de dame américaine un peu mûre. »

Teint rose, bouclettes blanches, boulotte et joufflue, toilette plus commode qu'élégante, Blandine avait acquis assurance et débrouillardise au contact d'une civilisation ou le pratique l'emportait sur le raffiné. Axel ne retrouva, chez elle, la frivolité de leur commune mère qu'au jour où elle réunit pour une *party* — car elle émaillait son français de mots anglais — ses amies de jeunesse, qu'elle se mit à abreuver de thé, de *cookies* et de confidences sur sa vie en Amérique.

Quant à Emily, plus réservée que sa mère, beauté anglo-saxonne aux traits fins, grande fille brune, svelte mais résistante à l'effort, elle plut aussitôt à son beau-père. Gracieuse, douée de l'assurance de bon aloi des femmes du Nouveau Monde, prompte à rendre service, elle fut admise sans contrainte par le cercle Fontsalte et la domesticité.

— Vous ferez une excellente maîtresse de maison pour Rive-Reine, qui en manquait depuis un certain temps, dit Axel, dès le premier dîner familial, à sa demi-nièce devenue sa bru.

Il souhaitait qu'il fût clair pour tous — pour Blandine, surtout — que la jeune M^me^ Bertrand Métaz de Fontsalte gouvernerait à sa guise la demeure qu'il lui laissait.

Car, dès sa décision prise, Axel avait organisé son déménagement. Peu de chose en vérité, puisqu'il entrait à Lausanne dans une demeure installée. Lazlo, qui occuperait avec sa famille la maison du gardien de Beauregard, Armand Bonjour lui succédant à Rive-Reine, avait déjà transféré les dossiers personnels de son maître, ses livres, quelques objets et souvenirs, auxquels M. Métaz tenait, et deux tableaux de François Bocion, l'illustrateur de *la Guêpe,* qui peignait si bien le Léman.

En vidant ses tiroirs, Axel retrouva le cahier noir des rancunes, registre de ses déceptions et colères d'adolescent, aminci, car déjà effeuillé au fil de ses pardons. Il prit aussi en main un très vieux sucre d'orge, à demi fondu dans son étui de papier rose, où il devina plus qu'il ne lut les mots, à demi effacés, Jardin des gourmandises, qui lui rappelèrent Tignasse, l'ardente initiatrice.

Il jeta le tout dans la cheminée et, quand le cahier et le bonbon furent consumés, il remua les cendres du bout du pied : ainsi ces témoins intimes de sa jeunesse ne tomberaient pas en des mains étrangères.

Quelques jours après l'installation de Bertrand à Rive-Reine, on apprit, un matin, que le vieux pasteur Albert Duloy ne s'était pas réveillé. Sa servante l'avait trouvé, paisiblement — mais définitivement — endormi, les mains croisées sur la poitrine, l'œil clos, les traits sereins, un vague sourire aux lèvres. M. Duloy était sans aucune parenté et Axel conduisit le deuil jusqu'au cimetière Saint-Martin, où l'on inhuma cet homme de bien près de son épouse qui l'avait, depuis longtemps, précédé dans la mort.

— Il était un peu notre conscience à tous deux, dit Louis Vuippens à Axel, qui approuva.

A l'aube du 26 juillet 1865, une salve d'artillerie annonça aux Veveysans que la quatrième fête des Vignerons du XIXe siècle [1] allait commencer. Hélas, une pluie diluvienne cascadait sur les gradins des tribunes de la place du Marché, où l'on devait accueillir onze mille spectateurs. L'averse plaquait les oriflammes aux mâts, transformait les guirlandes en gouttières, trempait les costumes des figurants, rendait molles comme crêpes les partitions des musiciens. Mais les milliers de visiteurs étrangers ou suisses [2] des autres cantons refusèrent de céder aux caprices météorologiques. Comme les acteurs et les figurants qui participaient aux cortèges, conduits par l'abbé-président, M. Louis Bonjour — sans doute un lointain cousin d'Armand, l'homme de confiance de Rive-Reine —, ils furent stoïquement présents tout au long du parcours et sur la place du Marché.

Le soleil, encouragé par l'obstination populaire, illumina le deuxième jour de la fête, à laquelle se rendirent, cette fois, tous les membres du cercle Fontsalte, en partie renouvelé par les jeunes couples, Bertrand et Emily, Vincent et Cristina, venus de Genève avec Alexandra et John. Blandine larmoya un peu, se souvenant du temps où elle défilait, avec ses amies, dans le cortège de Palès, tandis que Vuippens et Axel s'amusaient franchement à la vue des élégantes en crinoline, dont les robes encombrantes occupaient deux places pour le prix d'une, ce qui créait des incidents avec les commissaires !

1. La suivante se tint en 1889. La dernière fête des Vignerons du XXe siècle se déroulera du 26 juillet au 15 août 1999.

2. 61 102 personnes passèrent par la gare de Vevey à l'occasion de la fête de 1865.

Au dernier soir de la fête, que les organisateurs prolongèrent d'une journée pour compenser les représentations gâchées du premier jour, Axel, fidèle à la tradition des vignerons vaudois, convia parents et amis au carnotzet familial, pour une verrée. Pendant qu'on riait et chantait autour lui, devenu par la force des choses et la fuite des ans le patriarche de l'assemblée, il se souvint d'une autre nuit, dans ce caveau à boire, lors de la fête de 1819, quand lui avait été dramatiquement dévoilé le mystère de sa naissance.

— A quoi pensez-vous ? dit doucement Bertrand, voyant son père silencieux, comme absent des réjouissances.

— A un monde disparu et à la brièveté de l'existence, mon garçon. J'ai fait belle et bonne vendange, d'amour et d'amitié, et, puisque vous êtes là, Vincent et toi, avec vos femmes et bientôt vos enfants, mon devoir est accompli. Je puis songer au repos. Tout à l'heure, je m'en irai à Beauregard, la maison de mon père, et toi tu occuperas celle du tien. Ainsi, les choses seront en ordre.

Avant de quitter le caveau, Axel remit à Bertrand les clés de Rive-Reine et du carnotzet. A Vincent, il donna celle du moulin sur la Vuachère, en espérant que son fils aîné ne ferait pas de ce lieu, longtemps abri des amours illicites, le même usage qu'hommes et femmes de la famille en avaient fait depuis sa grand-tante, Mathilde Rudmeyer.

Tous les assistants virent dans ces gestes le symbole d'une succession sagement préparée.

Une semaine après son installation à Beauregard, Axel Métaz de Fontsalte avait déjà pris ses habitudes. Le fait d'avoir cédé une grande part de ses affaires lui donnait un parfait sentiment de liberté, dont il jouissait, non pas en retraité inactif, mais en homme qui prend son temps pour lire, penser, agiter des idées, bâtir des projets. L'été triomphant lui offrait le spectacle du lac, animé par les évolutions lentes des barques aux voiles en oreille, le passage régulier des vapeurs, dont le clapot rythmé des roues à aubes annonçait l'apparition au port d'Ouchy, et la course de fins voiliers, beaucoup plus rapides que l'*Ugo*, qui s'affrontaient au cours des régates dominicales.

Un seul projet s'imposait à lui, depuis qu'il avait ouvert l'armoire où Blaise de Fontsalte rangeait ses dossiers. Le général disparu, lui-même ayant atteint l'âge où la mort peut surprendre, il se dit que le destin de son père, si étroitement lié à l'histoire du siècle, méritait de survivre à sa personne.

Un soir, il s'assit à la table du général, tira d'un tiroir quelques feuilles de papier et ôta le capuchon du *fountain pen made by John Joseph Parker,* porte-plume à réservoir, que Bertrand lui avait rapporté des Etats-Unis. Puis, ayant choisi ses mots, il commença d'une écriture ferme :

« Au petit matin du 13 mai 1800, deux cavaliers trottaient botte à botte sur la route côtière du lac Léman, entre Lausanne et Vevey. Le plus jeune, de belle prestance, torse bombé, moustache et favoris bruns, menton carré, nez puissant, montait un anglo-arabe gris pommelé, portait le nouvel uniforme de la Garde des consuls, habit vert, culotte rouge, et les galons de capitaine. »

# Remerciements

Au terme de ce quatrième volume et après de nombreuses années de recherches, l'auteur tient à remercier les personnes qui, au fil du temps et au cours de multiples entretiens, l'ont aidé à mieux connaître l'histoire de la Suisse, comprendre le comportement helvétique, apprécier le caractère vaudois et découvrir le tempérament genevois. D'autres lui ont facilité l'accès aux archives, publiques ou privées, ont quelquefois fait preuve de persévérance afin qu'il obtienne réponse à des questions de détail. Il est impossible de toutes les citer ici. Que trouvent cependant l'expression d'une reconnaissance particulière : Mgr Pierre Mamie, Mmes et MM. Jean-Pierre Amann, Drago Arsenijevic, Alfred Berchtold, François Berger, Nina Brissot-Carrel, Jean-François Chaponnière, Yves Christen, Jacques Clerc, Samuel Cossy, Gilbert Coutaz, Albert Curchod, Jacques Delarue, Dominique Dreyer, Edgar Fasel, Nicolas Gagnebin, Daniel Gallopin, Jean-Etienne Genequand, Ernest Giddey, Jürgen Grewe, Olivier Grivat, Didier Helg, Jacques E. Hentsch, Jean-Pierre Joly (†), Irène Keller-Richner, Catherine Kulling, Yvonne Lehnherr, Augustin Lombard-Peyrot (†), Thierry Lombard, Christian Mallet, Philippe Mamie, Danielle Mincio, Philippe Monnier, Marcel Odier, Patrick Odier, Laurent Passer, Michel Petroff, François Peyrot, François Piot, Jean-Jacques Reato, Georges Reyff, Bernard Reymond, Claude Richoz, Emmanuelle Richoz-Zogg, Alphonse Rivier, Michel Rochat, Bernard Rohrbasser, Jean-Pierre Savoy, Narcisse Seppey, Gabriel Veraldi, Laurent Waelti, Suzanne Werly-Lanoyerie, Georges Willemin, Charles

Wirz, Michel Zangger, ainsi que les familles Djeva Hirdjian, Washer. Pour ce dernier volume, l'auteur exprime sa gratitude déférente à M. Olivier Reverdin, qui lui a ouvert, avec confiance, les archives de sa famille, notamment la correspondance, en partie inédite, du général Dufour. Que trouvent également ici ses remerciements : le R.P. Jean-François Moret, qui a guidé ses pas à l'abbaye d'Einsiedeln; Mme Catherine Santschi, archiviste d'Etat, Genève, qui lui a aimablement communiqué le manuscrit d'un de ses ouvrages, alors inédit. Il sait gré à M. Hubert Forster, archiviste cantonal, Fribourg, qui l'a aidé à résoudre une question de détail concernant les instruments de torture; à M. Patrick J.O. Hauser, propriétaire de l'hôtel Schweizerhof, Lucerne, qui a pour lui évoqué le passé de son établissement; à M. Jacques Mayer, propriétaire de Beau Rivage, Genève, qui a aimablement recherché des documents dans les archives de sa famille; à M. Jean Savoini, qui lui a permis de se documenter sur l'affaire des cigares à Milan; à M. Aloys Werner, qui lui a fourni des informations sur l'enseignement de la médecine en Suisse. Une mention spéciale à l'intention de Mme Louisette Rastoldo qui, pour cet ouvrage comme précédemment, a montré sa disponibilité et son dévouement à la cause de l'information exacte, n'hésitant jamais à rechercher des documents demandés, notamment dans le fonds ancien de la bibliothèque municipale de Vevey, qu'elle dirige de façon remarquable. Enfin, l'auteur et l'éditeur expriment ici leurs remerciements aux propriétaires — institutions ou collectionneurs —, qui ont obligeamment autorisé la reproduction des tableaux de Bocion utilisés pour les couvertures et le matériel publicitaire des quatre volumes, grâce aux aimables interventions de MM. François Daulte et Patrick Schaefer.

# Bibliographie sélective

Amiel (Henri-Frédéric), *Journal intime,* volumes III et IV (L'Age d'Homme, Lausanne, 1979 ; 1981).

Amiguet (major Frédéric), *Les Milices vaudoises* (Léon Martinet, Lausanne, 1914).

Aubert-Lecoultre (Béatrice), *François Bocion* (Marendaz, Lutry, 1977).

Barbey (Frédéric), *Les pierres parlent* (F. Rouge et Cie, Lausanne, 1940).

Baud (Philippe), *Nicolas de Flue* (éditions du Cerf, Paris, 1993).

Beecher Stowe (Harriet), *La Case de l'oncle Tom, ou vie des nègres en Amérique* (Librairie Hachette et Cie, Paris, 1878).

Bégin (Emile), *Voyage pittoresque en Suisse, en Savoie et sur les Alpes* (Belin-Leprieur et Morizot, Paris, 1852).

Benguigui (Isaac), *Trois Physiciens genevois et l'Europe savante, les De la Rive* (*Journal de Genève*-Georg, Genève, 1990).

Berchtold (Alfred), *La Suisse romande au cap du xxe siècle, portrait littéraire et moral* (Payot, Lausanne, 1963) ; *La Suisse romande au cap du xxe siècle, matériaux pour une bibliographie* (Payot, Lausanne, 1963).

Berger (Ric), *La Côte vaudoise du Jura au Léman et ses monuments historiques* (Interlingua, Morges) ; *Les Alpes vaudoises* (Interlingua, Morges).

Bergier (Jean-François), *Europe et les Suisses* (Zoé, Genève, 1992).

Bessler (H.), *La France et la Suisse de 1848 à 1852* (Victor Attinger, Paris, 1930).

Binz (Louis), Berchtold (Alfred), *Genève et les Suisses* (Etat de Genève, département de l'Instruction publique, Economat cantonal, Genève, 1991).

Bled (Victor du), *La Société française du xvie siècle au xxe siècle* (Perrin et Cie, Paris, 1911).

Bonhote (J.-H.), *Glossaire neuchâtelois* (Samuel Delachaux, Neuchâtel, 1867).

Bonjour (Jaques), *Manuel pratique du vigneron* (Eugène Vodoz, Vevey, 1891).

Bouchot (Henri), *Les Elégances du second Empire* (Librairie illustrée, Paris).

Boulenger (Jacques), *Les Dandys* (Paul Ollendorff, Paris).

Boutet de Monvel (Roger), *Grands Seigneurs et bourgeois d'Angleterre* (Plon, Paris, 1930).

Brasillach (Robert), *Anthologie de la poésie grecque* (Stock, Paris, 1950).
Bryant (Ed.), *Voyage en Californie* (Arthus Bertrand, Paris, 1849).
Budé (Eugène de), *Les Bonaparte en Suisse* (Henry Kündig et Félix Alcan, Genève, Paris, 1905).
Buscarlet (Daniel), *Genève citadelle de la Réforme* (comité du Jubilé calvinien, Genève, 1959).
Campiche (Michel), *La Réforme en pays de Vaud* (éditions de l'Aire, Lausanne, 1985).
Cart (J.), *Histoire de la liberté des cultes dans le canton de Vaud, 1798-1889* (Payot, Lausanne, 1890).
Castelot (André), *Napoléon Trois*, volume I : *Des prisons au pouvoir ;* volume II : *Ou l'aube des temps modernes* (Librairie académique Perrin, Paris, 1973).
Cazamian (Louis), *Anthologie de la poésie anglaise* (Stock, Paris, 1946).
Ceresole (Alfred), *Notes historiques sur la ville de Vevey, dédiées à mes jeunes combourgeois* (Lœrtscher et fils, Vevey, 1890).
Chambrier (James de), *La Cour et la société du second Empire* (Librairie académique Perrin et C^ie^, Paris).
Chapuisat (Edouard), *Jean-Gabriel Eynard et son temps, 1775-1863* (Alex. Jullien, Genève).
Cherbuliez (Joël), *Genève, ses institutions, ses mœurs, son développement intellectuel et moral* (Librairie Cherbuliez, Genève, 1867).
Chevallaz (Georges-André), *Le Gouvernement des Suisses ou l'histoire en contrepoint* (Editions de l'Aire, Lausanne, 1989).
Chevrillon (A.), *Sydney Smith et la renaissance des idées libérales en Angleterre au XIX^e^ siècle* (Hachette, Paris, 1894).
Christinat (Jacques), *Bateaux du Léman, deux siècles de navigation* (Cabédita, Yens-sur-Morges, 1991).
Clavel (Jacques), *Par monts et par Vaud* (Editions du Verseau, Lausanne, 1979).
Clay (Jean), *Le Romantisme* (Hachette Réalités, Paris, 1980).
Comby (Louis), *Histoire des Savoyards* (Fernand Nathan, Dossiers de l'Histoire).
Cornaz (Gérard), *Les Barques du Léman* (Editions des 4-Seigneurs, Grenoble, 1976).
Creté (Liliane), *La Vie quotidienne en Californie au temps de la ruée vers l'or : 1848-1856* (Hachette, Paris, 1982).
Crue (Francis de), *Genève et la Société de Lecture* (Rey et Malavallon, imprimeurs, Genève, 1896).
Damien (André), *Le Grand Livre des ordres de chevalerie et des décorations* (Solar, Paris, 1991).
Daudet (Léon), *Le Stupide XIX^e^ siècle* (Nouvelle Librairie nationale, Paris, 1922).
Delécluze (Etienne-Jean), *Souvenirs de soixante années* (Michel Lévy frères, Paris, 1862).
Desbassayns de Richemont (le C^te^), *La Nouvelle Genève* (Charles Douniol, Paris, 1867).
Donnet (André), *Le Grand-Saint-Bernard* (Editions du Griffon, Neuchâtel, 1950).
Doumergue (E.), *Guide de Genève* (Atar, Genève).

Dubois (Jacques), *Les Vignobles vaudois, passé, présent, avenir* (Cabédita, Yens-sur-Morges, 1996).

Duboux-Genton (F.), *Dictionnaire du patois vaudois* (Amicale des patoisants de Savigny, Forel et environs, 1981).

Dumas (Alexandre), *Impressions de voyage en Suisse*, volume I : *du Mont Blanc à Berne* (François Maspéro-La Découverte, Paris, 1982).

Dumont (E.-L.), *Genève d'autrefois, cours et escaliers des XVII^e et XVIII^e siècles* (Le Pavé, Genève, 1969).

Dunant (Henry), *Mémoires,* reconstitués et présentés par Bernard Gagnebin (Institut Henry-Dunant-L'Age d'homme, 1971) ; *Un souvenir de Solférino* (Croix-Rouge suisse, Berne, 1964).

Duplain (Georges), *La Suisse en 365 anniversaires* (éditions du Panorama, Paul Thierrin, éditeur, Bienne — Georges Duplain, Berne, 1964).

Eggis (Etienne), *Pierre Moehr ou la vie d'un ouvrier fribourgeois à l'époque du Sonderbund* (La Sarine, Fribourg, 1994).

Esseiva (Pierre), *Fribourg, la Suisse et le Sonderbund* (imprimerie Catholique suisse, Fribourg, 1882).

Fazy (James), *Les Mémoires de James Fazy, homme d'Etat genevois, 1794-1878* (Celta, Genève, 1947).

Fontannaz (Monique), *Les Cures vaudoises, histoire architecturale, 1536-1845* (*Bibliothèque historique vaudoise*, n° 84, collection dirigée par Colin Martin, Lausanne, 1986).

Forel (F.-A.), *Le Léman, monographie limnologique,* tome I^er (F. Rouge, éditeur, Lausanne, 1892) ; *Le Léman* (F. Rouge, éditeur-Librairie de l'université, Lausanne, 1901).

Fournier-Marcigny (F.), *Les Amours de Genève* (Editions du Mont-Blanc S.A., Genève, 1943).

François (Alexis), *Berceau de la Croix-Rouge* (A. Jullien, Genève, 1918).

Frei (Otto), *La Suisse romande une et diverse* (*Neue Zürcher Zeitung,* 1966-1967, Rencontre, Lausanne).

Galbreath (D.L.), *Manuel du blason* (Spes S.A., Lausanne, 1942) ; *Manuel du blason,* nouvelle édition revue, complétée et mise au point par Léon Jéquier (Spes, Lausanne, 1977).

Galiffe, *Notices généalogiques sur les familles genevoises* (A. Jullien, Genève, 1908).

Gaulis (Louis), Creux (René), *Pionniers suisses de l'hôtellerie* (Editions de Fontainemore et Office national suisse du tourisme, Paudex, 1975).

Gautier (Théophile), *Impressions de voyages en Suisse* (L'Age d'Homme, Lausanne, 1985).

Gay (Hilaire), *Histoire du Valais, depuis les temps les plus anciens jusqu'à nos jours,* tome I^er (J. Jullien, libraire, Genève — Fischbacher, libraire, Paris, 1888).

Géroudet (Paul), *Les Oiseaux du Léman* (Delachaux et Niestlé, Neuchâtel — Paris, 1987).

Gétaz (Emile), *La Confrérie des Vignerons et la fête des vignerons, leurs origines, leur histoire* (Klausfelder, Vevey, 1942, et édition revue et complétée, 1969).

Godet (Philippe), *Frédéric Godet 1812-1900* (Attinger frères, Neuchâtel, 1913) ; *Histoire littéraire de la Suisse française* (Fischbacher, libraire, Paris, 1890).

Goethe (Johann Wolfgang von), *Conversations recueillies par Eckermann* (bibliothèque-Charpentier, Eugène Fasquelle, Paris, 1912, 2 volumes) ; *Correspondance avec Schiller* (Plon, Paris, 1923, 4 volumes) ; *Entretiens avec le chancelier de Müller* (Stock, Delamain et Boutelleau, Paris, 1930) ; *Lettres à Madame de Stein* (Stock, Delamain et Boutelleau, Paris, 1928) ; *Lettres à Madame de Stolberg* (Stock, Delamain et Boutelleau, Paris, 1933) ; *Ses Mémoires et sa vie* (Le Signe, Paris, 1980, 3 volumes, fac-similé de l'édition Hetzel, Paris, 1863).

Goyau (Georges), *Une ville-église, Genève, 1535-1907,* tomes I et II (Librairie académique Perrin et Cie, Paris, 1919).

Grellet (Pierre), *La Suisse des diligences* (L'Age d'Homme, Lausanne, 1984) ; *Les Saisons et les jours d'Arenenberg : la Reine Hortense exilée* (éditions de l'Eglise nationale vaudoise, Lausanne, 1944).

Gréville (Charles C.-F.), *Les Quinze Premières Années du règne de la reine Victoria* (Firmin-Didot, Paris, 1888).

Grin (Micha), *Histoire imagée de l'école vaudoise* (Cabédita, collection Archives vivantes, Yens-sur-Morges, 1990).

Guerdan (René), *Histoire de Genève* (Mazarine, Paris, 1981).

Guex (André), *Mémoires du Léman* (Payot, Lausanne, 1975).

Guiton (Paul), *La Suisse romande* (Arthaud, Grenoble, 1929).

Guizot (M.), *Mémoires pour servir à l'histoire de mon temps,* tomes deuxième et huitième (Michel Lévy frères, Paris, 1859).

Haefeli (Tr.), *Histoire de la poste de Vevey et son environnement* (Club philatélique de Vevey et environs, 1984).

Heller (Geneviève), *« Tiens-toi droit ! »* (Editions d'en bas, Lausanne, 1988).

Hugger (Paul), *Rebelles et hors-la-loi en Suisse, genèse et rayonnement d'un phénomène social* (éditions 24-Heures, Lausanne, 1977).

Hugli (J.), *Rues de Lausanne* (éditions 24-Heures, Lausanne, 1981).

Hugo (Victor), *Œuvres complètes* (édition chronologique publiée sous la direction de Jean Massin, Le Club français du livre, 1971) ; *Voyages en Suisse* (L'Age d'Homme, Lausanne, 1982).

James (Henry), *A Small Boy and Others* (Scribner's Sons, New York, 1913).

Journet (Charles), *Saint Nicolas de Flue* (éditions Saint-Paul, Fribourg — Paris, 1992).

Julliard (Emile), *Un sextuor de poètes genevois : John Petit-Senn, Henri Blanvarlet, Albert Richerd, Imbert Galloix, Edouard Tavan, Henry-C. Spiess* (Atar, Genève).

Koenig (René), Schwab-Courvoisier (Albert), *Vevey-Montreux photographiés par nos aïeux* (Payot, Lausanne, 1973).

Lagarde (André), Michard (Laurent), *Les Grands Auteurs français du programme, XIXe siècle* (Bordas, Paris, 1955).

Langlade (Jacques de), *Dante Gabriel Rossetti* (Mazarine, Paris, 1985).

Lasserre (André), *La Classe ouvrière dans la société vaudoise, 1845 à 1914* (*Bibliothèque historique vaudoise*, n° 48, collection dirigée par Colin Martin, Lausanne, 1973).

Laver (James), *Les Idées et les mœurs au siècle de l'optimisme* (Flammarion, Paris, 1969).

Leclerc (Max), *Les Professions et la société en Angleterre* (Armand Colin et C^ie^, Paris, 1894).

Lecomte (Ferdinand), *Guerre de la Sécession,* tome I (Ch. Tanera, Paris, 1866).

Léderrey (Ernest), *La Gendarmerie vaudoise de 1803-1953* (Roth et Sauter, Lausanne, 1953).

Lemaître (Jules), *Les Contemporains, études et portraits littéraires* (Boivin et C^ie^, Paris).

Lemonnier (Léon), *La Ruée vers l'or en Californie* (Gallimard, Paris, 1944).

Léonard (Jacques), *La Vie quotidienne du médecin de province au* XIX^e^ *siècle* (Hachette, Paris, 1977).

Lescaze (Bernard), *Guide de la Vieille Genève* (Jullien, éditeur-libraire, Association de la Vieille-Ville, Genève, 1989) ; *La Corraterie* (édition hors commerce, s.d., Lombard Odier et C^ie^, Genève).

Liberek (Stanislas), *Les Polonais au pays de Vaud* (Société polonaise, Lausanne, 1943).

Liselotte, *Guide des convenances* (bibliothèque de la société anonyme du *Petit Echo de la Mode*, Paris).

Loliée (Frédéric), *La Fête impériale* (Félix Juven, Paris).

Lombard (Augustin), *Chronique de la famille Lombard de Tortorella* (édition hors commerce, Genève, 1983).

McDonald (Jean-Pierre), *Les Promenades romandes de Monsieur Pencil* (I.R.L., Imprimeries réunies, Lausanne, 1984).

Mack Smith (Denis), *Il Risorgimento italiano, storia e testi* (Editori Laterza, Roma-Bari, 1987).

Maillefer (Paul), *Histoire du canton de Vaud dès les origines* (Payot et C^ie^, libraires-éditeurs, Lausanne, 1903).

Martin (William), *La Situation du catholicisme à Genève 1815-1907* (Félix Alcan, libraire, Paris — Payot, libraire, Genève, 1909).

Martineau (Alfred), May (L.-P.), *Tableau de l'expansion européenne à travers le monde* (Société de l'Histoire des colonies françaises-Leroux, libraire, Paris, 1935).

Martin-Fugier (Anne), *La Vie élégante ou la Formation du Tout-Paris, 1815-1848* (Fayard, Paris, 1990).

Merlin (Olivier), *Quand le bel canto régnait sur le boulevard* (Fayard, Paris, 1978).

Mettler (Jean-Louis), *Montreux, 100 ans d'hôtellerie* (Corbaz, Montreux, 1979).

Meylan (Auguste), *Souvenirs d'un soldat suisse au service de Naples de 1857 à 1859* (imprimerie Vaney, Genève, 1868).

Meystre (Edouard), *Histoire imagée des grands bateaux du lac Léman* (Payot, Lausanne, 1972).

Meystre (Edouard), Bernard (Richard-Edouard), *Bateaux à vapeur du Léman* (Editions de Fontainemore, Paudex, 1976).

Miquet (François), *Sobriquets patois et dictons des communes et hameaux de l'ancien Genevois et des localités limitrophes,* extrait de *La Savoie illustrée* (imprimerie P. Burnod et C^ie^, Annecy, 1890).

Monnet (L.), *Au bon vieux temps des diligences* (Lucien Vincent, imprimeur, Lausanne, 1897).

Monnier (Philippe), *La Genève de Töpffer* (A. Jullien, Genève, 1914).

Montandon (Raoul), *Genève foyer intellectuel* (Alexandre Jullien, Genève, 1950).

Montanelli (Indro), *L'Italia giacobina e carbonara 1789-1831* (Rizzoli, Milano, 1969).

Montet (Albert de), *Dictionnaire biographique des Genevois et des Vaudois qui se sont distingués dans leur pays ou à l'étranger par leurs talents, leurs actions, leurs œuvres littéraires ou artistiques, etc.* (Georges Bridel, Lausanne, 1878) ; *Les Vieux Edifices de Vevey* (Constant Pache-Varidel, imprimeurs, Lausanne, 1902) ; *Vevey à travers les siècles* (Saüberlin et Pfeiffer S.A., imprimeurs, Vevey, 1978).

Montet (Albert de), Rittener (H.), Bonnard (Albert), dessins à la plume d'Emile Fivaz, *Chez nos aïeux* (F. Rouge, Lausanne).

Mühlemann (Louis), *Armoiries et drapeaux de la Suisse* (Bühler AG, Lengnau, 1991).

Muller (Fédia), *Images du Vevey d'autrefois* (Säuberlin et Pfeiffer, Vevey, 1975).

Muller (François), *Chasses à l'ours, poissons énormes* (éditions 24-Heures, Lausanne, 1983).

Naville (Paul), *Cologny* (deuxième édition, Genève, 1981).

Olivier (Juste), *Le Canton de Vaud, sa vie et son histoire* (F. Roth et Cie, Lausanne, 1938).

Palacio Atard (Vicente), *Manual de Historia de España : edad contemporánea I* (Espasa Calpe, Madrid, 1978).

Payot (François), *Les Bons Mots du Grand Conseil vaudois* (éditions 24-Heures, Lausanne, 1991).

Perrens (F.T.), *Deux Ans de révolution en Italie* (Hachette et Cie, Paris, 1857).

Pesseiva (Pierre), *Fribourg, la Suisse et le Sonderbund, 1846-1861* (Imprimerie catholique suisse, Fribourg, 1882).

Petit-Senn (J.), *Œuvres anciennes et nouvelles*, tomes I et II (H. Georg, libraire-éditeur, Genève et Bâle, 1871).

Pidoux (Edmond), *Le Langage des Romands* (Ensemble, Alliance culturelle romande, Association suisse des journalistes de langue française, diffusion 24-Heures, Lausanne, 1984).

Polla (Louis), *Lausanne 1860-1910, vie quotidienne* (Payot, Lausanne, 1974) ; *Rues de Lausanne* (éditions 24-Heures, Lausanne, 1981).

Pourtalès (Guy de), *Berlioz et l'Europe romantique* (Gallimard, Paris, 1939) ; *Chaque mouche a son ombre* (Gallimard, Paros, 1980) ; *La Vie de Franz Liszt* (Gallimard, Paris, 1926) ; *Marins d'eau douce* (Payot, Lausanne, 1975).

Prados de la Escosura (Leandro), *De imperio a nación* (Alianza Editorial, Madrid, 1988).

Pressensé (Edmond de), *Alexandre Vinet d'après sa correspondance inédite avec Henri Lutteroth* (Fischbacher, libraire, Paris, 1891).

Privat (Emile), *Les Troupes genevoises de la Restauration à nos jours* (Département militaire de la République et Canton de Genève, Etienne Braillard, imprimeur, Genève, 1973).

Python (Francis), *Mgr Etienne Marilley et son clergé à Fribourg au temps du Sonderbund, 1846-1856* (Editions universitaires, Fribourg, Suisse, 1987).

Quaglia (chanoine Lucien), *La Maison du Grand-Saint-Bernard des origines aux temps actuels* (Hospice du Grand-Saint-Bernard-Pillet, imprimeur, Martigny, 1972).

Rambert (E.), *Alexandre Vinet : histoire de sa vie et de ses ouvrages* (Georges Bridel, Lausanne, 1875) ; *Les Alpes suisses : ascensions et flâneries* (F. Rouge, libraire, Lausanne, 1888).

Ramuz (Charles Ferdinand), *Fête des vignerons* (Séquences, 1984) ; *Montée au Grand-Saint-Bernard* (Les Amis de Ramuz, université François-Rabelais, Tours, 1989) ; *La Suisse romande* (Plaisir de lire, Lausanne, 1955).

Recordon (Ed.), *Etudes historiques sur le passé de Vevey* (Saüberlin et Pfeiffer S.A., imprimeurs, Vevey, 1970).

Reymond (Bernard), *A la redécouverte d'Alexandre Vinet* (L'Age d'Homme, collection Symbolon, dirigée par André Gounelle et Bernard Reymond, Lausanne, 1990) ; *L'Architecture religieuse des protestants* (Labor et Fides, 1996) ; *La Femme du pasteur* (Labor et Fides, Genève, 1991).

Reynold (Gonzague de), *La Démocratie et la Suisse* (Les Editions du Chandelier, Bienne, 1934) ; *Qu'est-ce que l'Europe ?* (Egloff, Fribourg, 1944).

Richard (Albert), *Poésies* (Vaney, Genève, 1851).

Rieben (Henri), Gonvers (Jean-Paul), Iffland (Charles), *Le Canton de Vaud à la croisée des chemins* (Centre de recherches européennes, école des H.E.C., université de Lausanne, 1961).

Rioux (Jean-Pierre), *La Révolution industrielle 1780-1880* (Seuil, Paris, 1971).

Rivier-Rose (Théodore), *La Famille Rivier, 1595 à nos jours* (réimpression de l'édition de 1916, imprimerie Slatkine, Genève, 1987).

Rod (Edouard), *La Fête des vignerons à Vevey, histoire d'une fête populaire* (Payot, Lausanne — Klausfelder, Vevey, 1905).

Rossier (docteur H.), *Notice sur l'eau minérale de l'Alliaz* (imprimerie Gschwind et Suter, Vevey, 1863).

Roulier (A.), *Villages vaudois*, tome II (Le Journal des Parents, Lausanne, 1943).

Russell-Killough (Frank), *Dix Années au service pontifical* (Victor Plamé, Paris, 1871).

Salem (Gilbert), *La Côte-Riviéra, passé et présent sous le même angle*, photographies Nicolas Crispini (Slatkine, Genève, 1985).

Schauenberg (Paul), *Le Léman vivant* (*Journal de Genève-Gazette de Lausanne*, 1984).

Schifferli (Luc), *Les Oiseaux d'eau* (Station ornithologique suisse, Sempach, 1990).

Schnepp (F.-J.), *Mes aventures politiques en Suisse* (Ledoyen, 1851).

Senancour, *Oberman* (Editions d'Aujourd'hui, 1979).

Senarclens (Jean de), Berchem (Nathalie van), Marquis (Jean M.), *L'Hôtellerie genevoise* (Société des hôteliers de Genève, 1993).

Slowacki (Jules), *En Suisse* (Rencontre, Lausanne, 1965).

Solms (Marie de), *Eugène Sue, photographié par lui-même* (imprimerie C.-L. Sabot, Genève, 1858).

Staffe (baronne), *Le Cabinet de toilette* (Flammarion, Paris) ; *Règles du savoir-vivre dans la société moderne* (Victor-Havard, Paris, 1895).

Strachey (Lytton), *Eminent Victorians* (Penguin Books, 1986).

Strub (Marcel), *Les Monuments d'art et d'histoire du canton de Fribourg* (Bâle, 1964).

Sue (Eugène), *Une page de l'histoire de mes livres* (imprimerie C.-L. Sabot, Genève, 1857).

Taine (Hippolyte), *Histoire de la littérature anglaise* (Hachette, Paris, 1905).

Tapon-Fougas (F.), *Sur la mort d'Eugène Sue, avis d'un démocrate* (imprimerie mécanique de Charles Wanderauwera, Bruxelles, 1857).

Tavel (Hans Christoph von), *L'Iconographie nationale* (Ars Helvetica, Pro Helvetia-Desertina, 1992).

Terrero (José), *Historia de España* (Editorial Ramón Sopena, Barcelona, 1988).

Thuillier (Guy), *La Vie quotidienne dans les ministères au* XIX^e^ *siècle* (Hachette, Paris, 1976).

Töpffer (Rodolphe), *Bouquet de lettres 1812-1845*, choisies et commentées par Léopold Gautier (Payot, Lausanne, 1974) ; *Du progrès dans ses rapports avec le petit bourgeois* (Le temps qu'il fait, Cognac, 1983) ; *Histoire d'Albert* (signée Simon de Nantua, Genève, 1845 ; rééditée par le Comptoir suisse de la photographie avec le concours de la Société genevoise d'édition, 1901) ; *Le Presbytère,* tomes I et II (éditions d'art Albert Skira, Genève, 1944) ; *Nouvelles genevoises* (Hachette, Paris, 1907) ; *Réflexions et menus-propos d'un peintre genevois ou essai sur le beau dans les arts* (J.-J. Dubochet, Lechevalier et C^ie^, Paris, 1848) ; *Voyage autour du lac de Genève, 1827* (Slatkine, Genève, 1982) ; *Voyages en zig-zag* (P. Cailler, Genève, 1945-1952, 5 volumes).

Vallette (Gaspard), *Croquis genevois* (A. Jullien, Genève, 1912).

Vernes-Prescott, *L'Abbaye des vignerons, son histoire et ses fêtes, jusqu'à et y compris la fête de 1865* (Lœrtscher et fils, Vevey).

Vicens Vives (J.), *Aproximación a la Historia de España* (Editorial Vicens-Vives, Bolsillo, Barcelona, 1976) ; *Atlas de Historia de España* (Editorial Teide, Barcelona, 1987).

Vincenot (Henri), *La Vie quotidienne dans les chemins de fer au* XIX^e^ *siècle* (Hachette, Paris, 1975).

Vuillème (Jean-Bernard), *Le Temps des derniers cercles, chronique turbulente des cercles neuchâtelois et suisses romands* (Zoé, Genève, 1987).

Vuilleumier (Marc), *Immigrés et réfugiés en Suisse* (Pro Helvetia, Zurich, 1987).

Vulliemin (L.), *Tableau du canton de Vaud* (librairie française et étrangère F. Weber et C^ie^, Lausanne, 1849).

Vulliet (Auguste), Rochat (Alexandre), *Histoire populaire illustrée du pays-de-Vaud* (imprimerie Constant Pache-Varidel, Lausanne, 1898).

Waleffe (Maurice de), *Quand Paris était un paradis* (Denoël, Paris, 1947).

Wilkens (C.A.), *Jenny Lind* (J.H. Jeheber, Genève).

Wilmes (Jacqueline), Prézelin (Jacques), *Lola Montes* (Rencontre, Lausanne, 1967).

Zbinden (Louis-Albert), *Suisse* (Petite Planète, Seuil, Paris, 1978).

Zermatten (Maurice), *Valais* (La Tramontane, Lausanne, 1958).

Zimmermann, *Abrégé de l'histoire de la Suisse* (imprimerie Pache-Simmen, Lausanne, 1850).

Zollinger (J. P.), *Vie et aventures du colonel Sutter, roi de la Nouvelle-Helvétie* (Payot et C^ie^, Lausanne — Genève — Neuchâtel — Vevey — Montreux — Berne — Bâle, 1939).

# OUVRAGES COLLECTIFS

*Au peuple vaudois : 1803-1903* (Comité des Fêtes du Centenaire, Payot, Lausanne, 1903).

*Bibliothèque universelle et revue suisse,* tomes CIV et CV (Lausanne, 1921).

*Cent Cinquante Ans d'histoire vaudoise 1803-1953* (Société vaudoise d'histoire et d'archéologie, Payot, Lausanne, 1953).

*Découverte de la Suisse*, Arthur Muller, volume 14 : *Lucerne, Zoug, Seetal, Einsiedeln, Schwytz* (Avanti, Neuchâtel, 1980).

*Diccionario de Historia de España* (Revista de Occidente-Alianza Editorial, Madrid, 1979).

*Dictionnaire des peintres, sculpteurs, dessinateurs et graveurs*, E. Bénézit (Gründ, Paris, 1976).

*Dictionnaire géographique, historique et commercial du canton de Vaud, divisé par districts et communes* (1888).

*Dictionnaire historique et biographique de la Suisse* (Administration du dictionnaire historique et biographique de la Suisse, Neuchâtel, 7 volumes, 1921-1933).

*Dictionnaire historique, géographique et statistique du canton de Vaud,* publié sous les auspices de la Société vaudoise d'histoire et d'archéologie, par Eugène Mottaz (F. Rouge et Cie, libraire, Lausanne, 1914).

*Encyclopédie illustrée du pays de Vaud* (éditions 24-Heures, Lausanne, 1970-1987, 12 volumes).

*Glossaire des patois de la Suisse romande,* fondé par Louis Gauchat, Jules Jeanjaquet et Ernest Tappolet (Victor Attinger, Neuchâtel — Paris, 1934-1954).

*Grand Atlas suisse* (Kümmerly-Frey, Berne, 1982).

*Grande Encyclopédie de l'histoire : les nations de 1850 à 1914, la Première Guerre mondiale* (Bordas, Paris — Bruxelles — Montréal, 1973).

*Histoire de Genève de 1798 à 1931* (Société d'histoire et d'archéologie, Alexandre Jullien, éditeur, Genève, 1956).

*Histoire de Lausanne*, sous la direction de Jean Charles Biaudet (Privat, Toulouse — Payot, Lausanne, 1982).

*Histoire du pays de Vaud* (Editions L.E.P., Loisirs et Pédagogie, Lausanne, 1991).

*Histoire générale* (Payot).

*La Chasse en Suisse,* sous la direction de René Kister, tomes I et II (René Kister, Genève, 1951).

*La Louable Confrérie, les fêtes de Vevey, 1647-1955* (Hermès-R. Joseph, Lausanne, 1956).

*La Suisse, 1982* (Kümmerly-Frey, Berne, 1982).

*La Suisse au quotidien depuis 1300,* sous la direction de Sylvie Lambelet et Bernhard Schneider (Zoé, collection Histoire, Carouge-Genève, 1991).

*La Suisse en cantons*, Gerhard Oswald, volume 2 : *Schwytz* (Avanti, Neuchâtel, 1978).

*Le Pays de Vaud, notices historiques sur les villes et le pays,* sous la direction de Louis Junod (Brun, 1951).

*Les Suisses, modes de vie, traditions, mentalités*, ouvrage en trois volumes publié sous la direction de Paul Hugger, article de Peter Witschi ; *Les Gens du voyage et les sédentaires*, tome 2 (Payot, Lausanne, 1992).

*Musée universel* (A. Ballue, éditeur, imprimerie de *l'Art*, Paris, 1875-1878).

*Nouvelle Collection de costumes suisses des XXII cantons*, d'après les dessins de F. Koenig, Lory, et d'autres (*Neue Zürcher Zeitung*, Zurich, 1980 ; reproduction d'une édition de 1820, réalisée par Nestlé).

*Rider's California, a Guide-Book for Travelers*, compiled under the General Editorship of Fremont Rider, by Frederic Taber Cooper (The Macmillan Company, New York — George Allen & Unwin, Ltd., London, 1925).

*The Hand-Book for Travellers in Switzerland* (John Murray and Son, London — Maison, Paris, 1839).

*Traditions et légendes de la Suisse romande* (Lucien Vincent, Lausanne — Librairie de la Suisse romande, Paris, 1872).

*Un siècle : mouvement du monde de 1800 à 1900* (Goupil et Cie-Jean Boussod-Manzi-Joyant et Cie, Paris, 1900).

*Vevey et ses environs : hôtes illustres, fête des vignerons* ; préface de Paul Morand (Mermod, Lausanne, 1955).

## PUBLICATIONS DIVERSES

*Album de l'Escalade* (Isaac Soulier, Genève).

*Banque cantonale vaudoise,* ouvrage publié à l'occasion du Centenaire 1845-1945 (Banque cantonale vaudoise).

*Catholiques et protestants dans le pays de Vaud, histoire et population, 1536-1986,* Olivier Blanc et Bernard Reymond (*Histoire et société*, n° 13, Labor et Fides, Genève, 1986).

*Cent Cinquante Ans d'histoire vaudoise 1803-1953* (Société vaudoise d'histoire et d'archéologie, *Bibliothèque historique vaudoise*, XIV, Payot, Lausanne, 1953).

*Centenaire de la paroisse catholique de Vevey* (Société de l'imprimerie et lithographie Klausfelder, Vevey, 1938).

*Centenaire du bâtiment du collège de Vevey* (Société de l'imprimerie et lithographie Klausfelder, Vevey, 1938).

*Ce que pensent les protestans eux-mêmes des procédés de Berne à l'égard des catholiques du Jura* (S. Delisle, imprimeur, Lausanne).

*Cercle du Marché, Vevey, 1818* (Cercle du Marché, Vevey, 1996).

*Chants du pays, album lyrique de la Suisse romande*, A. Imer-Cuno (Arthur Imer, Lausanne, 1883) ; *Chants du pays, recueil poétique de la Suisse romande*, A. Imer-Cuno (Arthur Imer, éditeur-F. Payot, libraire-éditeur, Lausanne, 1887).

*Convention provisoire soit Mode de vivre établi entre l'Etat et l'autorité ecclésiastique pour la tractation et l'administration des affaires ecclésiastiques* (Joseph-Louis Piller, imprimeur, Fribourg, 1856).

*Correspondance échangée entre le Haut Conseil fédéral et le gouvernement du Valais au sujet des prêtres étrangers séjournant en Valais* (L. Schmid, imprimeur, Sion, 1882).

*Décret du gouvernement provisoire du Valais, 6 janvier 1848,* M. Barman, président du gouvernement provisoire, de Brons, secrétaire.

*Développement de l'indépendance du haut-Valais et conquête du bas-Valais*, étude rétrospective par M. Fréd. de Gingins-La-Sarraz.

*Discours de M. le Comte de Montalembert, pair de France, dans la discussion du projet d'adresse, séance du 14 janvier 1848* (Jacques Lecoffre et Cie, libraires, Paris).

*Einsiedeln, église Notre-Dame et monastère, de l'époque carolingienne à nos jours,* par Georg Holzherr (Verlag Schnell et Steiner, Munich et Zurich, 1988).

*Einsiedeln, le pèlerinage au cœur de la Suisse et son abbaye bénédictine millénaire,* par Joachim Salzberger, moine d'Einsiedeln, archiviste de l'abbaye (Béat Eberlé, Einsiedeln, 1993).

*Exposé de la Diète fédérale au peuple suisse* et *Rapport sur la conférence médiatrice du 26 octobre 1847.*

*Exposé des motifs et projet de décret sur le traitement des employés dans les bureaux de l'administration cantonale, printemps 1856.*

*Fête de la famille Rivier,* 29 août 1987, au Désert sur Lausanne.

*Henri Druey,* André Lasserre (*Bibliothèque historique vaudoise*, n° 24, Lausanne, 1960).

*Henri Druey, correspondance,* éditée par Michel Steiner et André Lasserre, tome II (*Bibliothèque historique vaudoise*, collection dirigée par Colin Martin, Lausanne, 1975).

*Histoire de la Société médicale de Genève,* par les docteurs Marcel Naville et Roger Mayer (Société médicale de Genève, Genève, 1994).

*Histoire illustrée des Bergues, 1834-1984, pionnier de l'hôtellerie,* texte et choix des illustrations : Louis H. Mottet (Société nouvelle des Bergues, Genève, 1984).

*Instruction pour la tenue des registres de l'état civil* (Louis Vincent, imprimeur, Lausanne, 1856).

*La Construction du Grand-Pont à Lausanne, étape vers la révolution de 1845 ?*, André Lasserre (*Revue historique vaudoise,* Lausanne, 1976).

*La Gare et le Temple, face trop négligée d'une question fort débattue* (imprimerie-librairie de Lürtscher et fils, Vevey, 1860).

*La Musique dans le canton de Vaud au XIXe siècle*, Jacques Burdet (*Bibliothèque historique vaudoise,* volume XLIV, Payot, Lausanne, 1971).

*La Révolution de 1848 à Paris vue par Gustave Moynier,* André Durand (Bulletin de la Société d'histoire et d'archéologie, tome XVIII, Genève, 1987).

*La Suisse, de la formation des Alpes à la quête du futur,* dixième publication de la Fédération des coopératives Migros, directeurs de la publication : Niklaus Fluëler, Roland Gfeller-Corthésy (Ex Libris Verlags AG, 1975).

*Lausanne and Some English Writers,* René Rapin (*Etudes de Lettres,* série II, tome 2, faculté des lettres de l'université de Lausanne, juillet-septembre 1959).

*Lausanne, destin d'une ville,* Jean Hugli (Esquisse d'histoire lausannoise, publiée à l'occasion du 500e anniversaire de l'union de la Cité et de la Ville inférieure, municipalité de Lausanne, 1981).

*La Vie musicale à Genève au dix-neuvième siècle (1814-1918),* Claude Tappolet (Mémoires et documents, publiés par la Société d'histoire et d'archéologie, XLV, Alex. Jullien, Genève, 1972).

*Le Clergé et les catholiques suisses vengés devant l'histoire,* Héliodore Raemy de Bertigny (articles publiés par *le Chroniqueur suisse,* nos 26, 27, 28, L. Fragnière, imprimeur, Fribourg, 1866).

*Le Fusil de chasse genevois 1819-1845,* Jean Dunant ; avec une planche en couleurs, hors-texte, de R. Gaudet-Blavignac, et un résumé traduit en allemand par H. Foerster (Imprimerie nationale, Genève, 1988).

*Le Moyen Age romantique au pays de Vaud, 1825-1850,* Paul Bissegger (*Bibliothèque historique vaudoise,* n° 79, Lausanne, 1985).

*L'Empro genevois : caches, rondes, rimes et kyrielles enfantines ; cris populaires, sobriquets ; le fer à risoles. Etudes ethnographiques,* Blavignac, architecte, membre de plusieurs sociétés savantes (A. Vérésoff et Comp., imprimeurs-éditeurs, Genève, 1875).

*Le Poète genevois Louis Duchosal dans l'intimité, 1887-1901,* F. Vincent (extrait du Bulletin de l'Institut national genevois, XXXVIII, Genève, 1910).

*Le Premier Réveil et la première église indépendante à Genève, d'après ses archives et les notes et souvenirs de l'un de ses pasteurs, 1810 à 1826,* suivis d'un *Coup d'œil sur l'état de cette même église, de 1826 à 1849, époque de la fondation de l'Eglise évangélique* (Beroud et Kaufmann, libraires, Genève, 1871).

*Le Rétable de Konrad Witz et la notion de patrimoine à Genève de la fin du XVIIe siècle au début du XIXe siècle,* Daniel Buyssens (*Genova,* tome XLI, 1993, Genève).

*Le Vignoble vaudois, cent cinquante ans d'histoire vaudoise, 1803-1953 (Bibliothèque historique vaudoise,* volume XIV, Payot, Lausanne, 1953).

*Les Anglais au pays de Vaud,* G.-R. de Beer *(Revue historique vaudoise,* 1951).

*Les Ponts de bois de Lucerne* (Raeber Bücher AG, Lucerne, 1993).

*Les Rapports helvético-comtois de 1848 à 1851. Leur place dans l'histoire des rapports franco-suisses,* E. Préclin (extrait des Actes du Congrès historique du Centenaire de la Révolution de 1848).

*Les Réformateurs de Genève,* par le P. V. Marchal, curé libéral de Carouge et de la Chaux-de-Fonds (Charles Méra, libraire, Lyon, 1876).

*L'Union protestante genevoise (1842-1847) : une organisation de combat contre l'envahissement des catholiques,* Pierre-Alain Friedli (extrait du *Bulletin de la Société d'histoire et d'archéologie* 1982, Genève, 1983).

*Manuel des juges et justices de paix du canton de Vaud,* M. Van Muyden-Porta (Lœrtscher et fils, imprimeurs-libraires, Vevey, 1830).

*Mémoires et souvenirs de Augustin-Pyramus de Candolle écrits par lui-même et publiés par son fils* (Joël Cherbuliez, libraire, Genève, 1862).

*Mémoire sur la question concernant l'établissement d'un port à Vevey,* par E. D. M. [Eugène de Mellet] (J. Alex. Michod, éditeur-imprimeur-libraire, Vevey, 1843).

*Monnaies au pays de Vaud* (*Bibliothèque historique vaudoise,* XXXVIII, Lausanne, Société suisse de numismatique, Berne, 1964).

*Monseigneur Marilley ou le Prisonnier de Chillon* (de Fr. Grumel, imprimeur, Carouge, 1848).

*Persécution des catholiques du diocèse de Bâle : adresse d'adhésion sympathique de NN. SS. les Evêques de la Suisse à Sa Grandeur Mgr Eugène Lachat, évêque de Bâle* (J.-B. Chanard, imprimeur, Genève, 1873).

*Pièces annexes du rapport et préavis présenté au Grand Conseil du canton de Vaud par le conseil d'Etat sur la note du gouvernement français relative au séjour de Louis-Napoléon Bonaparte dans le canton de Thurgovie, septembre 1838* (Hignou aîné, imprimeur, Lausanne, 1838).

*Poésies d'une ancienne cuisinière* (imprimerie de la Société typographique, Vevey, 1856).

*Portrait de 250 entreprises vaudoises*, Henri Rieben, Martin Nathusius, Ronald Bugge, Patrick Piffaretti, Chantal Lagger (fondation Jean Monnet pour l'Europe, Centre de recherches européennes-éditions 24-Heures, Lausanne, 1980).

*Procédure civile non contentieuse : rapport au Grand Conseil* (Pache, imprimeur, Lausanne, 1856).

*Propos en l'air à propos des événements du jour, mai 1845* (imprimerie Bonamici et C^ie. Lausanne).

*Rapport au département des Travaux publics de la Confédération suisse sur l'influence probable des chemins de fer dans la Suisse romande, sur l'agriculture, l'industrie et les petits métiers,* par John Coindet, de Genève (Joël Cherbuliez, libraire, Genève — Paris, 1851).

*Rapport et amendements présentés par la Commission chargée d'examiner le projet de loi sur les concessions de droits de bourgeoisie aux habitants perpétuels, aux heimathloses et aux enfants trouvés* (Pache, imprimeur, Lausanne, 1859).

*Rapport sur l'établissement de chemins de fer en Suisse,* par MM. Stephenson, M. P., et H. Swinburne, experts appelés par le Conseil fédéral.

*Rapports présentés au conseil général de l'asile des aveugles de Lausanne par le comité et le directeur de cet établissement pour l'année 1855* (imprimerie Genton, Voruz et Vinet, Lausanne, 1856).

*Recès de la session ordinaire du Grand Conseil constituant du Valais du 27 décembre 1847 au 29 janvier 1848*, compilé par M. Stockalper (L. Advocat, imprimeur, Sion).

*Recueil de pièces officielles de la Diète fédérale concernant la dissolution de l'alliance séparée conclue entre les cantons de Lucerne, Ury, Schwyz, Unterwalden, Zoug, Fribourg et Valais, avec un Rapport sur la conférence médiatrice du 28 octobre 1847* (Stæmpel, imprimeur, Berne, 1847).

*Règlements de la Société de secours pour les ouvriers malades dans le district de Vevey* (Ch.-F. Recordon, imprimeur, Vevey, 1858).

*Règlement de la Poste-aux-chevaux de la Confédération suisse.*

*Règlement de police pour la ville et commune de Vevey* (imprimerie et librairie de Lœrtscher et fils, 1842).

*Renseignements sur la colonisation à Sétif, province de Constantine en Algérie ou Conseils adressés par les membres de la direction de cette entreprise, qui viennent de visiter les terrains concédés par le Décret Impérial du 26 avril 1853.*

*Stations balnéaires suisses et leurs sources minérales* (Association des stations balnéaires suisses, avec le concours de l'Office suisse du tourisme, Zurich et Lausanne, des Chemins de fer fédéraux, Berne, et de la Société suisse des hôteliers, Bâle).

*Tableau chronologique et synoptique d'histoire de la musique*, P. Van de Vyvère (Alphonse Leduc, Paris, 1956).

*Un document : la correspondance entre Henry Druey et Jean-Jacques-Caton Chenevière 1845-1851,* Bernard Reymond *(Revue historique vaudoise).*

*Vevey, centre économique régional*, thèse par André Hilfiker (université de Lausanne, Ecole des hautes études commerciales, Imprimerie vaudoise, Lausanne, 1966).

*Vinet : les 150 ans de son école 1839-1989* (Ecole Vinet, Lausanne, 1989).

*Vingt-deuxième rapport du comité de l'asile de Vevey pour les jeunes filles, octobre 1851* (S. Genton, Luquiens et Cie, imprimeurs, Lausanne).

## CATALOGUES D'EXPOSITIONS

*Anglais à Lausanne au XIXe siècle* (à l'occasion du centenaire de l'Eglise anglicane à Lausanne ; musée historique de l'Ancien-Evêché, Lausanne, 1978).

*Aspects de l'art à Genève,* sous la direction de Renée Loche, James Pradier et ses amis genevois les Marin, Douglas Siler (musée d'Art et d'Histoire, Genève, 1979).

*Lausanne 1900-Lausanne en chantier* (Guides de monuments suisses, Société d'histoire de l'art en Suisse, 1977-1978).

*Le Général Dufour et Saint-Maurice* (Musées cantonaux du Valais, brigade de forteresse 10, *Bibliothèque historique vaudoise,* Association Saint-Maurice pour la recherche de documents sur la forteresse ; *Cahiers d'archéologie suisse*, n° 35, collection dirigée par Colin Martin ; musée militaire cantonal, Saint-Maurice, 1987-1988 — Kantonales Museum altes Zeughaus, Solothurn, 1988).

*Les Promenades publiques à Genève de 1680 à 1850,* Christine Amsler (musée d'Art et d'Histoire, Maison Tavel, Genève, 1993).

*Les Tableaux remis par Napoléon à Genève,* Renée Loche, Maurice Pianzola (musée d'Art et d'Histoire, Genève).

*Révolution inachevée, révolution oubliée, 1842, les promesses de la Genève moderne*, David Hiler et Bernard Lescaze (Comité d'organisation du 150e anniversaire de l'autonomie communale de la Ville de Genève, éditions Suzanne Hurter, Genève, 1992).

## JOURNAUX, MAGAZINES, REVUES

Collections de :

*Almanach de Lausanne.*

*Almanach du Valais.*

*Almanach du Vieux-Genève.*

*Annales fribourgeoises.*

*Bibliothèque universelle et revue suisse.*

*Bulletin helvétique.*

*Courrier suisse.*

*Dernière Quinzaine.*

*Estafette.*

*Etrennes helvétiennes curieuses et utiles.*

*Europe centrale.*

*Feuille d'avis de Lausanne.*

*Feuille d'avis de Vevey.*
*Feuille d'avis de Vevey et des cercles de La Tour-de-Peilz et de Corsier.*
*Feuille du canton de Vaud.*
*Gazette de Lausanne.*
*Journal de la Société vaudoise d'utilité publique*
*Journal de Lausanne.*
*Journal de Genève.*
*Journal d'Yverdon.*
*Journal helvétique.*
*Journal illustré des stations du Valais.*
*Journal suisse.*
*La Glaneuse.*
*La Patrie.*
*La Quotidienne.*
*La Veveysanne.*
*Le Conservateur suisse ou recueil complet des Etrennes helvétiennes* (1855, 1856, 1857).
*Le Confédéré.*
*Le Drapeau suisse.*
*Le Fédéral.*
*Le Nouvelliste vaudois.*
*Le Véritable Messager boiteux de Berne et Vevey, almanach romand.*
*Mélanges helvétiques.*
*Revue de Genève.*
*Revue de Suisse.*
*Revue historique vaudoise.*
*Revue mensuelle des musées et collections de la ville de Genève.*
*Revue militaire suisse.*

## ARCHIVES ET SOURCES D'INFORMATION

En Suisse :

Archives cantonales, Fribourg.
Archives cantonales vaudoises, Lausanne.
Archives de l'Etat de Genève, Genève.
Archives de la Ville de Lausanne.
Archives de la Ville de Lucerne.
Archives de l'hôtel Beau-Rivage, Genève.
Archives du CICR, Genève.
Archives familiales de M. Olivier Reverdin, Genève.
Bibliothèque cantonale et universitaire, Lausanne.
Bibliothèque de la Ville de Genève, Genève.

Bibliothèque municipale, Vevey.
Bibliothèque publique et universitaire, Fribourg.
Bibliothèque publique et universitaire, Genève.
Collections de la Maison Tavel, Genève.
Collections du Centre de documentation Pestalozzi, Yverdon.
Collections du musée de la Croix-Rouge, Genève.
Collections du musée de l'Horlogerie et de l'Emaillerie, Genève.
Collections du musée d'Histoire, Lucerne.
Collections du Musée historique de Lausanne.
Collections du Musée historique du Vieux-Vevey et du musée de la Confrérie des vignerons, Vevey.
Collections du musée des Suisses à l'étranger, Genève.
Collections du musée du Léman, Nyon.
Fondation pour l'histoire des Suisses à l'étranger, Genève.
Institut et musée Voltaire, Genève.

En France :

Archives de la ville de Dijon.
Fondation Napoléon, Paris.
Fondation Thiers, Paris.

Table

*Achevé d'imprimer en mars 1998*
*sur presse Cameron*
*par* ***Bussière Camedan Imprimeries***
*à Saint-Amand-Montrond (Cher)*
*pour le compte des Éditions Denoël*

N° d'édition : 8977. N° d'impression : 180-4/39
Dépôt légal : avril 1998
*Imprimé en France*